MIGUEL DE CERVANTES

Dom Quixote de la Mancha

Tradução e notas de
ERNANI SSÓ

VOLUME I
Introdução de
JOHN RUTHERFORD

VOLUME 2
Posfácios de
JORGE LUIS BORGES
RICARDO PIGLIA

12ª reimpressão

COMPANHIA DAS LETRAS

Grafia atualizada segundo o Acordo Ortográfico da Língua Portuguesa de 1990, que entrou em vigor no Brasil em 2009.

Published by Companhia das Letras in association with Penguin Group (USA) Inc.

TÍTULO ORIGINAL
Don Quijote de la Mancha

PROJETO GRÁFICO PENGUIN-COMPANHIA
Raul Loureiro, Claudia Warrak

CAPA
Alceu Chiesorin Nunes

PREPARAÇÃO
Silvia Massimini Felix

REVISÃO
Huendel Viana
Jane Pessoa

Dados Internacionais de Catalogação na Publicação (CIP)
(Câmara Brasileira do Livro, SP, Brasil)

Cervantes Saavedra, Miguel de, 1547-1616.
Dom Quixote de la Mancha/ Miguel de Cervantes; tradução e notas de Ernani Ssó; introdução de John Rutherford; posfácios de Jorge Luis Borges, Ricardo Piglia. — 1ª ed — São Paulo: Penguin Classics Companhia das Letras, 2012.

Título original: Don Quijote de la Mancha.
ISBN 978-85-63560-55-1

1.Romance espanhol I. Borges, Jorge Luis. II. Piglia, Ricardo. III. Ssó, Ernani. IV. Rutherford, John. V. Título.

12-11362 CDD-863

Índice para catálogo sistemático:
1. Romances: Literatura espanhola 863

EDITORA SCHWARCZ S.A.
Rua Bandeira Paulista, 702, cj. 32
04532-002 — São Paulo — SP
Telefone: (11) 3707-3500
www.penguincompanhia.com.br
www.companhiadasletras.com.br
www.blogdacompanhia.com.br

Sumário

Segunda parte do engenhoso cavaleiro dom Quixote de la Mancha

Prólogo ao leitor

Valha-me Deus, com quanta gana deves estar esperando agora este prólogo, leitor ilustre ou mesmo plebeu, pensando encontrar nele vinganças, reprimendas e vitupérios contra o autor do segundo *Dom Quixote*, digo, contra aquele que dizem que foi concebido em Tordesilhas e nasceu em Tarragona![1] Na verdade não vou te dar esta alegria, pois, ainda que os agravos despertem a cólera nos corações mais humildes, no meu esta regra há de padecer exceção. Tu gostarias que eu o chamasse de burro, de mentecapto e de insolente, mas isso não me passa pelo pensamento: que o pecado dele seja seu castigo, que coma o pão que amassou e faça bom proveito.

O que não pude deixar de sentir é que me taxasse de velho e maneta, como se estivesse ao meu alcance ter detido o tempo, para que não passasse por mim, ou se eu tivesse perdido a mão em alguma rixa de taberna, não na mais alta ocasião que viram os séculos passados, nem os próximos esperam ver.[2] Se meus ferimentos não resplandecem aos olhos de quem os vê, são pelo menos considerados pela estima dos que sabem onde foram ganhos, porque o soldado parece melhor morto na batalha que livre na fuga — tanto penso assim que, se me propusessem e facilitassem o impossível, preferiria antes ter participado daquela empresa prodigiosa a me ver agora sem meus ferimentos sem ter participado dela. As cicatrizes que o soldado mostra no rosto e no peito são estrelas que guiam os demais ao céu da honra e ao desejo do justo louvor; e deve-se notar que não se escreve com os cabelos brancos, mas com o entendimento, que costuma melhorar com os anos.

Também senti que me chamasse de invejoso e como a um ignorante me descrevesse o que é a inveja; na verdade, das duas que há, eu só conheço a santa, nobre e bem-intencionada. E assim sendo, como de fato é, não tenho por que perseguir a nenhum sacerdote, ainda mais se de quebra for colaborador do Santo Ofício; e, se ele se refere a quem parece se referir, enganou-se de cabo a rabo, pois adoro o engenho dele, admiro sua obra e sua ocupação contínua e virtuosa.[3] Mas no fundo agradeço a esse senhor autor dizer que minhas novelas são mais satíricas que exemplares, porém boas; não poderiam ser se não tivessem de tudo.[4]

Parece-me que me dizes que ando muito acanhado e me contenho demais nos limites de minha modéstia, sabendo que não se deve acrescentar aflição ao aflito — e a que deve ter este senhor sem dúvida é grande, pois não ousa aparecer em campo aberto e com céu claro, ocultando seu nome, fingindo sua pátria, como se tivesse cometido alguma traição de lesa-majestade. Se porventura chegares a conhecê-lo, diz a ele de minha parte que não me sinto ofendido, pois sei muito bem o que são tentações do demônio, e que uma das maiores é enfiar na cabeça de um homem que pode escrever e imprimir um livro com que ganhe tanta fama como dinheiro e tanto dinheiro como fama; e, para confirmar isso, quero que tu, com agudeza e graça, conte a ele esta história:

Havia em Sevilha um louco que deu no mais engraçado disparate e mania em que já deu um louco no mundo: fez um canudo de uma cana com uma extremidade pontuda e, ao pegar algum cachorro na rua, ou em qualquer outro canto, prendia uma pata dele com um pé e levantava a outra com a mão, acomodava o dito canudo naquele lugar do melhor jeito que podia e, soprando-o, botava o bicho redondo como uma bola. Então, tendo-o assim, dava duas palmadinhas em sua barriga e o soltava, dizendo aos curiosos, que sempre eram muitos: "Vossas mercês pensarão agora que dá pouco trabalho encher um cachorro?".

Vossa mercê pensará agora que dá pouco trabalho fazer um livro?

E se essa história não lhe cair bem, conta-lhe esta, leitor amigo, que também é de louco e de cachorro:

Havia em Córdoba outro louco, que tinha o costume de levar em cima da cabeça um pedaço de uma laje de mármore ou um pedregulho não muito leve e, quando topava com algum cachorro descuidado, se aproximava e deixava cair a prumo o peso sobre ele. O cachorro se desgostava e, latindo e uivando, não parava antes de três ruas. Mas aconteceu que, entre os cachorros que maltratou, um era de um chapeleiro, que gostava muito dele. Largou o pedregulho e acertou a cabeça do cachorro, que desatou a ganir; o dono viu tudo e, furioso, pegou uma vara de medir e foi até o louco e não lhe deixou um osso inteiro. A cada pancada que lhe dava, dizia: "Seu cachorro desgraçado, bateu em meu galgo! Não viste, bandido, que meu cachorro era galgo?!". E, repetindo a palavra galgo muitas vezes, deixou o louco em pandarecos. Exemplado, o louco se retirou e não apareceu na praça por mais de um mês; passado esse tempo, voltou com a mesma invenção e com uma carga maior ainda. Aproximava-se de um cachorro e, olhando-o fixo, mas sem querer largar a pedra, dizia: "Este é galgo: cuidado!". Realmente, a todos os cachorros com que topava, mesmo que fossem alãos ou vira-latas, dizia que eram galgos, de modo que não largou mais o pedregulho. Talvez aconteça o mesmo a esse historiador e não se atreva a soltar mais a presa de seu engenho em livros que, sendo ruins, são mais duros que as rochas.

Diz a ele também que não dou um tostão pela ameaça que me faz de que vai me tirar todo o lucro com seu livro e que, apropriando-me das palavras da famosa farsa *La perendenga*, respondo que viva meu senhor, o edil, e que Cristo esteja com todos. Viva o grande conde de Lemos, cuja religiosidade e generosidade, bem conhecidas, contra todos os golpes de minha pouca sorte me tem em pé, e viva a extrema caridade do ilustríssimo de Toledo, dom Bernardo de Sandoval y Rojas,[5] mesmo que não haja imprensas no mundo e mesmo que imprimam contra mim mais livros do que têm letras as coplas de Mingo Revulgo.[6] Estes dois príncipes, sem que os solicite minha adulação nem outro gênero de aplauso, apenas por sua bondade, se encarregaram de me fazer mercê e me favorecer, no que me tenho por mais feliz e mais rico que se a fortuna por caminhos comuns me tivessem posto no topo dela. O pobre pode ter a honra, mas o vicioso não; a pobreza pode empanar a fidalguia, mas não obscurecê-la de todo; desde que a virtude dê alguma luz de si, mesmo que seja pelos inconvenientes e interstícios da escassez, vem a ser estimada pelos altos e nobres espíritos, e, portanto, favorecida.

E não digas mais nada a ele, nem eu quero te dizer, apenas avisar que consideres que esta segunda parte do *Dom Quixote* que te ofereço é cortada pelo mesmo artífice e no mesmo tecido que a primeira, e que nela te dou dom Quixote expandido e finalmente morto e sepultado, para que ninguém se atreva a levantar novos testemunhos, pois bastam os passados e basta também que um homem honrado tenha dado notícia destas engenhosas loucuras, sem querer entrar nelas de novo, pois a abundância das coisas, mesmo que sejam boas, faz com que sejam menos valorizadas, e a carestia, mesmo das más, faz com que sejam valorizadas um pouco. Esquecia-me de te dizer que esperes o *Persiles*, que já estou acabando, e a segunda parte de *A Galateia*.[7]

I

DO QUE O PADRE E O BARBEIRO TRATARAM COM DOM QUIXOTE SOBRE A DOENÇA DELE

Conta Cide Hamete Benengeli, na segunda parte desta história e terceira saída de dom Quixote, que o padre e o barbeiro estiveram quase um mês sem vê-lo, para não reavivar e lhe trazer à memória as coisas passadas. Mas nem por isso deixaram de visitar sua sobrinha e sua criada, recomendando a elas que cuidassem bem dele, dando-lhe de comer coisas revigorantes e apropriadas para o coração e o cérebro, de onde era lógico supor que procedia todo o seu infortúnio. Elas disseram que assim o faziam e continuariam a fazer com prazer e todo o cuidado possível, porque viam que seu senhor aos poucos ia dando mostras de estar em seu juízo perfeito. Os dois se alegraram muito com isso, por pensarem que tinham acertado em tê-lo trazido encantado no carro de bois, como se contou na primeira parte desta tão grande quanto exata história, no último capítulo. Então resolveram visitá-lo e comprovar sua melhora, embora a considerassem quase impossível, e combinaram não tocar em nenhum ponto que dissesse respeito à cavalaria andante, para não haver o perigo de desatar os pontos ainda recentes da ferida dele.

Por fim foram visitá-lo e o encontraram sentado na cama, vestido com uma camisola justa de flanela verde e uma touca de malha vermelha de Toledo; e estava tão seco e mirrado que parecia uma múmia. Foram muito bem recebidos por ele e perguntaram por sua saúde, e ele falou de si mesmo e dela com muito juízo e com palavras muito elegantes. E, durante a conversa, acabaram por tratar disso que chamam “razão de estado” e modos de governo, consertando este abuso e condenando aquele, reforçando um costume e banindo outro, cada um dos três se fazendo um novo legislador, um Licurgo moderno ou um Sólon flamante, e de tal maneira renovaram a república que pareceu que a tinham posto numa forja e tirado outra muito diferente. E dom Quixote falou com tanta sensatez em todos os assuntos abordados que os dois examinadores acreditaram indubitavelmente que estava bom de todo e em seu juízo perfeito.

Achavam-se presentes à conversa a sobrinha e a criada, que não se fartavam de dar graças a Deus por ver seu senhor com tanto bom senso. Mas o padre, deixando de lado o propósito inicial, que era não tocar em coisas de cavalaria, quis comprovar sem a menor dúvida se a sanidade de dom Quixote era falsa ou verdadeira e então, pulando de um assunto para outro, contou algumas notícias que tinham chegado da corte, e, entre elas, disse que se tinha certeza de que o Turco baixava com uma armada poderosa e que não se conhecia seu desígnio nem onde ia descarregar tão grande tormenta, e com este temor, que quase todo ano nos deixa alertas, estava pegando em armas quase toda a cristandade, e Sua Majestade havia mandado guarnecer as costas de Nápoles e da Sicília e a ilha de Malta. A isto, dom Quixote respondeu:

— Sua Majestade agiu como prudentíssimo guerreiro ao guarnecer seus estados com tempo, para que o inimigo não o ache desprevenido; mas, se pedissem meu conselho, eu diria que se usasse uma medida que Sua Majestade, neste exato momento, está longe de pensar.

Mal ouviu isso, o padre disse a si mesmo: “Que Deus te ajude, pobre dom Quixote, pois me parece que despencas do alto da tua loucura até o profundo abismo de tua estupidez!”.

Mas o barbeiro, que já tinha chegado à mesma conclusão do padre, perguntou a dom Quixote que medida ele achava que devia se tomar; poderia ser do tipo talvez das que se põe na lista dos muitos conselhos impertinentes que costumam se dar aos príncipes.

— O meu, senhor tosquiador — disse dom Quixote —, não será impertinente, mas pertinente.

— Não falo por isso — replicou o barbeiro —, mas porque a experiência tem mostrado que todos ou a maioria dos conselhos que se dão a Sua Majestade ou são impossíveis ou disparatados ou prejudiciais ao rei ou ao reino.

— Ora, o meu — respondeu dom Quixote — nem é impossível nem disparatado, mas o mais simples, o mais justo, o mais prático e rápido que pode caber no pensamento de algum conselheiro.

— Vossa mercê está demorando a dizê-lo, senhor dom Quixote — disse o padre.

— Não gostaria de revelar o meu agora — disse dom Quixote — e vê-lo amanhã de manhã nos ouvidos dos senhores ministros, com outro recebendo os agradecimentos e o prêmio de meu trabalho.

— Por mim — disse o barbeiro —, dou minha palavra, aqui e diante de Deus, de não contar o que vossa mercê disser nem a rei ou rainha, torre, cavalo, bispo ou peão, ou homem mortal, juramento que aprendi na história do padre que no introito da missa avisou ao rei do ladrão que tinha lhe roubado cem dobrões e a mula de viagem.[1]

— Nada sei dessa história — disse dom Quixote —, mas sei que esse juramento é bom, pois tenho certeza de que o senhor barbeiro é homem de bem.

— E mesmo que não fosse — disse o padre —, sou seu fiador e garanto que neste caso ele não falará mais que um mudo, sob pena de pagar o que for julgado e sentenciado.

— E vossa mercê, senhor padre? Quem é seu fiador? — disse dom Quixote.

— Minha profissão — respondeu o padre —, que é guardar segredo.

— Pelo corpo de Cristo! — exclamou dom Quixote nessa altura. — O que mais seria preciso além de Sua Majestade ordenar, em pregão público, que se reúnam na corte num dia marcado todos os cavaleiros andantes que vagueiam pela Espanha? Mesmo que se apresentasse apenas meia dúzia, poderia vir entre eles um que sozinho bastasse para destruir todo o poder do Turco. Ouçam-me vossas mercês com atenção e me acompanhem: por acaso é coisa nova um só cavaleiro andante desbaratar um exército de duzentos mil homens, como se todos juntos tivessem uma só garganta ou fossem feitos de açúcar? Se não, digam-me quantas histórias estão repletas dessas maravilhas. Havia de viver hoje, em má hora para mim, pois não quero dizer para outro, o famoso dom Belianis ou algum dos da inumerável linhagem de Amadis de Gaula! Pois se algum desses vivesse hoje e se batesse com o Turco, com certeza eu não lhe arrendaria os despojos. Mas Deus olhará por seu povo e encontrará algum que, se não for tão bravo como os antigos cavaleiros andantes, pelo menos não será inferior em coragem. E Deus sabe de quem falo, e mais não digo.

— Ai! — disse a sobrinha nesse ponto. — Que me matem se meu senhor não quer ser cavaleiro andante de novo!

Ao que dom Quixote disse:

— Cavaleiro andante hei de morrer, baixe ou suba o Turco quando quiser e com toda força que puder, pois outra vez Deus sabe do que falo.

Então o barbeiro disse:

— Suplico a vossas mercês que me deem licença para contar uma história breve que aconteceu em Sevilha, pois, como serve aqui como uma luva, tenho ganas de contá-la.

Dom Quixote deu licença, e o padre e os demais prestaram atenção, e ele começou desta maneira:

— Na casa dos loucos de Sevilha estava um homem que os parentes tinham internado por falta de juízo. Era formado em direito canônico por Osuna, mas, mesmo que fosse por Salamanca, conforme a opinião de muitos, não deixaria de ser louco. Esse fulano, depois de alguns anos de confinamento, começou a pensar que estava bom, em seu perfeito juízo, e com esta fantasia escreveu ao arcebispo suplicando encarecidamente e com argumentos muito bem concatenados que mandasse tirá-lo daquela miséria em que vivia, pois pela misericórdia de Deus já tinha recobrado o juízo perdido, mas que seus parentes, para se aproveitarem de sua riqueza, mantinham-no ali, e apesar da verdade queriam que fosse louco até a morte. O arcebispo, persuadido por muitos bilhetes lúcidos e sensatos, mandou um capelão seu se informar com o diretor do manicômio se era verdade o que aquele licenciado lhe escrevia, e que também falasse com o louco, e que, se lhe parecesse que tinha juízo, o tirasse de lá e o pusesse em liberdade. Assim fez o capelão, mas o diretor lhe disse que aquele homem ainda estava louco, pois, mesmo que muitas vezes falasse como pessoa de grande entendimento, no fim disparava com tantas asneiras que igualavam em número e tamanho o que tinha dito de sensato no começo, como podia se comprovar falando com ele. O capelão quis fazer a experiência e, indo ter com o louco, falou com ele por mais de uma hora, e em todo aquele tempo o louco jamais disse uma palavra arrevesada ou tola, pelo contrário, falou tão atinadamente que o capelão foi forçado a acreditar que o louco estava curado. E entre outras coisas que o louco lhe disse foi que o diretor tinha aversão por ele, para não perder os presentes que seus parentes lhe davam para que dissesse que ainda estava louco, mas com alguns intervalos de lucidez; e que o maior adversário que tinha era sua grande riqueza, pois para desfrutar dela seus inimigos agiam com malícia e botavam em dúvida a mercê que Nosso Senhor havia feito a ele ao transformá-lo de besta em homem. Enfim, falou de maneira que tornou o diretor suspeito, os parentes desalmados e cheios de cobiça, e ele tão sensato que o capelão resolveu levá-lo consigo para que o arcebispo o visse e comprovasse pessoalmente a verdade daquele negócio.

"De boa-fé, o bom capelão pediu ao diretor que mandasse dar as roupas com que o licenciado entrara. O diretor disse de novo que olhasse bem o que fazia, porque sem dúvida alguma o licenciado ainda estava louco. Os avisos e as advertências do diretor não serviram de nada para que o capelão deixasse de levá-lo. O diretor obedeceu, vendo que eram ordens do arcebispo, e botaram as roupas no licenciado, que eram novas e decentes, e, quando ele se viu despido de louco e vestido de sensato, suplicou ao capelão que por caridade lhe desse licença para ir se despedir de seus companheiros de manicômio. O capelão disse que ele gostaria de acompanhá-lo e ver os loucos que havia na casa. Subiram, então, e com eles alguns que se achavam presentes; e, ao chegar a uma jaula onde estava um louco furioso, embora estivesse calmo e quieto naquele momento, lhe disse: 'Meu irmão, veja se quer alguma coisa. Vou para minha casa, porque Deus, em sua infinita bondade e misericórdia, resolveu me devolver o juízo, sem eu merecê-lo: já estou curado, porque para o poder de Deus nada é impossível. Tenha grande esperança e confiança n'Ele, pois, se a mim deixou como era antes, também o deixará, se confiar n'Ele. Eu terei o cuidado de lhe enviar algumas coisas de comer, e coma-as sempre, porque lhe garanto, por já ter passado por isso, que todas essas nossas loucuras procedem de termos os estômagos vazios e os cérebros cheios de vento. Anime-se, anime-se, pois se deixar levar pelos infortúnios prejudica a saúde e apressa a morte'.

"Outro louco que estava em outra jaula, diante da do louco furioso, ouviu todas essas palavras do licenciado e, levantando-se de uma esteira velha onde estava atirado e nu em pelo, perguntou aos gritos quem era o que ia embora sadio e forte. O licenciado respondeu: 'Sou eu, meu irmão, aquele que vai embora, pois já não tenho mais necessidade de estar aqui, pelo que dou infinitas graças aos céus, que tão grande mercê me fez'.

"'Olhai bem o que dizeis, licenciado', replicou o louco, 'não vá o diabo vos enganar. Sossegai o facho e ficai quietinho em vossa casa, que assim poupareis a volta para cá.'

"'Eu sei que estou bom', replicou o licenciado, 'e não haverá por que andar para trás.'

"'Vós, bom?', disse o louco. 'Tudo bem, logo veremos. Ide com Deus. Mas juro por Júpiter, cuja majestade represento na terra, que apenas por este pecado que Sevilha comete hoje ao vos tirar desta casa e vos considerar curado, tenho de castigá-la tanto que esse castigo fique na memória por todos os séculos dos séculos, amém. Tu não sabes, licenciadinho estúpido, o que poderei fazer? Como disse, sou Júpiter Tronante, tenho em minhas mãos os raios abrasadores com que posso e costumo ameaçar e destruir o mundo. Mas quero castigar apenas com uma coisa este povoado ignorante: não vai chover nele nem em todo o seu distrito e vizinhança por três anos inteiros, que devem ser contados a partir do dia e instante em que esta ameaça foi feita. Tu curado, com juízo e livre, e eu amarrado, doente e louco? Penso tanto em fazer chover como em me enforcar.'

"Os presentes ouviram atentos aos brados e argumentos do louco, mas nosso licenciado, virando-se para nosso capelão e pegando-o pelas mãos, lhe disse: 'Não se preocupe vossa mercê, meu senhor, nem faça caso do que este louco disse, que se ele é Júpiter e não quiser fazer chover, eu, que sou Netuno, o pai e o deus das águas, farei chover todas as vezes que me der na veneta ou for necessário'.

"A isso o capelão respondeu: 'Em todo caso, senhor Netuno, não será bom irritar o senhor Júpiter: fique vossa mercê em sua casa, que voltaremos outro dia, com mais tempo, em momento mais apropriado'.

"O diretor e os presentes riram, o que deixou o capelão meio envergonhado; despiram o louco, que ficou em casa, e acabou-se a história."

— Então é essa a história, senhor barbeiro — disse dom Quixote —, que, por nos servir como uma luva, não podia deixar de contar? Ah, senhor tosador, senhor tosador, como é cego aquele que não vê o que tem embaixo do nariz! É possível que vossa mercê não saiba que as comparações entre inteligência e inteligência, valor e valor, formosura e formosura, linhagem e linhagem são sempre ociosas e indesejáveis? Eu, senhor barbeiro, não sou Netuno, o deus das águas, nem procuro que ninguém me considere sensato não o sendo: apenas me empenho para que o mundo compreenda o erro em que está em não reviver o felicíssimo tempo onde campeava a ordem da cavalaria andante. Mas nossa época depravada não é merecedora de desfrutar tanto bem como o que gozaram as épocas onde os cavaleiros andantes tomaram a seu cargo e jogaram sobre seus ombros a defesa dos reinos, o amparo das donzelas, o socorro dos órfãos e pupilos, o castigo dos soberbos e o prêmio dos humildes. Na maioria dos cavaleiros hoje em voga mais farfalham os damascos, os brocados e outros ricos tecidos com que se vestem que as cotas de malha com que se protegem; já não há cavaleiro que durma nos campos, sujeito à inclemência do céu, armado até os dentes; e já não há quem, sem tirar os pés dos estribos, apoiado a sua lança, se limite a cochilar, como o faziam os cavaleiros andantes. Já não há nenhum que saindo desta mata entre naquela montanha, e de lá pise uma estéril e deserta praia do mar, na maioria das vezes tempestuosa e revolta, e achando na margem dela um pequeno batel sem remos, vela, mastro nem cordame algum, com coração intrépido se atire nele, entregando-se às implacáveis ondas do mar profundo, que num instante sobem aos céus e no outro descem ao abismo, e ele, opondo o peito à inexorável tormenta, quando menos espera se acha a mais de três mil léguas distante do lugar onde embarcou e, saltando em terra remota e desconhecida, lhe acontecem coisas dignas de estar escritas não em pergaminhos, mas em bronzes. Mas agora triunfa a preguiça sobre a diligência, a ociosidade sobre o trabalho, o vício sobre a virtude, a arrogância sobre a valentia e a teoria sobre a prática das armas, que somente viveram e brilharam nas idades de ouro e nos cavaleiros andantes. Se não, digam-me quem mais honesto e mais valente que o famoso Amadis de Gaula? Quem mais arguto que Palmeirim da Inglaterra? Quem mais conciliador e dócil que Tirante, o Branco? Quem mais galante que Lisuarte da Grécia? Quem mais acutilado ou acutilador que dom Belianis? Quem mais intrépido que Perión de Gaula, ou quem mais desafiador de perigos que Felixmarte de Hircânia, ou quem mais sincero que Esplandian? Quem mais arrojado que dom Cirongilio da Trácia? Quem mais bravo que Rodamonte? Quem mais prudente que o rei Sobrino? Quem mais atrevido que Reinaldos? Quem mais invencível que Roland? E quem mais galhardo e mais cortês que Rugero, de quem descendem hoje os duques de Ferrara, segundo Turpin em sua cosmografia? Todos esses cavaleiros e muitos outros que eu poderia nomear, senhor padre, foram cavaleiros andantes, luz e glória da cavalaria. Eu gostaria que esses, ou outros como esses, fossem os guerreiros de minha proposta, pois então Sua Majestade se acharia bem servido e pouparia muitos gastos, e o Turco ficaria arrancando as barbas de raiva; e com isso não quero ficar em minha casa, pois não me tira dela o capelão, e se o seu Júpiter, como disse o barbeiro, não fizer chover, aqui estou eu, que farei chover quando me der na veneta. Digo isso para que o senhor navalha saiba que o entendo muito bem.

— Na verdade, senhor dom Quixote — disse o barbeiro —, não falei por mal, Deus é testemunha, por isso vossa mercê não deve se ressentir.

— Eu sei se posso me ressentir ou não — respondeu dom Quixote.

Então o padre disse:

— Ainda bem que eu quase não falei uma palavra até agora e não gostaria de ficar com um escrúpulo que me rói e mina a consciência, nascido do que o senhor dom Quixote acabou de dizer.

— Para outras coisas mais — respondeu dom Quixote — o senhor padre tem licença, de modo que pode falar de seu escrúpulo, porque não é agradável andar com a consciência pesada.

— Bem, com esse beneplácito — respondeu o padre —, digo que meu escrúpulo é que não posso me convencer de jeito nenhum que esse bando todo de cavaleiros andantes que vossa mercê, senhor dom Quixote, citou tenha sido real e verdadeiramente de pessoas de carne e osso. Penso antes que tudo é ficção, fábula e mentira, sonhos contados por homens despertos ou, melhor dizendo, meio adormecidos.

— Esse é outro erro — respondeu dom Quixote — em que caíram muitos que não acreditam que tenham existido tais cavaleiros no mundo. Muitas vezes, em diversas ocasiões, com diversas pessoas, procurei trazer à luz da verdade este engano quase comum, mas algumas vezes não realizei minha intenção, outras sim, sustentando-as sobre os ombros da verdade. Esta verdade é tão certa que estou para dizer que com meus próprios olhos vi Amadis de Gaula, que era um homem alto de corpo, rosto branco, com bela barba, embora preta, de olhar entre brando e severo, de poucas palavras, lento para se encolerizar e rápido para se acalmar. E, assim como delineei Amadis, penso que poderia pintar e descrever quantos cavaleiros andantes andam nas histórias pelo orbe, pois, pela percepção que tenho do que foram conforme contam suas histórias, pelas façanhas que realizaram e qualidades que tiveram, podem-se deduzir por essas características as feições, a pele e a estatura.

— Que tamanho vossa mercê, senhor dom Quixote, acha que devia ter o gigante Morgante? — perguntou o barbeiro.

— Sobre gigantes — respondeu dom Quixote — há diferentes opiniões, se existiram ou não no mundo, mas a Sagrada Escritura, que não pode faltar um átomo com a verdade, nos mostra que existiram, contando-nos a história daquele filisteuzão Golias, que tinha sete côvados e meio de altura, o que é um tamanho e tanto. Também na ilha da Sicília se acharam canelas e espáduas tão grandes que seu tamanho mostra que seus donos foram gigantes, e tão grandes como grandes torres, que a geometria demonstra essa verdade sem dúvida. Mas, apesar disso, não posso dizer com certeza que tamanho teria Morgante, embora imagine que não devia ser muito alto; o que me leva a ter essa opinião é encontrar na história onde se faz menção particular a suas façanhas que muitas vezes dormia embaixo de telhado: então, se achava casa onde coubesse, está claro que não era de um tamanho desmesurado.

— É verdade — disse o padre, que, gostando de ouvi-lo dizer tamanhos disparates, perguntou o que achava dos rostos de Reinaldos de Montalbán, de dom Roland e dos demais Doze Pares de França, pois todos tinham sido cavaleiros andantes.

— De Reinaldos — respondeu dom Quixote — me atrevo a dizer que tinha o rosto largo e vermelho, os olhos inquietos e um tanto esbugalhados, suscetível e colérico demais, amigo de ladrões e de gente perdida. De Roland, ou Rotolando, ou Orlando, que com todos esses nomes é chamado nas histórias, sou de opinião e garanto que foi de estatura mediana, de ombros largos, meio cambaio, de rosto moreno e de barba ruiva, corpo peludo e de olhar ameaçador, de poucas palavras, mas muito comedido e educado.

— Se Roland não foi mais formoso do que vossa mercê disse — replicou o padre —, não é de estranhar que a senhora Angélica, a Bela, o desprezasse e o deixasse pela elegância, brio e graça que devia de ter o mourozinho barbicha a quem ela se entregou; e ela teve a sabedoria de se apaixonar pela brandura de Medoro, não pela aspereza de Roland.

— Essa Angélica, senhor padre — respondeu dom Quixote —, foi uma donzela desavergonhada, passeadeira e meio caprichosa, e deixou o mundo tão cheio de suas impertinências como da fama de sua formosura: desprezou mil senhores, mil valentes e mil sábios, e se contentou com um pajenzinho imberbe, sem mais riqueza que o renome de agradecido que a lealdade que manteve por um amigo pôde lhe dar. O grande cantor de sua beleza, o famoso Ariosto, por não se atrever ou não querer cantar o que aconteceu a essa senhora depois de sua entrega ignóbil, pois não devem ter sido coisas das mais decorosas, deixou-a onde disse:

E como de Catai recebeu o cetro
talvez outro cante com melhor plectro.[2]

"E sem dúvida que isso foi uma profecia, pois os poetas também se chamam vates, que quer dizer 'adivinhos'. Com clareza se vê essa verdade, porque depois, aqui, um famoso poeta andaluz chorou e cantou suas lágrimas, e outro famoso e único castelhano cantou sua formosura."[3]

— Diga-me, senhor dom Quixote — disse o barbeiro nessas alturas —, não houve algum poeta que tenha feito alguma sátira a essa senhora Angélica, entre tantos que a enalteceram?

— Tenho certeza de que Sacripante e Roland, se fossem

poetas, já teriam passado um sabão nessa donzela — respondeu dom Quixote —, porque é próprio e natural dos poetas desprezados e rejeitados por suas damas (imaginárias ou assim tratadas), a quem escolheram por senhoras de seus pensamentos, vingar-se com sátiras e libelos, vingança por certo indigna de corações generosos; mas até agora não me chegou notícia de nenhum verso infamatório contra a senhora Angélica, que tanto agitou o mundo.

— Milagre! — disse o padre.

E nesse momento ouviram que a criada e a sobrinha, que já tinham deixado a conversa, davam grandes brados no pátio, e todos foram ver que tumulto era aquele.

II

QUE TRATA DA NOTÁVEL PENDÊNCIA QUE SANCHO PANÇA TEVE COM A SOBRINHA E A CRIADA DE DOM QUIXOTE, COM OUTROS ASSUNTOS ENGRAÇADOS

Conta a história que a gritaria que ouviram dom Quixote, o padre e o barbeiro era da sobrinha e da criada, que diziam a Sancho Pança, que lutava para entrar para ver dom Quixote, enquanto elas defendiam a porta:

— Que quer este vagabundo nesta casa? Ide-vos embora, irmão, pois sois vós e não outro quem alicia e desencaminha meu senhor e o arrasta pelos quintos dos infernos.

Ao que Sancho respondeu:

— Criada do diabo, o aliciado e desencaminhado e arrastado pelos quintos dos infernos sou eu, não teu amo: ele me levou mundo afora. Vós vos enganais de cabo a rabo. Ele me tirou de minha casa com engodos, prometendo-me uma ilha que espero até hoje.

— Tomara que te afogues nessas ilhas condenadas, Sancho desgraçado — respondeu a sobrinha. — E que conversa é essa de ilhas? É alguma coisa de comer, comilão e esganado que tu és?

— Não é de comer — replicou Sancho —, mas para governar mais e melhor do que quatro alcaides da corte governariam quatro cidades.

— Mesmo assim — disse a criada —, não vais entrar aqui, saco de maldades e fardo de malícias. Ide governar vossa casa e lavrar vossas roças, e deixai de lado ilhas ou bilhas.

Muito se divertiam o padre e o barbeiro ao ouvir a conversa dos três, mas dom Quixote, temeroso de que Sancho abrisse a matraca e desembuchasse um monte de asneiras maliciosas e tocasse em assuntos que não cairiam bem a sua reputação, chamou-o, e fez as duas se calarem e o deixarem entrar. Sancho entrou, e o padre e o barbeiro se despediram de dom Quixote, desesperados com a saúde dele, vendo como estava firme em seus pensamentos desvairados e mergulhado na idiotice de sua mal andante cavalaria. Então o padre disse ao barbeiro:

— Já vereis, compadre, quando menos pensemos, nosso fidalgo sai outra vez em busca de sarna para se coçar.

— Não tenho dúvida disso — respondeu o barbeiro —, mas não me surpreendo tanto com a loucura do cavaleiro quanto com a estupidez do escudeiro, pois acredita tão piamente no negócio da ilha que acho que não o tirarão do bestunto quantos desenganos possam se imaginar.

— Que Deus os ajude — disse o padre —, e fiquemos de olho: vamos ver no que dá esse amontoado de disparates do tal cavaleiro e do tal escudeiro, pois parece que foram forjados num mesmo molde e que as loucuras do senhor, sem as asneiras do criado, não valeriam um tostão.

— É verdade — disse o barbeiro. — Gostaria muito de saber o que tratam os dois agora.

— Tenho certeza — respondeu o padre — de que a sobrinha ou a criada nos conta depois, que não são do tipo que vão deixar de ouvir.

Enquanto isso, dom Quixote se encerrou com Sancho em seu quarto e, ficando a sós, lhe disse:

— Muito me pesa, Sancho, que tenhas dito e digas que fui eu que te virei a vida de cabeça para baixo, sabendo que não fiquei com os pés no chão: saímos juntos, fomos juntos e juntos peregrinamos; uma mesma fortuna e uma mesma sorte correu por nós dois: se uma vez te mantearam, a mim moeram cem vezes a pau, e isto é o que te levo de vantagem.

— Isso era de esperar — respondeu Sancho —, porque, conforme vossa mercê disse, as desgraças são mais próprias dos cavaleiros que de seus escudeiros.

— Enganas-te, Sancho — disse dom Quixote —, conforme aquilo *quando caput dolet* etc.

— Não entendo outra língua além da minha — respondeu Sancho.

— Quero dizer que, quando a cabeça dói, todos os membros doem — disse dom Quixote. — Assim, sendo eu teu amo e senhor, sou tua cabeça e tu, parte de mim, pois és meu criado; e, por essa razão, o mal que me toca ou tocar vai doer em ti e em mim o teu.

— Assim devia ser — disse Sancho —, mas, quando me manteavam como membro, minha cabeça estava atrás do muro me olhando voar pelos ares, sem sentir dor nenhuma; se os membros estão obrigados a sentir a dor do mal da cabeça, ela devia estar obrigada a sentir a dor deles.

— Estás querendo dizer, Sancho — respondeu dom Quixote —, que eu não sentia nada quando te manteavam? Se dizes isso, não digas mais, nem penses, pois mais dor eu sentia então em meu espírito que tu em teu corpo. Mas deixemos isso de lado por ora, que logo teremos tempo para ponderarmos e pôr tudo em pratos limpos. Mas me diz, meu amigo Sancho, o que é que dizem de mim na vila? Que opinião têm de mim o povo, os fidalgos e os nobres? O que dizem de minha valentia, de minhas façanhas e de minha cortesia? O que se fala da decisão que tomei de ressuscitar e trazer de volta ao mundo a já esquecida ordem de cavalaria? Enfim, Sancho, quero que me digas o que chegou sobre isso a teus ouvidos, e deves me dizer sem aumentar o bem nem diminuir o mal em coisa alguma, que é próprio dos vassalos leais dizer a verdade pura e simples a seus senhores, sem que a adulação a aumente ou outro vão respeito a diminua; e quero que saibas, Sancho, que se a verdade nua e crua chegasse aos ouvidos dos príncipes, sem as vestes da lisonja, outros séculos correriam, outras épocas seriam consideradas mais de ferro que a nossa, pois acredito que entre as últimas a nossa é de ouro. Sirva-te esse aviso, Sancho, para que sábia e fielmente ponhas em meus ouvidos a verdade das coisas que souberes sobre o que te perguntei.

— Farei isso de boa vontade, meu senhor — respondeu Sancho —, com a condição de que vossa mercê não vai se amolar com o que eu disser, pois quer a coisa em pelo, sem outras roupas que aquelas com que chegaram a meu conhecimento.

— Não vou me amolar de jeito nenhum — respondeu dom Quixote. — Podes falar livremente, Sancho, e sem rodeio algum.

— Bem, a primeira coisa que digo — disse — é que o povo considera vossa mercê um grandessíssimo louco, e a mim não menos mentecapto. Os fidalgos dizem que, não se contendo vossa mercê nos limites da fidalguia, passou a se chamar "dom" e se meteu a nobre com quatro vinhas e duas lavouras, com uma mão na frente e outra atrás. Os nobres dizem que não gostam que os fidalgos se comparem a eles, especialmente aqueles fidalgos pobres que acabam como escudeiros, que disfarçam os estragos nos sapatos com fuligem e remendam as meias pretas com linha verde.

— Isso não tem que ver comigo — disse dom Quixote —, pois sempre ando bem vestido, jamais remendado: esfarrapado, até poderia ser, contudo mais pelas armas que pelo tempo.

— Quanto à valentia, cortesia, façanhas e à decisão de vossa mercê — prosseguiu Sancho —, há diferentes opiniões. Uns dizem: "louco, mas engraçado"; outros, "valente, mas desgraçado"; outros, "cortês, mas impertinente"; e por aí vão falando tantas coisas que nem a vossa mercê, nem a mim, deixam um osso inteiro.

— Olha, Sancho — disse dom Quixote —, onde quer que a virtude esteja em grau eminente, é perseguida.

Poucos ou nenhum dos famosos homens do passado deixaram de ser caluniados pela malícia alheia. Júlio César, capitão muito determinado, prudente e corajoso, foi criticado por ambicioso e não muito limpo, nem em suas vestes nem em seus costumes. De Alexandre, a quem suas façanhas deram o renome de Magno, dizem que teve certos traços de bêbado. De Hércules, o dos muitos trabalhos, se conta que foi lascivo e preguiçoso. De dom Galaor, irmão de Amadis de Gaula, mexericam que foi mais que muito brigão; e de seu irmão, que foi chorão. Por isso, meu caro Sancho, entre as tantas calúnias contra os bons bem podem passar as minhas, desde que não sejam mais do que as que me disseste.

— Este é o ponto, santo Deus! — replicou Sancho.

— Então tem mais? — perguntou dom Quixote.

— Ainda falta o pior, esfolar a cauda — disse Sancho. — Até aqui tudo foi sombra e água fresca. Mas, se vossa mercê quer saber tudo o que há sobre as calúnias que lhe fazem, eu trarei daqui a pouco quem as diga todas, sem que falte um tiquinho, pois ontem à noite chegou o filho de Bartolomé Carrasco, que estudava em Salamanca, feito bacharel, e, quando fui lhe dar boas-vindas, ele me disse que vossa mercê já andava em livros de história, com o nome de *Engenhoso fidalgo dom Quixote de la Mancha*; e diz que fui mencionado nela com meu próprio nome, Sancho Pança, e a senhora Dulcineia del Toboso também, com outras coisas que passamos sozinhos, que me benzi de susto: como o historiador que as escreveu pôde saber?

— Eu te garanto, Sancho — disse dom Quixote —, que deve ser algum mago necromante o autor de nossa história, que deles não se esconde nada que queiram escrever.

— Mas como era mago e necromante — disse Sancho —, se, conforme disse o bacharel Sansão Carrasco, que assim se chama o rapaz, o autor da história se chama Cide Hamete Berinjela?!

— Esse nome é de mouro — respondeu dom Quixote.

— Deve ser — respondeu Sancho —, porque sempre ouvi dizer em toda parte que os mouros são amigos das berinjelas.

— Sancho — disse dom Quixote —, tu deves ter errado o sobrenome desse Cide, que em árabe quer dizer “senhor”.

— Pode ser — replicou Sancho —, mas, se vossa mercê quiser que eu o traga aqui, vou num pé e volto noutro.

— Seria um grande prazer, meu amigo — disse dom Quixote —, porque me deixaste perplexo com o que me disseste e não vou comer um bocado que me caia bem até ser informado de tudo.

— Então já vou indo — respondeu Sancho.

E, deixando seu senhor, foi buscar o bacharel, com quem voltou dali a pouco, e os três tiveram uma conversa muito engraçada.

III

DA RIDÍCULA DISCUSSÃO QUE HOUVE ENTRE DOM QUIXOTE, SANCHO PANÇA E O BACHAREL SANSÃO CARRASCO

Dom Quixote ficou pensativo ao extremo, aguardando o bacharel Carrasco, de quem esperava ouvir notícias de si mesmo postas no livro, como havia dito Sancho, mas não podia se convencer de que essa história existisse, pois o sangue dos inimigos que havia matado ainda não secara na lâmina de sua espada e já queriam que andassem impressos seus nobres feitos de cavalaria. Mesmo assim, imaginou que algum mago, fosse amigo ou inimigo, por artes de encantamento os teria publicado: se amigo, para engrandecê-los e dispô-los acima dos mais destacados de qualquer cavaleiro andante; se inimigo, para aniquilá-los e pô-los abaixo dos mais vis que de algum vil escudeiro se tivesse escrito, ainda que — dizia a si mesmo — nunca se tenham escrito as façanhas de escudeiros; e, se fosse verdade que a dita história existisse, sendo de cavaleiro andante, por força havia de ser grandiloquente, nobre, insigne, magnífica e verídica.

Com isso se consolou um pouco, mas se desconsolou ao pensar que seu autor era mouro, conforme se via pelo nome de Cide, e dos mouros não se podia esperar nenhuma verdade, porque todos eram embusteiros, falsários e mentirosos. Temia que houvesse tratado seus amores com alguma indecência que redundasse em menosprezo e prejuízo da castidade de sua senhora Dulcineia del Toboso; desejava que tivesse declarado sua fidelidade e o decoro que sempre havia mantido, menosprezando rainhas, imperatrizes e donzelas de toda condição, mantendo na linha todos os impulsos do desejo. E assim, envolto e revolto nessas e em outras fantasias, acharam-no Sancho e Carrasco, a quem dom Quixote recebeu com muita cortesia.

O bacharel, apesar de se chamar Sansão, não era muito grande, mas muito ladino; era pálido, mas muito inteligente; tinha uns vinte e quatro anos, rosto redondo, de nariz chato e boca grande, todos sinais de condição maliciosa e amigo de gracejos e brincadeiras, como demonstrou ao ver dom Quixote: ajoelhou-se diante dele, dizendo:

— Dê-me vossa grandeza as mãos, senhor dom Quixote de la Mancha, pois, pelo hábito de são Pedro que visto, embora tenha recebido apenas as ordens menores, vossa mercê é um dos mais famosos cavaleiros andantes que houve ou haverá em toda a redondeza da terra. Abençoado seja Cide Hamete Benengeli por ter escrito a história de vossas grandes façanhas, e abençoado seja o diligente que teve o cuidado de fazê-las traduzir do árabe para nosso castelhano vulgar, para universal entretenimento das gentes.

Dom Quixote o fez se levantar e disse:

— Então é verdade que há uma história minha e que foi escrita por um mouro e sábio?

— Tanto é verdade, senhor — disse Sansão —, que penso que hoje há mais de doze mil livros da dita história: se não, digam-no Portugal, Barcelona e Valência, onde foram impressos, e ainda há notícias de que está sendo impresso na Antuérpia; e me parece que não haverá nação nem língua onde não será traduzido.

— Uma das coisas — disse dom Quixote nessa altura — que mais deve alegrar um homem virtuoso e eminente é ver-se, em vida, andar com bom nome na boca do povo, impresso e em estampa. Disse com bom nome, porque, sendo o contrário, nenhuma morte poderá se igualar à dele.

— Se estiver se referindo a sua fama e bom nome — disse o bacharel —, apenas vossa mercê leva a palma a todos os cavaleiros andantes, porque o mouro em sua língua e o cristão na nossa tiveram o cuidado de pintar vividamente a galhardia de vossa mercê, a bravura ao enfrentar os perigos, a paciência nas adversidades e o sofrimento tanto nas desgraças como nos ferimentos, a honestidade e continência nos amores tão platônicos de vossa mercê e de minha senhora dona Dulcineia del Toboso.

— Nunca — disse Sancho Pança nesse ponto — ouvi chamar com "dom" a minha senhora Dulcineia, mas apenas "senhora Dulcineia del Toboso", e a história já começa errando aqui.

— Essa objeção não tem importância — respondeu Carrasco.

— Não, com certeza — respondeu dom Quixote. — Mas me diga vossa mercê, senhor bacharel: quais das façanhas minhas são mais gabadas nessa história?

— Nisso há opiniões diferentes — respondeu o bacharel —, como há diferentes gostos: uns preferem a aventura dos moinhos de vento, que a vossa mercê pareceram Briareus e gigantes; outros, a dos maços de pisão; este, a descrição dos dois exércitos, que depois pareceram ser dois rebanhos de carneiros; aquele elogia a do morto que levavam para enterrar em Segóvia; um diz que a todas ultrapassa a da liberdade dos galeotes; outro, que nenhuma se iguala à dos dois gigantes beneditinos, com a pendência do valoroso basco.

— Diga-me, senhor bacharel — disse Sancho nessa altura —, entra aí a aventura dos galegos, quando nosso bom Rocinante pediu a lua de presente?

— O sábio não deixou nada no tinteiro — respondeu Sansão. — Tudo registra e tudo diz, até as cabriolas que o bom Sancho fez na manta.

— Eu não fiz cabriolas na manta — respondeu Sancho. — No ar, sim, e muito mais do que gostaria.

— Pelo que sei — disse dom Quixote —, não há história humana que não tenha seus altos e baixos, especialmente as que tratam de cavalaria, que nunca podem ter apenas acontecimentos favoráveis.

— Apesar disso — respondeu o bacharel —, alguns que leram a história dizem que teriam se divertido mais se os autores houvessem esquecido algumas das infinitas sovas que o senhor dom Quixote levou em diferentes confrontos.

— Aí entra a verdade da história — disse Sancho.

— Também poderiam ter se calado por equidade — disse dom Quixote —, pois não há por que descrever as ações que nem mudam nem alteram a verdade da história, se irão redundar em menosprezo pelo protagonista dela. Por Deus que Eneias não foi tão piedoso como o pinta Virgílio, nem Ulisses tão astuto como o descreve Homero.

— Sim, claro — replicou Sansão —, mas uma coisa é escrever como poeta e outra como historiador: o poeta pode contar ou cantar as coisas não como foram, mas como deveriam ser; e o historiador deve escrevê-las não como deveriam ser, mas como foram, sem acrescentar nem ocultar nada à verdade.

— Então, se esse senhor mouro anda realmente dizendo a verdade — disse Sancho —, com certeza que entre as sovas de meu senhor se achem as minhas, porque nunca tomaram as medidas das costas de vossa mercê sem que tomassem as de meu corpo todo; mas não tenho por que me admirar, pois, como disse aí meu senhor, da dor da cabeça devem participar os membros.

— Sois ladino, Sancho — respondeu dom Quixote. — Por Deus que não vos falta memória quando quereis tê-la.

— Se eu quisesse me esquecer das lambadas que me deram — disse Sancho —, não me permitiriam os vergões, que ainda estão frescos nas costelas.

— Calai, Sancho — disse dom Quixote —, e não interrompei o senhor bacharel, a quem suplico que siga adiante sobre o que dizem de mim na referida história.

— E de mim — disse Sancho —, pois também dizem que eu sou um dos principais *pressonagens* dela.

— *Personagens*, não *pressonagens*, meu amigo Sancho — disse Sansão.

— Temos mais um *corrigidor* de palavras? — disse Sancho. — Se não saírem disso, só acabaremos no dia de São Nunca.

— Que Deus me ajude, Sancho — respondeu o bacharel —, se não sois o segundo personagem da história, e há quem prefira mais vos ouvir falar que ao mais importante dela toda, apesar de haver também quem diga que andastes crédulo demais ao pensar que podia ser verdade o governo daquela ilha oferecida pelo senhor dom Quixote, aqui presente.

— O sol ainda não se pôs — disse dom Quixote. — E, quanto mais velho for Sancho, com a experiência que os anos dão, mais capaz e mais hábil vai estar para ser governador do que está agora.

— Por Deus, senhor — disse Sancho —, a ilha que eu não governar com os anos que tenho não vou governar com os de Matusalém. O problema é que a dita ilha se demora sei lá onde, não que me falte bestunto para governá-la.

— Encomendai o caso a Deus, Sancho — disse dom Quixote —, que correrá tudo bem, talvez melhor do que pensais, pois a folha não se mexe na árvore sem a vontade de Deus.

— É verdade — disse Sansão —, pois, se Deus quiser, não faltarão a Sancho mil ilhas para governar, quanto mais uma.

— Vi governadores por aí — disse Sancho — que em minha opinião não chegam à sola de minhas botinas, mas, apesar de tudo, são chamados de "senhoria" e comem com talheres de prata.

— Esses não são governadores de ilhas — replicou Sansão —, mas de outras coisas mais corriqueiras, porque os que governam ilhas devem saber gramática pelo menos.

— A *grama* eu não recuso — disse Sancho —, mas a *tica* passo, porque não a entendo. Mas, deixando o negócio do governo nas mãos de Deus, que disponha de mim como melhor lhe dê na telha, digo, senhor bacharel Sansão Carrasco, que me deu um grande prazer que o autor da história tenha falado de mim de maneira que não amolem as coisas que conta, pois, palavra de bom escudeiro, se houvesse dito de mim coisas que não fossem muito católicas, como sou eu, até os surdos iriam me ouvir.

— Isso seria um milagre — respondeu Sansão.

— Milagre ou não — disse Sancho —, que cada um olhe como fala dos *pressonagens*, ou como escreve, e não bote de qualquer jeito a primeira coisa que lhe passar pela cachola.

— Um dos defeitos que se atribui ao dito livro — disse o bacharel — é que o autor incluiu nela uma história intitulada *O curioso impertinente*, não por ser ruim ou mal contada, mas por estar fora de lugar, nem ter nada a ver com a história de sua mercê o senhor dom Quixote.

— Aposto — replicou Sancho — que o filho de uma cadela misturou alhos com bugalhos.

— Então tenho de dizer — disse dom Quixote — que o autor de minha história não foi um sábio, mas algum camponês ignorante, que às cegas e sem nenhum critério se pôs a escrevê-la, saia o que sair, como fazia Orbaneja, o pintor de Úbeda, que respondeu quando lhe perguntaram o que pintava: "O que sair". Uma vez pintava um galo tão mal e tão irreconhecível que foi preciso escrever em letras minúsculas embaixo dele: "Este é um galo". E assim deve ser minha história, que para ser entendida vai precisar de comentários.

— Isso não — respondeu Sansão —, porque a clareza dela é tanta que não há coisa que não se entenda: as crianças a manuseiam, os moços a leem, os homens a entendem e os velhos a celebram, enfim, é tão folheada e tão lida e tão conhecida por todo tipo de gente que, mal se vê um pangaré magro, se diz: "Ali vai Rocinante". E os que mais se entregaram a sua leitura foram os pajens: não há antecâmara de senhor onde não se ache um *Dom Quixote*, uns o pedem, outros o pegam se deixarem e há quem se atire sobre ele. Em suma, a dita história é do mais saboroso e menos prejudicial entretenimento que se viu até agora, porque em toda ela não se percebe nem sombra de uma palavra desonesta nem um pensamento menos que católico.

— Escrever de outro modo não seria escrever verdades, mas mentiras — disse dom Quixote —, e os historiadores que se valem de mentiras deviam ser queimados como os que fazem moedas falsas. Não sei o que levou o autor a usar histórias e contos alheios, havendo tanto que escrever sobre mim. Sem dúvida se ateve ao refrão: "Tudo que cai na rede é peixe". Mas a verdade é que apenas anotando meus pensamentos, meus suspiros, minhas lágrimas, minhas boas intenções e minhas façanhas poderia fazer um volume maior ou tão grande como pode ser todas as obras do Tostado.[1] Enfim, senhor bacharel, penso que para compor histórias e livros, de qualquer tipo que sejam, é necessário muito bom senso e um discernimento maduro. Escrever com graça e espírito é para grandes engenhos: a mais sábia figura da comédia é a do bobo, porque não pode ser bobo aquele que quer passar por bobo. Uma história, por assim dizer, é coisa sagrada, porque deve ser verdadeira, e onde está a verdade, está Deus, que é a verdade. Mas, apesar disso, há alguns que escrevem e despacham livros como se fossem bolinhos fritos.

— Não há livro tão ruim — disse o bacharel — que não tenha alguma coisa boa.

— Sem dúvida — replicou dom Quixote —, mas muitas vezes acontece que aqueles que tinham alcançado merecidamente grande fama por seus escritos, ao publicarem-nos perderam-na toda ou a prejudicaram um bocado.

— A causa disso é que, como as obras impressas são olhadas com calma — disse Sansão —, facilmente se veem seus defeitos, e tanto mais são esquadrinhadas quanto maior é a fama daquele que a escreveu. Os homens famosos por seus gênios, os grandes poetas, os ilustres historiadores, sempre ou na maioria das vezes, são invejados por aqueles que têm por gosto e particular diversão julgar os escritos alheios sem ter dado alguns próprios à luz do mundo.

— Não é de admirar — disse dom Quixote —, porque há muitos teólogos que não são bons para o púlpito, mas são ótimos para achar as faltas ou sobras dos que pregam.

— Isso tudo é assim mesmo, senhor dom Quixote — disse Carrasco —, mas eu gostaria que esses críticos fossem mais misericordiosos e menos escrupulosos, sem se aferrar às bagatelas do sol brilhante da obra de que murmuram, pois, se *aliquando bonus dormitat Homerus*,[2] considerem o quanto esteve desperto para dar a luz de sua obra com o menos possível de sombra, e bem poderia ser que o que a eles parece mal fossem pintas, que às vezes aumentam a formosura dos rostos que as têm; então digo que aquele que publica um livro corre um risco muito grande, já que é perfeitamente impossível escrevê-lo de modo que satisfaça e contente a todos os que o lerem.

— O que trata de mim deve ter agradado a poucos — disse dom Quixote.

— Muito pelo contrário, pois, como de *stultorum infinitus est numerus*,[3] são infinitos os que gostaram da dita história; e alguns acusaram o autor de má memória, pois se esquece de contar quem foi o ladrão que levou o burro de Sancho, pois ali não o declara, e só se deduz pelo texto que o furtaram, e dali a pouco vemos Sancho a cavalo no mesmo jumento, sem que tivesse aparecido. Também dizem que se esqueceu de dizer o que Sancho fez com aqueles cem escudos que achou numa maleta na Serra Morena, que nunca mais são mencionados, e há muita gente que deseja saber o que fez com eles, ou no que os gastou, que é um dos pontos essenciais que faltam na obra.

Sancho respondeu:

— Agora, senhor Sansão, não estou para prestar contas de meus contos, pois estou embrulhado do estômago, que, se não o reparar com dois tragos de vinho velho, vou ficar com a barriga lá no espinhaço; eu o tenho em casa e minha patroa me espera; logo que acabar de comer, voltarei e responderei a vossa mercê e a todo mundo o que quiserem perguntar, tanto sobre a perda do jumento como o gasto dos cem escudos.

E, sem esperar resposta nem dizer outra palavra, se foi para sua casa.

Dom Quixote insistiu com o bacharel para que fizesse o sacrifício de almoçar com ele. O bacharel correu o risco, ficou, acrescentou-se à comida de sempre um par de pombinhos, falou-se na mesa de cavalaria andante, Carrasco seguiu os caprichos do fidalgo, acabou-se o banquete, dormiram a sesta, Sancho voltou e se recomeçou a conversa passada.

IV

ONDE SANCHO PANÇA RESPONDE AO BACHAREL SANSÃO CARRASCO SUAS DÚVIDAS E PERGUNTAS, COM OUTROS ACONTECIMENTOS DIGNOS DE SE SABER E SE CONTAR

Sancho voltou à casa de dom Quixote e, retomando a conversa anterior, disse:

— Como o senhor Sansão disse que desejava saber quem me furtou o jumento, ou como ou quando, digo que na mesma noite em que entramos na Serra Morena fugindo da Santa Irmandade, depois da aventura sem ventura dos galeotes e daquela do defunto que levavam para Segóvia, meu senhor e eu nos metemos numa mata cerrada, onde meu senhor escorado a sua lança e eu sobre meu burro, moídos e cansados das refregas passadas, começamos a dormir como se fosse sobre quatro colchões de penas. Eu, especialmente, dormi um sono tão pesado que quem quer que tenha sido o ladrão pôde chegar e me suspender sobre quatro estacas que pôs aos quatro lados da albarda, de modo que me deixou a cavalo nela e tirou de baixo de mim o burro sem que eu percebesse.

— Essas coisas acontecem, nem são novas, pois aconteceu a Sacripante. Com esse mesmo ardil, aquele famoso ladrão chamado Brunelo tirou o cavalo de entre as pernas dele, quando estava no cerco de Albraca.[1]

— Amanheceu — prosseguiu Sancho — e, mal me mexi, quando, falhando as estacas, fui parar no chão num grande tombo; procurei pelo jumento e não o vi; meus olhos se encheram de lágrimas e me lamentei tanto que, se o autor não pôs a coisa em nossa história, pode ter certeza de que deixou o melhor de fora. Ao fim de não sei quantos dias, vindo com a senhora princesa Micomicona, reconheci meu burro, e que Ginés de Pasamonte vinha nele, com roupa de cigano. Sim, aquele embusteiro e bandido que meu senhor e eu livramos das correntes.

— O erro não está nisso — replicou Sansão —, mas em que antes de ter aparecido o jumento o autor diz que Sancho ia montado no dito-cujo.

— A isso não sei responder — disse Sancho —, exceto que o historiador se enganou, ou que talvez tenha sido descuido do impressor.

— Sem dúvida, deve ser isso — disse Sansão —, mas o que aconteceu com os cem escudos? Evaporaram?

Sancho respondeu:

— Eu os gastei no bem-estar de minha pessoa, de minha mulher e de meus filhos. Foi por causa deles que minha mulher engoliu minhas andanças e correrias a serviço de meu senhor dom Quixote, pois se, ao fim de tanto tempo, voltasse sem prata e sem jumento para casa, a sorte mais negra me esperava. E, se há alguma outra coisa para se saber de mim, aqui estou, que responderei ao próprio rei em pessoa, e ninguém tem nada com isso, se trouxe ou não trouxe, se gastei ou não gastei: se as cacetadas que me deram nessas viagens fossem pagas em dinheiro, mesmo que se calculasse cada uma a quatro maravedis apenas, com outros cem escudos não dava para me pagar a metade; e que cada um ponha a mão no coração e não julgue o branco por preto e o preto por branco, que cada um é como Deus o fez, e muitas vezes bem pior.

— Eu terei o cuidado de lembrar o autor da história — disse Carrasco —, caso ela for impressa outra vez, de não esquecer isto que o bom Sancho disse, pois assim vai melhorar o que já era bom.

— Há mais alguma coisa para se emendar nessa crônica, senhor bacharel? — perguntou dom Quixote.

— Sim, deve haver — respondeu ele —, mas nenhuma deve ter a importância das já referidas.

— E por acaso — disse dom Quixote — o autor promete a segunda parte?

— Promete sim — respondeu Sansão —, mas disse que não a encontrou nem sabe quem a tem, de modo que estamos em dúvida se sairá ou não. Por isso, e porque alguns dizem "As segundas partes nunca foram boas" e outros "Das coisas de dom Quixote bastam as escritas", não se sabe se haverá segunda parte; mas tem gente, mais alegre que soturna, que diz: "Que venham mais quixotadas, ataque dom Quixote e fale Sancho Pança! Seja lá o que for, vem bem!".

— E que partido toma o autor?

— Ele diz que, quando encontrar a história — respondeu Sansão —, que procura com extraordinárias diligências, irá publicá-la em seguida, levado mais pelo lucro que terá com isso do que pelos elogios que pode ganhar.

A isso, Sancho disse:

— Então o autor mira o lucro? Será um milagre que dê certo, porque só vai se esfalfar, se esfalfar, como alfaiate em véspera de festa, e já se sabe que a pressa é inimiga da perfeição. Veja bem o que faz esse senhor mouro, ou seja lá o que for, porque eu e meu amo lhe daremos facilmente tanto assunto em matéria de aventuras e de coisas diferentes que poderá escrever não só a segunda parte, mas mais cem. O bom homem deve pensar, sem dúvida, que ficamos aqui dormindo nas palhas; pois segure o pé ao botar a ferradura e verá se coxeamos. O que posso garantir é que, se meu senhor ouvisse meus conselhos, já estaríamos nessas campanhas, desfazendo agravos e reparando ofensas, como é uso e costume dos bons cavaleiros andantes.

Nem bem Sancho havia acabado de dizer essas palavras, chegaram a seus ouvidos relinchos de Rocinante, relinchos que dom Quixote tomou por felicíssimo presságio, e resolveu fazer nova saída dali a três ou quatro dias. Declarando sua intenção ao bacharel, pediu conselho sobre por onde devia começar a jornada; ele respondeu que era de opinião que fosse ao reino de Aragão e à cidade de Zaragoza, onde logo se fariam umas muito solenes justas por causa da festa de São Jorge,[2] nas quais poderia ganhar fama sobre todos os cavaleiros aragoneses, o que seria o mesmo que ganhar sobre todos os cavaleiros do mundo. Gabou-lhe sua decisão como honradíssima e valentíssima e advertiu-o de que fosse mais prudente ao enfrentar os perigos, porque sua vida não lhe pertencia, mas sim a todos aqueles que necessitavam de amparo e socorro em suas desventuras.

— É isso que não engulo, senhor Sansão — disse Sancho nesse ponto. — Meu senhor ataca cem homens armados como um rapaz comilão ataca meia dúzia de melões chochos. Santo Cristo, senhor bacharel! Sim, há um tempo de atacar e um tempo de bater em retirada; sim, nem tudo pode ser no vai ou racha. Além disso, ouvi dizer, acho que por meu próprio amo, se não me lembro mal, que entre os extremos do covarde e do temerário está o ideal da valentia. Se isto é assim, não quero que fuja sem motivo, nem que ataque quando a situação pede outra coisa. Mas antes de mais nada aviso meu senhor que, se vai me levar consigo, deve ser com a condição de que quem combate é ele e que eu não estou obrigado a outra coisa além de olhar por sua pessoa no que toca a sua limpeza e conforto, que nisto vou mimá-lo como ninguém, porque pensar que vou empunhar a espada, ainda que seja contra uns camponeses desgraçados de capuz e machadinha, é pensar que a lua é o sol. Eu, senhor Sansão, não penso em granjear fama de valente, mas do melhor e mais leal escudeiro que jamais serviu cavaleiro andante. E, se meu senhor dom Quixote, obrigado por meus muitos e bons serviços, quiser me dar alguma ilha das muitas que sua mercê diz que vamos topar por aí, ficarei muito grato; se não me der, bem, cada um com sua cruz, que um homem não deve viver sob a asa de outro, mas de Deus. Mas tem mais, pois tão bem ou talvez melhor ainda me descerá o pão desgovernado que sendo governador, sem falar que eu não sei se nesses governos o diabo não me preparou uma rasteira para me derrubar e me quebrar a cara. Sancho nasci e Sancho penso morrer, mas se apesar de tudo as coisas correrem bem, sem muita preocupação e sem muito risco, se o céu me deparar alguma ilha, ou outra coisa parecida, não sou tão burro que a despreze, pois também se diz "quando te derem a vaquinha, corre com a cordinha" e "quando a sorte vem, agarre-a bem".

— Sancho, meu irmão, falastes como um catedrático — disse Carrasco —, mas confiai em Deus e no senhor dom Quixote, que há de vos dar um reino, não apenas uma ilha.

— Demais é tão mau quanto de menos — respondeu Sancho —, embora eu garanta ao senhor Carrasco que meu amo não enfiaria o reino que me desse num saco furado, pois tomei meu pulso e sei que me acho com saúde para administrar reinos e governar ilhas, o que já disse outras vezes a meu senhor.

— Tenhais cuidado, Sancho — disse Sansão —, que os ofícios mudam os costumes. Poderia acontecer que vós, vendo-se governador, não reconhecêsseis nem a mãe que vos pariu.

— Isso — respondeu Sancho — pode ser verdade com os filhos das macegas, não com um cristão-velho dos quatro costados, como eu. Não, olhai bem minha condição, que vereis se sou mal-agradecido.

— Queira Deus — disse dom Quixote —, e logo veremos quando o governo vier, pois até parece que o tenho diante dos olhos.

Dito isto, rogou ao bacharel que, se fosse poeta, fizesse a mercê de compor uns versos para ele que tratassem da despedida que pensava fazer a sua senhora Dulcineia del Toboso, mas que reparasse que no princípio de cada verso devia pôr uma das letras de seu nome, de modo que no fim do poema, juntando as primeiras letras dos versos se lesse: "Dulcineia del Toboso". O bacharel respondeu que, embora ele não estivesse entre os poetas famosos da Espanha, que, pelo que se dizia, eram apenas três e meio, não deixaria de compor o tal acróstico, mesmo que achasse uma grande dificuldade em sua composição, porque eram dezoito as letras que o nome continha e, se fizesse quatro quadras, sobrariam duas letras, e se fizesse quatro redondilhas com cinco versos, faltariam duas letras; mas, mesmo assim, procuraria embutir duas letras da melhor forma possível, de maneira que nas quatro quadras se incluíssem o nome de Dulcineia del Toboso.

— Em todo caso, tem de ser assim — disse dom Quixote —, porque, se o nome não estiver ali claro e evidente, não há mulher que acredite que o acróstico foi feito para ela.

Assim ficou combinado e também que a partida seria dali a oito dias. Dom Quixote pediu ao bacharel que a mantivesse secreta, especialmente do padre e de mestre Nicolás, de sua sobrinha e da criada, para que não atrapalhassem sua honrada e corajosa decisão. Carrasco concordou com tudo e então se despediu, solicitando que dom Quixote o avisasse de tudo o que lhe acontecesse de bom ou de ruim, se tivesse oportunidade. Em seguida Sancho foi botar em ordem o necessário para sua viagem.

V

DA SÁBIA E DIVERTIDA CONVERSA QUE ACONTECEU ENTRE SANCHO PANÇA E SUA MULHER, TERESA PANÇA, E OUTROS FATOS DIGNOS DE FELIZ LEMBRANÇA

Chegando ao quinto capítulo desta história, o tradutor diz que o considera apócrifo, porque nele Sancho Pança fala com um estilo bem diferente do que podia se esperar de seu espírito tacanho e diz coisas tão sutis que não considera possível que ele as soubesse, mas que não quis deixar de traduzi-lo por dever de ofício. Então prosseguiu como se segue.

Sancho chegou em casa tão contente que sua mulher viu sua alegria a tiro de balestra; tanto que ela se viu obrigada a lhe perguntar:

— O que houve, meu amigo Sancho, para virdes tão alegre?

Ao que ele respondeu:

— Minha velha, se Deus quisesse, eu estaria feliz de não estar tão contente como demonstro.

— Não vos entendo, marido — replicou ela. — Não sei o que quereis dizer com isso, pois, embora boba, não sei quem fica contente por não estar contente.

— Olha, Teresa — respondeu Sancho —, estou alegre porque decidi voltar a servir meu amo dom Quixote, que quer sair pela terceira vez em busca de aventuras. Eu vou sair com ele de novo porque assim o quer minha necessidade, junto com a esperança que me alegra de pensar se poderei achar outros cem escudos como os que já gastamos, mas me entristece ter de me separar de ti e de meus filhos. Se Deus quisesse me dar de comer sem que eu precisasse mexer uma palha e em minha casa, sem me levar por veredas e encruzilhadas, pois podia fazer com pouco custo e nada mais que querendo, é claro que minha alegria seria mais firme e mais viva, pois a que tenho vem misturada com a tristeza de te deixar. Por isso disse que, se Deus quisesse, eu estaria feliz de não estar contente.

— Reparai, Sancho — replicou Teresa —, depois que vos tornastes perna ou braço de cavaleiro andante, falais de modo tão enrolado que não há quem vos entenda.

— Basta que Deus me entenda, mulher — respondeu Sancho —, pois Ele é o entendedor de todas as coisas, e vamos ficar por aqui. E reparai, irmã, que é bom cuidar bem do burro nesses três dias, de modo que esteja pronto para pegar em armas: dobrai a ração dele, examinai a albarda e demais apetrechos, porque não vamos a uma festa e sim correr mundo, entrar em toma lá dá cá com gigantes, com ogros e dragões, e ouvir silvos, rugidos, brados e uivos. Mas isso tudo seriam flores se não tivéssemos de nos entender com galegos e com mouros encantados.

— Bem sei, marido — replicou Teresa —, que os escudeiros não comem o pão de mão beijada, então ficarei rogando a Nosso Senhor que vos livre logo de tantos perigos.

— Eu vos digo, mulher — respondeu Sancho —, que, se não pensasse em me ver governador de uma ilha em pouco tempo, cairia morto aqui.

— Isso não, meu querido — disse Teresa. — Viva o sabujo, mesmo sem faro: vivei vós e que o diabo carregue todos os governos do mundo. Sem governo saístes do ventre de vossa mãe, sem governo vivestes até agora e sem governo ireis, ou vos levarão, à sepultura quando Deus assim desejar. Há muitos que vivem sem governo e nem por isso deixam de viver e de ser contados entre as pessoas. O melhor tempero do mundo é a fome; e, como ela não falta aos pobres, eles sempre comem com prazer. Mas olhai, Sancho, se por acaso vos verdes com algum governo, não vos esqueceis de mim e de vossos filhos. Lembrai que Sanchinho já tem quinze anos feitos e precisa ir à escola, se é que seu tio o padre vai fazê-lo entrar na Igreja. Olhai também que Mari Sancha, vossa filha, não morrerá se a casarmos, pois ando desconfiada de que deseja tanto ter marido como vós desejais ser governador. E depois, no fim das contas, é melhor uma filha malcasada que bem amigada.

— Juro que, se Deus me der um tiquinho de governo — respondeu Sancho —, devo casar Mari Sancha tão nobremente que não a chamarão menos que "senhoria".

— Isso não, Sancho — respondeu Teresa. — Casai-a com um igual, que é o mais acertado, pois, se a tirardes dos tamancos para sapatos finos e da saia parda de burel para sedas e veludos, de "Maricota" e de "tu" para "dona fulana" e "senhoria", a menina não vai se acostumar e vai cometer mil erros a cada passo, mostrando o que há por baixo do verniz.

— Calada, boba — disse Sancho. — Basta uns dois ou três anos de prática e os modos nobres e graves virão como sob medida. Se não, que importa? Seja ela senhoria e aconteça o que acontecer.

— Contentai-vos, Sancho, com vossa condição — respondeu Teresa —, não queirais vos meter entre os grandes e lembrai-vos do ditado: "Cada ovelha com sua parelha". Claro que seria bonito casar nossa Maria com um condezão ou um cavalheirote que a insultasse, quando lhe desse na veneta, chamando-a de camponesa, filha do grosso e da pé-rapada! Só por cima de meu cadáver, marido! Com certeza não criei minha filha para isso! Trazei dinheiro, Sancho, e deixai comigo esse negócio de casá-la, que aí está Lope Tosco, o filho do João Tosco, moço gordo e saudável, que conhecemos, e sei que não olha com maus olhos a moça. Com esse, que é nosso igual, estará bem casada, e a teremos sempre sob nossos olhos, e seremos todos um só, pais e filhos, netos e genros, e andará entre nós a paz e a bênção de Deus. Não, nada de casá-la agora nessas cortes e nesses palácios grandes, onde não a entendam nem ela se entenda.

— Vem cá, sua besta, mulher de Barrabás — replicou Sancho —, por que queres agora, sem mais nem menos, dificultar que eu case minha filha com quem me dê netos que se chamem "senhoria"? Olha, Teresa, sempre vi meus avós dizerem que quem não sabe aproveitar a sorte quando ela aparece não deve se queixar quando ela passa; e não seria direito virar as costas para ela agora que está batendo em nossa porta: vamos nos deixar levar por esse vento favorável que nos sopra.

Por esse jeito de falar e pelo que Sancho diz mais abaixo, o tradutor desta história considerava este capítulo apócrifo.

— Não te parece bom, sua burra — prosseguiu Sancho —, eu dar com os costados em algum governo proveitoso que nos leve a tirar o pé do barro? Se Mari Sancha casar com quem eu quiser, verás como te chamarão de "dona Teresa Pança" e na igreja te sentarás em tapetinhos de seda, almofadas e colchas, a despeito das fidalgas do povoado. Mas não, queres ser sempre a mesma, sem crescer nem diminuir, como figura de tapeçaria! E não falemos mais disso, que Sanchinha vai ser condessa, por mais que tu me amoles.

— Vede o que dizeis, meu velho? — respondeu Teresa. — Pois, apesar de tudo, temo que este condado de minha filha vai ser a perdição dela. Fazei o que quiserdes de Mari, duquesa ou princesa, mas vos garanto que isso será contra minha vontade e sem meu consentimento. Sempre, meu irmão, fui amiga de meus iguais, e não posso ver presunções sem fundamento. Fui batizada como "Teresa", nome curto e grosso, sem acréscimos nem babados, nem enfeites de "dons" e "donas"; "Cascalho" se chamou meu pai; e a mim, por ser vossa mulher, chamam "Teresa Pança", mesmo que devessem me chamar "Teresa Cascalho", mas lá vão os reis onde querem as leis, e com esse nome me contento, sem que me ponham um "dom" em cima que pese tanto que não possa carregar, e não quero dar o que falar aos que me virem andar vestida à moda de condessas ou de governadoras, que logo dirão: "Vede como vai emproada a bruaca! Ontem não se fartava de fiar estopa e ia à missa com a cabeça coberta com a barra da saia, em vez de mantilha, e hoje vai de vestido rodado, com broches e toda metida, como se não soubéssemos quem é". Se Deus me guardar meus sete, ou meus cinco sentidos,[1] ou seja lá quantos eu tenha, não penso dar oportunidade de me ver nesse aperto. Vós, meu irmão, ide ser governo ou ilhado, e emproai-vos à vontade, que nem minha filha nem eu, pela salvação eterna de minha mãe, arredaremos um passo de nossa aldeia: para mulher honrada e a perna quebrada: casa; para donzela honesta o trabalho é sua festa. Ide com vosso dom Quixote a vossas aventuras e deixai-nos com nossas más venturas, que Deus nos ajudará se formos boas. E eu com certeza não sei quem o chamou de "dom", pois assim não se chamaram seus pais nem seus avós.

— Agora sei — replicou Sancho — que tens o diabo no corpo. Por Deus, mulher, que enfiada de asneiras sem pé nem cabeça! O que é que têm a ver o cascalho, os broches, os ditados e se emproar com o que eu digo? Vem cá, sua mentecapta ignorante, pois assim posso te chamar, porque não entendeste minhas palavras e vais fugindo da sorte: se eu dissesse para minha filha se atirar do alto de uma torre, ou se fosse por esses mundos como quis ir a infanta dona Urraca,[2] terias razão de não concordar comigo. Mas se em duas palavras e num piscar de olhos pespego em tuas costas um "dom" e uma "senhoria" e te tiro da lavoura e te ponho sob um dossel e num pedestal e num estrado com mais almofadas de veludo que tiveram os mouros da linhagem dos Almofades do Marrocos, por que tu não haverias de consentir e querer o que eu quero?

— Sabeis por quê, meu velho? — respondeu Teresa. — Por causa do ditado que diz: "A desgraça do pobre é imitar o rico". Todos passam os olhos por alto pelos pobres, mas param nos ricos, de modo que, se o dito rico foi pobre alguma vez, ali começam os mexericos e as maledicências, e o pior é que os mexeriqueiros são teimosos, e há mexeriqueiros aos montes nessas ruas, como enxames de abelhas.

— Olha, Teresa — respondeu Sancho —, e escuta bem, porque talvez não tenhas ouvido em todos os dias de tua vida o que vou te dizer agora, mas não penses que tirei de minha própria cabeça, pois tudo o que penso falar são sentenças do padre que apareceu aqui no povoado para pregar na última quaresma; ele, se bem me lembro, disse que todas as coisas que nossos olhos estão olhando se apresentam a nossa mente muito melhor e com muito mais clareza que as coisas passadas.

Todas essas observações que Sancho faz aqui são a segunda razão que levou o tradutor a considerar este capítulo apócrifo, pois excedem a capacidade do escudeiro, que prosseguiu, dizendo:

— Por que, quando vemos alguma pessoa nos trinques, usando lindas roupas e com pompa de criados, parece que uma força nos move e nos leva a ter respeito, embora a memória naquele instante nos apresente alguma baixeza em que vimos essa pessoa? Como a ignomínia, seja de pobreza ou de linhagem, agora é passado, não existe mais, e a pessoa só é o que vemos no presente. E se essa pessoa, a quem a sorte tirou do barro original de sua pobreza (com essas mesmas palavras o padre disse) e elevou à nobreza de sua prosperidade, for bem-educada, generosa e polida com todos, e não se meter a discutir com aqueles que são nobres por antiguidade, podes crer, Teresa, não haverá quem se lembre do que foi, pelo contrário, irão reverenciar o que é agora, menos os invejosos, de quem nenhuma boa sorte está segura.

— Eu não vos entendo, meu velho — replicou Teresa. — Fazei o que quiserdes e não me quebreis mais a cabeça com vossas arengas e oratórias. E se estais revolvido em fazer o que dizeis...

— Deves dizer *resolvido*, mulher — disse Sancho —, não *revolvido*...

— Basta de discutir comigo, meu velho — respondeu Teresa. — Eu falo como Deus permite e não arroto tainha se comi sardinha. E digo que, se estais teimando em ser governador, então levai junto vosso filho Sancho, para que desde já o ensineis a ter governo, pois é bom que os filhos herdem e aprendam os ofícios de seus pais.

— Logo que for governador — disse Sancho —, mandarei buscá-lo às pressas e te enviarei dinheiro, que não me faltará, pois nunca falta quem empreste aos governadores quando não o têm. Então, veste-o de modo que dissimule o que é e pareça o que há de ser.

— Enviai o dinheiro — disse Teresa —, que eu o mandarei endomingado.

— Então estamos de acordo — disse Sancho — em que nossa filha deve ser condessa.

— No dia em que eu a vir condessa — respondeu Teresa —, farei de conta que a enterro. Mas outra vez vos digo que façais o que tiverdes vontade, que nós mulheres nascemos com essa cruz, ser obedientes a seus maridos, mesmo que sejam uns parvos.

E então começou a chorar para valer, como se já visse Sanchinha morta e enterrada. Sancho a consolou dizendo que, já que tinha de fazer a filha condessa, faria tudo o mais tarde possível. Assim acabou a conversa, e Sancho voltou para ver dom Quixote e tomar as providências para a partida.

VI

DO QUE ACONTECEU A DOM QUIXOTE COM SUA SOBRINHA E SUA CRIADA — UM DOS CAPÍTULOS MAIS IMPORTANTES DE TODA A HISTÓRIA

Enquanto Sancho Pança e sua mulher Teresa Cascalho estavam naquela conversa descabida de que falamos, não andavam ociosas a sobrinha e a criada de dom Quixote, que por mil sinais iam concluindo que seu tio e senhor queria se escapar pela terceira vez e voltar ao exercício da sua, para elas, mal andante cavalaria: procuravam por todos os meios possíveis afastá-lo desse péssimo pensamento, mas era pregar no deserto e malhar em ferro frio. Apesar disso, entre muitos argumentos que lhe apresentaram, a criada disse:

— Na verdade, meu senhor, se vossa mercê não assentar a cabeça e ficar quieto em casa e deixar de andar pelas montanhas e vales como alma penada, buscando isso que chamam de aventuras, a que eu chamo de desgraças, tenho de me queixar aos gritos a Deus e ao rei, para que deem um jeito nisso.

Ao que dom Quixote respondeu:

— O que Deus responderá a tuas queixas eu não sei, nem também o que responderá Sua Majestade; sei apenas que eu, se fosse rei, me recusaria a responder a essa infinidade de petições impertinentes que lhe entregam todo dia, pois um dos maiores trabalhos que os reis têm, entre muitos outros, é estar obrigados a ouvir a todos e responder a todos. Por isso não gostaria de incomodá-lo com minhas coisas.

— Diga-nos, senhor — disse a criada —, não há cavaleiros na corte de Sua Majestade?

— Sim — respondeu dom Quixote —, e muitos, e há motivo para isso: adorno da grandeza dos príncipes e ostentação da majestade real.

— Então, vossa mercê não poderia ser — replicou ela — um dos que sem mexer uma palha servem a seu rei e senhor ficando na corte?

— Olha, minha amiga — respondeu dom Quixote —, nem todos os cavaleiros podem ser cortesãos, nem todos os cortesãos podem nem devem ser cavaleiros andantes: deve haver de tudo no mundo, e, embora todos sejamos cavaleiros, vai grande diferença entre uns e outros, porque os cortesãos, sem sair de seus aposentos nem dos umbrais da corte, passeiam por todo o mundo olhando um mapa, sem que lhes custe uma moeda e sem padecer calor nem frio, fome e sede. Mas nós, os cavaleiros andantes verdadeiros, ao sol, ao frio, ao vento, às intempéries do céu, de noite e de dia, a pé e a cavalo, medimos toda a terra com nossos próprios passos e não conhecemos os inimigos apenas em figura, mas em carne e osso, e em todo aperto e em toda ocasião nós os atacamos sem reparar em ninharias, nem nas leis dos desafios: se leva ou não leva mais curta a lança ou a espada, se traz sobre si relíquias ou prepara alguma trapaça, se vão se posicionar sem o sol nos olhos ou não, com outras cerimônias desse tipo que se usam nos desafios particulares de pessoa a pessoa, que tu não conheces e eu sim.

“E deves saber mais: o bom cavaleiro andante, mesmo que veja dez gigantes que não só tocam as nuvens com a cabeça, mas as ultrapassam, e que a cada um servem de pernas duas enormes torres, e que os braços parecem mastros grossos de poderosos navios, e cada olho é como uma grande roda de moinho e ardendo mais que um forno de vidro, não vai se espantar de maneira nenhuma, ao contrário, com porte galante e com coração intrépido vai atacá-los e, se for possível, vencê-los e desbaratá-los num instante, mesmo que venham com armaduras de conchas de certas criaturas marinhas que, dizem, são mais duras que se fossem de diamante, e em vez de espadas trouxessem facões afiados de aço de Damasco, ou correntes com bolas também de aço cheias de pontas, como eu vi mais de duas vezes. Disse tudo isso, minha cara, para que vejas a diferença que há entre uns e outros cavaleiros; e por isso não seria justo que houvesse príncipes que não preferissem mais a segunda ou, digamos melhor, a primeira espécie de cavaleiros andantes, pois, conforme lemos em suas histórias, houve alguns entre eles que foram a salvação não apenas de um reino, mas de muitos."

— Ah, meu senhor! — disse a sobrinha nessa altura. — Repare vossa mercê que tudo isso que diz dos cavaleiros andantes não passa de fábula e invencionice, e as histórias deles, já que não são queimadas, deviam vir com um sambenito ou algum outro sinal para que fossem conhecidas como infames e destruidoras dos bons costumes.

— Pelo Deus que me protege — disse dom Quixote —, se não fosses minha sobrinha em linha direta, filha de minha própria irmã, eu havia de te infligir tal castigo pela blasfêmia que disseste que ecoaria por todo o mundo. Como é possível que uma mocinha que mal sabe lidar com doze bilros na hora de fazer renda se atreva a botar a boca nas histórias dos cavaleiros andantes e censurá-las? O que diria o senhor Amadis se ouvisse isso? Com certeza ele te perdoaria, porque foi o mais humilde e cortês cavaleiro de seu tempo, além de grande defensor das donzelas. Mas poderia ter te ouvido outro que não aceitasse bem isso, pois nem todos são corteses nem muito comedidos: alguns são desordeiros e arrogantes; nem todos os que se chamam cavaleiros o são inteiramente, pois uns são de ouro, outros de ouro de alquimia, e todos parecem cavaleiros, mas nem todos podem superar a prova da verdade. Há homens baixos que se arrebentam para parecer cavaleiros, e cavaleiros nobres que de propósito se matam para parecer homens baixos: aqueles se erguem ou com a ambição ou com a virtude, estes se rebaixam ou com a fraqueza ou o vício; devemos usar nosso melhor discernimento para distinguir estas duas categorias de cavaleiros, tão semelhantes nos nomes e tão distantes nas ações.

— Valha-me Deus! — disse a sobrinha. — Vossa mercê sabe tanto, senhor meu tio, que poderia subir num púlpito ou ir pregar pelas ruas se fosse preciso, numa hora de aperto. Mas mesmo assim deu numa cegueira tão grande e num desvario tão óbvio que pensa que é valente, sendo velho; que tem forças, estando doente; que endireita erros, estando curvado pela idade, e sobretudo que é cavaleiro sem o ser, porque embora os fidalgos ricos o possam ser, os pobres...

— Tens toda razão no que dizes, minha sobrinha — respondeu dom Quixote. — Quanto às famílias nobres, eu poderia te dizer coisas que te espantariam, mas, para não misturar o divino com o humano, me calo. Olhai, minhas amigas, e prestai atenção: podem se reduzir a quatro espécies de linhagens todas as que existem no mundo, que são estas: umas, que tiveram princípio humilde e foram se desenvolvendo e crescendo até chegar a uma nobreza extrema; outras começaram nobres e foram conservando e conservam e mantêm a nobreza do início; outras, mesmo tendo começado nobres, acabaram em ponta como uma pirâmide, tendo diminuído e aniquilado a nobreza do princípio até ficar sem nada, como é a ponta da pirâmide, que em relação a sua base não é coisa nenhuma; há outras, e essas são a maioria, que nem tiveram um começo bom nem razoável nem médio, e assim terão o fim, sem nome, como a linhagem das pessoas plebeias e comuns. Das primeiras, que tiveram princípio humilde e galgaram à nobreza que agora conservam, te sirva de exemplo a casa otomana, que de um humilde e baixo pastor que lhe deu início está no topo em que a vemos. Da segunda linhagem, a que teve início na nobreza e a conserva sem modificá-la, servem de exemplo muitos príncipes que por herança o são e permanecem nela, sem aumentá-la nem diminuí-la, contentando-se pacificamente com os limites de sua condição. Das que começaram nobres e acabaram sem nada há milhares de exemplos, porque todos os faraós e Ptolomeus do Egito, os Césares de Roma, com todo o bando (se se pode falar assim) infinito de príncipes, monarcas, senhores, medos, assírios, persas, gregos e bárbaros, todas essas linhagens e senhorias acabaram em nada, tanto eles como os que lhes deram origem, pois não será possível achar agora nenhum de seus descendentes, e se achássemos seria numa condição baixa e humilde. Da linhagem plebeia não tenho o que dizer exceto que serve apenas para aumentar o número dos que vivem, sem que a nobreza deles mereça outra reputação nem outros elogios.

"De tudo o que disse, minhas caras tolas, quero que percebais como é grande a confusão que há entre as linhagens, e que só parecem grandes e ilustres aquelas que o demonstram na virtude, na riqueza e na generosidade de seus membros. Disse virtude, riqueza e generosidade, porque o nobre que for vicioso será nobre vicioso, e o rico sem generosidade será um mendigo avarento, pois quem possui as riquezas não é feliz por tê-las, mas por gastá-las, e não gastá-las de qualquer jeito, mas empregando-as bem. Ao cavaleiro pobre não resta outro caminho para mostrar que é cavaleiro exceto o da virtude, sendo afável, educado, cortês, comedido e diligente, não soberbo, nem arrogante, nem bisbilhoteiro, mas sobretudo deve ser caritativo, porque com dois tostões que dê de boa vontade ao pobre se mostrará tão generoso como quem distribui esmolas anunciando aos quatro cantos do mundo, e não haverá quem não o veja adornado das referidas virtudes que, mesmo sem o conhecer, deixe de julgá-lo e tê-lo por de boa família, e não o ser seria um milagre. O louvor sempre foi o prêmio da virtude, e os virtuosos não podem deixar de ser louvados.

"Há dois caminhos, minhas filhas, por onde os homens podem chegar a ser ricos e honrados: um é o das letras; o outro, o das armas. Eu tenho mais armas que letras, e nasci, já que me inclino pelas armas, sob a influência do planeta Marte, de modo que me é quase forçoso seguir pelo caminho do deus da guerra, e por ele tenho de ir apesar de todo mundo, e será inútil vos cansar tentando me persuadir a não querer o que querem os céus, a sorte ordena e a razão pede e, sobretudo, minha vontade deseja. Pois conhecendo, como conheço, as incontáveis dificuldades que a cavalaria andante implica, conheço também os infindáveis bens que se alcançam com ela. Eu sei que a trilha da virtude é muito estreita e que o caminho do vício é largo e folgado, mas sei que o fim e objetivo deles é diferente. O caminho do vício, livre e desimpedido, acaba na morte; a trilha da virtude, difícil e complicada, acaba na vida, não em vida que termina, mas na que não terá fim; e sei, ainda, como diz nosso grande poeta castelhano, que

Por estas asperezas se caminha
da imortalidade ao alto trono,
aonde nunca chega quem dele declina."*

— Ai, pobre de mim — disse a sobrinha —, pois meu senhor também é poeta! Tudo sabe, tudo compreende: eu aposto que, se quisesse ser pedreiro, saberia fazer uma casa tão bem como uma gaiola.

— Eu te garanto, sobrinha — respondeu dom Qui-

* Versos da primeira elegia de Garcilaso: "*Por estas asperezas se camina/ de la inmortalidad al alto asiento,/ do nunca arriba quien de allí declina*".

xote —, que, se estes pensamentos de cavalarias não me arrastassem atrás de si com todos os meus sentidos, não haveria coisa que eu não fizesse nem curiosidades que não saíssem de minhas mãos, especialmente gaiolas e palitos de dentes.[1]

Nesse momento, bateram na porta. Ao perguntarem quem chamava, Sancho Pança respondeu que era ele; e, mal a criada o reconheceu, foi se esconder correndo para não vê-lo, tamanha antipatia sentia por ele. A sobrinha abriu a porta, e o senhor dom Quixote saiu de braços abertos para receber o escudeiro; depois os dois se trancaram no quarto, onde tiveram outra conversa que não fica atrás da anterior.

VII

DO QUE HOUVE ENTRE DOM QUIXOTE E SEU ESCUDEIRO, COM OUTROS ACONTECIMENTOS FAMOSOS

Mal a criada viu que Sancho Pança se trancava com seu senhor, deu-se conta do que eles tramavam. Imaginando que com aquela conversa deviam decidir a terceira saída, pegou seu manto e, cheia de tristeza e aflição, foi procurar o bacharel Sansão Carrasco, pois achava que ele, por ser bem-falante e amigo recente de seu senhor, poderia persuadi-lo a abandonar propósito tão desvairado.

Encontrou-o passeando no pátio de sua casa e, assim que o viu, se deixou cair a seus pés, transpirando de agonia. Quando Carrasco a viu tão ansiosa e assustada, lhe disse:

— O que foi, minha senhora? O que lhe aconteceu? Parece que vai botar o coração pela boca.

— Não é nada comigo, senhor Sansão, é meu amo que está se indo. Sem dúvida nenhuma ele está se indo!

— Indo para onde, senhora? — perguntou Sansão. — Desta para a vida eterna?

— Não, está se indo pela porta de sua loucura — respondeu ela. — Quero dizer, senhor bacharel de minha alma, que sai de novo mundo afora, pela terceira vez, em busca do que chama de venturas, e não posso entender como as chama assim. Na primeira vez, trouxeram-no atravessado sobre um jumento, moído a pauladas. Na segunda veio num carro de bois, metido numa jaula, onde ele pensava que estava encantado; e vinha de um jeito tão miserável que não seria reconhecido pela mãe que o pariu, magro, amarelo, os olhos afundados nos últimos desvãos da cabeça, que para fazê-lo voltar a ser o que era gastei mais de seiscentos ovos, como sabe Deus e todo o mundo, e minhas galinhas também, que não me deixarão mentir.

— Acredito, acredito piamente — respondeu o bacharel — que elas são tão boas, tão gordas e tão bem-criadas que não diriam uma mentira, mesmo que arrebentassem. Em suma, minha senhora, não há mais nada, nem aconteceu outro desmando exceto pelo que se teme que o senhor dom Quixote pretende fazer?

— Não, senhor — respondeu ela.

— Então não se amole — respondeu o bacharel —, vá para casa e me prepare alguma coisa quente para almoçar, e no caminho reze a oração de santa Apolônia, se é que sabe, que logo vou lá e vossa mercê verá maravilhas.

— Pobre de mim! — replicou a criada. — Diz vossa mercê que reze a oração de santa Apolônia? Isso seria bom se meu amo tivesse dor de dentes, mas o problema dele é na cachola.

— Eu sei o que digo, minha senhora: vá e não discuta comigo, pois sabe que sou bacharel por Salamanca, e que não preciso mais que tagarelar — respondeu Carrasco.

Depois disso, a criada saiu, e o bacharel foi logo procurar o padre, para combinar com ele o que se dirá a seu tempo.

Enquanto estiveram trancados, dom Quixote e Sancho mantiveram a conversa que com muita precisão e veracidade conta a história.

Sancho disse a seu amo:

— Senhor, já *persuei* minha mulher a me deixar ir com vossa mercê aonde quer me levar.

— Quer dizer *persuadi*, Sancho — disse dom Quixote —, não *persuei*.

— Uma ou duas vezes — respondeu Sancho —, se

bem me lembro, supliquei a vossa mercê que não me corrija as palavras, se entender o que quero dizer com elas e, quando não as entender, diga: "Sancho, não te entendo" ou "Desgraçado, não te entendo"; e, se eu não me explicar, então poderá me corrigir, pois sou tão *fócil*...

— Não te entendo, Sancho — disse dom Quixote na hora —, pois não sei o que quer dizer "sou tão *fócil*".

— "Tão *fócil*" quer dizer "sou tão *assim*".

— Entendo menos agora — replicou dom Quixote.

— Bem, se não pode me entender — respondeu Sancho —, não sei o que falar. Não sei mais nada, que Deus me ajude.

— Ora, ora, agora pesquei a coisa — respondeu dom Quixote. — Tu queres dizer que és tão *dócil*, brando e afável que acatarás o que te disser e aprenderás o que te ensinar.

— Aposto que desde o começo vossa mercê me entendeu — disse Sancho —, mas quis me confundir, para me ouvir dizer outras duzentas patacoadas.

— Pode ser — replicou dom Quixote. — Mas o que foi mesmo que Teresa disse?

— Teresa disse — respondeu Sancho — que acerte tudo preto no branco com vossa mercê, de papel passado, não na palavra, porque quem corta não embaralha, pois mais vale um "toma" que dois "te darei". E eu digo que conselho de mulher é pouco, mas quem não o segue é louco.

— Também digo isso — respondeu dom Quixote. — Mas vamos adiante, meu amigo Sancho, que hoje só falais pérolas.

— O caso, como vossa mercê bem sabe — replicou Sancho —, é que nós todos estamos sujeitos à morte, que para morrer basta estar vivo, e tão rápido vai o cordeiro como o carneiro, e que ninguém neste mundo pode viver mais horas do que as que Deus quiser lhe dar, porque a morte é surda e, quando bate nas portas de nossa vida, vem sempre apressada, e nada a detém, nem súplica, nem força, nem cetros, nem mitras, como é voz corrente e conforme nos dizem dos púlpitos.

— Tudo isso é verdade — disse dom Quixote —, mas não sei aonde queres chegar.

— Quero chegar aqui: que vossa mercê estabeleça um salário determinado — disse Sancho —, que deve me pagar todo mês pelo tempo que eu o servir, e que o salário seja pago em dinheiro, pois não quero viver de favores, que chegam tarde ou mal ou nunca; e que Deus me ajude, não quero dever nada a ninguém. Enfim, quero saber o que ganho, pouco ou muito que seja, pois a galinha bota um ovo de cada vez, mas de grão em grão enche o papo, e quem ganha alguma coisa não perde nada. Não acredito nem espero, mas se acontecesse de vossa mercê me dar a ilha que me prometeu, não sou tão ingrato, nem levo as coisas tão à risca, que não queira que se avalie o montante da renda da tal ilha e se faça um gateio para descontar meu salário.

— Sancho, meu amigo — respondeu dom Quixote —, às vezes tanto faz um gateio como um rateio.

— Já entendi — disse Sancho. — Aposto que tinha de dizer *rateio*, não *gateio*; mas isso não importa, pois vossa mercê me entendeu direitinho.

— Tão direitinho — respondeu dom Quixote — que penetrei o último de teus pensamentos e sei que alvo miras com as inumeráveis setas de teus provérbios. Olha, Sancho, eu bem que estabeleceria um salário, se tivesse achado em alguma das histórias dos cavaleiros andantes exemplo que me revelasse e apontasse por algum pequeno resquício o que é que os escudeiros costumavam ganhar por mês ou por ano; mas eu li todas ou a maioria dessas histórias e não me lembro de ter visto que algum cavaleiro andante tenha dado salário a seu escudeiro. Sei apenas que todos serviam por mercês e que, quando menos esperavam, se a seus senhores havia corrido bem a sorte, eram premiados com uma ilha ou com outra coisa equivalente, ou pelo menos ficavam com título e senhoria. Se com essas esperanças e gratificações, Sancho, vos interessardes em voltar ao meu serviço, sede bem-vindo, mas pensar que eu vou tirar a cavalaria dos eixos e abalar os fundamentos dos antigos costumes é pensar que água não molha. Então, meu caro Sancho, voltai para casa e dizei a vossa Teresa qual é minha intenção; se ela concordar e vós também em me servir por mercês, *bene quidem*;[1] se não, seguimos tão amigos quanto antes: se no pombal não faltou alpiste, muitos pombos viste. E reparai, meu filho, que mais vale uma boa esperança que uma posse ruim, e boa queixa que mau pagamento. Falo dessa maneira, Sancho, para que saibais que como vós também sei lançar provérbios a torto e a direito. E, por fim, gostaria de vos dizer que, se não quiserdes vir por mercês comigo e correr o risco que eu correr, que Deus fique convosco e vos torne santo, que a mim não faltarão escudeiros mais obedientes, mais solícitos, e menos maçantes e faladores como vós.

Quando Sancho ouviu a firme decisão do amo, sentiu que o céu nublava e se partiam as asas de seu coração, porque tinha acreditado que dom Quixote não iria sem ele nem por todo o ouro do mundo. Então, enquanto Sancho estava confuso e pensativo, entrou Sansão Carrasco com a criada e a sobrinha, ansiosas para ouvir com que palavras persuadiria seu senhor a não voltar a sair em busca de aventuras. Sansão, conhecido debochado, abraçou dom Quixote como da primeira vez e, em voz alta, disse:

— Oh, flor da cavalaria andante! Oh, luz resplandecente das armas! Oh, honra e espelho da nação espanhola! Praza a Deus, em que repousa todo poder e sabedoria, que a pessoa ou pessoas que tentarem atrapalhar e impedir tua terceira saída não encontrem a delas no labirinto de suas vontades, nem jamais se cumpra o mal que desejarem.

E, virando-se para a criada, disse:

— A senhora bem pode parar de rezar a oração de santa Apolônia, pois eu já sei que é determinação precisa das esferas celestes que o senhor dom Quixote volte a executar seus nobres e novos pensamentos, e me pesaria muito a consciência se não intimasse e exortasse este cavaleiro a que não tenha por mais tempo retraída e presa a força de seu valoroso braço e a bondade de seu bravo coração, porque frustra com sua demora o conserto das injustiças, o amparo dos órfãos, a honra das donzelas, a ajuda das viúvas e o arrimo das casadas, e outras coisas deste jaez, que tocam, tangem, dependem e são inerentes à ordem da cavalaria andante. Eia, senhor dom Quixote, formoso e valente, antes hoje que amanhã ponha-se vossa mercê e sua nobreza a caminho; e, se faltar alguma coisa para a execução de tamanha obra, aqui estou eu para supri-la com minha pessoa e meus bens; e, se for necessário servir tua magnificência como escudeiro, eu o considerarei uma feliz ventura.

Nessa altura, dom Quixote disse, virando-se para Sancho:

— Eu não te disse, Sancho, que haveriam de me sobrar escudeiros? Olha quem se oferece: nada menos que o inaudito bacharel Sansão Carrasco, perpétua diversão e alegria dos pátios das escolas salmanticenses, saudável, ágil, calado, que suporta tanto o frio como o calor, tanto a fome como a sede, com todas aquelas qualidades que se requerem para ser escudeiro de um cavaleiro andante. Mas não permita o céu que por seguir meu destino ele parta a coluna das letras e quebre a taça das ciências, e troque a palma eminente das boas e liberais artes. Permaneça o novo Sansão em sua pátria e, honrando-a, honre justamente os cabelos brancos de seus pais anciãos, que eu estarei satisfeito com qualquer escudeiro, já que Sancho não se digna de vir comigo.

— Sim, eu me digno — respondeu Sancho, enternecido, com os olhos cheios de lágrimas. — Não se dirá de mim, meu senhor, que cuspo no prato em que comi, mas que não venho de família mal-agradecida, pois todo mundo, especialmente em minha terra, sabe quem foram os Panças, de quem eu descendo. Mais ainda, percebi e compreendi, graças a muitos bons atos e melhores palavras, o desejo que vossa mercê tem de me favorecer. Agora, se me pus a regatear meu salário, foi para agradar minha mulher, que, quando cisma com uma coisa, não há torniquete que aperte mais do que ela me aperta para que faça o que quer. Mas, enfim, o homem deve ser homem, e a mulher, mulher, e se eu sou homem em todo lugar, o que não posso negar, também quero ser em minha casa, doa a quem doer. Assim, não há mais que fazer fora o que vossa mercê ordene em seu testamento, com seu codicilo, de modo que não possa ser *refogado*, e botemos logo o pé na estrada, para que não padeça a alma do senhor Sansão, que diz que sua consciência lhe dita que persuada vossa mercê a sair pela terceira vez mundo afora; e eu me ofereço de novo para servir vossa mercê fiel e lealmente, tão bem ou melhor que quantos escudeiros já serviram a cavaleiros andantes nos tempos passados e presentes.

O bacharel ficou surpreso com o teor e a forma da fala de Sancho Pança, pois, apesar de ter lido a primeira história de seu amo, nunca acreditou que era tão divertido como lá o pintavam; mas, ouvindo-o dizer agora que o testamento e o codicilo não podiam ser *refogados*, em vez de *revogados*, acreditou em tudo o que tinha lido e o reconheceu como um dos mais solenes mentecaptos de nossa época, e disse a si mesmo que loucos assim como amo e criado ainda não tinham sido vistos.

Por fim, dom Quixote e Sancho se abraçaram e ficaram amigos de novo, e, com a aprovação e beneplácito do grande Carrasco, que por ora era seu oráculo, ficou marcada a partida para dali a três dias, tempo suficiente para providenciar o necessário para a viagem e para se achar um elmo com viseira, que dom Quixote disse que tinha de levar de qualquer jeito. Sansão ofereceu-o, porque sabia que um amigo tinha um e não o negaria, mesmo que estivesse escuro pela ferrugem e pelo mofo, sem o brilho do aço polido.

Foram incontáveis as pragas que as duas, criada e sobrinha, rogaram ao bacharel — arrancaram os cabelos, arranharam os rostos e, como as carpideiras que se usavam naquele tempo, lamentavam a partida como se fosse a morte de seu senhor. O propósito que Sansão teve ao persuadir dom Quixote a sair outra vez foi para fazer o que a história conta mais adiante, tudo por conselho do padre e do barbeiro, com quem ele havia falado antes.

Em suma, naqueles três dias dom Quixote e Sancho providenciaram o que lhes pareceu conveniente. Então, tendo Sancho aplacado sua mulher e dom Quixote sua sobrinha e a criada, ao anoitecer, sem que ninguém os visse — exceto o bacharel, que quis acompanhá-los até meia légua da aldeia —, puseram-se a caminho de El Toboso. Dom Quixote montava seu Rocinante e Sancho, seu burro de sempre, com os alforjes forrados de coisas para forrar o estômago e a bolsa forrada de dinheiro que dom Quixote lhe deu para o que desse e viesse. Sansão abraçou o cavaleiro e pediu que o avisasse de sua boa ou má sorte, para se alegrar com esta ou se entristecer com aquela, como as leis de sua amizade pediam. Dom Quixote prometeu que sim, Sansão voltou para sua aldeia, e o cavaleiro e o escudeiro tomaram o caminho para a grande cidade de El Toboso.

VIII

ONDE SE CONTA O QUE ACONTECEU A DOM QUIXOTE QUANDO ESTAVA INDO VER SUA SENHORA DULCINEIA DEL TOBOSO

"Abençoado seja o poderoso Alá!", diz Hamete Benengeli no começo deste oitavo capítulo. "Abençoado seja Alá!", repete três vezes. Ele diz que essas bênçãos são por já ter dom Quixote e Sancho em campo e que os leitores de sua agradável história podem considerar que neste ponto começam as façanhas e as graças de dom Quixote e de seu escudeiro. Mas pede a eles que esqueçam as aventuras passadas do engenhoso fidalgo e voltem os olhos para as que estão por vir, pois começam agora, na estrada para El Toboso, como as outras começaram nos campos de Montiel, e não é muito o que pede em troca de tudo o que promete. Enfim, ele prossegue, dizendo:

Dom Quixote e Sancho ficaram sozinhos e, mal Sansão havia se afastado, Rocinante começou a relinchar e o burro a peidar, coisa que cavaleiro e escudeiro consideraram um bom sinal e feliz presságio, embora, se devemos contar a verdade, foram bem mais peidos e zurros do ruço que os relinchos do pangaré, do que Sancho deduziu que sua sorte devia sobrepujar e ficar muito além da de seu senhor, baseando-se não sei se em astrologia, de que ele entendia, embora a história revele apenas que o ouviram dizer que, quando tropeçava ou caía, desejava não ter saído de casa, porque do tropeço ou da queda não ganhava nada além das botinas arrebentadas ou as costelas partidas — apesar de tolo, nisso não andava muito errado. Dom Quixote lhe disse:

— Sancho, meu amigo, a noite vem chegando mais depressa e mais escura do que precisávamos para ver El Toboso de dia, onde decidi ir antes de me meter em outra aventura, para tomar a bênção e ganhar a licença da sem-par Dulcineia. Com essa licença, penso encarar toda aventura perigosa e tenho por certo encerrá-la com felicidade, porque nenhuma coisa nesta vida torna os cavaleiros andantes mais valentes que se verem favorecidos por suas damas.

— Acredito — respondeu Sancho —, mas acho difícil que vossa mercê possa falar ou se avistar com ela, pelo menos em lugar em que possa receber sua bênção, a menos que ela a dê pela cerca do pátio, por onde a vi pela primeira vez, quando levei a carta com as notícias das tolices e loucuras que vossa mercê tinha ficado fazendo no coração da Serra Morena.

— Então, Sancho, te pareceram pátio e cerca onde e por onde viste aquela graça e formosura nunca louvada o bastante? — disse dom Quixote. — Não deviam ser nada menos que sacadas ou varandas, ou um saguão, ou sei lá como chamam, de ricos e reais palácios.

— Pode ser — respondeu Sancho —, mas me pareceu cerca, se é que não me falha a memória.

— Mesmo assim, vamos lá, Sancho — replicou dom Quixote —, pois, desde que a veja, tanto faz se for pela cerca ou pelas janelas, ou por frestas ou grades de jardins, porque qualquer raio de sol de sua beleza que chegue a meus olhos iluminará meu espírito e fortalecerá meu coração, de modo que me tornarei único e sem igual na sabedoria e na bravura.

— Na verdade, senhor — respondeu Sancho —, quando vi esse sol da senhora Dulcineia del Toboso, ele não brilhava tanto que pudesse lançar qualquer raio; deve ter sido porque sua mercê estava peneirando aquele trigo de que falei: a polvadeira que fazia ficou como nuvem diante do rosto dela, obscurecendo-o.

— Tu insistes, Sancho — disse dom Quixote —, em dizer, pensar, acreditar e teimar que minha senhora Dulcineia peneirava trigo, sendo isso uma tarefa e função que nada têm a ver com tudo o que fazem ou devem fazer as pessoas distintas, que são educadas e reservadas para outras coisas e passatempos, que mostram a tiro de balestra sua posição! Como lembras mal, Sancho, daqueles versos de nosso poeta[1] em que nos pinta os bordados que faziam lá em suas moradas de cristal aquelas quatro ninfas que emergiram as cabeças do amado Tejo e se sentaram no campo verde para bordar aqueles tecidos preciosos que o engenhoso poeta nos descreve ali: todos eram de fios de ouro, de seda e pérolas entrelaçadas. E dessa maneira devia ser o trabalho de minha senhora quando tu a viste, a não ser que algum mago perverso, de pura inveja que deve ter por minhas coisas, troque e transforme todas as que devem me dar prazer em diferentes figuras daquelas que têm. Assim, se por acaso o autor daquela história em que dizem que andam impressas minhas façanhas foi algum mago inimigo, temo que tenha trocado algumas coisas por outras, misturando com uma verdade mil mentiras, divertindo-se em contar outras ações fora do que requer a narração de uma história verídica. Oh, inveja, raiz de infinitos males e caruncho das virtudes! Todos os vícios, Sancho, trazem um não sei quê de deleite consigo, mas o da inveja só traz desgostos, rancores e iras.

— Isso é o que digo também — respondeu Sancho — e penso que nesse relato ou história sobre nós, que o bacharel Carrasco disse que havia visto, minha honra deve ter ido para o diabo, apedrejada de um lado para o outro feito cachorro ladrão, como se diz. Pois eu juro por minha mãe que não falei mal de nenhum mago, nem tenho tantos bens que possa ser invejado. É verdade que sou meio malicioso e tenho umas comichões de velhacaria, mas tudo cobre e oculta minha tolice, sempre natural e nunca ardilosa. E, mesmo que não tivesse outra virtude a não ser crer, como creio desde sempre, firme e verdadeiramente em Deus e em tudo aquilo que tem e crê a santa Igreja Católica Romana, e ser inimigo mortal dos judeus, como sou, os historiadores deviam ter misericórdia de mim e me tratar bem em seus escritos. Mas digam o que quiserem, nasci nu e nu me encontro: nada perdi nem ganhei; apesar de estar em livros e andar por esse mundo de mão em mão, não dou um ovo podre para o que dizem de mim.

— Acho que isso se parece, Sancho — disse dom Quixote —, com o que aconteceu a um famoso poeta de nossa época, que, tendo feito uma sátira maliciosa contra todas as damas cortesãs, não incluiu nem nomeou uma dama de quem podia se duvidar se era ou não prostituta. Então a moça, vendo que não estava na lista das demais, se queixou ao poeta perguntando o que havia visto nela para não incluí-la entre as outras, e que ampliasse a sátira e a pusesse lá: se não, ia se arrepender de ter nascido. Assim fez o poeta, e falou mais mal dela do que outras damas falariam, e ela ficou satisfeita de se ver com fama, apesar de infame.

"Isso também se parece com o que contam daquele pastor que botou fogo e queimou o famoso templo de Diana, considerado uma das sete maravilhas do mundo, apenas para que seu nome ficasse vivo nos séculos futuros. Embora tenha se ordenado que ninguém mencionasse de viva voz ou por escrito o nome dele, para que não se realizasse seu desejo, soube-se que se chamava Eróstrato.

"Isso também lembra o que aconteceu ao grande imperador Carlos Quinto com um cavaleiro em Roma. O imperador quis ver aquele famoso templo da Rotunda, que na Antiguidade se chamou o templo de todos os deuses e que agora, com mais propriedade, se chama de todos os santos. É o edifício que ficou mais inteiro entre todos os que os pagãos construíram em Roma e o que mais conserva a fama da grandiosidade e magnificência de seus fundadores. Tem a forma de uma meia laranja, é grande ao extremo e bem iluminado, sem que entre nele outra luz que a de uma janela, ou, melhor dizendo, claraboia redonda, que está em seu topo; o imperador olhava o edifício por ela, enquanto a seu lado um cavaleiro romano lhe explicava os primores e as sutilezas daquela grande construção e memorável arquitetura; por fim, tendo se afastado da claraboia, disse ao imperador: 'Mil vezes, sagrada majestade, senti o desejo de me abraçar com vossa alteza e me jogar claraboia abaixo, para deixar de mim fama eterna no mundo'. 'Eu vos agradeço', respondeu o imperador, 'por não ter executado tão mau pensamento, e de hoje em diante não vos darei oportunidade para que volteis a testar vossa lealdade. Assim, ordeno-vos que jamais me faleis nem estejais onde eu estiver.' E, depois dessas palavras, fez uma grande mercê a ele.

"Quero dizer, Sancho, que o desejo de alcançar fama é um estímulo poderoso. Quem pensas tu que atirou Horácio da ponte, com armadura e tudo, nas profundezas do Tibre? Quem queimou o braço e a mão de Múcio? Quem impeliu Cúrcio de se lançar no fundo da cratera que apareceu no meio de Roma? Quem, contra todos os augúrios contrários, fez César cruzar o Rubicão? E, com exemplo mais moderno, quem afundou os navios e deixou em terra e isolados os valentes espanhóis guiados pelo cortesíssimo Cortés no Novo Mundo? Todas essas e outras grandes e diferentes façanhas são, foram e serão obras da fama, que os mortais desejam como prêmios e parte da imortalidade que seus famosos feitos merecem, apesar de que nós (os cristãos, católicos e cavaleiros andantes) devemos dar maior atenção à glória dos séculos futuros, que é eterna nas regiões etéreas e celestes, do que à vaidade da fama que se alcança neste presente e finito século. Pois a fama, por mais que dure, irá acabar com o próprio mundo, que tem seu fim marcado.

"Então, meu amigo Sancho, nossas obras não devem sair dos limites estabelecidos pela religião cristã, que professamos. Devemos matar nos gigantes a soberba; combater a inveja com a generosidade e o bom coração; a ira com a calma sobriedade e tranquilidade da alma; a gula e o sono comendo pouco e velando muito; a luxúria e a lascívia com a lealdade que guardamos àquelas que fizemos senhoras de nossos pensamentos; a preguiça andando por todos os lugares do mundo, em busca das oportunidades que podem nos fazer e façam, além de cristãos, cavaleiros famosos. Vês aqui, Sancho, os meios pelos quais se alcançam os extremos de louvores que traz consigo a boa fama."

— Tudo o que vossa mercê me disse até aqui — disse Sancho —, eu entendi muito bem, mas, mesmo assim, queria que vossa mercê me sorvesse uma dúvida que me veio à mente justo nesse ponto.

— Queres dizer *resolvesse*, Sancho — disse dom Quixote. — Diz de uma vez, que responderei o que souber.

— Diga-me, senhor — prosseguiu Sancho —, esses Júlios e Agostos, e todos esses cavaleiros façanhosos de que falou, que já morreram, onde estão agora?

— Os pagãos — respondeu dom Quixote — sem dúvida estão no inferno; os cristãos, se foram bons cristãos, ou estão no purgatório ou no céu.

— Está bem — disse Sancho —, mas agora vejamos: essas sepulturas onde estão os corpos desses maiorais têm diante de si candelabros de prata, ou as paredes de suas capelas estão adornadas com muletas, mortalhas, cabeleiras, pernas e olhos de cera? Se não, como estão adornadas?

Ao que dom Quixote respondeu:

— Os sepulcros dos pagãos foram na maioria templos suntuosos: as cinzas do corpo de Júlio César foram postas sobre um obelisco de pedra de tamanho descomunal, que hoje chamam em Roma de "a agulha de são Pedro"; ao imperador Adriano serviu de sepultura um castelo tão grande como uma boa aldeia, que chamaram "Moles Hadriani", que agora é o castelo de santo Ângelo em Roma; a rainha Artemisa sepultou seu marido Mausolo numa sepultura que foi considerada uma das sete maravilhas do mundo. Mas nenhuma dessas sepulturas nem muitas outras que os pagãos tiveram foram adornadas com mortalhas, nem com outras oferendas e sinais que mostrassem ser santos os que nelas estavam sepultados.

— Já chego lá — replicou Sancho. — E agora me diga: o que vale mais, ressuscitar um morto ou matar um gigante?

— A resposta cai de madura: é ressuscitar um morto.

— Agora o peguei — disse Sancho. — Portanto, a fama de quem ressuscita mortos, dá visão aos cegos, conserta os coxos e cura os doentes, e diante de suas sepulturas ardem velas, e suas capelas estão cheias de pessoas devotas que adoram de joelhos suas relíquias, é melhor, nesta e na outra vida, do que a fama que deixaram e irão deixar quantos imperadores pagãos e cavaleiros andantes tenham existido no mundo.

— Confesso que também é verdade — respondeu dom Quixote.

— Pois essa fama, essas graças, essas prerrogativas, como chamam — respondeu Sancho —, têm os corpos e as relíquias dos santos, que com aprovação e licença de nossa santa madre Igreja têm candelabros, velas, mortalhas, muletas, pinturas, cabeleiras, olhos, pernas, com que aumentam a devoção e engrandecem sua fama cristã. Os reis levam sobre seus ombros os corpos dos santos ou suas relíquias, beijam os pedaços de seus ossos, adornam e enriquecem com eles seus oratórios e altares preciosos.

— O que queres que eu conclua, Sancho, de tudo que disseste? — disse dom Quixote.

— Quero dizer — disse Sancho — que tratemos de ser

santos e alcançaremos mais rapidamente a boa fama que pretendemos. E repare, senhor, que ontem ou anteontem (porque, como faz tão pouco tempo, pode-se falar dessa maneira) canonizaram ou beatificaram dois fradezinhos descalços. Agora se considera uma sorte beijar ou tocar as correntes de ferro com que prendiam e atormentavam os corpos, e são mais veneradas, segundo dizem, que a espada de Roland no arsenal do rei nosso senhor, que Deus proteja. Então, meu amo, mais vale ser um humilde fradezinho, de qualquer ordem que seja, do que valente e andante cavaleiro; mais valor têm para Deus duas dezenas de açoites em penitência que duas mil lançadas, tanto faz se em gigantes, monstros ou em dragões.

— Tudo isso é verdade — respondeu dom Quixote —, mas nem todos podemos ser frades, e muitos são os caminhos por onde Deus leva os seus ao céu: a cavalaria é religião e há cavaleiros santos na glória.

— Sim — respondeu Sancho —, mas ouvi dizer que há mais frades no céu que cavaleiros andantes.

— É assim — respondeu dom Quixote — porque é maior o número dos religiosos que o de cavaleiros.

— São muitos os andantes — disse Sancho.

— Muitos — respondeu dom Quixote —, mas poucos os que merecem o nome de cavaleiros.

Nestas e em outras conversas semelhantes passaram aquela noite e o dia seguinte, sem que lhes acontecesse coisa digna de se contar, do que dom Quixote não se amolou pouco. Enfim, no outro dia ao anoitecer, eles depararam com a grande cidade de El Toboso, e a visão dela alegrou o espírito de dom Quixote e entristeceu o de Sancho, porque não sabia onde ficava a casa de Dulcineia, nem nunca a tinha visto, como também não a tinha visto seu senhor; de modo que estavam preocupados, um por vê-la e o outro por não tê-la visto, e Sancho não imaginava o que havia de fazer quando seu amo o enviasse a El Toboso. Por fim, dom Quixote decidiu que entrariam de noite na cidade, e enquanto esperavam a hora ficaram num mato de azinheiras que havia perto de El Toboso. Quando chegou o momento preciso, entraram na cidade, onde lhes aconteceram coisas estupendas.

IX

ONDE SE CONTA O QUE SE VERÁ NELE

Era meia-noite em ponto,[1] mais ou menos, quando dom Quixote e Sancho deixaram o mato de azinheiras e entraram em El Toboso. A cidade estava num silêncio sereno, porque todos os moradores dormiam e repousavam de pés espalhados, como se costuma dizer. A noite não era muito clara, mas Sancho gostaria que fosse muito escura, para achar na escuridão dela desculpa para sua estupidez. Não se ouvia nada além de latidos de cachorros, que ensurdeciam dom Quixote e perturbavam o coração de Sancho. De tanto em tanto zurrava um jumento, grunhiam porcos, miavam gatos, e o barulho de todos esses sons diferentes parecia se ampliar com o silêncio da noite, coisa que o cavaleiro apaixonado tomou por mau agouro. Mas, apesar de tudo, disse a Sancho:

— Sancho, meu filho, guia-me ao palácio de Dulcineia. Quem sabe esteja acordada.

— Mas a que palácio quer que o leve, santo Deus — respondeu Sancho —, se vi sua grandeza numa casa muito pequena?

— Então devia ter se retirado para alguma pequena casa de campo perto do palácio — respondeu dom Quixote —, para se distrair sozinha com suas aias, como é costume das senhoras nobres e princesas.

— Senhor — disse Sancho —, já que vossa mercê quer, apesar do que digo, que seja um palácio a casa de minha senhora Dulcineia, por acaso isso são horas de achar a porta aberta? E será uma boa ideia metermos a mão na aldrava para que nos ouçam e nos atendam, botando todo mundo em polvorosa? Por acaso vamos bater nas casas de amantes, como fazem os amancebados, que chegam e entram a qualquer hora, por mais tarde que seja?

— Achemos o palácio de uma vez por todas — replicou dom Quixote —, que então eu te direi, Sancho, o que devemos fazer. E repara, Sancho, ou vejo mal ou aquele vulto que faz uma grande sombra que se avista ali deve ser o palácio de Dulcineia.

— Pois então me guie vossa mercê — respondeu Sancho. — Talvez seja mesmo, mas, ainda que eu o veja com os dois olhos e o toque com as duas mãos, acreditarei tanto nele como acredito que agora é dia.

Dom Quixote tomou a dianteira e, tendo andado uns duzentos passos, chegou ao vulto que fazia a sombra, e viu uma grande torre, e percebeu logo que esse edifício não era um palácio, mas a igreja principal do povoado. E disse:

— Demos com a igreja, Sancho.

— Já vi — respondeu Sancho —, e que Deus não permita que topemos com nossa sepultura, pois não é um bom sinal andar pelos cemitérios a essas horas, ainda mais eu tendo dito a vossa mercê, se bem me lembro, que a casa dessa senhora deve estar numa ruazinha sem saída.

— Que asses no inferno, sua besta! — disse dom Quixote. — De onde tiraste que os alcáceres e palácios reais estejam em ruazinhas sem saída?

— Senhor — respondeu Sancho —, cada terra tem seus costumes: talvez se use aqui em El Toboso construir palácios e edifícios grandes em becos sem saída. Então, suplico a vossa mercê que me deixe procurar por essas ruas e ruelas aí: quem sabe eu tope com esse alcácer em algum canto, e tomara que eu o veja aos pedaços, como comido pelos cachorros, tão aflitos e vexados nos traz.

— Fala com respeito das coisas de minha senhora,

Sancho — disse dom Quixote —, e vamos devagar com o andor e nada de dar murro em ponta de faca.

— Sim, vou me acalmar — respondeu Sancho. — Mas como posso aturar com paciência que vossa mercê queira que eu, que vi a casa de nossa ama apenas uma vez, saiba onde fica e a ache a meia-noite, se não a acha nem vossa mercê, que deve tê-la visto milhares de vezes?

— Estás me tirando do sério, Sancho — disse dom Quixote. — Vem cá, herege: não te disse mil vezes que nunca vi a sem-par Dulcineia em todos os dias de minha vida, nem jamais atravessei os umbrais desse palácio, e estou apaixonado apenas de ouvido, pela grande fama que tem de sábia e formosa?

— Agora sim ouvi — respondeu Sancho. — E digo que, como vossa mercê não a viu, eu também não.

— Como não? — respondeu dom Quixote. — Pelo menos tu me disseste que a viste peneirando trigo, quando me trouxeste a resposta da carta que lhe enviei por ti.

— Deixe isso para lá, senhor — respondeu Sancho —, porque devo dizer que a visita e a resposta também foram de ouvido: sei tanto quem é a senhora Dulcineia como dar um tiro na lua.

— Sancho, Sancho — respondeu dom Quixote —, brincadeira tem hora e tem hora que as brincadeiras não vêm a calhar. Não é porque eu digo que não vi nem falei com a senhora de minha alma que tu tens de dizer também que nunca falaste com ela nem a viste, sendo exatamente o contrário, como sabes.

Os dois estavam nessa conversa, quando viram se aproximar um sujeito com duas mulas. Pelo ruído que fazia o arado arrastado pelo chão, julgaram que ele devia ser um lavrador e que tinha madrugado para ir à lavoura, o que era verdade. O lavrador vinha cantando aquele romance que diz:

Má sorte tivestes, franceses,
na batalha de Roncesvalles.[2]

— Que um raio me parta, Sancho — disse dom Quixote, ao ouvi-lo —, se não vão nos acontecer boas coisas esta noite. Não ouves o que esse camponês vem cantando?

— Ouço sim — respondeu Sancho —, mas o que o fiasco de Roncesvalles tem a ver com nosso negócio? Tanto podia cantar o romance de Calaínos,[3] que dava na mesma para nos sairmos bem ou mal.

Nisso chegou o camponês, a quem dom Quixote perguntou:

— Que Deus esteja convosco, meu amigo. Saberíeis dizer-me onde ficam os palácios da sem-par princesa dona Dulcineia del Toboso?

— Senhor — respondeu o rapaz —, eu sou forasteiro, há poucos dias estou nesta vila, lavrando o campo para um camponês rico. Nessa casa ali adiante vivem o padre e o sacristão. Um deles ou ambos devem poder dar uma indicação a vossa mercê sobre essa senhora princesa, porque têm a lista de todos os moradores de El Toboso, embora me pareça que aqui não vive princesa alguma, mas muitas senhoras (distintas, sim), que cada uma pode ser princesa em sua casa.

— Pois entre essas, meu amigo — disse dom Quixote —, deve estar esta por quem pergunto.

— Pode ser — respondeu o rapaz. — Adeus, que o dia vem raiando.

E, tocando suas mulas, não respondeu a mais perguntas. Sancho, que viu seu senhor surpreso e descontente, disse:

— Senhor, o dia vem logo aí e não seria uma boa ideia que o sol nos encontrasse na rua. Será melhor sairmos para fora da cidade, e que vossa mercê se meta em alguma floresta perto daqui, e eu voltarei de dia e não deixarei um canto em todo este lugar onde não procure a casa, alcácer ou palácio de minha senhora, e eu seria um infeliz se não a achasse. Então, encontrando-a, falarei com sua mercê e direi a ela onde e como está vossa mercê esperando que lhe dê ordem e instruções para vê-la, sem prejuízo de sua honra e reputação.

— Disseste mil sentenças, Sancho — disse dom Quixote —, encerradas no círculo de breves palavras: aprecio o conselho que me dás agora e o recebo de muito boa vontade. Vem, meu filho, vamos procurar um esconderijo, e tu voltarás, como dizes, para procurar, para ver e achar minha senhora, de cuja sabedoria e cortesia espero mais que milagrosos favores.

Sancho morria de vontade de tirar seu amo da vila, para que não descobrisse a mentira da resposta que havia levado de parte de Dulcineia a Serra Morena. Assim, apressou a saída, que foi em seguida, e a duas milhas do povoado encontraram uma floresta ou mata, onde dom Quixote se escondeu enquanto Sancho voltou para falar com Dulcineia. Nessa embaixada aconteceram coisas com ele que pedem nova atenção e nova confiança.

X

ONDE SE CONTA A ARTIMANHA QUE SANCHO USOU PARA ENCANTAR A SENHORA DULCINEIA, E OUTROS ACONTECIMENTOS TÃO RIDÍCULOS COMO VERDADEIROS

Chegando aos fatos que conta neste capítulo, o autor desta grande história diz que gostaria de relegá-los ao silêncio, receoso de que não acreditem nele, porque as loucuras de dom Quixote ultrapassaram aqui o limite das maiores que se podem imaginar, indo inclusive dois tiros de balestra além delas. Enfim, mesmo com medo, descreveu-as exatamente como ele as cometeu, sem acrescentar nem subtrair à história um ponto da verdade, sem se importar com as objeções que podiam taxá-lo de mentiroso. E teve razão, porque a verdade estica mas não arrebenta e sempre fica por cima da mentira, como o azeite sobre a água.

Assim, prosseguindo sua história, diz que, mal dom Quixote se meteu na floresta, capoeira ou mata de azinheiras perto de El Toboso, mandou Sancho voltar à cidade e que não aparecesse em sua presença sem ter antes falado de sua parte a sua senhora, pedindo que ela concedesse a graça de se deixar ver por seu cativo cavaleiro e se dignasse a lhe dar a bênção, para que assim pudesse esperar um felicíssimo final em todas as suas batalhas e difíceis empresas. Sancho se encarregou de fazer tudo como era mandado e trazer-lhe resposta tão boa como a que trouxe na primeira vez.

— Anda logo, meu filho — replicou dom Quixote —, e não te ofusques quando te vires diante da luz do sol de formosura que vais procurar. Venturoso és sobre todos os escudeiros do mundo! Fica alerta e não esqueças como ela te recebe: se troca de cor quando estiveres dando minha mensagem; se se altera e aflige ouvindo meu nome; se não para quieta no coxim, se por acaso a encontrares sentada no rico estrado próprio de sua dignidade; e, se estiver de pé, olha para ver se fica ora sobre um pé, ora sobre o outro; se repete duas ou três vezes a resposta que te der; se muda de branda para ríspida, de rude para amorosa; se leva a mão ao cabelo para ajeitá-lo, mesmo que não esteja desarrumado... Enfim, meu filho, olha todas as suas ações e movimentos, porque, se relatares para mim como eles ocorreram, eu entenderei o que ela mantém escondido no segredo de seu coração acerca do que se refere aos meus feitos, pois deves saber, Sancho, se é que não sabes, que entre os amantes as ações e movimentos exteriores que mostram quando se trata de seus amores são certíssimos correios que trazem as novas do que se passa no interior da alma. Vai então, meu amigo, e guie-te melhor sorte que a minha, e traga-te melhores ventos que aqueles que fico temendo e esperando nesta amarga solidão em que me deixas.

— Vou num pé e volto no outro — disse Sancho. — Mas inche o peito, meu senhor, pois agora vossa mercê deve ter o coração menor que uma avelã. Vamos, não esqueça que se costuma dizer que coração forte dobra má sorte e que coração alegre é melhor que botica; também se diz: "De onde menos se espera, daí salta a lebre". Digo isso porque, se não achamos os palácios ou alcáceres de minha senhora de noite, penso achar agora que é de dia, quando menos se espera; e, depois de achá-los, deixe a donzela comigo.

— Com certeza, Sancho — disse dom Quixote —, eu espero que Deus me dê tanta ou melhor sorte no que desejo quanto teus ditados sempre vêm a calhar ao que tratamos.

Dito isto, Sancho deu as costas ao fidalgo e fustigou o burro, e dom Quixote ficou a cavalo descansando nos estribos e escorado na lança, cheio de tristes e confusas fantasias, onde o deixaremos, indo-nos com Sancho Pança, que se afastou não menos confuso e pensativo do que deixava seu senhor. Tanto, na verdade, que mal tinha saído do mato virou a cabeça e, notando que não se via mais dom Quixote, apeou e, sentando-se embaixo de uma árvore, começou a falar a si mesmo:

— Vamos ver agora, irmão Sancho, aonde vai vossa mercê. Vai procurar algum jumento perdido?

"Não, de jeito nenhum.

"Vai procurar o quê, então?

"Vou procurar, como quem não quer nada, uma princesa, e nela o sol da formosura e todo o céu de quebra.

"E onde pensa encontrar tudo isso, Sancho?

"Onde? Ora, na grande cidade de El Toboso.

"Muito bem, e vai procurá-la a mando de quem?

"A mando do famoso cavaleiro dom Quixote de la Mancha, que repara as injustiças e dá de comer a quem tem sede e de beber a quem tem fome.

"Isso tudo está muito bem, mas vossa mercê sabe onde fica a casa, Sancho?

"Meu amo diz que devem ser uns palácios reais ou uns alcáceres soberbos.

"E por acaso vossa mercê a viu alguma vez?

"Nem eu nem meu amo a vimos jamais.

"E lhe parece acertado e bem-feito que, se os moradores de El Toboso souberem que vossa mercê está aqui com a intenção de roubar as princesas e alarmar as damas deles, viessem e moessem suas costelas à base de pauladas e não lhe deixassem um osso inteiro?

"Para falar a verdade, teriam toda razão, se não considerassem que sou mandado, e que

Mensageiro sois, amigo,
não tens culpa, não.[1]

"Não se fie nisso, Sancho, porque os manchegos são tão coléricos quanto honrados e não deixam ninguém brincar com eles. Por Deus, se farejarem alguma coisa, estarás bem arrumado.

"Arreda, capeta! Que o raio te parta! Não, não estou aí para procurar sarna e me coçar pelos outros! Sem falar que procurar Dulcineia em El Toboso é como procurar palha num palheiro ou bacharel em Salamanca! Foi o diabo, sim, ninguém menos que o diabo em pessoa que me meteu nisso!"

De todo esse solilóquio, Sancho concluiu o que voltou a dizer:

— Muito bem, todas as coisas têm remédio, menos a morte, em cujas mãos todos nós estaremos no fim da vida, queiramos ou não. Já vi por mil sinais que meu amo é louco de atar, e eu também não fico muito atrás, vai ver sou até mais idiota que ele, já que o sigo e o sirvo, sendo verdadeiro o ditado que diz: "Diz-me com quem andas e te direi quem és", e aquele outro: "Não importa a casta, mas com quem se pasta". Então, sendo ele louco do jeito que é e de loucura que na maioria das vezes toma umas coisas por outras, julga o branco por preto e o preto por branco, como quando disse que os moinhos de vento eram gigantes, as mulas dos religiosos dromedários, os rebanhos de carneiros exércitos de inimigos e muitas outras coisas desse teor, não será difícil fazer com que acredite que uma camponesa, a primeira com quem eu topar por aqui, é a senhora Dulcineia. Agora, se ele não acreditar, eu jurarei, e se ele jurar, eu juro de novo, e se teimar, eu teimarei mais ainda, de maneira que não me dê jamais por vencido, aconteça o que acontecer. Talvez, depois dessa teima toda, ele não me mande outra vez em semelhantes missões, vendo os péssimos recados que lhe trago delas, ou talvez pense, como imagino, que algum mago perverso desses que ele diz ser seu inimigo terá mudado a aparência de Dulcineia, para lhe causar dano e sofrimento.

Com esse pensamento, Sancho sossegou o espírito e considerou seu negócio bem encaminhado, e ficou por ali até de tarde, para que dom Quixote pudesse pensar que havia tido tempo de ir e voltar a El Toboso. E correu tudo tão bem que, quando se levantou para montar no burro, viu que vinham de El Toboso na direção dele três camponesas sobre três burrinhos, ou burrinhas, que o autor não esclarece, embora possa se acreditar mais que eram burrinhas, por serem as montarias habituais das aldeãs; mas, como isso pouco importa, não há motivo para nos deter em averiguar. Em suma, mal Sancho viu as camponesas, às carreiras voltou a procurar seu senhor dom Quixote, e o encontrou suspirando e dizendo mil lamentos amorosos. Apenas o viu, dom Quixote lhe disse:

— Que há, Sancho, meu amigo? Posso comemorar este dia ou devo botar luto?

— Seria melhor — respondeu Sancho — que vossa mercê subisse na torre da igreja e tocasse o sino.

— Quer dizer — replicou dom Quixote — que trazes boas-novas.

— Tão boas — respondeu Sancho — que vossa mercê não tem de fazer nada além de esporear Rocinante e sair em campo aberto para ver a senhora Dulcineia del Toboso, que vem com duas aias ver vossa mercê.

— Santo Deus! O que dizes, amigo Sancho? — disse dom Quixote. — Olha, não me enganes, nem queiras animar minhas tristezas verdadeiras com falsas alegrias.

— O que eu ganharia enganando vossa mercê, ainda mais se pode descobrir agora mesmo a verdade? — respondeu Sancho. — Vamos, senhor, venha e verá chegar a princesa nossa ama, vestida e adornada, enfim, como a nobre que é. Ela e suas aias são brasas de ouro, todas espigas de pérolas, todas são diamantes, todas rubis, todas vestidas de brocado com mais de dez camadas de bordados; os cabelos, soltos pelas costas, são outros tantos raios do sol que andam brincando com o vento;

e, além disso, vêm a cavalo em três *cananeias* malhadas, lindas de se ver.

— Queres dizer *hacaneias*, Sancho.

— Há pouca diferença entre *cananeias* e *hacaneias* — respondeu Sancho —, mas, venham montadas no que vierem, vêm as mais galantes senhoras que se possam desejar, especialmente a princesa Dulcineia minha senhora, que pasma os sentidos.

— Vamos lá, Sancho, meu filho — respondeu dom Quixote. — E em recompensa por essas novas tão inesperadas como boas te dou o melhor despojo que ganhar na primeira aventura que tiver, e, se isso não te agradar, te dou as crias que este ano tiverem minhas três éguas. Como sabes, estão para parir no campo público de nosso povoado.

— Fico com as crias — respondeu Sancho —, porque não tenho muita certeza se serão bons os despojos da primeira aventura.

Nisso saíram da mata e avistaram ali perto as três aldeãs. Dom Quixote espichou os olhos por toda a estrada de El Toboso e, como não viu mais que as três camponesas, ficou todo confuso e perguntou a Sancho se as tinha deixado fora da cidade.

— Como fora da cidade? — respondeu. — Por acaso vossa mercê tem os olhos no cangote, que não vê estas que vêm ali, resplandecentes como o próprio sol ao meio-dia?

— Eu não vejo nada, Sancho — disse dom Quixote —, exceto três camponesas montadas em três burrinhos.

— Cruz-credo, Deus me livre! — respondeu Sancho. — Como é possível que três hacaneias, ou seja lá como se chamam, brancas como um floco de neve, pareçam burrinhos a vossa mercê? Por Deus, quero ver minha mãe morta se isso for verdade!

— Pois eu te digo, meu amigo Sancho, que é tão verdade que são burrinhos, ou burrinhas, como eu sou dom Quixote e tu Sancho Pança. Pelo menos, é o que me parece.

— Cale-se, senhor — disse Sancho —, não diga uma coisa dessas. Esfregue os olhos e venha fazer uma reverência à senhora de seus pensamentos, que já está perto.

Dito isto, adiantou-se para receber as três aldeãs e, apeando do burro, segurou as rédeas do jumento de uma delas e disse, caindo de joelhos no chão:

— Rainha e princesa e duquesa da formosura, vossa altivez e grandeza seja servida de receber em sua graça e boa vontade vosso cativo cavaleiro, que ali está feito estátua de mármore, confuso e todo acanhado, por se ver diante de vossa magnífica presença. Eu sou Sancho Pança, seu escudeiro, e ele é o atormentado cavaleiro dom Quixote de la Mancha, conhecido também como o Cavaleiro da Triste Figura.

Nessas alturas, dom Quixote já havia se posto de joelhos ao lado de Sancho, e olhava com olhos arregalados e vista turva aquela que Sancho chamava de rainha e senhora; mas, como não via nela mais que uma camponesa, e com um rosto não muito bonito, porque era redondo e chato, estava confuso e admirado, sem ousar despregar os lábios. As camponesas também estavam surpresas, vendo aqueles dois homens tão diferentes caídos de joelhos, que não deixavam seguir adiante sua companheira. Mas a detida rompeu o silêncio, dizendo desajeitada e aborrecida:

— C'os diabos, saiam da frente e nos deixem passar, que temos pressa!

Ao que Sancho respondeu:

— Oh, princesa e senhora universal de El Toboso! Como vosso magnânimo coração não se enternece vendo ajoelhado diante de vossa sublimada presença o pilar e sustentáculo da cavalaria andante?

Ouvindo isso, outra das moças disse:

— Ora, vá pentear macacos, sua besta! Olhe só os senhorzinhos caçoando das camponesas, como se aqui não soubéssemos fazer gracejos como eles. Sigam seu caminho e nos deixem seguir o nosso, que vai ser melhor para a saúde de vossas mercês.

— Levanta-te, Sancho — disse dom Quixote nesse ponto —, pois vejo que o destino, que de meu mal não se farta, tem tomado todos os caminhos por onde possa vir alguma alegria a esta alma desgraçada que tenho dentro do corpo. E tu, extremo da perfeição, ápice da graça humana, único remédio desse coração aflito que te adora!, já que o perverso mago que me persegue pôs nuvens e cataratas em meus olhos, e apenas para eles e não para outros modificou tua sem igual formosura e transformou teu rosto no de uma camponesa pobre, se é que também não transformou o meu no de algum ogro, para me tornar odioso a teus olhos, não deixes de me olhar com brandura e amorosamente, vendo, nesta submissa homenagem que faço a tua desfigurada formosura, a humildade com que minha alma te venera.

— Olhe só meu vozinho! — respondeu a camponesa. — E eu lá sou dada a ouvir galanteios?! Afastem-se e nos deixem ir, que ficamos agradecidas.

Sancho se afastou e a deixou ir, muito contente por ter se saído bem daquela tramoia.

Mal a camponesa que havia feito o papel de Dulcineia se viu livre, cutucou sua *cananeia* com um aguilhão que tinha num pau e desatou a correr campo afora. Mas a burrinha, sentindo a ponta do aguilhão, que a incomodava mais que o habitual, começou a corcovear, de modo que atirou a senhora Dulcineia no chão. Vendo isso, dom Quixote foi ajudá-la a se levantar, e Sancho a apertar a cincha da albarda, que tinha ido parar na barriga do animal. Arrumada a albarda, dom Quixote quis levantar sua encantada senhora nos braços para montá-la, mas ela, levantando do chão, poupou o trabalho dele: recuou um pouco e, dando uma corridinha, botou ambas as mãos nas ancas da burrinha e saltou sobre a albarda, mais ligeira que um falcão, onde ficou escanchada como um homem. Então Sancho disse:

— Santo Deus, a senhora nossa ama é mais ligeira que uma lebre e pode ensinar a montar à gineta o mais hábil cordovês ou mexicano! Passou de um salto pelo arção traseiro da sela, e sem esporas faz correr a hacaneia como uma zebra. E suas aias não ficam atrás, que todas correm como o vento.

E era verdade mesmo, porque, ao verem Dulcineia a cavalo, todas desataram a correr atrás dela, sem virar a cabeça por um trecho de mais de meia légua. Dom Quixote seguiu-as com os olhos até que desapareceram e então, virando-se para Sancho, disse:

— Sancho, viste como sou malquisto pelos magos? E olha até onde vai a malícia deles e a aversão que me têm, pois trataram de me privar da alegria que poderia me dar ver minha senhora em pessoa. Enfim, eu nasci para exemplo de desgraçados e para ser o alvo onde fazem mira e atiram as flechas da má sorte. E deves reparar também, Sancho, que esses traidores não se contentaram apenas em transformar minha Dulcineia, mas em transformá-la numa figura tão baixa e tão feia como a daquela camponesa, e ainda lhe tiraram o que é tão seu e próprio das senhoras de sua condição, que é cheirar bem, por andar sempre entre âmbares e entre flores. Porque te garanto, Sancho, que, quando ajudei Dulcineia a montar na hacaneia, conforme tu dizes, pois a mim pareceu uma burrinha, senti um cheiro de alho cru que me atarantou e envenenou a alma.

— Oh, canalhas! — gritou Sancho nessas alturas. — Oh, magos miseráveis e mal-intencionados, eu adoraria ver todos espetados pelas guelras, como enfiada de sardinhas! Muito sabeis, muito podeis e muito mais fazeis. Velhacos, devia vos bastar ter transformado as pérolas dos olhos de minha senhora em bolotas de carvalho, e seus cabelos de ouro puríssimo em cerdas de rabo de boi vermelho, e transformado, enfim, suas belas feições na feiura em pessoa, sem tocardes no cheiro dela, que por ele talvez percebêssemos o que estava oculto sob aquela casca horrorosa. Embora, para dizer a verdade, eu nunca tenha visto sua fealdade, mas apenas sua formosura, que aumentava vários quilates com uma pinta sobre o lábio no lado direito, à maneira de bigode, com sete ou oito fios dourados, e compridos mais de um palmo.

— Conforme a correspondência que há entre os sinais do rosto e os do corpo — disse dom Quixote —, Dulcineia deve ter outra pinta na coxa, na parte de dentro, do mesmo lado onde tem a do rosto. Mas os pelos que mencionaste são compridos demais para pintas.

— Mas garanto a vossa mercê — respondeu Sancho — que ficavam muito bem, como se ela tivesse nascido com eles.

— Acredito, meu amigo, acredito — replicou dom Quixote —, porque a natureza não pôs nenhuma coisa em Dulcineia que não fosse perfeita e bem-acabada. Assim, se tivesse cem pintas como a que dizes, nela não seriam lunares, mas luas e estrelas resplandecentes. Mas me diz uma coisa, Sancho: aquela que me pareceu albarda e que tu arrumaste, era selim ou silhão?

— Nem um nem outro — respondeu Sancho —, mas sela à gineta, com um xairel que vale metade de um reino, de tão precioso.

— E eu que não vi nada disso, Sancho! — disse dom Quixote. — Agora digo de novo e direi mil vezes: sou o mais desgraçado dos homens.

Muito se esforçava o debochado Sancho para dissimular o riso, ouvindo os desatinos de seu amo, tão finamente enganado. Por fim, depois de muita conversa, montaram de novo e seguiram pela estrada de Zaragoza, onde pensavam chegar a tempo para as festas solenes que costumam fazer todo ano naquela insigne cidade. Mas, antes que chegassem lá, aconteceram com eles coisas que, por serem muitas, grandes e estranhas, merecem ser escritas e lidas, como se verá adiante.

XI

DA ESTRANHA AVENTURA QUE ACONTECEU AO VALOROSO DOM QUIXOTE COM O CARRO OU CARRETA DAS CORTES DA MORTE

Pensativo por demais, dom Quixote seguia seu caminho, considerando a zombaria cruel que os magos tinham feito transformando sua senhora Dulcineia na figura miserável da camponesa, e não imaginava de que jeito poderia vê-la de novo com sua aparência verdadeira. Esses pensamentos o deixavam tão fora de si que, sem sentir, soltou as rédeas de Roncinante, que, percebendo a liberdade que lhe dava, a cada passo se detinha para pastar a grama verde que abundava naqueles campos. Foi tirado desse alheamento por Sancho, que disse:

— Senhor, as tristezas não foram feitas para os animais e sim para os homens, mas, se os homens se entregam muito a elas, tornam-se animais: contenha-se vossa mercê, volte a si e pegue as rédeas de Rocinante, anime-se e desperte, e mostre aquela galhardia que convém que tenham os cavaleiros andantes. Que diabos se passa? Que abatimento é esse? Estamos aqui ou no mundo da lua? Que Satanás carregue todas as Dulcineias da face da terra, pois mais vale a saúde de um só cavaleiro andante que todos os encantamentos e transformações da terra.

— Cala-te, Sancho — respondeu dom Quixote com voz não muito desanimada. — Cala-te, repito, e não digas blasfêmias contra aquela senhora encantada, que de sua desgraça e desventura apenas eu tenho a culpa: da inveja que me têm os maus nasceu sua má andança.

— O mesmo digo eu — respondeu Sancho. — Quem a viu e quem a vê agora: que coração não chora?

— Isso podes dizer com toda razão, Sancho — replicou dom Quixote —, já que a viste na inteireza cabal de sua formosura, pois o feitiço não chegou a te toldar a vista nem te ocultar a beleza dela: somente contra mim e contra meus olhos se volta a força de seu veneno. Mas, apesar disso, me dei conta de uma coisa, Sancho: tu me pintaste mal sua formosura, porque, se bem me lembro, disseste que ela tinha os olhos de pérolas, e os olhos que parecem de pérolas são antes de peixe morto que de damas; e, pelo que imagino, os de Dulcineia devem ser verdes como esmeraldas, rasgados, com dois arcos celestiais que lhe servem de sobrancelhas; e essas pérolas... tira-as dos olhos e passa-as para os dentes, que sem dúvida te enganaste, Sancho, tomando os olhos pelos dentes.

— Pode ser — respondeu Sancho —, porque tanto me perturbou sua formosura como a vossa mercê sua fealdade. Mas vamos nos encomendar todos a Deus, que Ele conhece todas as coisas que deverão acontecer neste vale de lágrimas, neste mundo perverso que temos, onde mal se acha uma coisa que não esteja misturada com maldade, embuste e velhacaria. Uma coisa me incomoda mais que outras, meu senhor, que é pensar que meio deve-se empregar quando vossa mercê vencer algum gigante ou outro cavaleiro e o mandar que se apresente diante da formosura da senhora Dulcineia: onde esse pobre gigante ou esse cavaleiro vencido vai achá-la? Parece até que os vejo andar por El Toboso feitos umas moscas tontas procurando por minha senhora Dulcineia, e mesmo que a encontrem no meio da rua não a reconhecerão mais que a meu pai.

— Quem sabe, Sancho — respondeu dom Quixote —, o encantamento não chegue ao ponto de tirar dos gigantes e cavaleiros vencidos a faculdade de reconhecer Dulcineia. Com um ou dois dos primeiros que eu vença e mande se apresentar a ela saberemos se a veem ou não, ordenando a eles que voltem para me dizer o que aconteceu.

— Olhe, senhor — replicou Sancho —, pareceu-me certo isso que vossa mercê disse: com esse artifício saberemos o que desejamos. Mas se ela só se oculta de vossa mercê, a desgraça será mais de vossa mercê que de Dulcineia; agora, desde que a senhora Dulcineia tenha saúde e alegria, nós aqui nos arrumaremos e levaremos a coisa o melhor que pudermos, buscando nossas aventuras e deixando ao tempo que faça das suas, pois ele é o melhor remédio para estas e outras doenças maiores.

Dom Quixote queria responder a Sancho Pança, mas foi atrapalhado por uma carreta que atravessou a estrada carregando os mais diversos e estranhos personagens que poderiam se imaginar. Quem guiava as mulas e servia de carreteiro era um demônio horroroso. A carreta vinha descoberta, sem as laterais e sem toldo. O primeiro personagem que se ofereceu aos olhos de dom Quixote foi a própria Morte, mas com rosto humano; perto dela vinha um anjo com asas grandes e coloridas; a um lado estava um imperador com uma coroa na cabeça, pelo visto de ouro; aos pés da Morte estava o deus que chamam Cupido, sem venda nos olhos, mas com seu arco, aljava e flechas. Vinha também um cavaleiro pronto para o combate, com armadura e tudo, mas sem morrião ou elmo, e sim com um chapéu cheio de plumas de diversas cores. Com essas pessoas vinham outras com rostos e trajes diferentes. Isso tudo, visto de repente, agitou um pouco dom Quixote e meteu medo no coração de Sancho; mas logo dom Quixote se alegrou, acreditando que se apresentava uma nova e perigosa aventura, e com esse pensamento, e o espírito pronto para enfrentar qualquer perigo, se pôs diante da carreta e disse com voz alta e ameaçadora:

— Carreteiro, cocheiro ou diabo, ou seja lá o que fores, não demores para me dizer quem és, aonde vais e quem são essas pessoas que levas em teu coche, que mais parece a barca de Caronte que carreta das que se usam hoje.

O diabo, parando a carreta, respondeu calmamente:

— Senhor, somos atores da companhia de Angulo, o Mau. Esta manhã, que é a oitava depois da festa de Corpus Christi,[1] apresentamos o auto *As cortes da Morte* num povoado atrás daquele morro, e esta tarde devemos apresentá-lo naquele outro povoado que se avista ali. Assim, por estarmos tão perto e querermos poupar o trabalho de nos despirmos e nos vestirmos de novo, vamos com os trajes com que atuamos. Aquele rapaz vai de Morte; o outro, de Anjo; aquela mulher, que é esposa do diretor, vai de Rainha; o outro, de Soldado; aquele, de Imperador, e eu, de Demônio, e sou um dos personagens principais do auto, porque nessa companhia faço os primeiros papéis. Se vossa mercê deseja saber alguma outra coisa sobre nós, basta perguntar, que eu responderei com toda exatidão, pois, como sou demônio, sei de tudo.

— Por minha fé de cavaleiro andante — respondeu dom Quixote — que, mal vi esse carro, imaginei que me deparava com alguma grande aventura, e agora me digo que é necessário tocar as aparências com a mão para sair do engano. Ide com Deus, boa gente, para vosso espetáculo, e vede se ordenais alguma coisa em que eu possa vos servir, pois a farei de boa vontade, porque desde rapaz fui um aficionado do palco, e em minha mocidade perdia os olhos atrás das farândolas.

Estando nessa conversa, quis a sorte que chegasse um da companhia vestido de bufão, com muitos guizos, e na ponta de um pau trazia três bexigas de vaca cheias de ar. O cômico, aproximando-se de dom Quixote, começou a esgrimir o pau e bater no chão com as bexigas e a dar grandes saltos, fazendo tilintar os guizos. Essa visão pavorosa assustou Rocinante, que, sem que dom Quixote pudesse dominá-lo, tomou o freio nos dentes e desatou a correr pelo campo com muito mais rapidez do que jamais prometera sua pobre carcaça. Sancho, que percebeu o perigo em que seu amo estava, saltou do burro e a toda pressa foi ajudá-lo; mas, quando se aproximou dele, já havia caído, e Rocinante estava ao lado, pois fora ao chão com seu amo: fim e paradeiro comuns dos arroubos e petulâncias de Rocinante.

Mas apenas Sancho deixou sua montaria para socorrer dom Quixote, o demônio dançarino das bexigas saltou sobre o burro e o fustigou com elas. O medo e o barulho, mais que a dor dos golpes, fizeram o burro voar pelo campo em direção ao povoado onde haveria a apresentação. Sancho olhava a carreira de seu burro e o tombo de seu amo, e não sabia a quem acudir primeiro, mas, como bom escudeiro e como bom criado, pôde mais o amor por seu senhor que o carinho pelo jumento, se bem que cada vez que via as bexigas se levantarem no ar e depois caírem sobre as ancas do burro sentia sobressaltos e sofrimentos mortais, e preferia antes que aqueles golpes fossem dados nas meninas de seus olhos a no menor dos pelos do rabo de seu burro. Com essa perplexa atribulação, chegou aonde estava dom Quixote bem mais alquebrado do que ele desejaria, e, ajudando-o a montar em Rocinante, lhe disse:

— Senhor, o Diabo levou meu burro.

— Que diabo? — perguntou dom Quixote.

— O das bexigas — respondeu Sancho.

— Pois vou recuperá-lo — replicou dom Quixote —, nem que se meta com ele nos mais profundos e escuros calabouços do inferno. Segue-me, Sancho, que a carreta vai devagar, e com as mulas dela quitarei a perda do burro.

— Não precisa mais tomar essa providência, senhor — respondeu Sancho. — Vossa mercê contenha sua cólera, que, pelo visto, o Diabo já largou o burro, pois ele volta ao nosso regaço.

Era a pura verdade, porque o Diabo, depois de cair para imitar dom Quixote e Rocinante, foi a pé para o povoado, e o burro voltou para o dono.

— Mas será bom castigar o abuso daquele demônio em algum dos da carreta — disse dom Quixote —, nem que seja no Imperador.

— Tire vossa mercê isso da cabeça — replicou Sancho —, e ouça meu conselho: nunca se meta com comediantes, pois é gente favorecida. Vi ator, preso por duas mortes, sair livre e sem pagar as custas. Saiba vossa mercê, como são pessoas alegres e de diversão, todos os protegem, todos os amparam, ajudam e estimam, e mais ainda se são das companhias autorizadas pelo Conselho Real, pois todos ou a maioria parecem uns príncipes em seus trajes e modos.

— Mesmo assim — respondeu dom Quixote — não vai me escapar todo convencido o Demônio comediante, nem que o favoreça todo o gênero humano.

E, dizendo isso, voltou à carreta, que estava bem perto do povoado, e disse em grandes brados:

— Detende-vos, esperai, turba alegre e brincalhona, que vos quero ensinar como devem se tratar os jumentos e outros animais que servem de montaria aos escudeiros dos cavaleiros andantes.

Tão altos eram os gritos de dom Quixote que os comediantes ouviram e entenderam; e, julgando pelas palavras a intenção daquele que as dizia, num instante a Morte saltou da carreta, e atrás dela o Imperador, o Diabo cocheiro e o Anjo, sem ficar nem a Rainha nem o deus Cupido, e todos agarraram pedras e se puseram em formação de ataque, esperando receber dom Quixote na ponta dos pedregulhos. Dom Quixote, que os viu formados em garboso esquadrão, os braços levantados prontos para atirar com força as pedras, puxou as rédeas de Rocinante e ficou pensando em como poderia atacar com menos perigo para sua pessoa. Nesse instante, chegou Sancho, que, vendo-o em pose de assalto ao bem formado esquadrão, lhe disse:

— Seria loucura completa tentar essa empresa: considere vossa mercê, meu senhor, que para chuva de pedras, feita com pulso firme, não há arma defensiva no mundo exceto se embutir num sino de bronze. Também deve se considerar que é mais temeridade que valentia um homem sozinho atacar o exército onde está a Morte e lutam imperadores em pessoa, a quem ajudam os bons e os maus anjos. Mas, se esta consideração não o acalmar, acalme-o saber que, entre todos os que estão ali, embora pareçam reis, príncipes e imperadores, com certeza não há nenhum cavaleiro andante.

— Agora sim, Sancho — disse dom Quixote —, tocaste no ponto que pode e deve me demover da decisão que eu já tinha tomado. Não posso nem devo sacar a espada, como muitas outras vezes te disse, contra quem não for armado cavaleiro. Cabe a ti, Sancho, se queres te vingar do agravo que foi feito a teu burro, que daqui eu te ajudarei com gritos de incentivo e advertências proveitosas.

— Não há motivo para me vingar de ninguém, senhor — respondeu Sancho —, pois a vingança não é coisa de bons cristãos, sem falar que vou convencer meu burro a pôr sua ofensa nas mãos de minha vontade, que é viver pacificamente os dias que os céus me derem de vida.

— Bem — replicou dom Quixote —, se esse é teu propósito, meu bom Sancho, sábio Sancho, cristão Sancho e sincero Sancho, deixemos esses fantasmas e vamos de novo em busca de aventuras melhores e mais qualificadas, pois algo me diz que nesta terra não nos faltarão muitas e das mais miraculosas.

Em seguida virou as rédeas, Sancho foi pegar o burro e a Morte e toda a sua tropa volante voltaram para a carreta e prosseguiram viagem. E, se a aventura assustadora da carreta da Morte teve um desfecho feliz, graças sejam dadas ao saudável conselho que Sancho Pança deu a seu amo, a quem, no dia seguinte, aconteceu outra com um cavaleiro andante e apaixonado, não menos surpreendente que a passada.

XII

DA ESTRANHA AVENTURA QUE ACONTECEU AO VALOROSO DOM QUIXOTE COM O BRAVO CAVALEIRO DOS ESPELHOS

A noite seguinte ao dia do encontro com a Morte, dom Quixote e seu escudeiro passaram embaixo de umas árvores altas e frondosas, tendo o fidalgo, por insistência de Sancho, comido das provisões que traziam no burro. No meio do jantar, Sancho disse:

— Senhor, que tolo eu seria se tivesse escolhido para recompensa os despojos da primeira aventura de vossa mercê em vez das crias das três éguas! No fundo, no fundo, é o que se diz: mais vale um pássaro na mão que dois voando.

— Mas se tu, Sancho — respondeu dom Quixote —, tivesses me deixado atacar, como eu queria, teria te cabido em despojos pelo menos a coroa de ouro da Imperatriz e as asas coloridas do Cupido, que eu teria arrancado com um safanão e te poria nas mãos.

— Nunca os cetros e coroas dos imperadores comediantes foram de ouro puro — respondeu Sancho Pança —, mas de ouropel ou de lata.

— Isso é verdade — replicou dom Quixote —, porque não seria adequado que os adornos fossem preciosos, mas sim falsos e ilusórios como é a própria comédia. Por falar nisso, Sancho, quero que a aprecies, tendo-a em alto conceito, como também aqueles que as representam e que as escrevem, pois todos são instrumentos de um grande bem para a república: a cada passo nos põem um espelho pela frente, onde se veem vividamente as ações humanas. Nada nem ninguém representa de modo mais eficaz o que somos e o que haveremos de ser do que a comédia e os comediantes, ou então me diz: não viste representar alguma comédia em que se introduzem reis, imperadores e pontífices, cavaleiros, damas e vários outros personagens? Um faz o rufião, outro o embusteiro, este o mercador, aquele o soldado, outro o bobo sábio, outro o simplório apaixonado, mas, acabada a comédia, despindo os trajes dela, todos os atores ficam iguais.

— Já vi, sim — respondeu Sancho.

— O mesmo que acontece na comédia — disse dom Quixote — acontece no mundo, onde uns representam os imperadores, outros os pontífices, enfim, todas as figuras que podem se introduzir numa peça. Mas, chegando ao fim, que é quando acaba a vida, a todos a morte tira os trajes que os diferenciavam, e ficam iguais na sepultura.

— Bela comparação — disse Sancho —, mas não tão nova que eu não a tenha ouvido muitas e muitas vezes, como aquela do jogo de xadrez: enquanto dura a partida, cada peça tem sua função particular, mas no fim se juntam todas, são misturadas e remexidas, e as metem num saco, que é como meter o pé na cova.

— A cada dia, meu caro Sancho — disse dom Quixote —, estás menos tolo e mais sábio.

— Bem, alguma coisa da sabedoria de vossa mercê deve pegar em mim — respondeu Sancho —, pois as terras secas e estéreis, se adubadas e cultivadas, acabam dando bons frutos. Quero dizer que as conversas com vossa mercê foram o esterco que caiu sobre a terra estéril de meu espírito seco; o cultivo, o tempo que convivemos e lhe sirvo. Com isso espero dar frutos que sejam uma bênção, de modo que não desmintam nem se percam dos caminhos da boa educação que vossa mercê fez em meu esturricado entendimento.

Dom Quixote riu do discurso pomposo de Sancho, mas achou que era verdade o que dizia sobre seu aperfeiçoamento, porque de tanto em tanto falava de modo que o pasmava, mesmo que em todas ou na maior parte das vezes em que Sancho queria falar doutamente, ou como um cortesão, seu discurso despencasse do topo de sua tolice no abismo de sua ignorância. No que ele se mostrava mais elegante e com boa memória era nos ditados que disparava a torto e a direito, encaixassem ou não encaixassem no assunto que tratava, como se viu e notou no decorrer desta história.

Nestas e em outras conversas passaram grande parte da noite, até que Sancho teve vontade de fechar as comportas dos olhos, como ele dizia quando queria dormir. Então, desencilhando o burro, deixou-o livre no pasto abundante. Não tirou a sela de Rocinante, por ordem expressa de seu senhor — no tempo em que andassem pelo campo ou não dormissem sob telhado, não devia desencilhar Rocinante. Tirar o freio e pendurá-lo no arção da sela, sim, era um antigo costume estabelecido e mantido pelos cavaleiros andantes — mas tirar a sela, jamais! Assim fez Sancho, e deu a Rocinante a mesma liberdade que ao burro.

A amizade desses bichos foi tão singular e tão estreita que corre a lenda, por tradição contada de pai para filho, de que o autor desta história verídica escreveu capítulos especiais sobre ela, mas que, para manter a decência e o decoro que se deve a narração tão heroica, não os incluiu nela. Algumas vezes, porém, se descuida desse propósito e escreve que, assim que os dois animais se juntavam, corriam para coçar um ao outro até ficarem cansados e satisfeitos. Então Rocinante botava o pescoço sobre o pescoço do burro, ultrapassando-o mais de meio metro, e os dois, olhando atentamente o chão, costumavam ficar dessa maneira uns três dias, ou pelo menos todo o tempo que os deixavam ou a fome não os levava a procurar sustento.

Digo que dizem que o autor deixou escrito que tinha comparado a amizade deles à que tiveram Niso e Euríalo, e Pílades e Orestes;[1] se foi assim, não devia se deixar de mostrar, para admiração universal, como deve ter sido firme a amizade desses dois pacíficos animais, e para vergonha dos homens, que tão mal sabem manter a amizade uns com os outros. Por isso se cantou:

Não há amigo para amigo:
as canas se tornam lanças;[2]

ou, como disse outro:

Amigos, amigos, negócios etc.

E que ninguém pense que o autor meteu os pés pelas mãos ao comparar a amizade desses animais à dos homens, que dos animais os homens receberam muitos conselhos e aprenderam coisas importantes, como o clister com a cegonha; o vomitório e a gratidão com os cachorros; a vigilância com as gralhas a previdência com as formigas; a honestidade com os elefantes; e a lealdade com o cavalo.

Por fim Sancho acabou adormecido ao pé de um sobreiro, e dom Quixote cochilando sob uma robusta azinheira, mas pouco tempo depois o despertou um ruído às suas costas. Levantou-se assustado e se pôs a olhar ao redor, tentando ouvir de onde vinha o ruído, até que viu dois homens a cavalo e que um deles, saltando da sela, disse ao outro:

— Apeia, meu amigo, e tira os freios dos cavalos, pois me parece que este lugar tem muito capim para eles, e o silêncio e a solidão que meus pensamentos amorosos necessitam.

Ao mesmo tempo que disse isso, estendeu-se no chão, rangendo a armadura que usava, sinal claro que levou dom Quixote a pensar que ele devia ser cavaleiro andante; e, aproximando-se de Sancho, que dormia a sono solto, agarrou-o pelo braço e o acordou, não sem muito trabalho, e lhe disse em voz baixa:

— Irmão Sancho, temos aventura.

— Por Deus, meu senhor, que seja boa — respondeu Sancho. — Mas onde está sua mercê, essa senhora aventura?

— Onde, Sancho? — replicou dom Quixote. — Vira para lá e olha, que verás deitado um cavaleiro andante. Em minha opinião, não deve estar muito alegre, pois o vi apear do cavalo e se estender no chão com mostras de desgosto, e quando se abaixou a armadura rangeu.

— E por que vossa mercê acha que isso é uma aventura? — disse Sancho.

— Não quero dizer — respondeu dom Quixote — que isso seja realmente uma aventura, mas o começo dela, pois assim começam as aventuras. Mas ouve: parece que está afinando um alaúde ou viola e, como cospe e conserta o peito, deve se preparar para cantar algo.

— Diacho, é mesmo — respondeu Sancho. — Deve ser um cavaleiro apaixonado.

— Não há um dos andantes que não o seja — disse dom Quixote. — Mas vamos ouvi-lo, que pelo fio desenrolaremos o novelo de seus pensamentos, se é que canta, porque a boca fala da abundância do coração.[3]

Sancho queria responder a seu amo, mas o atrapalhou a voz do Cavaleiro da Floresta, que não era muito ruim nem muito boa, e, estando os dois perplexos, ouviram que cantou este

SONETO

— Dai-me, senhora, um caminho que eu siga,
como vossa vontade traçar,
que a minha há de respeitar,
sem um desvio que a desdiga.

Se preferis que, calando minha mágoa,
morra, contai-me já por acabado;

se quereis que vos conte em desusado
modo, farei com que o próprio amor a diga.

À prova de contrários estou feito,
de cera branda e de diamante duro,
e às leis do amor a alma ajusto.

Brando como é ou forte, ofereço o peito:
entalhai ou imprimi nele o que vos der gosto,
*que juro guardá-lo eternamente.**

Com um suspiro, pelo visto arrancado do íntimo de seu coração, o Cavaleiro da Floresta deu fim a sua canção, e dali a pouco, com voz dolente e queixosa, disse:

— Oh, mulher, a mais formosa e a mais ingrata do orbe! Como é possível, sereníssima Cacildeia de Vandália,[4] que consintas que este teu cativo cavaleiro se consuma e pereça em contínuas peregrinações e em rudes e duros trabalhos? Não basta que eu tenha feito com que todos os cavaleiros de Navarra, todos os leoneses, todos os andaluzes, todos os castelhanos e por fim todos os cavaleiros da Mancha jurassem a ti que és a mais formosa do mundo?

— Alto lá — disse dom Quixote nessa altura —, pois eu sou da Mancha e nunca jurei isso, nem poderia nem deveria jurar uma coisa tão ofensiva à beleza de minha

* *Soneto — Dadme, señora, un término que siga,/ conforme a vuestra voluntad cortado,/ que será de la mía así estimado,/ que por jamás un punto de él desdiga.// Si gustáis que callando mi fatiga/ muera, contadme ya por acabado;/ si queréis que os la cuente en desusado/ modo, haré que el mismo amor la diga.// A prueba de contrarios estoy hecho,/ de blanda cera y de diamante duro,/ y a las leyes de amor el alma ajusto.// Blando cual es o fuerte, ofrezco el pecho:/ entallad o imprimid lo que os dé gusto,/ que de guardarlo eternamente juro.*

senhora. Já vês, Sancho, que este cavaleiro está delirando. Mas escutemos: talvez ele fale mais.

— Ora se não — replicou Sancho —, pois leva jeito de que vai se queixar um mês inteiro.

Mas não, porque, tendo o Cavaleiro da Floresta ouvido que falavam ali perto, sem seguir em sua lamentação, levantou-se e disse com voz sonora e comedida:

— Quem vem aí? Quem é? Por acaso pertence ao número dos contentes ou dos aflitos?

— Dos aflitos — respondeu dom Quixote.

— Então se aproxime — respondeu o Cavaleiro da Floresta — e verá que se aproxima da tristeza e da aflição em pessoa.

Dom Quixote, ao ouvir resposta tão comovida e cortês, se aproximou dele, e Sancho nem mais nem menos.

O cavaleiro queixoso segurou dom Quixote por um braço, dizendo:

— Sentai-vos aqui, senhor cavaleiro, pois, para compreender que sois dos que professam a cavalaria andante, basta-me ter-vos achado neste lugar, onde a solidão e o sereno vos fazem companhia, leitos naturais e moradias próprias dos cavaleiros andantes.

Ao que dom Quixote respondeu:

— Cavaleiro sou, da ordem que mencionastes. Mas, embora em minha alma tenham seu próprio assento as tristezas, as desgraças e as desventuras, nem por isso fugiu dela a compaixão que tenho pelas adversidades alheias. Do que cantastes há pouco deduzi que as vossas são apaixonadas, quero dizer, são do amor que tendes por aquela formosa ingrata que em vossas queixas nomeastes.

Quando falavam isso, já estavam sentados sobre a terra dura, em boa paz e companhia, como se ao romper do dia não houvessem de romper a cabeça um do outro.

— Porventura, senhor cavaleiro — perguntou o da Floresta a dom Quixote —, sois apaixonado?

— Por desventura, sou — respondeu dom Quixote —,

embora os danos que nascem dos pensamentos bem direcionados devem ser tidos antes por graças que desgraças.

— É verdade — replicou o da Floresta —, se os desprezos não nos perturbassem a razão e o entendimento, pois, sendo muitos, parecem vinganças.

— Nunca fui desprezado por minha senhora — respondeu dom Quixote.

— Não, claro que não — disse Sancho, que estava por perto —, porque minha senhora é como uma ovelhinha mansa: mais derretida que manteiga.

— Este é vosso escudeiro? — perguntou o da Floresta.

— Sim — respondeu dom Quixote.

— Nunca vi escudeiro que se atrevesse a falar onde fala seu senhor — replicou o da Floresta. — Pelo menos, aí está o meu, que é tão velho quanto vosso pai, mas não se poderá provar que tenha aberto a boca onde eu falo.

— Por Deus, falei sim — disse Sancho —, e posso falar até diante de outros mais velhos ainda. Mas fiquemos por aqui, pois, quanto mais se mexe, mais fede.

O escudeiro do Cavaleiro da Floresta pegou Sancho por um braço, dizendo:

— Vamos para onde possamos falar de escudeiro para escudeiro sobre o que bem entendermos, e deixemos nossos amos discutindo as histórias de seus amores, pois com certeza o dia vai achá-los metidos nelas, sem as terem acabado.

— Em boa hora — disse Sancho —, e vou dizer a vossa mercê quem sou, para que veja se posso me comparar aos escudeiros mais tagarelas.

Assim se afastaram os dois escudeiros, e entre eles aconteceu uma conversa tão engraçada quanto foi séria a que aconteceu entre seus senhores.

XIII

ONDE SE PROSSEGUE A AVENTURA DO CAVALEIRO DA FLORESTA, COM A ARGUTA, ORIGINAL E SERENA CONVERSA QUE ACONTECEU ENTRE OS DOIS ESCUDEIROS

Cavaleiros e escudeiros estavam separados, os escudeiros contando suas vidas e os cavaleiros seus amores, mas a história narra primeiro a conversa dos criados e depois prossegue com a dos amos. Então se diz que, afastando-se um pouco deles, o escudeiro do da Floresta disse a Sancho:

— Passamos trabalho nesta vida, meu senhor, nós que somos escudeiros de cavaleiros andantes: na verdade, comemos o pão com o suor de nossos rostos, que é uma das pragas que Deus rogou a nossos primeiros pais.

— Também se pode dizer — acrescentou Sancho — que o comemos com o gelo de nossos corpos, porque quem passa mais calor e mais frio que os miseráveis escudeiros da cavalaria andante? E não seria tão ruim se pelo menos comêssemos, pois as tristezas com pão são menos amargas, mas às vezes passamos um dia ou dois sem quebrar o jejum, a não ser com a brisa que sopra.

— Tudo isso pode-se levar e relevar — disse o da Floresta — com a esperança que temos de receber algum prêmio, porque, se o cavaleiro andante a quem o escudeiro serve não for desgraçado demais, pelo menos em poucos lances se verá premiado com o belo governo de alguma ilha ou com um condado de boa cara.

— Eu já disse a meu amo que me contento com o governo de alguma ilha — disse Sancho —, e ele é tão nobre e tão generoso que o prometeu muitas e diversas vezes.

— Eu — disse o da Floresta — ficarei satisfeito com um canonicato por meus serviços. Meu amo já me prometeu um, e como!

— Então o amo de vossa mercê — disse Sancho — deve ser cavaleiro do tipo eclesiástico e poderá fazer essas mercês a seu bom escudeiro, mas o meu é apenas leigo, embora eu me lembre de pessoas esclarecidas, porém mal-intencionadas, em minha opinião, que queriam aconselhá-lo a ser arcebispo. Enfim, ele não quis ser nada além de imperador, e eu então estava tremendo de medo que lhe desse na veneta ser da Igreja, por não me achar em condições de ter algum benefício nela, porque garanto a vossa mercê que, mesmo que eu pareça um homem, sou uma besta para ser da Igreja.

— Na verdade vossa mercê está enganado — disse o da Floresta —, porque nem todos os governos insulares são de boa cepa. Há alguns corrompidos, alguns pobres, alguns melancólicos. Mas mesmo o mais nobre e bem organizado traz consigo uma pesada carga de preocupações e incômodos, que descarrega sobre os ombros do desgraçado a quem coube em sorte. Seria muito melhor para nós, que professamos esta maldita servidão, que nos retirássemos para nossas casas e ali nos entretivéssemos com atividades mais suaves, como a caça ou a pesca, digamos, pois qual escudeiro é tão pobre que não tenha um pangaré, uns dois galgos e uma vara de pescar com que se distrair em sua aldeia?

— Nada disso me falta — respondeu Sancho. — É verdade que não tenho um pangaré, mas tenho um burro que vale duas vezes mais que o cavalo de meu amo. O diabo que me carregue se eu o trocasse por ele, mesmo que me dessem quatro sacas de cevada de troco. Talvez vossa mercê leve na brincadeira o valor de meu ruço, pois é ruça a cor de meu jumento. Quanto a galgos não me faltariam, porque os há de sobra em meu povoado, e a caça é mais divertida quando se faz à custa dos outros.

— Para falar a verdade nua e crua, senhor escudeiro — respondeu o da Floresta —, estou resolvido e determinado a deixar essas tolices desses cavaleiros, voltar para minha aldeia e criar meus filhinhos, pois tenho três, como três pérolas orientais.

— Eu tenho duas pérolas — disse Sancho —, que podem ser presenteadas ao papa em pessoa, especialmente a mocinha, a quem crio para condessa, se Deus quiser, mesmo que a mãe seja contra.

— E que idade tem essa senhora que se cria para condessa? — perguntou o da Floresta.

— Quinze anos, pouco mais ou menos — respondeu Sancho. — Mas é tão grande como uma lança e tão fresca como uma manhã de abril, e tem a força de um lenhador.

— São qualidades não só para condessa — respondeu o da Floresta —, mas para ser ninfa das matas verdejantes. Puta que a pariu, que muque deve ter a velhaca!

Ao que Sancho respondeu, um tanto amolado:

— Ela não é puta, nem o foi sua mãe, nem o será nenhuma das duas, se Deus quiser, enquanto eu viver. E modere a língua, pois para quem foi criado como vossa mercê entre cavaleiros andantes, que são a própria cortesia, suas palavras não me parecem de muito bom gosto.

— Como vossa mercê sabe pouco em matéria de elogios, senhor escudeiro! — replicou o da Floresta. — Então não sabe que quando um cavaleiro dá uma boa lançada num touro na arena, ou quando uma pessoa faz alguma coisa bem-feita, o povo costuma dizer: "Ah, seu filho da puta, assim é que se faz, seu velhaco!"? Aquilo que parece vitupério, naquela situação é um grande elogio. Arrenegue o senhor os filhos ou filhas que não fazem coisas que mereçam elogios semelhantes dos pais.

— Bem, se é assim, arrenego — respondeu Sancho —, de modo que vossa mercê pode nos chamar de todas as putarias que quiser, eu, meus filhos e minha mulher, porque tudo o que fazem e dizem são coisas dignas de semelhantes elogios. E, para voltar a vê-los, rogo a Deus que me tire de pecado mortal, pois será disso mesmo se me tirar deste perigoso ofício de escudeiro, em que caí pela segunda vez, seduzido e enganado por um saco com cem ducados que achei um dia no coração da Serra Morena. Enfim, o diabo me põe diante dos olhos aqui, ali, aqui não, mas logo ali, um saco desse tamanho cheio de dobrões, que parece que a cada passo o toco com a mão e me agarro nele e o levo para casa, empresto a juros e vivo de rendas como um príncipe. Na hora em que penso nisso me parecem fáceis e suportáveis essas trabalheiras todas que padeço com este mentecapto do meu amo, de quem sei que tem mais de louco que de cavaleiro.

— Por isso dizem que a cobiça rompe o saco — respondeu o da Floresta. — Mas, falando de loucos, não há no mundo um maior que meu amo, porque é como aquele macaco que tanto cuidou do rabo dos outros que deixou o seu na estrada. Pois veja: para que outro cavaleiro que perdeu o juízo o recobre, ele se faz de louco e anda em busca não sei do quê, que depois de achado talvez arrebente em seu focinho.

— E por acaso está apaixonado?

— Sim — disse o da Floresta —, por uma tal Cacildeia de Vandália, a mais fria e a mais quente senhora que já pisou a face da terra, mas não é a frieza que aperta o sapato dele, pois outros embustes maiores roncam em sua alma, o que logo se verá.

— Não há estrada tão plana — replicou Sancho — que não tenha algum buraco ou lombada; se outras casas têm goteira, a minha não tem telhado; e a loucura deve ter mais servos e agregados que o bom senso. Mas, se é verdade que ter um companheiro nas dificuldades costuma servir de alívio, como se diz, com vossa mercê poderei me consolar, pois serve a um amo tão desmiolado como o meu.

— Desmiolado, sim, mas valente — respondeu o da Floresta —, e mais velhaco que desmiolado e que valente.

— Isso o meu não é — respondeu Sancho —, digo, não tem nada de velhaco, tem uma alma de querubim: não sabe fazer mal a ninguém, mas bem a todos, nem tem malícia alguma; uma criança o fará acreditar que é de noite ao meio-dia. Por causa dessa simplicidade gosto dele como das meninas de meus olhos e não me animo a deixá-lo, por mais asneiras que faça.

— Mas, meu irmão e senhor — disse o da Floresta —, se o cego guia outro cego, ambos correm o risco de cair no abismo.[1] O melhor é batermos em retirada em passos largos e ir tratar de nossa vida, porque os que buscam aventuras nem sempre as encontram como desejam.

Sancho cuspia seguido, pelo visto uma saliva do tipo pegajosa e meio seca; notando isso, o caritativo e silvestre escudeiro disse:

— Como falamos demais, parece que nossas línguas colaram no céu da boca, mas eu trago pendurado no arção da sela um descolador de primeira.

Ele se levantou e dali a pouco voltou com um grande odre de vinho e uma empada de dois palmos, sem exagero, porque era de um coelho branco tão grande que Sancho, ao tocá-la, pensou que era de um bode, nunca de um cabrito.

— Vossa mercê traz isso consigo, senhor? — Sancho disse, ao ver aquilo.

— Claro, pensava o quê? — respondeu o outro. — Por acaso sou escudeiro de pouca monta? Trago melhores víveres nas ancas de meu cavalo do que leva um general em viagem.

Sancho comeu sem se fazer de rogado e, na escuridão, engolia bocados do tamanho de um punho. Depois disse:

— Vossa mercê sim é que é escudeiro fiel e leal, sempre pronto e disposto, nobre e generoso, como o demonstra este banquete, que não veio para cá por artes de encantamento (pelo menos é o que parece), e não como eu, miserável e desgraçado, que só trago em meus alforjes um pouco de queijo tão duro que pode rachar o coco de um gigante, acompanhado de quatro dúzias de alfarrobas e outras tantas avelãs e nozes, devido à penúria de meu amo e à opinião que tem de seguir as regras de que os cavaleiros andantes não devem se alimentar a não ser com frutas secas e com as ervas dos campos.

— Por Deus, meu irmão — replicou o da Floresta —, meu estômago não foi feito para cardos, peras silvestres e raízes dos matos. Que se virem com suas opiniões e leis da cavalaria nossos amos, e comam o que elas ordenarem; eu trago fiambres e este odre pendurado no arção da sela, por via das dúvidas. E a devoção dele por mim é tanta e eu o amo tanto que se passa pouco tempo sem que troquemos mil beijos e mil abraços.

Disse isso e o depositou nas mãos de Sancho, que o empinou, pondo-o na boca, e esteve assim olhando as estrelas por um quarto de hora. Por fim, quando acabou de beber, deixou a cabeça cair para um lado e disse, com um grande suspiro:

— Eia, fiadaputa, velhaco! Este sim é bem católico!

— Vedes aí — disse o da Floresta ao ouvir o *fiadaputa* de Sancho — como haveis elogiado este vinho, chamando-o de *fiadaputa*?

— Confesso — respondeu Sancho — que reconheço que não é desonra chamar ninguém de filho da puta, desde que se esteja elogiando, entenda-se. Mas, diga-me, senhor, pelo que há de mais sagrado: este vinho é de Cidade Real?

— Belo provador! — respondeu o da Floresta. — É de lá mesmo e já tem alguns anos de idade.

— Diz isso a mim! — disse Sancho. — Não me tome por bobo, que eu não ia deixar passar por alto. Não lhe parece possível, senhor escudeiro, que eu tenha um instinto tão grande e natural nisso de conhecer vinhos? Se me derem qualquer um para cheirar, acerto a pátria, a cepa, o sabor, a safra e em que barris andou, com todas as demais circunstâncias que lhe dizem respeito. Mas não há de que se espantar, porque tive dois antepassados por parte de pai que foram os melhores provadores que por longos anos a Mancha conheceu. Como prova disso, agora contarei o que aconteceu com eles uma vez. Deram aos dois do vinho de um barril, pedindo a opinião sobre o estado e a qualidade, se era bom ou mau. Um deles provou com a ponta da língua; o outro não fez mais que aproximar o nariz. O primeiro disse que aquele vinho tinha sabor de ferro; o segundo disse que tinha mais gosto de couro de cabra. O dono disse que o barril estava limpo e que o tal vinho não tinha acréscimo algum para que tivesse ganhado sabor de ferro nem de couro de cabra. Mesmo assim, os dois famosos provadores teimaram no que haviam dito. Passou o tempo, vendeu-se o vinho, e ao limpar o barril acharam uma chave pequena, pendurada numa tira de couro de cabra. Veja então vossa mercê se quem descende dessa linhagem poderá dar sua opinião em semelhante assunto.

— É por isso que digo — disse o da Floresta — que devemos deixar de andar em busca de aventuras; se temos pão, não busquemos bolo, e voltemos a nossas cabanas, que ali Deus nos achará, se Ele quiser.

— Até que meu amo chegue a Zaragoza, eu o servirei. Depois chegaremos a um acordo.

Enfim, tanto falaram e tanto beberam os dois bons escudeiros que o sono teve necessidade de atar a língua e moderar a sede deles, pois acabar com ela seria impossível. Assim, agarrados ao odre vazio, com pedaços meio mastigados na boca, acabaram adormecidos, onde os deixaremos por ora, para contar o que houve com o Cavaleiro da Floresta e o da Triste Figura.

XIV

ONDE SE PROSSEGUE A AVENTURA DO CAVALEIRO DA FLORESTA

Entre as muitas coisas que dom Quixote e o Cavaleiro da Floresta falaram, conta a história que o da Floresta disse a dom Quixote:

— Enfim, senhor cavaleiro, gostaria que soubésseis que meu destino ou, digamos melhor, minha livre escolha me levou a me apaixonar pela incomparável Cacildeia de Vandália. Chamo-a assim porque não há com quem compará-la, tanto na majestade do corpo como no extremo de sua condição e formosura. Enfim, esta tal Cacildeia de que estou falando pagou minhas boas intenções e castos desejos fazendo com que eu me ocupasse de muitos e diversos perigos, como fez a Hércules a madrasta dele, prometendo-me ao fim de cada um que no fim do próximo chegaria o fim da minha esperança. Mas desse modo foram se encadeando meus trabalhos, que são incontáveis, e nem eu sei qual haverá de ser o último que dará princípio à realização de meus bons desejos.

"Uma vez me mandou que fosse desafiar aquela famosa giganta de Sevilha chamada Giralda,[1] que é tão valente e forte como se feita de bronze, e que, sem sair do lugar, é a mais volúvel e inconstante mulher do mundo. Fui, vi e venci: eu a mantive quieta e na linha, pois em mais de uma semana sopraram apenas ventos nortes. Também houve aquela vez que Cacildeia me mandou levantar as antigas pedras dos descomunais touros de Guisando,[2] empresa para se encomendar mais a carregadores que a cavaleiros. Outra vez mandou que me atirasse no abismo de Cabra,[3] perigo inaudito e apavorante, e que eu lhe trouxesse notícias detalhadas do que se encerra naquelas escuras profundezas. Detive o movimento da Giralda, levantei os touros de Guisando, atirei-me no abismo e revelei o que estava escondido em suas entranhas, mas minhas esperanças, mortas para sempre, e seus caprichos e desdéns sempre vivos.

"Então, ultimamente me mandou percorrer todas as províncias da Espanha e fazer com que todos os cavaleiros andantes que vagam por aí confessem que ela ultrapassa em formosura quantas donzelas vivem hoje, e que eu sou o cavaleiro mais valente e o mais feliz apaixonado do orbe. Nessa empreitada já percorri a maior parte da Espanha e venci muitos cavaleiros que se atreveram a me contradizer. Mas do que eu mais me alegro e ufano é ter vencido em singular batalha aquele cavaleiro tão famoso, dom Quixote de la Mancha, e tê-lo feito confessar que minha Cacildeia é mais formosa que sua Dulcineia. Com apenas essa vitória penso ter vencido todos os cavaleiros do mundo, porque garanto que o tal dom Quixote venceu a todos, e eu o tendo vencido, sua glória, sua fama e sua honra se transferem e passam a minha pessoa,

e tanto o vencedor é mais honrado,
quanto mais o vencido é reputado;[4]

portanto já correm por minha conta e são minhas as inumeráveis façanhas do já aludido dom Quixote."

Dom Quixote ficou surpreso de ouvir o Cavaleiro da Floresta e por mil vezes esteve para lhe dizer que mentia, tendo o "mentis" na ponta da língua, mas se conteve o melhor que pôde, para fazê-lo confessar a mentira pela própria boca. Então, calmamente, lhe disse:

— De que vossa mercê, senhor cavaleiro, tenha vencido a maioria dos cavaleiros andantes da Espanha, ou mesmo de todo o mundo, não digo nada. Mas de que haja vencido dom Quixote de la Mancha, tenho minhas dúvidas. Talvez fosse algum outro muito parecido, embora poucos se pareçam com ele.

— Como outro?! — replicou o da Floresta. — Pelo céu que nos protege, lutei com dom Quixote: eu o venci e o rendi. Ele é um homem alto, o rosto enrugado, pernas e braços secos e compridos, grisalho, de nariz aquilino e meio torto, de bigodes grandes, pretos e caídos. Guerreia sob o nome de Cavaleiro da Triste Figura e tem por escudeiro um camponês chamado Sancho Pança; sobrecarrega o lombo e rege o freio de um famoso cavalo conhecido como Rocinante; e, por fim, tem por senhora de sua vontade uma tal de Dulcineia del Toboso, chamada uma época de Aldonza Lorenzo: como a minha, que, por se chamar Cacilda e ser da Andaluzia, eu chamo de Cacildeia de Vandália. Se todos esses sinais não bastam para provar o que afirmo, aqui está minha espada, que fará a própria incredulidade acreditar.

— Acalmai-vos, senhor cavaleiro — disse dom Quixote —, e escutai o que desejo vos dizer. Deveis saber que esse dom Quixote de que falais é o maior amigo que tenho neste mundo, tanto que posso dizer que somos a mesma pessoa e que, pelos sinais que me destes, tão detalhados e corretos, não posso pensar que não seja ele mesmo que vencestes. Por outro lado, vejo com os olhos e toco com as mãos a impossibilidade de ser o mesmo, a menos que, como ele tem muitos magos inimigos, especialmente um que o persegue sempre, algum deles tenha tomado sua aparência para se deixar vencer e prejudicar a fama que sua nobre cavalaria lhe tem granjeado em todo o mundo conhecido. E para confirmar isso quero também que saibais que esses magos inimigos, não faz mais de dois dias, transformaram a aparência e a pessoa da formosa Dulcineia del Toboso numa reles camponesa, do mesmo modo como devem ter transformado dom Quixote. E se tudo isso não basta para inteirar-vos da verdade que digo, aqui está o próprio dom Quixote, que a sustentará com suas armas a pé ou a cavalo ou de qualquer forma que vos agradar.

Ao dizer isso, levantou-se e empunhou a espada, esperando que decisão tomaria o Cavaleiro da Floresta, que, também com voz calma, respondeu:

— Ao bom pagador não doem os penhores: quem uma vez, senhor dom Quixote, pôde vos vencer transformado bem poderá ter esperanças de vos render em sua própria pessoa. Como não fica bem que os cavaleiros cometam seus feitos de armas às escuras, como salteadores e rufiões, esperemos o dia, para que o sol veja nossas ações. E será condição de nossa batalha que o vencido deve se submeter à vontade do vencedor, para que faça dele tudo o que quiser, desde que seja decente para um cavaleiro o que lhe for ordenado.

— Estou mais que satisfeito com o trato e a condição — respondeu dom Quixote.

Dizendo isso, foram até onde estavam os escudeiros e os acharam roncando, da mesma forma em que estavam quando o sono os surpreendera. Acordaram-nos e mandaram que preparassem os cavalos, porque, saindo o sol, os dois haveriam de entrar em sangrenta, singular e desigual batalha. Com essa notícia, Sancho ficou pasmo e atônito, temendo pela saúde de seu amo, pois tinha ouvido pelo escudeiro as valentias do da Floresta. Mas, sem dizer uma palavra, os dois escudeiros foram procurar os bichos: os três cavalos e o burro já tinham se cheirado e estavam todos juntos.

No caminho, o da Floresta disse a Sancho:

— Deves saber, meu irmão, que os duelistas da Andaluzia têm por costume, quando são padrinhos de algum desafio, não ficarem ociosos, de mãos abanando, enquanto seus afilhados lutam. Digo isso para que estejas prevenido: enquanto nossos amos lutarem, nós também devemos lutar e nos fazer em pedaços.

— Esse costume, senhor escudeiro — respondeu Sancho —, pode ser coisa comum entre os rufiões e duelistas de que vossa mercê falou, mas, com os escudeiros dos cavaleiros andantes, nem em sonhos. Pelo menos eu não ouvi meu amo falar de semelhante costume, e ele sabe de cor e salteado todos os regulamentos da cavalaria andante. Mesmo que eu possa admitir que seja verdade e ordem expressa a luta de escudeiros enquanto seus amos combatem, não quero cumpri-la, mas pagar a multa que estiver estipulada aos escudeiros pacíficos, que eu garanto que não deve passar de um quilo de cera, e prefiro muito mais pagar esse quilo, pois sei que me custará menos que as ataduras que terei de gastar nos curativos da cabeça, que já conto como quebrada e dividida em duas partes. Além do mais, não posso lutar por não ter espada, nem nunca ter empunhado uma na vida.

— Para isso eu conheço um bom remédio — disse o da Floresta. — Trago aqui dois sacos de pano do mesmo tamanho; vamos, agarreis um, que eu agarro o outro, e lutaremos a sacadas, com armas iguais.

— Dessa maneira, sim — respondeu Sancho —, porque essa luta servirá mais para nos tirar o pó que o sangue.

— Não, nada disso — replicou o outro —, porque devemos botar dentro dos sacos, para que o vento não os desvie, meia dúzia de belas pedras com o mesmo peso tanto para um como para o outro.[5] Dessa maneira poderemos nos bater sem causar mal nem dano.

— Santo Deus! — respondeu Sancho —, olhe bem que enchimento de *martas-cebolinhas* ou de algodão bota nos sacos, para não quebrarmos a cabeça nem deixarmos os ossos em cacos. Mas, mesmo que forem recheados com seda, meu senhor, saiba que não vou lutar: lutem nossos amos e eles lá que se entendam, e bebamos e vivamos nós, que o tempo se encarrega de nos tirar a vida, sem que andemos dando uma mãozinha para que acabem antes da época e caiam de maduras.

— Mesmo assim — replicou o da Floresta —, temos de lutar pelo menos meia hora.

— De jeito nenhum — respondeu Sancho. — Não serei tão ingrato nem tão grosso para arrumar uma rixa, por menor que seja, com quem comi e bebi, ainda mais sem raiva nem nada. Quem diabos pode brigar assim em seco?

— Deixe que eu dou um jeito nisso — disse o da Floresta. — Olhe, antes que comecemos a luta, eu me aproximarei graciosamente de vossa mercê e lhe darei três ou quatro bofetadas, que o derrubem a meus pés. Com elas lhe despertarei a raiva, mesmo que esteja dormindo como uma pedra.

— Contra esse remédio — respondeu Sancho —, conheço outro que não fica atrás: eu pegarei um porrete e, antes que vossa mercê chegue a despertar minha raiva, farei dormir a sua a bordoadas de tal modo que não despertará mais a não ser no outro mundo, onde se sabe que não sou homem que deixe alguém me meter a mão na cara. E que cada um trate de sua vida, embora o mais acertado fosse deixar cada um com sua raiva adormecida, pois ninguém conhece a alma de ninguém, sem falar que muitos que vêm por lã voltam tosquiados, e que Deus abençoou a paz e amaldiçoou as rixas. Se um gato encerrado e acossado se torna um leão, eu, que sou homem, vá saber o que posso me tornar, por isso, senhor escudeiro, nesse instante o intimo: corra por sua conta e risco o mal e o dano que resultar de nossa pendência.

— Está bem — replicou o da Floresta. — Esperemos a manhã, e seja o que Deus quiser.

Já começavam a gorjear nas árvores mil espécies de passarinhos coloridos, e com seus diversos e alegres cantos pareciam saudar e acolher a fresca aurora, que pelos portais e terraços do Oriente ia revelando a formosura de seu rosto, sacudindo de seus cabelos um número infinito de pérolas líquidas, em cujo suave néctar se banhavam os gramados, como se deles brotassem o aljôfar branco e miúdo. Os salgueiros destilavam maná delicioso, as fontes riam, os riachos murmuravam, as matas se alegravam e se enriqueciam os campos com sua vinda. Mas, mal a claridade do dia permitiu ver e diferenciar as coisas, a primeira que se ofereceu aos olhos de Sancho Pança foi o nariz do escudeiro do da Floresta, que era tão grande que quase deixava o corpo todo na sombra. Conta-se, na verdade, que era grande demais, curvo na metade e todo cheio de verrugas, arroxeado como uma berinjela e que descia uns dois dedos além da boca. O tamanho, a cor, as verrugas e a curvatura do nariz enfeavam tanto o rosto que, ao vê-lo, Sancho começou a tremer todo, como uma criança tendo um ataque de epilepsia, e resolveu em seu íntimo deixar que lhe dessem duzentas bofetadas em vez de despertar a raiva para brigar com aquela monstruosidade.

Dom Quixote olhou para seu adversário e o encontrou com o elmo posto e a viseira baixada, de modo que não pôde ver o rosto dele, mas notou que, embora não muito alto, era homem musculoso. Sobre a armadura trazia uma túnica ou casaca de um tecido que parecia ser de ouro finíssimo, semeado de muitas luas pequenas, resplandecentes como espelhos, que o tornavam extremamente galante e vistoso; sobre o elmo ondulava grande quantidade de plumas verdes, amarelas e brancas; a lança, que tinha escorada numa árvore, era muito comprida e grossa, com uma ponta de ferro afiada de mais de um palmo.

Dom Quixote tudo olhou e tudo notou e, pelo visto e observado, julgou que o dito cavaleiro devia ter grande força, mas nem por isso o temeu, como Sancho Pança. Ao contrário, com amável desenvoltura, disse ao Cavaleiro dos Espelhos:

— Se a grande vontade de lutar, senhor cavaleiro, não desgasta vossa cortesia, por ela vos peço que alceis um pouco a viseira para que eu veja se a galhardia de vosso rosto corresponde à de vossa compleição.

— Vencido ou vencedor que sairdes desta empresa, senhor cavaleiro — respondeu o dos Espelhos —, tereis tempo e oportunidade para me ver; se agora não satisfaço vosso desejo, é por me parecer que faço notável desfeita à formosa Cacildeia de Vandália ao dilatar o tempo que levarei para alçar a viseira, sem vos fazer confessar o que já sabeis que pretendo.

— Então, enquanto montamos a cavalo — disse dom Quixote —, bem podeis me dizer se eu sou aquele dom Quixote que dissestes ter vencido.

— A isso vos respondemos que pareceis, sim, como se parece um ovo com outro, ao dito cavaleiro que venci — disse o dos Espelhos. — Mas, como dizeis ser perseguido por magos, não ousarei afirmar se sois ou não o próprio.

— Isso me basta — respondeu dom Quixote — para que creia em vosso engano. Mas, para vos tirar dele completamente, que venham nossos cavalos, que em menos tempo que levardes para alçar a viseira, se Deus, minha senhora e meu braço me valerem, eu verei vosso rosto, e vós vereis que não sou o vencido dom Quixote que pensais.

Então, para encurtar a conversa, montaram, e dom Quixote virou as rédeas de Rocinante para tomar a distância conveniente a fim de atacar seu adversário, e o mesmo fez o dos Espelhos. Mas dom Quixote não havia se afastado vinte passos, quando foi chamado pelo dos Espelhos. Detendo-se os dois na metade do caminho, o dos Espelhos disse:

— Lembrai, senhor cavaleiro, que a condição de nossa batalha é que o vencido, como já se disse antes, deve ficar à mercê do vencedor.

— Sim, claro — respondeu dom Quixote —, desde que as imposições e ordens ao vencido não saiam dos limites da cavalaria.

— Isso mesmo — respondeu o dos Espelhos.

Nisto se ofereceu à vista de dom Quixote o estranho nariz do escudeiro, e não se admirou menos de vê-lo que

Sancho, tanto que julgou o criado por algum monstro ou uma espécie nova de homem, dessas que não costumam andar pelo mundo. Sancho, que viu seu amo se afastar para o combate, não quis ficar sozinho com o narigudo, temendo que apenas com uma trombada daquele nariz no seu a pendência estaria acabada, ficando ele estendido no chão pelo golpe ou pelo medo, e então se foi atrás do amo, agarrado na correia do estribo de Rocinante; e, quando achou que já era tempo de se virar, lhe disse:

— Suplico a vossa mercê, meu senhor, que, antes de se virar para atacar, me ajude a subir naquele sobreiro, de onde poderei ver mais à vontade, melhor que do chão, o galhardo encontro que vossa mercê terá com esse cavaleiro.

— Pelo visto, Sancho — disse dom Quixote —, tu queres se encarapitar na cerca para ver os touros sem perigo.

— Para dizer a verdade nua e crua — respondeu Sancho —, o nariz monstruoso daquele escudeiro me surpreendeu e assustou, e não me atrevo a ficar perto dele.

— Realmente — disse dom Quixote —, se eu não fosse quem sou também me assombraria com esse nariz. Assim sendo, vem, vou te ajudar a subir na árvore.

Quando dom Quixote se deteve para que Sancho subisse no sobreiro, o dos Espelhos achou que tinha se distanciado o suficiente e, pensando que dom Quixote já teria feito a mesma coisa, sem esperar pelo som de uma trombeta ou outro sinal que os avisasse, virou as rédeas do cavalo, que não era mais ligeiro nem tinha melhor aspecto que Rocinante, e foi atacar seu inimigo a todo galope, que era um trotezinho mediano. Mas, vendo-o ocupado com a subida de Sancho, puxou as rédeas e parou na metade da carreira, do que o cavalo ficou muito agradecido, pois já não conseguia mais se mexer. Dom Quixote, que achou que seu inimigo vinha voando, meteu violentamente as esporas nas ilhargas sem recheio de Rocinante, cutucando-as de tal maneira que, conta a história, apenas nessa vez soube-se ter o bicho corrido um pouco, porque todas as demais sempre foram trotes confirmados. Então, com essa fúria nunca vista, chegou aonde estava o dos Espelhos, que enfiava as esporas até os calcanhares em seu cavalo, sem poder movê-lo um dedo do lugar onde havia parado.

Nessa linda situação dom Quixote achou seu adversário, embaraçado com seu cavalo e atrapalhado com sua lança, que nunca conseguiu ou teve chance de pôr em riste. Dom Quixote, que não dava atenção a esses inconvenientes, sem risco nenhum atingiu o dos Espelhos com tanta força que o atirou no chão pelas ancas do cavalo, dando tal tombo que, sem mover nem pé nem mão, o homem deu sinais de que estava morto.

Sancho, mal o viu caído, deslizou do sobreiro e foi a toda pressa para onde estava seu senhor, que, apeando de Rocinante, se debruçou sobre o Cavaleiro dos Espelhos e desamarrou os laços que prendiam o elmo para ver se tinha morrido ou para que pudesse respirar se por acaso estivesse vivo. Então viu — quem poderá dizer quem ele viu, sem causar admiração, maravilha e espanto nos ouvintes? — viu, conta a história, o próprio rosto, a própria imagem, a própria estampa, a própria fisionomia, a própria efígie, a própria compleição do bacharel Sansão Carrasco. Assim que o viu, disse aos brados:

— Corre, Sancho, que vais ver o que não hás de crer! Ligeiro, meu filho, e repara no poder da magia, no que podem os magos e feiticeiros!

Sancho chegou e, mal viu o rosto do bacharel Carrasco, começou a fazer mil conjuros e a se benzer outras tantas vezes. Todo esse tempo o cavaleiro caído não dava mostras de estar vivo, e Sancho disse a dom Quixote:

— Sou de opinião, meu senhor, que por via das dúvidas vossa mercê deve meter a espada na boca deste que parece o bacharel Sansão Carrasco: talvez mate nele algum dos magos seus inimigos.

— Não é má ideia — disse dom Quixote —, porque, em matéria de inimigos, quanto menos, melhor.

Mas, quando sacou a espada para executar o conselho de Sancho, chegou o escudeiro do dos Espelhos, agora sem o nariz que o tinha feito tão feio, e disse, aos berros:

— Olhe bem vossa mercê o que faz, senhor dom Quixote, pois este que tem aos pés é o bacharel Sansão Carrasco, seu amigo, e eu sou o escudeiro dele.

Sancho, vendo-o sem aquela monstruosidade de antes, disse:

— E o nariz?

Ao que ele respondeu:

— Está aqui no bolso.

E, metendo a mão no lado direito, puxou um nariz postiço de massa de papel e verniz com a aparência já mencionada. E Sancho, sem despregar os olhos dele, disse com voz alta e pasmada:

— Santa Maria, acuda-me! Este não é Tomé Cecial, meu vizinho e meu compadre?

— Ora se não sou! — respondeu o desnarigado escudeiro. — Sou Tomé Cecial, compadre e amigo Sancho Pança, e logo vos contarei as tramas, tramoias e maquinações que me trouxeram aqui, mas enquanto isso pedi e suplicai ao senhor vosso amo que não toque nem maltrate, nem fira nem mate o Cavaleiro dos Espelhos, que tem a seus pés, porque sem dúvida alguma é o atrevido e desorientado bacharel Sansão Carrasco, nosso conterrâneo.

Nesse instante, o Cavaleiro dos Espelhos voltou a si, e dom Quixote, percebendo isso, pôs a ponta da espada nua em cima do rosto dele e disse:

— Morto sois, cavaleiro, se não confessais que a sem-par Dulcineia del Toboso ultrapassa em beleza a vossa Cacildeia de Vandália. Além disso, deveis prometer, se desta contenda e queda sairdes com vida, ir à cidade de El Toboso e vos apresentar a Dulcineia de minha parte, para que faça de vós o que sua vontade bem desejar. Se ela vos deixar livre, também deveis voltar a me procurar para me dizer o que aconteceu, que o rastro de minhas façanhas vos servirá de guia para vos levar aonde eu estiver. Essas condições, conforme combinamos antes de nossa batalha, não saem dos termos da cavalaria andante.

— Confesso — disse o cavaleiro caído — que o sapato descosido e sujo da senhora Dulcineia del Toboso vale mais que as barbas mal penteadas, embora limpas, de Cacildeia, e prometo ir à presença dela e voltar à vossa e vos inteirar em tudo e em detalhes do que me pedis.

— Também deveis confessar e crer — acrescentou dom Quixote — que aquele cavaleiro que vencestes não foi nem pode ser dom Quixote de la Mancha, mas outro parecido com ele, como eu confesso e creio que vós, embora pareceis o bacharel Sansão Carrasco, não o sois, mas outro que parece com ele e que com sua aparência me puseram por diante meus inimigos, para esfriarem e deterem o ímpeto de minha cólera e para me fazerem usar brandamente a glória da vitória.

— Confesso tudo, julgo e sinto como vós credes, julgai e sentis — respondeu o esgotado cavaleiro. — Deixai-me levantar, suplico-vos, se é que o permite o golpe de minha queda, que muito estropiado me tem.

Ajudou-o a se levantar dom Quixote, e Tomé Cecial, seu escudeiro, de quem Sancho não arredava os olhos, perguntando-lhe coisas cujas respostas davam claros sinais de que realmente era Tomé Cecial que falava. Mas a impressão que havia deixado em Sancho o que seu amo dissera sobre os magos terem mudado a aparência do Cavaleiro dos Espelhos na do bacharel Carrasco não o deixava dar crédito à verdade que tinha sob os olhos. Por fim, permaneceram com esse engano amo e criado, e o Cavaleiro dos Espelhos e seu escudeiro, aborrecidos e desafortunados, se afastaram de dom Quixote e Sancho com a intenção de achar algum lugar onde pôr um emplastro e umas talas nas costelas. Dom Quixote e Sancho retomaram seu caminho para Zaragoza, onde os deixa a história, para contar quem eram o Cavaleiro dos Espelhos e seu narigudo escudeiro.

XV

ONDE SE CONTA E DÁ NOTÍCIA DE QUEM ERAM O CAVALEIRO DOS ESPELHOS E SEU ESCUDEIRO

Dom Quixote ia contente ao extremo, ufano e vanglorioso por ter vencido tão valente cavaleiro como imaginava que era o dos Espelhos, de cuja palavra cavaleiresca esperava saber se o encantamento de sua senhora continuava, pois era forçoso que o andante derrotado voltasse, sob pena de deixar de ser cavaleiro, para informá-lo do que houvesse acontecido com ela. Mas dom Quixote pensava uma coisa e o dos Espelhos outra, porque naquele momento não era outro seu pensamento senão achar onde fazer um emplastro, como se disse.

Enfim, a história narra que, quando o bacharel Sansão Carrasco aconselhou dom Quixote a retomar de novo sua cavalaria abandonada, foi por ter combinado antes, em conluio com o padre e o barbeiro, de que forma poderia se convencer dom Quixote a ficar em sua casa, quieto e sossegado, sem que o agitassem suas mal buscadas aventuras. O resultado dessa conspiração, com a concordância de todos e especial empenho de Carrasco, foi que deixassem dom Quixote sair, porque detê-lo parecia impossível. A seguir, Sansão cruzaria seu caminho como cavaleiro andante e travaria batalha com ele, pois não faltaria pretexto, e o venceria, tendo isso por coisa fácil. Para arrematar, um pacto determinaria que o vencido ficaria à mercê do vitorioso. Assim, com dom Quixote vencido, o cavaleiro-bacharel o mandaria voltar para seu povoado e não sair de casa por dois anos ou até que fosse mandado por ele fazer outra coisa, o que com certeza dom Quixote cumpriria para não infringir as leis da cavalaria. Talvez, nesse tempo de reclusão, ele esquecesse suas veleidades ou se pudesse encontrar algum remédio conveniente para sua loucura.

Carrasco aceitou a missão, e Tomé Cecial, vizinho e compadre de Sancho Pança, homem alegre e meio cabeça de vento, se ofereceu como escudeiro. Sansão botou a armadura como foi descrita e Tomé Cecial ajeitou o nariz postiço em cima do natural, para não ser reconhecido por seu compadre quando se vissem, e assim seguiram o mesmo trajeto de dom Quixote e quase conseguiram estar presentes à aventura do carro da Morte. Por fim, deram com eles na floresta, onde aconteceu tudo o que o sagaz leitor já conhece. Mas, se não fosse pelos pensamentos extraordinários de dom Quixote, que entendeu que o bacharel não era o bacharel, o senhor bacharel estaria impossibilitado para sempre de completar sua licenciatura, por não ter achado nem mesmo ninhos onde pensava achar pássaros.

Tomé Cecial, que viu como ele tinha realizado tão mal suas intenções e ao péssimo paradeiro que seu caminho o levara, disse ao bacharel:

— Com certeza, senhor Sansão Carrasco, tivemos o que merecíamos: com facilidade se pensa e se empreende um negócio, mas na maioria das vezes se sai dele com dificuldade. Dom Quixote louco, nós lúcidos: ele se vai são e rindo; vossa mercê fica estropiado e triste. Vejamos agora quem é mais louco, aquele que o é por não poder evitá-lo ou o que o é por sua própria vontade.

Ao que Sansão respondeu:

— A diferença que há entre eles é que, aquele que é louco por força, será louco para sempre, e o que é por escolha deixará de sê-lo quando quiser.

— Pois é — disse Tomé Cecial —, eu fui louco por vontade própria quando quis me fazer escudeiro de vossa mercê, e por ela mesma quero deixar de sê-lo e voltar para casa.

— A decisão é vossa — respondeu Sansão —, porque pensar que eu vou voltar para casa sem ter moído a pau esse dom Quixote é pensar que o sol nasce de noite. E agora o que me leva não é o desejo de que ele recupere o juízo, mas o da vingança, porque a dor desgraçada que sinto nas costelas não me deixa mais fazer planos piedosos.

Assim foram os dois conversando, até que chegaram a um povoado onde por sorte havia um curandeiro de ossos, que tratou do pobre Sansão. Tomé Cecial foi embora e o deixou, imaginando sua vingança, e a história voltará a falar dele no tempo devido, para não deixar agora de se regozijar com dom Quixote.

XVI

DO QUE ACONTECEU A DOM QUIXOTE COM UM ARGUTO CAVALEIRO DA MANCHA

Com a alegria, contentamento e orgulho já mencionados, dom Quixote prosseguiu sua viagem, imaginando-se pela vitória anterior ser o cavaleiro andante mais valente que o mundo tinha naquele tempo. Dava por realizadas e conduzidas a desfechos felizes quantas aventuras pudessem lhe acontecer dali por diante: menosprezava os magos e os encantamentos; não se lembrava das inumeráveis sovas que tinha levado no curso de suas façanhas guerreiras, nem da pedrada que lhe arrancou metade dos dentes, nem da ingratidão dos condenados às galés, nem do atrevimento e tempestade de cacetadas dos galegos. Enfim, dizia a si mesmo que, se achasse um jeito ou meio de desencantar sua senhora Dulcineia, não invejaria o mais venturoso cavaleiro andante dos séculos passados. Ia muito ocupado nessas fantasias, quando Sancho lhe disse:

— Não é esquisito, senhor, que eu ainda traga diante dos olhos o nariz desmedido, muito maior que o normal, de meu compadre Tomé Cecial?

— E tu acreditas, Sancho, que por acaso o Cavaleiro dos Espelhos era o bacharel Carrasco e seu escudeiro, Tomé Cecial, teu compadre?

— Não sei o que dizer disso — respondeu Sancho. — Sei apenas que as indicações que me deu de minha casa, mulher e filhos não poderiam ser dadas por outro que não ele mesmo; e a cara, sem aquele narigão, era a mesma de Tomé Cecial, como eu a vi muitas vezes lá na vila e em minha própria casa, que é colada na dele, e o tom da voz era o mesmo também.

— Vamos conversar sobre isso, Sancho — replicou dom Quixote. — Vem cá: a troco de que o bacharel Sansão Carrasco viria como cavaleiro andante, com armas ofensivas e defensivas, lutar comigo? Por acaso fui inimigo dele? Alguma vez dei motivo para que tivesse aversão por mim? Sou seu rival ou ele segue a profissão das armas, para ter inveja da fama que ganhei com elas?

— Então, senhor — respondeu Sancho —, como vamos explicar esse negócio daquele cavaleiro, seja ele quem for, se parecer tanto com o bacharel Carrasco, e seu escudeiro, com Tomé Cecial, meu compadre? E se isso é encantamento, como vossa mercê disse, não haveria no mundo outros dois com quem se parecer?

— São tudo manobras e ilusões dos magos perversos que me perseguem — respondeu dom Quixote. — Eles, prevendo que eu sairia vitorioso da contenda, trataram de que o cavaleiro vencido mostrasse o rosto de meu amigo o bacharel, para que a amizade que tenho por ele se interpusesse entre a lâmina de minha espada e o rigor de meu braço, e amornasse a justa ira de meu coração, e dessa maneira ficasse com vida aquele que com artimanhas e falsidades procurava tirar a minha. Como prova de que já sabes, Sancho, por experiência própria que não te deixará mentir nem enganar, o quanto é fácil para os magos transformar os rostos em outros, tornando o formoso feio e o feio, formoso, lembres que não faz dois dias que viste com teus próprios olhos a formosura e galhardia da incomparável Dulcineia em toda a sua inteireza e natural conformidade, e eu, com cataratas nos olhos, a vi na fealdade e baixeza de uma reles camponesa, com a boca fedendo a alho. Digo mais, para o mago perverso que se atreveu a fazer uma transformação tão maldosa não é grande coisa que tenha feito a de Sansão

Carrasco e a de teu compadre, para me tirar das mãos o prestígio da vitória. Mas, apesar de tudo, eu me consolo, porque no fim das contas, com qualquer aparência que tenha sido, fui o vencedor de meu inimigo.

— Deus sabe a verdade de tudo — respondeu Sancho.

E, como ele sabia que a transformação de Dulcineia tinha sido por manobra e ilusão suas, as quimeras de seu amo não o convenciam, mas não quis discutir, para não dizer alguma palavra que revelasse seu embuste.

Estavam nessa conversa, quando se aproximou deles um homem que vinha atrás deles pela mesma estrada montado numa égua tordilha muito formosa; vestia um gabão de flanela fina verde, com aberturas na barra de veludo castanho, e com um gorro do mesmo tecido; os arreios da égua eram de viagem e à gineta, também castanhos e verdes; trazia um alfanje mourisco pendurado de um largo talim verde e dourado, e as botas de montar tinham os mesmos lavores do talim; as esporas não eram douradas, mas cobertas com um verniz verde, tão limpas e polidas que, por combinarem com todo o traje, pareciam melhores que se fossem de ouro puro. Quando os alcançou, o viajante os saudou cortesmente e, esporeando a égua, seguiu ao largo, mas dom Quixote lhe disse:

— Galante senhor, se vossa mercê segue o mesmo caminho que nós e não vai com muita pressa, eu ficaria honrado se fôssemos juntos.

— Para dizer a verdade — respondeu o da égua —, eu não passaria ao largo se não temesse que a companhia de minha égua assanhasse esse cavalo.

— Não, não, senhor — respondeu Sancho a essa altura —, pode muito bem puxar as rédeas de sua égua, porque nosso cavalo é o mais casto e bem-educado do mundo: jamais fez alguma vileza em semelhantes ocasiões, e a única vez que perdeu as estribeiras, meu senhor e eu pagamos sete vezes a conta. Repito que vossa mercê pode se deter, se quiser, pois, mesmo que deem a égua de bandeja, com certeza ele não vai prová-la.

O viajante puxou as rédeas, admirando-se da postura e do rosto de dom Quixote, que ia sem elmo, porque Sancho o levava como maleta no arção dianteiro da albarda do burro. Mas, se o de verde olhava muito para dom Quixote, muito mais olhava dom Quixote para o de verde, julgando-o um homem de bem. Aparentava uns cinquenta anos de idade; poucos cabelos grisalhos, e o rosto, aquilino; o olhar, entre alegre e sério; e, por fim, o traje e a postura davam a entender que era homem de grandes qualidades.

O homem de verde julgou que nunca tinha visto alguém do tipo e da aparência de dom Quixote de la Mancha: admirou a esqualidez de seu cavalo, a estatura do cavaleiro, a magreza e a amarelidão de seu rosto, suas armas e armadura, seus modos e atitude — realmente, uma visão dessas não tinha sido vista naquela terra por longos anos. Dom Quixote notou muito bem a atenção com que o viajante o olhava e leu na admiração dele seu desejo; e, como era muito cortês e amigo de contentar a todos, antes que lhe perguntasse qualquer coisa se antecipou, dizendo:

— A aparência que apresento é tão nova e fora do que se vê comumente que não me surpreenderia que o tivesse surpreendido, mas vossa mercê deixará de se surpreender quando eu lhe disser, como digo agora, que sou cavaleiro

Dos que dizem as gentes
que vão às suas aventuras.

"Saí de minha pátria, empenhei meus bens, deixei minha boa vida e me entreguei aos braços da sorte, para que ela me levasse aonde mais lhe agradasse. Quis ressuscitar a já morta cavalaria andante, e há muitos dias que, tropeçando aqui, caindo ali, tombando aqui e me levantando lá, realizei grande parte de meu desejo, socorrendo viúvas, amparando donzelas e protegendo casadas, órfãos e pupilos, ofício próprio e natural de cavaleiros andantes. Assim, por minhas muitas, bravas e cristãs façanhas, já mereci andar impresso em quase todas ou na maioria das nações do mundo: trinta mil volumes de minha história foram publicados, e mais trinta mil milhares estão no prelo, se o céu não interferir. Em suma, para encerrar tudo com breves palavras, ou numa só, digo que eu sou dom Quixote de la Mancha, conhecido também como o Cavaleiro da Triste Figura. E, embora os elogios próprios envileçam, às vezes sou obrigado a fazer os meus, coisa que se entende quando não se acha presente quem os faça. Então, senhor gentil-homem, nem este cavalo nem esta lança, nem esta espada nem esta armadura, nem este escudo nem este escudeiro, nem a palidez de meu rosto, nem minha magreza extrema, vos poderão surpreender daqui por diante, já sabendo quem sou e qual é minha profissão."

Dom Quixote se calou depois de dizer isso, e o de verde, pela demora, parecia não saber como responder, mas dali a um bom tempo disse:

— Acertastes, senhor cavaleiro, ao descobrir meu desejo por meu pasmo, mas não acertastes em acabar com a surpresa que sinto por vos ter visto, pois, apesar de dizerdes, senhor, que saber quem sois poderia acabá-la, não aconteceu assim; pelo contrário, agora me sinto mais pasmo e abismado. Como é possível que haja hoje em dia cavaleiros andantes? Como é possível que se publique histórias verídicas de cavaleiros? Não posso acreditar que haja hoje em dia na terra quem proteja viúvas, ampare donzelas, nem honre casadas, nem socorra órfãos, e não acreditaria se não tivesse visto vossa mercê com meus próprios olhos. Bendito seja o céu! Com essa história que vossa mercê diz que foi publicada com suas nobres e verazes façanhas terão posto no esquecimento as inumeráveis dos falsos cavaleiros andantes, de que o mundo está cheio, com tanto dano para os bons costumes e em prejuízo e descrédito das boas histórias.

— Há muito que dizer — respondeu dom Quixote — sobre se são falsas ou não as histórias dos cavaleiros andantes.

— Então há quem duvide que não sejam falsas tais histórias? — respondeu o Verde.

— Eu duvido — respondeu dom Quixote —, mas fiquemos por aqui, pois, se nossa viagem durar, por Deus, espero fazer vossa mercê compreender que fez mal em aderir à corrente dos que têm certeza de que não são verdadeiras.

Por estas últimas palavras, o viajante suspeitou que dom Quixote devia ser algum tipo de mentecapto e aguardava que confirmasse isso com outras. Mas, antes que entrassem em novos assuntos, dom Quixote pediu a ele que dissesse quem era, pois não havia dito nada sobre sua vida e situação. Ao que o do Gabão Verde respondeu:

— Eu, senhor Cavaleiro da Triste Figura, sou um fidalgo natural de uma aldeia onde iremos comer hoje, se Deus quiser. Sou mais que medianamente rico e meu nome é dom Diego de Miranda; passo a vida com minha mulher, com meus filhos e meus amigos; meus passatempos são a caça e a pesca, mas não mantenho nem falcão nem galgos, apenas um perdigão manso como chamariz e um furão atrevido.[1] Tenho umas seis dúzias de livros, uns em castelhano e outros em latim, de história alguns e de devoção outros; os de cavalaria ainda não entraram pelos umbrais de minhas portas. Folheio mais os profanos que os devotos, desde que sejam de entretenimento honesto, que deleitem com a linguagem e surpreendam com a invenção, embora haja muito poucos destes na Espanha. Às vezes como com meus vizinhos e amigos, e muitas vezes os convido; minha mesa é limpa e asseada e nada escassa; não gosto de mexericar nem consinto que se mexerique diante de mim; não esmiúço as vidas alheias nem sou o espião dos feitos dos outros; ouço missa todo dia, divido meus bens com os pobres, sem fazer alarde das boas obras, para não dar entrada em meu coração à hipocrisia e à vanglória, inimigos que se apoderam suavemente do coração mais recatado; procuro apaziguar os que sei que estão brigados; sou devoto de Nossa Senhora e confio sempre na misericórdia de Deus Nosso Senhor.

Sancho esteve muito atento ao relato da vida e diversões do fidalgo e, como as achou boas e santas e que devia fazer milagres quem vivia assim, se atirou do burro e a toda pressa foi segurar o estribo direito dele, e com coração devoto e quase em lágrimas beijou muitas vezes seus pés. O fidalgo, ao ver isso, lhe perguntou:

— Que fazeis, irmão? Que beijos são estes?

— Deixe-me beijar — respondeu Sancho —, porque vossa mercê me parece o primeiro santo a cavalo que vi em toda a minha vida.

— Não sou santo — respondeu o fidalgo —, mas um grande pecador. Vós sim, meu irmão, deveis ser bom, como vossa simplicidade o demonstra.

Sancho montou de novo no burro, tendo desatado o riso de seu amo lá no fundo de sua melancolia e causado nova surpresa em dom Diego. Dom Quixote perguntou a ele quantos filhos tinha e disse que uma das coisas que os antigos filósofos, que careceram do verdadeiro conhecimento de Deus, consideravam uma bênção, entre os bens da natureza e os da fortuna, era ter muitos amigos e ter muitos e bons filhos.

— Eu, senhor dom Quixote — respondeu o fidalgo —, tenho um filho, mas, se não o tivesse, talvez me julgasse mais feliz do que sou, e não porque ele seja mau e sim porque não é tão bom como eu queria. Tem quase dezoito anos; esteve seis em Salamanca, aprendendo latim e grego, e, quando eu quis que passasse a estudar outras ciências, encontrei-o tão mergulhado na da poesia (se é que se pode chamar de ciência) que não é possível fazê-lo encarar a das leis, que eu gostaria que estudasse, nem a rainha de todas, a teologia. Gostaria que fosse a coroa de sua família, pois vivemos num século em que nossos reis premiam nobremente as virtuosas e boas letras, porque letras sem virtude são pérolas na esterqueira. Passa todo o dia averiguando se Homero se saiu bem ou mal em tal verso da *Ilíada*; se Marcial foi desonesto ou não em tal epigrama; se devem se entender de uma maneira ou outra tais e tais versos de Virgílio. Enfim, todas as conversas dele são com os livros desses poetas, e com os de Horácio, Pérsio, Juvenal e Tibulo, pois não dá muita importância aos castelhanos modernos; mas, apesar de tanto desdém por nossa poesia, está todo preocupado pensando em fazer uma glosa a quatro versos que lhe enviaram de Salamanca, parece-me que para um torneio literário.

A isso tudo, dom Quixote respondeu:

— Os filhos, senhor, são pedaços das entranhas de seus pais, por isso serão amados, sejam bons ou maus, como se amam as almas que nos dão vida. Aos pais cabe orientá-los desde pequenos aos caminhos da virtude, da boa educação e dos bons costumes cristãos, para que mais tarde sejam o apoio da velhice de seus pais e glória de sua posteridade. Quanto a forçá-los a estudar esta ou aquela ciência, não considero acertado, embora persuadi-los não cause dano, e quando não se deve estudar para *pane lucrando*,[2] sendo os estudantes tão venturosos que o céu lhes deu pais que lhes deixaram esse pão, eu seria de parecer que permitissem a eles seguir aquela ciência a que mais estivessem inclinados. Embora a ciência da poesia seja menos útil que prazerosa, não é daquelas que costumam desonrar quem a possui.

"Em minha opinião, senhor fidalgo, a poesia é como uma donzela, muito jovem e delicada, formosa ao extremo, que tratam de enriquecer, polir e adornar muitas outras donzelas, que são todos os demais conhecimentos, e ela deve se servir de todos, e todos devem se capacitar com ela; mas esta donzela não quer ser apalpada nem arrastada pelas ruas, nem anunciada pelas praças nem pelos cantos dos palácios. Ela é feita de uma liga de tamanha excelência que quem sabe lidar com ela a transformará em ouro puríssimo de preço inestimável; quem a tiver deve mantê-la na linha, não a deixando correr em sátiras ineptas ou em sonetos desalmados; não deve ser vendável de forma alguma, se não for em poemas heroicos, em tragédias comoventes ou em comédias alegres e engenhosas; não deve deixar que lidem com ela os bufões nem a ralé ignorante, incapaz de conhecer ou avaliar os tesouros que nela se encerram. E não penseis, senhor, que eu chamo aqui de ralé somente os plebeus e humildes, pois todo aquele que não sabe, mesmo que seja senhor e príncipe, pode e deve entrar na lista da ralé. Assim, o nome daquele que tratar a poesia com os requisitos que mencionei será famoso e estimado em todas as nações civilizadas do mundo.

"Quanto a dizerdes, senhor, que vosso filho não aprecia muito a poesia feita em língua vulgar, penso que ele não anda muito acertado nisso, por esta razão: o grande Homero não escreveu em latim, porque era grego, nem Virgílio em grego, porque era latino. Em suma, todos os poetas antigos escreveram na língua que receberam com o leite materno, e não foram buscar as estrangeiras para declarar a nobreza de seus conceitos. Então, sendo isso assim, este costume devia se estender por todas as nações, e não se devia desprezar o poeta alemão porque escreve em sua língua, nem o castelhano, nem também o basco que escrevem nas suas. Mas vosso filho, pelo que imagino, não deve estar de mal com a poesia em castelhano, mas com os poetas que escrevem apenas em castelhano, sem saber outras línguas nem outras ciências que adornem e despertem e ajudem sua natural inclinação, e mesmo nisso pode haver erro, porque, como todo mundo sabe, o poeta nasce poeta. Quer dizer que do ventre de sua mãe o poeta natural sai poeta, e, com aquela inclinação que o céu lhe deu, sem mais estudos nem artifício, cria coisas, que torna verdadeiro o que se diz: *Est Deus in nobis*[3] etc. Também digo que o poeta natural que se auxiliar com a arte será muito melhor e ultrapassará o poeta que somente por saber a arte quer sê-lo: a razão é que a arte não se avantaja à natureza, mas a aperfeiçoa; de modo que, misturando a natureza e a arte, e a arte com a natureza, se forjará um poeta perfeito.

"Portanto, senhor fidalgo, a conclusão de minha explanação é que vossa mercê deixe seu filho ir aonde sua estrela o chama, pois, sendo ele tão bom estudante como deve ser, já tendo galgado facilmente o primeiro degrau das ciências, que é a das línguas, com elas por si mesmo subirá ao topo das humanidades, tão adequadas a um cavalheiro civil, e o adornam, honram e engrandecem como as mitras aos bispos ou como as togas aos peritos jurisconsultos. Ralhe vossa mercê com seu filho se ele fizer sátiras que prejudiquem as honras alheias, e castigue-o, e rasgue-as; mas, se fizer sermões ao modo de Horácio, onde repreenda os vícios em geral, como tão elegantemente ele o fez, elogie-o, porque é lícito ao poeta escrever contra a inveja, e falar mal em seus versos dos invejosos, tanto como de outros vícios, desde que não aponte pessoa alguma. Mas há poetas que, em troca de dizer uma malícia, correm o risco de ser desterrados para as ilhas de Ponto.[4] Se o poeta for casto em seus costumes, também o será em seus versos; a pena é a língua da alma: os conceitos gerados nela serão seus escritos. E, quando os reis e príncipes veem a milagrosa ciência da poesia em homens prudentes, virtuosos e sérios, honram-nos, estimam-nos e os enriquecem, e até os coroam com as folhas da árvore que o raio não ofende, em sinal de que não devem ser ofendidos por ninguém aqueles que têm a cabeça honrada e adornada com essas coroas."

O do Gabão Verde ficou admirado com o discurso de dom Quixote, tanto que foi perdendo a opinião de que ele não passava de um mentecapto. Mas no meio dessa conversa, Sancho, aborrecido com ela, havia se desviado da estrada para pedir um pouco de leite a uns pastores que estavam perto dali ordenhando umas ovelhas. Quando o fidalgo ia reiniciar a conversa, satisfeito ao extremo com o bom senso e a sabedoria de dom Quixote, o próprio, levantando a cabeça, viu que pela estrada vinha um carro cheio de bandeiras reais. Como acreditasse se tratar de nova aventura, chamou Sancho em grandes brados para que lhe trouxesse o elmo. Sancho, ouvindo-se chamar, deixou os pastores e a toda pressa esporeou o burro e se aproximou de seu amo, com quem aconteceu uma espantosa e desatinada aventura.

XVII

ONDE SE REVELA O GRAU EXTREMO QUE ALCANÇOU E PODIA ALCANÇAR A INAUDITA CORAGEM DE DOM QUIXOTE NA FELIZMENTE CONCLUÍDA AVENTURA DOS LEÕES

Conta a história que, quando dom Quixote bradava para que Sancho trouxesse o elmo, o escudeiro estava comprando uns requeijões que os pastores vendiam e, acossado pela pressa de seu amo, não soube o que fazer com eles, nem em que trazê-los. Para não perdê-los, pois já os pagara, resolveu jogá-los no elmo. Com essa boa precaução, voltou para ver o que queria seu senhor, que, mal ele chegou, disse:

— Vamos, meu amigo, dá-me logo esse elmo, pois, ou sei pouco de aventuras, ou o que vejo ali é uma que vai me obrigar a pegar em armas.

O do Gabão Verde, que ouviu isso, espichou a vista por todos os lados e não viu nada além de um carro que se aproximava deles, com duas ou três bandeiras pequenas, o que indicava que o dito carro trazia dinheiro de Sua Majestade, e isso disse a dom Quixote, mas ele não lhe deu atenção, acreditando sempre e pensando que tudo o que lhe acontecesse haviam de ser aventuras e mais aventuras, e por isso respondeu ao fidalgo:

— Homem prevenido, meio combate vencido. Não perco nada me prevenindo, pois sei, por experiência, que tenho inimigos visíveis e invisíveis, mas não sei quando, nem onde, nem como nem com que aparência irão me atacar.

E, virando-se, pediu o elmo a Sancho, que, como não teve tempo de tirar os requeijões, foi obrigado a entregá-lo como estava. Dom Quixote o pegou e, sem olhar para o que vinha dentro, a toda pressa o encaixou na cabeça; e, como os requeijões foram espremidos, começou a correr soro por todo o rosto e barbas de dom Quixote, o que lhe deu tamanho susto que disse a Sancho:

— O que será isso, Sancho? Parece que meu crânio amolece ou meus miolos derretem, ou que eu suo dos pés a cabeça. Bem, se suo, na verdade não é de medo, mas sem dúvida o que vai me acontecer é uma aventura terrível. Se tens com que me limpe, dá-me, pois o suor copioso me cega.

Sancho se calou e lhe deu um pano e, com ele, deu graças a Deus por seu senhor não ter se dado conta de nada. Dom Quixote se limpou e, tirando o elmo para ver que diabos lhe esfriava a cabeça, deparou com aquela papa branca. Aproximou-a do nariz e, cheirando-a, disse:

— Pela vida de minha senhora Dulcineia del Toboso, são requeijões o que puseste aqui, escudeiro traidor, patife desgraçado!

Então Sancho respondeu, com muita pachorra e dissimulação:

— Se são requeijões, vossa mercê passe-os para cá, que eu os comerei. Não, é melhor deixar que o diabo os coma, pois deve ter sido ele quem os botou aí. Eu teria o atrevimento de sujar o elmo de vossa mercê? Já pegamos o atrevido! Minha nossa, senhor, pelo que vejo eu também devo ter magos que me perseguem como criatura e membro de vossa mercê, e puseram aí essa imundície para tirá-lo do sério e levá-lo a me arrebentar as costelas como de costume. Mas a verdade é que dessa vez erraram o passo, pois eu confio no bom senso de meu senhor, que deve ter considerado que eu não tenho requeijões, nem leite, nem outra coisa parecida, e, se os tivesse, teria posto em meu estômago, não no elmo.

— Tudo pode ser — disse dom Quixote.

O fidalgo olhava isso tudo e tudo isso o pasmava, principalmente quando, depois de dom Quixote ter limpado a cabeça, rosto e barba e elmo, meteu-o de novo na cabeça e se firmou nos estribos, verificou se a espada desembainhava facilmente e, agarrando a lança, disse:

— Agora, venha o que vier, que estou pronto para me bater com o próprio Satanás em pessoa.

Nisso chegou o carro das bandeiras, em que não vinha ninguém além do carreteiro, numa das mulas, e um homem sentado na boleia. Dom Quixote cortou o caminho deles e disse:

— Aonde ides, irmãos? Que carro é esse, o que levais nele e que bandeiras são essas?

O carreteiro respondeu:

— O carro é meu; levo nele dois bravos leões enjaulados, que o general de Orã[1] envia à corte, dados de presente a Sua Majestade; as bandeiras são do rei nosso Senhor, em sinal de que aqui vai coisa dele.

— E são grandes os leões? — perguntou dom Quixote.

— Tão grandes — respondeu o homem que ia na boleia do carro — que jamais vieram da África para a Espanha outros maiores, ou tão grandes assim; eu sou o tratador e trouxe outros, mas como estes, nenhum. São fêmea e macho: o macho vai nesta primeira jaula, a fêmea na de trás. Agora estão famintos porque ainda não comeram hoje, portanto, afaste-se vossa mercê, que precisamos chegar logo onde possamos dar de comer a eles.

A isso dom Quixote disse, sorrindo um pouco:

— Leõezinhos, hein? Para cima de mim com leõezinhos, a essas horas? Por Deus que esses senhores que os enviaram vão ver se eu sou homem que se assusta com leões! Apeai-vos, bom homem. Como sois o tratador, abri as jaulas e deixai sair essas feras, que no meio deste campo vos farei conhecer quem é dom Quixote de la Mancha, a despeito e apesar dos magos que as enviaram a mim.

— Ora, ora! — disse a si mesmo o fidalgo nessas alturas. — Agora nosso bom cavaleiro mostrou quem é: os requeijões sem dúvida lhe amoleceram o coco e amadureceram os miolos.

Então Sancho se aproximou dele e disse:

— Senhor, pelo amor de Deus, faça vossa mercê alguma coisa para parar dom Quixote. Se meu senhor se meter com esses leões, eles vão nos despedaçar a todos.

— Como? Vosso amo é tão louco — respondeu o fidalgo — que temeis e acreditais que vai se meter com bichos tão ferozes?

— Não é louco — respondeu Sancho —, mas atrevido.

— Eu farei com que não o seja — replicou o fidalgo.

E, aproximando-se de dom Quixote, que estava apressando o tratador para que abrisse as jaulas, disse:

— Senhor cavaleiro, os cavaleiros andantes devem empreender aventuras que dão esperança de se sair bem delas, não aquelas que a tiram de ponta a ponta, porque a valentia que entra na jurisdição da temeridade tem mais de loucura que de fortaleza. Além do mais, esses leões não vieram contra vossa mercê, nem sonham com isso: são presentes para Sua Majestade, e não ficará bem detê-los nem impedir a viagem deles.

— Senhor fidalgo — respondeu dom Quixote —, vá vossa mercê cuidar de seu perdigão manso e de seu furão atrevido e deixe cada um tratar de suas obrigações. Esta é minha, e eu sei se esses leões vêm ou não vêm por mim.

E, virando-se para o tratador, disse:

— Se não abris logo logo as jaulas, dom velhaco, juro que hei de vos pregar no carro com esta lança.

O carreteiro, que viu a determinação daquele fantasma de armadura, lhe disse:

— Meu senhor, permita vossa mercê, por caridade, me deixar desatrelar as mulas e me pôr a salvo com elas antes que se soltem os leões, porque se as matarem ficarei arruinado pelo resto da vida, pois não tenho outros bens exceto este carro e estas mulas.

— Oh, homem de pouca fé![2] — respondeu dom Quixote. — Apeia e desatrela e faz o que quiseres, mas logo verás que agiste à toa e poderias te poupar dessa trabalheira.

O carreteiro apeou e desatrelou as mulas com grande pressa, e o tratador disse aos brados:

— Sejam testemunhas quantos estão aqui de que fui forçado a abrir as jaulas e soltar os leões, e de que advirto este senhor de que todo o mal e dano que esses animais causarem corre por conta dele, com meus salários e encargos. Tratem vossas mercês de se pôr a salvo antes que eu abra, que estou certo de que os leões não me atacarão.

O fidalgo insistiu de novo que não fizesse semelhante loucura, pois era tentar a Deus cometer um absurdo desses, ao que dom Quixote respondeu que ele sabia o que fazia. O fidalgo respondeu que pensasse bem, que ele via que estava enganado.

— Agora, senhor — replicou dom Quixote —, se vossa mercê não quer ser testemunha do que em sua opinião vai ser uma tragédia, esporeie a tordilha e ponha-se a salvo.

Ouvindo isso, Sancho lhe suplicou em lágrimas que desistisse dessa aventura, pois em comparação tinham sido ninharias a dos moinhos de vento e a dos maços de pisão, ou mesmo todas as façanhas que realizara no curso de sua vida.

— Olhe, senhor — dizia Sancho —, aqui não há encantamento nem coisa que o valha, pois eu vi por entre as grades e frestas da jaula uma unha de leão de verdade, e a julgar pelo tamanho dela o leão deve ser maior que uma montanha.

— O medo te fará achar o bicho maior que a metade do mundo, no mínimo — respondeu dom Quixote. — Afasta-te, Sancho, e me deixa. Se eu morrer aqui, lembres de nosso antigo trato: corre para Dulcineia, e não te digo mais nada.

A essas alegações, acrescentou outras com que acabou com as esperanças de que não levaria adiante sua intenção desvairada. O do Gabão Verde gostaria de impedi-lo à força, mas as armas dele não eram páreo para as do cavaleiro e não lhe pareceu sensato atracar-se com um louco, coisa que agora dom Quixote lhe parecia de cima a baixo. O próprio, apressando de novo o tratador e reiterando as ameaças, deu tempo para que o fidalgo picasse a égua, e Sancho seu burro, e o carreteiro suas mulas, todos procurando afastar-se o mais que pudessem do carro, antes que os leões fossem soltos.

Sancho chorava a morte de seu senhor, pois daquela vez sem dúvida que ela viria nas garras dos leões; amaldiçoava sua sorte e chamava de miserável a hora em que teve a ideia de servir de novo como escudeiro; mas nem por chorar e se lamentar deixava de açoitar o burro para que se distanciasse do carro. O tratador, vendo então que os que fugiam estavam bem longe, voltou a insistir e a exortar dom Quixote como já tinha insistido e exortado antes, mas o cavaleiro respondeu que ouvia tudo e que não se cansasse mais insistindo e exortando, que era perda de tempo, que se apressasse.

Durante o tempo que o tratador levou para abrir a primeira jaula, dom Quixote esteve considerando o que seria melhor, fazer a batalha a pé ou a cavalo. Por fim resolveu fazê-la a pé, temendo que Rocinante se espantasse com a visão dos leões. Por isso saltou do cavalo, largou a lança, meteu o braço no escudo e, desembainhando a espada, passo a passo, com maravilhosa desenvoltura e coração valente, foi se pôr diante do carro, encomendando-se ardentemente a Deus e em seguida a sua senhora Dulcineia.

Deve-se saber que, chegando a este ponto, o autor desta história verídica exclama: "Oh, forte e indizivelmente corajoso dom Quixote de la Mancha, espelho onde podem se mirar todos os valentes do mundo, segundo e novo dom Manuel de León,[3] que foi honra e glória dos cavaleiros espanhóis! Com que palavras contarei esta espantosa façanha? Com que argumentos a tornarei crível para os séculos futuros? Quantos elogios haverá que não se ajustam a ti e não te convêm, mesmo que sejam hipérboles sobre todas as hipérboles? Tu a pé, tu sozinho, tu intrépido, tu magnífico, apenas com uma espada, e não das afiadas como as do cachorrinho,[4] com um escudo de aço pouco brilhante e não muito limpo, estás aguardando e observando os dois mais ferozes leões que jamais criaram as selvas africanas. Que teus próprios feitos falem por si, valoroso manchego, pois aqui deixo apenas um relato simples deles, por me faltarem palavras com que enaltecê-los".

Aqui o autor acabou a exclamação e, seguindo adiante, retomou o fio da história dizendo que o tratador, ao ver dom Quixote em guarda e que não poderia deixar de soltar as feras, sob pena de cair em desgraça com o colérico e atrevido cavaleiro, abriu de par em par a primeira jaula, onde estava um leão de tamanho extraordinário e de aparência espantosa e hedionda, como já se disse. A primeira coisa que o bicho fez foi se revolver na jaula em que estava deitado e estender as garras, espreguiçando-se todo; depois abriu a boca, bocejou bem devagarinho e, com quase dois palmos de língua que tirou para fora, tirou o pó dos olhos e lavou o focinho. Feito isso, botou a cabeça para fora da jaula e olhou em volta com olhos como brasas, visão para meter medo na própria temeridade. Mas dom Quixote o olhava atentamente, desejando que saltasse de uma vez do carro e viesse às suas mãos, entre as quais pensava fazê-lo em pedaços.

Até aqui chegou o extremo de sua inacreditável loucura. Mas o leão, generoso, mais comedido que arrogante, não fazendo caso de ninharias nem de bravatas, depois de ter olhado para um lado e para outro, como se disse, virou de costas e mostrou o traseiro para dom Quixote, e com grande pachorra e lentidão se deitou de novo na jaula. Vendo isso, dom Quixote mandou o tratador dar umas pauladas nele para irritá-lo e fazê-lo sair.

— Isso não — respondeu o tratador —, porque, se o instigar, sou eu que ele fará em pedaços primeiro. Contente-se vossa mercê com o que fez, senhor cavaleiro, pois é tudo o que pode se esperar em matéria de valentia, e não queira tentar a sorte de novo. O leão tem a porta aberta: sair ou não sair é com ele; mas, como não saiu até agora, não sairá pelo resto do dia. A grandeza do coração de vossa mercê já está bem declarada; nenhum bravo guerreiro, pelo que sei, está obrigado a mais alguma coisa que desafiar seu inimigo e esperá-lo em campo aberto; se o adversário não aparece, com ele fica a infâmia e com o outro a coroa da vitória.

— É verdade, realmente — respondeu dom Quixote. — Fecha a porta, meu amigo, e testemunha da melhor forma que puder o que me viu fazer aqui, ou seja: como tu abriste a jaula para o leão, como eu esperei, como ele não saiu, como continuei esperando, como ele continuou não saindo e como se virou e foi se deitar. Não tenho mais obrigações, e fora com os encantamentos, e que Deus proteja a razão e a verdade e a autêntica cavalaria. Como disse, fecha a porta, enquanto aceno para os fujões e ausentes para que saibam desta façanha por tua boca.

Assim fez o tratador, e dom Quixote, pondo na ponta da lança o lenço com que havia limpado o rosto da chuva dos requeijões, começou a chamar os que não deixavam de fugir nem de virar a cabeça a cada passo, todos em fila e empurrados pelo fidalgo na retaguarda. Mas Sancho, conseguindo ver o sinal do lenço branco, disse:

— Que me matem se meu senhor não venceu as bestas-feras, pois nos chama.

Todos se detiveram e viram que era dom Quixote quem fazia os sinais; perdendo uma parte do medo, pouco a pouco foram se aproximando, até onde ouviram com clareza os gritos de dom Quixote, que os chamava. Voltaram finalmente ao carro, e dom Quixote disse ao carreteiro:

— Voltai, meu irmão, atrelai vossas mulas e prossegui vossa viagem. E tu, Sancho, dai dois escudos de ouro a ele e ao tratador, em recompensa por terem se detido por minha causa.

— Darei de muito boa vontade — respondeu Sancho. — Mas o que foi feito dos leões? Estão mortos ou vivos?

Então o tratador, pausadamente e tintim por tintim, contou o final da contenda, exagerando o melhor que pôde e soube a coragem de dom Quixote: diante de sua presença o leão acovardado não quis nem ousou sair da jaula, mesmo tendo a porta da jaula ficado aberta um bom tempo; e, como disse ao cavaleiro que era tentar Deus irritar o leão para que saísse à força, como ele queria que se irritasse, de má vontade e contra sua própria convicção havia permitido que a porta fosse fechada.

— Que achas disso, Sancho? — disse dom Quixote. — Há encantamentos que valham contra a verdadeira valentia? Os magos bem podem acabar com minha sorte, mas com minha determinação e coragem será impossível.

Sancho deu os escudos, o carreteiro atrelou as mulas, o tratador beijou as mãos de dom Quixote pela mercê recebida e prometeu contar aquela incrível façanha ao próprio rei, quando chegasse à corte.

— Se por acaso Sua Majestade perguntar quem a realizou, dizei a ele que o Cavaleiro dos Leões, pois quero que daqui por diante esse título altere, converta, transforme e substitua o de Cavaleiro da Triste Figura, que ostentei até agora. E nisso sigo o antigo costume dos cavaleiros andantes, que mudavam os nomes quando queriam ou quando vinha ao caso.

O carro seguiu seu caminho, e dom Quixote, Sancho e o do Gabão Verde seguiram o deles.

Durante esse tempo todo, dom Diego de Miranda não tinha dito uma palavra, concentrado em observar as atitudes e palavras de dom Quixote, parecendo-lhe que era um sensato louco e um louco que pendia para a sensatez. Ele ainda não tinha tido notícias da primeira parte da história, pois, se a houvesse lido, cessaria a admiração em que o punham suas atitudes e palavras, porque já saberia de que tipo de loucura se tratava. Mas, como não sabia, ora o considerava sensato, ora louco, pois o que falava era coerente, elegante e expressivo, e o que fazia, disparatado, temerário e idiota. E então dizia a si mesmo: "Pode haver coisa mais louca que pôr o elmo cheio de requeijões e pensar que os magos estavam lhe amolecendo os miolos? E que maior temeridade e absurdo que querer por força lutar com leões?".

Dom Quixote o tirou dessas reflexões solitárias, dizendo:

— Quem duvida, senhor dom Diego de Miranda, que vossa mercê não me tenha em sua opinião por um homem irresponsável e louco? Não seria estranho que assim fosse, porque minhas ações não podem dar testemunho de outra coisa. Mas, apesar disso tudo, quero que vossa mercê repare que não sou tão louco nem tão tolo como devo ter lhe parecido. Parece bom, aos olhos do rei, um galhardo cavaleiro meter uma lança com sucesso num touro selvagem, no meio da arena; parece bom um cavaleiro de armadura reluzente competir em alegres justas diante das damas; e também parecem bons todos aqueles cavaleiros que, em exercícios militares ou semelhantes, entretêm, alegram e, se se pode dizer, honram as cortes de seus príncipes; mas acima desses parece melhor um cavaleiro andante que pelos desertos, pelos matagais, pelas encruzilhadas, pelas florestas e pelas montanhas anda em busca de perigosas aventuras, com a intenção de dar a elas um final próspero e afortunado apenas para alcançar fama gloriosa e eterna. Parece melhor, digo, um cavaleiro andante socorrendo uma viúva em algum ermo que um cavaleiro cortesão galanteando uma donzela nas cidades. Cada cavaleiro com sua prática: que o cortesão sirva às damas, dê brilho à corte de seu rei com seus trajes, sustente os cavaleiros pobres com sua mesa esplêndida, organize justas, seja o chefe de um pelotão no torneio e se mostre grande, generoso e magnífico, e bom cristão principalmente, e dessa maneira cumprirá com suas obrigações específicas. Mas que o cavaleiro andante devasse os quatro cantos do mundo, entre nos mais intrincados labirintos, enfrente o impossível a cada passo, resista nos campos despovoados aos ardentes raios do sol em pleno verão e no inverno à dura inclemência dos ventos e dos gelos. Sim, que não o assustem leões, nem o espantem monstros, nem o atemorizem dragões, pois procurar por estes, atacar aqueles e vencer a todos são suas principais e verdadeiras missões. Eu, como me coube em sorte estar entre os da cavalaria andante, não posso deixar de atacar tudo aquilo que me parecer estar sob a jurisdição de minha profissão. Assim, sem dúvida cabia a mim enfrentar os leões que enfrentei agora, mesmo vendo ser temeridade exorbitante, pois sei muito bem o que é valentia, uma virtude localizada entre dois extremos viciosos, como são a covardia e a temeridade. Mas não será tão mau a um valente chegar às raias da temeridade que se rebaixar às raias da covardia, pois, como é mais fácil o pródigo vir a ser generoso em vez de avarento, também é mais fácil o temerário se tornar um verdadeiro valente que o covarde alcançar a verdadeira valentia. E nisso de empreender aventuras, acredite-me vossa mercê, senhor dom Diego, que antes se há de perder por excesso que por falta, porque melhor soa nas orelhas dos que o ouvem "o cavaleiro é temerário e atrevido" que "o cavaleiro é tímido e covarde".

— Senhor dom Quixote — respondeu dom Diego —, afirmo que tudo o que vossa mercê disse e fez foi pesado na própria balança da razão, e que entendo que, se as leis e os princípios da cavalaria andante se perdessem, se achariam no peito de vossa mercê como num repositório e arquivo. Mas apressemo-nos, que se faz tarde, e cheguemos a minha aldeia e casa, onde vossa mercê descansará da labuta que passou, que não foi do corpo e sim do espírito, que às vezes costuma redundar em cansaço do corpo.

— Tenho essa oferta na conta de grande favor e mercê, senhor dom Diego — respondeu dom Quixote.

E, esporeando as montarias bem mais que antes, deviam ser umas duas da tarde quando chegaram à aldeia e à casa de dom Diego, a quem dom Quixote chamava de "o Cavaleiro do Gabão Verde".

XVIII

DO QUE ACONTECEU A DOM QUIXOTE NO CASTELO OU CASA DO CAVALEIRO DO GABÃO VERDE, COM OUTRAS COISAS EXTRAVAGANTES

Dom Quixote achou a casa de dom Diego de Miranda ampla como todas as de aldeia. Mas o brasão, embora de pedra tosca, ficava em cima da porta da rua; a adega, no pátio; a despensa, num porão logo à entrada, e em volta muitos potes de barro, que, por serem de El Toboso, reavivaram as memórias de sua encantada e transformada Dulcineia. Suspirando, sem pensar no que dizia nem diante de quem estava, disse:

Oh, doces prendas, por mim mal achadas,
doces e alegres quando Deus queria![1]

"Oh, potes de El Toboso, que me trouxestes à memória a doce prenda de minha maior amargura!"

O estudante poeta filho de dom Diego ouviu-o dizer isso, pois havia saído com sua mãe para recebê-lo — e mãe e filho ficaram surpresos ao ver a estranha figura. Dom Quixote, apeando de Roncinante, foi com muita cortesia pedir as mãos da dona da casa para beijá-las, enquanto dom Diego disse:

— Recebei, senhora, com vossa habitual amabilidade ao senhor dom Quixote de la Mancha, que é quem tendes a vossa frente, cavaleiro andante, e o mais corajoso e o mais sábio que há no mundo.

A senhora, que se chamava dona Cristina, recebeu-o

com demonstrações de muito afeto e cortesia, e dom Quixote ofereceu seus préstimos com toda consideração e deferência. Disse quase as mesmas palavras ao estudante, que, ao ouvir dom Quixote, considerou-o inteligente e sensato.

Aqui o autor pinta todos os detalhes da casa de dom Diego, descrevendo-nos o que contém a morada de um camponês rico, mas o tradutor achou melhor deixar essas e outras ninharias semelhantes em silêncio, porque não se ajusta bem ao propósito principal desta história, que tem sua maior força na verdade que nas frias digressões.

Levaram dom Quixote a uma sala, Sancho tirou a armadura dele, deixando-o de calções largos e gibão de camurça, todo sujo de ferrugem, com gola valona, sem goma nem rendas, à moda estudantil; os borzeguins eram marrons e os sapatos, encerados. Cingiu sua leal espada, que pendia de um talim de pele de lobo-marinho, pois, segundo dizem, por muitos anos esteve doente dos rins;[2] depois se cobriu com uma capa de boa flanela parda. Mas, antes de mais nada, com cinco ou seis baldes de água — pois há divergência sobre a quantidade de baldes — lavou a cabeça e o rosto, deixando a água cor de soro, graças à gulodice de Sancho e à compra de seus negros requeijões, que tão branco deixaram seu amo. Com os referidos atavios e com as maneiras graciosas e galantes, dom Quixote foi para outra sala, onde o estudante o esperava para entretê-lo enquanto punham a mesa, pois, devido à presença de tão nobre hóspede, a senhora dona Cristina queria mostrar que sabia e podia receber quantos chegassem a sua casa.

Enquanto dom Quixote esteve tirando a armadura, dom Lorenzo, que assim se chamava o filho de dom Diego, teve oportunidade de dizer a seu pai:

— Quem poderá ser esse cavaleiro, senhor, que vossa mercê trouxe para nossa casa? Pois o nome, a aparência e a afirmação de que é cavaleiro andante nos deixaram surpresos, a mim e a minha mãe.

— Olha, meu filho, não sei o que dizer — respondeu dom Diego —, exceto que o vi fazer as coisas mais loucas do mundo e dizer coisas tão sensatas que apagam e desmentem seus feitos. Mas fala com ele, avalia o que ele sabe e, como és perspicaz, formarás tua opinião sobre qual deles é superior, seu bom senso ou sua estupidez, embora eu o considere, para te dizer a verdade, mais louco que sensato.

Depois disso, dom Lorenzo foi entreter dom Quixote, como foi dito, e, entre outras conversas que os dois tiveram, dom Quixote disse a dom Lorenzo:

— O senhor dom Diego de Miranda, seu pai, me deu notícia da rara habilidade e do sutil engenho que vossa mercê tem, mas, principalmente, de que vossa mercê é um grande poeta.

— Poeta, pode ser — respondeu dom Lorenzo —, mas grande, nem em sonhos. É verdade que sou um tanto afeiçoado à poesia e a ler bons poetas, mas não a ponto de que se possa me chamar de grande como disse meu pai.

— Não me parece má essa humildade — respondeu dom Quixote —, porque não há poeta que não seja arrogante e pense de si mesmo que é o maior poeta do mundo.

— Não há regra sem exceção — respondeu dom Lorenzo —, e deve haver algum que o seja e não pense.

— Poucos — respondeu dom Quixote. — Mas me diga que versos tem agora entre as mãos, pois o senhor seu pai me disse que trazem vossa mercê um tanto preocupado e pensativo? Se os versos são alguma glosa, eu gostaria de conhecê-los, porque entendo um pouco da arte. Agora, se são de um torneio literário, procure vossa mercê ganhar o segundo prêmio: o primeiro sempre é dado como um favor ou devido à posição da pessoa; o segundo é dado apenas por justiça, e o terceiro vem a ser o segundo, e o primeiro, por essa conta, será o terceiro, à maneira das qualificações que dão nas universidades. Mas, apesar de tudo, a palavra "primeiro" sempre faz grande figura.

"Até agora — dom Lorenzo disse a si mesmo — não posso julgá-lo louco. Vamos em frente." E disse a dom Quixote:

— Parece-me que vossa mercê frequentou a universidade: que ciências estudou?

— A da cavalaria andante — respondeu dom Quixote —, que é tão boa como a poesia, ou dois dedinhos mais.

— Não sei que ciência é essa — replicou dom Lorenzo —, e até agora não tive notícias dela.

— É uma ciência — replicou dom Quixote — que encerra em si todos ou a maioria dos conhecimentos do mundo, porque quem a professa deve ser jurisconsulto e conhecer as leis da justiça distributiva e comutativa, para dar a cada um o que é seu e o que lhe convém; deve ser teólogo, para poder discorrer sobre a lei cristã que professa, clara e distintamente, onde quer que lhe for pedido; deve ser médico, principalmente herborista, para reconhecer no meio dos campos e ermos as ervas que têm a virtude de curar as feridas, pois um cavaleiro não pode andar a todo instante em busca de quem o trate; deve ser astrólogo, para conhecer, pelas estrelas, que horas são da noite e em que lugar e em que clima do mundo se acha; deve saber matemática, porque a cada passo tem necessidade dela; e, deixando de lado que deve estar adornado de todas as virtudes teologais e cardinais, descendo a outras minúcias, digo que deve saber nadar como nadava o peixe Nicolás ou Nicolau;[3] deve saber ferrar um cavalo e consertar a sela e o freio, e, voltando às coisas mais elevadas, manter a fé em Deus e em sua dama; deve ter pensamentos castos, palavras honestas, atitudes generosas, ser valente nas façanhas, resignado com seus padecimentos, caritativo com os necessitados e, por fim, ser um defensor da verdade, mesmo que lhe custe a vida lutar por ela. De todas essas grandes e mínimas qualidades se compõe um bom cavaleiro andante. Então, senhor dom Lorenzo, veja vossa mercê se os saberes que um cavaleiro estuda e pratica são coisas de criança, ou se podem ser igualados aos mais nobres que se ensinam nas escolas e universidades.

— Bem, se for assim — replicou dom Lorenzo —, eu digo que essa ciência leva vantagem a todas as outras.

— Como se for assim? — respondeu dom Quixote.

— O que quero dizer — disse dom Lorenzo — é que tenho dúvidas de que tenham existido, nem existam agora, cavaleiros andantes e adornados de tantas virtudes.

— Muitas vezes eu disse — respondeu dom Quixote — o que volto a repetir agora: que a maior parte das pessoas é de opinião de que não houve cavaleiros andantes no mundo; e por me parecer que, se o céu milagrosamente não mostra a essas pessoas a verdade de que existiram e que existem, qualquer esforço meu é inútil, como muitas vezes me mostrou a experiência. Assim sendo, não quero me deter agora em tirar vossa mercê do erro que compartilha com muitos; o que penso fazer é rogar ao céu que o tire dele e o faça compreender o quanto foram proveitosos e necessários ao mundo os cavaleiros andantes dos séculos passados, e o quanto seriam úteis no presente se estivessem em voga; mas agora, devido à vida de pecado das pessoas, triunfam a preguiça, a ociosidade, a gula e a luxúria.

"Agora nosso hóspede desembestou", disse a si mesmo dom Lorenzo nessas alturas. "Mas, apesar de tudo, é um louco bizarro, e eu seria um idiota rematado se não pensasse assim."

Aqui acabou a conversa deles, porque foram chamados para o almoço. Dom Diego perguntou ao filho o que tinha tirado a limpo sobre o estado da mente do hóspede. Ele respondeu:

— Nem todos os médicos ou escrivães poderão passar a limpo o rascunho de sua loucura, mas não é um louco varrido, pois tem muitos momentos de lucidez.

Foram almoçar, e a comida era como dom Diego havia dito na estrada que costumava oferecer a seus convidados: limpa, farta e saborosa. Mas o que mais prazer deu a dom Quixote foi o maravilhoso silêncio que havia em toda a casa, que se parecia com um mosteiro de cartuxos. Depois de tirada a mesa e dadas graças a Deus e água às mãos, dom Quixote pediu veementemente a dom Lorenzo que declamasse os versos da competição literária, ao que ele respondeu:

— Para não me parecer com aqueles poetas que se negam, quando lhes pedem que digam seus versos, mas os vomitam quando não lhes pedem, eu declamarei minha glosa, da qual não espero prêmio algum, pois a fiz apenas para exercitar o espírito.

— Um amigo e sábio — respondeu dom Quixote — era de opinião que ninguém devia se cansar escrevendo glosas de versos, porque, dizia ele, a glosa jamais podia chegar ao texto, e que muitas ou na maioria das vezes saía fora da intenção e propósito do que se pedia que se glosasse, e mais, que as leis da glosa eram demasiadamente estreitas, que não suportavam interrogações, nem "disse", nem "direi", nem substantivar verbos, nem mudar o sentido, com outras amarras e acanhamentos com que se manietam os que glosam, como vossa mercê deve saber.

— Realmente, senhor dom Quixote — disse dom Lorenzo —, eu gostaria de pegar vossa mercê num deslize, mas não consigo, porque me escapa das mãos como uma enguia.

— Não entendo o que vossa mercê disse nem o que quer dizer — respondeu dom Quixote — com isso de deslizes e enguias.

— Logo eu me explicarei — respondeu dom Lorenzo —, mas por ora preste vossa mercê atenção aos versos glosados e à glosa, que dizem assim:

Se meu foi *voltasse a é,*
sem esperar mais será,
ou viesse o tempo já
do que será depois...!

GLOSA

Enfim, como tudo passa,
passou o bem que me deu
fortuna, por um tempo nada escassa,
e nunca voltou a mim,
nem abundante nem em gotas.
Há séculos que já me vês,
fortuna, atirado a teus pés:
torna-me a ser venturoso
que meu ser será ditoso
se meu *foi* voltasse a *é.*

Não quero outro prazer ou glória,
outra palma ou conquista,
outro triunfo, outra vitória,
mas voltar à alegria
que é dor em minha memória.
Se tu me devolveres para lá,
fortuna, apagado está
todo o rigor de meu fogo,
mais ainda se este bem vir logo,
sem esperar mais *será.*

Coisas impossíveis peço,
pois voltar o tempo a ser
depois que foi uma vez
não há na terra poder
que tenha chegado a tanto.
Corre o tempo, voa e vai
ligeiro, e não voltará,

e erraria quem pedisse
que o tempo já se fosse
ou viesse o tempo já.

Viver em perplexa vida,
ora esperando, ora temendo,
é morte bem conhecida,
e é muito melhor, morrendo,
buscar à dor uma saída.
Por mim escolheria
morrer, mas não posso,
pois, com melhores razões,
me dá a vida o temor
do que será depois.*

Quando dom Lorenzo acabou de declamar sua glosa, dom Quixote se pôs de pé e apertou-lhe a mão direita, dizendo em voz tão alta que parecia um grito:

* *¡Si mi* fue *tornase a es,/ sin esperar más* será, o *viniese el tiempo ya/ de lo que será después…! — Glosa — Al fin, como todo pasa,/ se pasó el bien que me dio/ fortuna, un tiempo no escasa,/ y nunca me le volvió,/ ni abundante ni por tasa./ Siglos ha ya que me ves,/ fortuna, puesto a tus pies:/ vuélveme a ser venturoso,/ que será mi ser dichoso/* si mi *fue* tornase a *es.// No quiero otro gusto o gloria,/ otra palma o vencimiento,/ otro triunfo, otra victoria,/ sino volver al contento/ que es pesar en mi memoria./ Si tú me vuelves allá,/ fortuna, templado está/ todo el rigor de mi fuego,/ y más si este bien es luego,/* sin esperar más *será.// Cosas imposibles pido,/ pues volver el tiempo a ser/ después que una vez ha sido/ no hay en la tierra poder/ que a tanto se haya extendido./ Corre el tiempo, vuela y va/ ligero, y no volverá,/ y erraría el que pidiese,/ o que el tiempo ya se fuese/* o viniese el tiempo ya.*// Vivir en perpleja vida,/ ya esperando, ya temiendo,/ es muerte muy conocida,/ y es mucho mejor muriendo/ buscar al dolor salida./ A mí me fuera interés/ acabar, mas no lo es,/ pues, con discurso mejor,/ me da la vida el temor/* de lo que será después.

— Certo como Deus está lá no alto, meu nobre rapaz, sois o melhor poeta do orbe, e mereceis ser laureado, não por Chipre nem por Gaeta, como disse um poeta, que Deus o perdoe, mas pelas academias de Atenas, se ainda existissem, e pelas que existem hoje em Paris, Bolonha e Salamanca! Roguemos aos céus que os juízes que vos roubarem o primeiro prêmio sejam flechados por Febo, e que as musas jamais ultrapassem os umbrais de suas casas. Agora, senhor, se vos agradar, recitai-me alguns hendecassílabos, pois quero sentir o pulso de vosso admirável engenho em todo o seu alcance.

Não é ótimo que dom Lorenzo tenha se rejubilado ao ouvir os elogios de dom Quixote, mesmo o considerando louco? Oh, força da adulação, até onde vais, e quanto são dilatados os limites de teus aprazíveis domínios! Dom Lorenzo confirmou essa verdade, pois atendeu ao pedido e desejo de dom Quixote, declamando este soneto para a fábula ou história de Píramo e Tisbe:

SONETO

Rompe a parede a donzela formosa
que abriu o galhardo peito de Píramo;
parte de Chipre o Amor e vai direto
ver a fresta estreita e prodigiosa.

Ali fala o silêncio, porque não ousa
a voz entrar por fenda tão estreita;
as almas sim, pois o amor costuma
facilitar a coisa mais difícil.

O desejo saiu da linha, e o passo
da imprudente virgem solicita,
por seu prazer, sua morte. Vede que história:

a ambos, num instante, oh, estranho caso!,
mata, sepulta e ressuscita
*uma espada, um sepulcro, uma memória.**

— Abençoado seja Deus — disse dom Quixote depois de ouvir o soneto de dom Lorenzo —, pois, entre a infinidade de poetas consumidos que há por aí, enfim vi um poeta consumado como vossa mercê, meu senhor: assim me revela a habilidade com que compôs esse soneto!

Dom Quixote esteve quatro dias refesteladíssimo na casa de dom Diego, ao fim dos quais pediu licença para ir embora, dizendo que lhe agradecia a mercê e o bom tratamento que havia recebido, mas, por não ser bom que os cavaleiros andantes se entreguem por muitas horas ao ócio e à boa vida, gostaria de ir cumprir com seu ofício, buscando aventuras, que, pelo que sabia, eram abundantes naquela terra, onde esperava passar o tempo até que chegasse o dia das justas em Zaragoza, que era o destino de sua viagem. Primeiro haveria de entrar na caverna de Montesinos, de que tantas e tão admiráveis coisas se contavam por aquelas bandas, investigando e descobrindo também o nascimento e os verdadeiros mananciais das sete lagoas chamadas vulgarmente de Ruidera.[4] Dom Diego e seu filho elogiaram sua honrosa determinação e lhe disseram que pegasse em sua casa e em sua fazenda tudo o que desejasse, que lhe serviriam

* *Soneto — El muro rompe la doncella hermosa/ que de Píramo abrió el gallardo pecho;/ parte el Amor de Chipre y va derecho/ a ver la quiebra estrecha y prodigiosa.// Habla el silencio allí, porque no osa/ la voz entrar por tan estrecho estrecho;/ las almas sí, que amor suele de hecho/ facilitar la más difícil cosa.// Salió el deseo de compás, y el paso/ de la imprudente virgen solicita/ por su gusto su muerte. Ved qué historia:// que a entrambos en un punto, ¡oh extraño caso!,/ los mata, los encubre y resucita/ una espada, un sepulcro, una memoria.*

na medida do possível, pois a isso os obrigava o valor de sua pessoa e sua nobre profissão.

Chegou então o dia de sua partida, tão alegre para dom Quixote como triste e aziaga para Sancho Pança, que se sentia muito bem com a abundância da casa de dom Diego e renegava voltar à fome que se passa nas florestas e nos despovoados e à austeridade de seus mal providos alforjes, que, apesar de tudo, encheu até a boca do que mais achou necessário. Ao se despedir, dom Quixote disse a dom Lorenzo:

— Não sei se falei antes a vossa mercê, mas, se lhe falei, repito agora: quando vossa mercê quiser poupar caminho e trabalho para chegar ao inacessível topo do templo da Fama, não tem de fazer mais nada além de deixar de lado a trilha da poesia, um tanto estreita, e tomar a estreitíssima trilha da cavalaria andante, que basta para fazê-lo imperador num piscar de olhos.

Com essas palavras, dom Quixote acabou de encerrar o processo contra sua loucura, e mais ainda com as que acrescentou, ao dizer:

— Sabe Deus que eu gostaria de levar comigo o senhor dom Lorenzo, para lhe ensinar como se perdoa os oprimidos e como se submete e se humilha os soberbos, virtudes inerentes a minha profissão. Mas, como não o permite sua pouca idade nem admitem suas louváveis atividades, me contento apenas em avisar vossa mercê de que, sendo poeta, poderá ser famoso caso se guie mais pela opinião alheia que pela própria, porque não há pai nem mãe a quem seus filhos pareçam feios, e esse engano mais acontece em relação aos filhos da mente.

Pai e filho se admiraram de novo das entrelaçadas palavras de dom Quixote, ora sensatas, ora disparatadas, e da mania que tinha de se agarrar a todo momento à busca de suas desventuradas aventuras, que tinha por meta e alvo de seus desejos. Reiteraram-se as ofertas e cortesias, e, com a boa licença da senhora do castelo, dom Quixote e Sancho partiram, montados em Rocinante e no burro.

XIX

ONDE SE CONTA A AVENTURA DO PASTOR APAIXONADO, COM OUTROS ACONTECIMENTOS REALMENTE DIVERTIDOS

Dom Quixote não tinha se afastado muito da aldeia de dom Diego, quando encontrou dois clérigos ou estudantes e dois camponeses, todos os quatros montados em burros. Um dos estudantes trazia, pelo que se podia ver, enrolado num pedaço de linho verde como se fosse um saco de viagem, um pouco de cambraia branca e dois pares de meia de sarja; o outro não trazia nada além de dois floretes novos, com seus botões de couro na ponta, para treino de esgrima. Os camponeses traziam outras coisas, que indicavam que vinham de alguma vila grande onde as tinham comprado e levavam para sua aldeia. Tanto os estudantes como os camponeses caíram na mesma surpresa em que caíam todos aqueles que viam dom Quixote pela primeira vez e comichavam por saber que homem era aquele tão diferente dos outros homens.

Dom Quixote os cumprimentou e, depois de saber que caminho seguiam, que era o mesmo dele, se ofereceu para acompanhá-los e pediu que diminuíssem o passo, porque seus burrinhos caminhavam mais rápido que seu cavalo. Para convencê-los, em rápidas palavras disse quem era, seu ofício e profissão: cavaleiro andante que ia em busca de aventuras por todos os lugares do mundo. Disse a eles que seu nome era dom Quixote de la Mancha e o apelido, Cavaleiro dos Leões. Para os camponeses tudo isso era como falar em grego ou dialeto de ciganos, mas não para os estudantes, que logo entenderam que dom Quixote era fraco da cabeça. Mas mesmo assim olhavam-no com espanto e respeito, e um deles lhe disse:

— Se vossa mercê, senhor cavaleiro, não tem rumo certo, como costumam não ter aqueles que buscam aventuras, venha conosco: verá um dos melhores e mais ricos casamentos que até o dia de hoje terão sido celebrados na Mancha, ou em muitas léguas ao redor.

Dom Quixote perguntou se era de algum príncipe, pois assim o julgava.

— Não, não — respondeu o estudante —, mas de um camponês e de uma camponesa: ele, o mais rico de toda esta terra, e ela, a mais formosa que os homem já viram. A suntuosidade com que o casamento vai ser realizado é extraordinária e uma novidade, porque será num campo perto do povoado da noiva, a quem chamam com toda razão de Quitéria, a Formosa, e o noivo se chama Camacho, o Rico. Ela tem dezoito anos, ele vinte e dois, e ambos foram feitos um para o outro, embora alguns curiosos que sabem de cor as linhagens de todo mundo querem dizer que a da formosa Quitéria leva vantagem sobre a de Camacho, mas ninguém mais se importa com isso, pois as riquezas são excelentes para soldar todo tipo de fendas. Realmente, o tal Camacho é generoso e teve a ideia de cobrir todo o campo com um caramanchão de modo que o sol terá trabalho se quiser entrar para visitar os gramados verdes no chão. Tem também danças ensaiadas, tanto de espadas como de castanholas, pois há no povoado quem as esgrima e as toque como ninguém; dos sapateadores nem digo nada, pois se contratou uma verdadeira legião deles; mas nenhuma dessas coisas, nem muitas outras que deixei de mencionar, deverá tornar mais memorável esse casamento do que as que imagino que o despeitado Basílio fará nele.

“Este Basílio é um pastor vizinho da mesma aldeia de Quitéria, que tinha uma casa colada à dos pais de

Quitéria, onde Cupido teve oportunidade de trazer de volta ao mundo os já esquecidos amores de Píramo e Tisbe; porque Basílio se apaixonou por Quitéria desde seus verdes anos, e ela correspondeu com mil favores inocentes, tanto que muita gente na vila passava o tempo comentando os amores dessas crianças, Basílio e Quitéria. Quando eles cresceram, o pai de Quitéria resolveu impedir a entrada costumeira de Basílio em sua casa; e, para deixar de andar com medo e cheio de suspeitas, mandou sua filha se casar com o rico Camacho, não achando ser boa coisa casá-la com Basílio, que não tinha tantos bens materiais como qualidades pessoais. Pois, se vamos dizer a verdade sem invejas, ele é o rapaz mais ágil que conhecemos, grande atirador de barra, excelente lutador e grande jogador de pelota; corre como um gamo, salta mais que uma cabra e joga a bola do boliche como por encantamento; canta como uma cotovia, toca violão como se o fizesse falar e, principalmente, maneja a espada melhor que ninguém."

— Apenas por essa graça — disse dom Quixote a essa altura — o rapaz não só merecia se casar com a formosa Quitéria, como com a própria rainha Guinevere, se hoje fosse viva, apesar de Lancelot e de todos aqueles que quisessem impedi-lo.

— Parece minha mulher! — disse Sancho Pança, que até então estivera calado, escutando. — Ela quer que todo mundo se case apenas com seus iguais, aferrando-se ao ditado que diz: cada ovelha com sua parelha. O que eu gostaria é que esse bom Basílio, com quem já estou simpatizando, se casasse com essa senhora Quitéria, e descansassem em paz na vida eterna (por pouco não disse o contrário) aqueles que estorvam o casamento dos que se querem bem.

— Se todo mundo que se quer bem se casasse — disse dom Quixote —, tirava-se dos pais o direito de escolha de casar seus filhos com quem e quando devem.

E, se ficasse à vontade das filhas escolher os maridos, haveria quem escolhesse o criado de seu pai, ou um sujeito que viu passar na rua, em sua opinião elegante e altaneiro, mesmo que fosse um espadachim de taberna, pois o amor e o afeto com facilidade cegam os olhos da inteligência, tão necessários na escolha de uma posição. A do casamento, então, é fácil de errar, e é preciso muito cuidado e particular favor do céu para acertar. Se a pessoa é prudente e quer fazer uma longa viagem, antes de se pôr a caminho procura alguma companhia segura e agradável com quem ir. Então, por que não fará o mesmo quem vai caminhar toda a vida, até o paradeiro da morte, quando além do mais a pessoa escolhida será sua companhia na cama, na mesa e em todos os lugares, como é o caso da mulher com seu marido? A companhia de uma mulher não é mercadoria que, depois de comprada, pode se devolver ou se trocar ou permutar, porque o casamento é um fato irrevogável, que dura o que dura a vida: é um laço que, depois de posto no pescoço, se transforma em nó górdio, que não há como desatar, a não ser pela gadanha da morte. Eu poderia dizer muitas outras coisas sobre esse assunto, se não me embaraçasse o desejo de saber se o senhor licenciado ainda tem o que dizer acerca da história de Basílio.

Ao que o estudante bacharel, ou licenciado, como o chamou dom Quixote, respondeu:

— Não me resta mais o que dizer a não ser que, desde que Basílio soube que a formosa Quitéria ia se casar com Camacho, o Rico, nunca mais o viram rir nem falar coisa com coisa. Anda sempre pensativo e triste, falando sozinho, com o que dá claros sinais de que perdeu o juízo: come pouco e dorme pouco, e o que come são frutas, e dorme, se dorme, no campo, sobre a terra dura, como um animal selvagem. Às vezes olha o céu e às vezes crava os olhos no chão com tamanho embevecimento que até parece uma estátua vestida que o vento move a roupa. Enfim, ele dá tantas mostras de ter o coração apaixonado que todos nós que o conhecemos temos medo de que amanhã o sim da formosa Quitéria seja sua sentença de morte.

— Deus dará um jeito — disse Sancho —, pois Deus, que dá a ferida, também dá a cura. Ninguém sabe o que está por vir: há muitas horas de hoje para amanhã e numa, ou num instante, a casa cai; eu vi chover e fazer sol ao mesmo tempo; um se deita são à noite mas não pode se mexer no outro dia. E digam-me: por acaso há quem se gabe de ter enfiado um prego na roda da fortuna? Não, com certeza. Então, entre o "sim" e o "não" da mulher não me atreveria a pôr a ponta de um alfinete, porque não caberia. Vamos, garantam-me que Quitéria ama Basílio de todo coração e de boa vontade, que eu darei a ele um saco de boa sorte: pois o amor, pelo que ouvi dizer, olha com umas lentes que fazem o cobre parecer ouro, a pobreza, riqueza, e as remelas, pérolas.

— Aonde vais parar, Sancho? — disse dom Quixote. — Desgraçado, quando começas a desfiar ditados e máximas só se pode esperar que o próprio Judas te carregue. Diz-me, animal, que sabes tu de pregos ou da roda da fortuna, ou de qualquer outra coisa?

— Ora, se não me entendem — respondeu Sancho —, não é de admirar que tenham minhas sentenças por disparates. Mas não importa: eu me entendo e sei que não falei muitas asneiras no que disse. Acontece que vossa mercê, meu senhor, é sempre *friscal* de meus ditos, e até de meus feitos.

— Queres dizer *fiscal* — disse dom Quixote —, não *friscal*, corruptor da boa linguagem, que Deus te excomungue.

— Não se amole vossa mercê comigo — respondeu Sancho —, pois sabe que não me criei na corte nem estudei em Salamanca, para saber se boto ou tiro alguma letra em minhas palavras. Sim, que Deus me acuda, não há por que obrigar o saiaguês[1] a falar como o toledano, e pode haver toledanos que não acertem nem no cravo nem na ferradura em matéria de falar bonito.

— É verdade — disse o licenciado —, porque não podem falar tão bem os que se criam nas Tenerías e em Zocodover[2] como os que passeiam quase todo o dia no claustro da catedral, mas todos são toledanos. A linguagem pura, correta, elegante e clara está com os cortesãos sensatos, mesmo que tenham nascido em Majadahonda:[3] disse "sensatos" porque há muitos que não o são, e a sensatez é a gramática da boa linguagem, que se aprende com o uso. Eu, senhores, para bem de meus pecados, estudei os cânones em Salamanca e me gabo um pouco de falar com palavras claras, simples e expressivas.

— Se não vos gabásseis mais de saber manejar melhor os floretes que carregais que a língua — disse o outro estudante —, estaríeis entre os primeiros da classe, não na rabeira.

— Olhai, bacharel — respondeu o licenciado —, tendes a mais errada opinião do mundo sobre a arte da esgrima, considerando-a vã.

— Para mim não é opinião, mas verdade estabelecida — replicou Corchuelo. — E, se quereis que vos mostre na prática, estais aí com vossos floretes, este lugar é conveniente, e eu tenho pulso firme e forte, que, acompanhado de minha coragem, que não é pouca, vos fará confessar que eu não me engano. Apeai-vos e usai vosso jogo de pés, vossas técnicas científicas de ataque e defesa, que eu pretendo vos fazer ver estrelas ao meio-dia com minha esgrima nova e rude, de que espero, com a graça de Deus, que ainda está por nascer o homem que me fará virar as costas, e que não há no mundo quem eu não faça perder terreno.

— Nisso de virar ou não as costas não me meto — replicou o espadachim —, embora pudesse acontecer que, no lugar onde pela primeira vez firmásseis o pé, ali vos cavassem a sepultura, quero dizer, ali ficaríeis morto pela arte desprezada.

— Logo veremos — respondeu Corchuelo.

E, apeando às pressas, sacou com fúria um dos floretes que o licenciado levava em seu jumento.

— Não pode ser assim — disse dom Quixote nesse instante —, pois eu quero ser o árbitro da disputa e o juiz dessa questão ainda pendente.

E, apeando de Rocinante e pegando sua lança, se posicionou no meio da estrada, enquanto o licenciado, com movimentos elegantes e passos medidos, atacava Corchuelo, que contra-atacava, soltando fogo pelos olhos, como se diz. Os outros dois camponeses que os acompanhavam, sem apear de suas burrinhas, serviram de espectadores da mortal tragédia. As cutiladas, estocadas, fendentes, reveses e mandobres[4] que Corchuelo dava eram inúmeros, mais indigestos que fígado cru e mais constantes que granizo. Atacava como um leão furioso, mas o licenciado devolvia com um golpe em direção à boca, detendo o ímpeto do bacharel e o fazendo beijar o botão do florete como a uma relíquia, mesmo que sem a devoção com que se deve e se costuma beijá-las.

Finalmente, o licenciado contou a estocadas um por um os botões de uma meia sotaina que ele vestia, deixando-a em tiras como braços de polvo, e por duas vezes lhe derrubou o chapéu, cansando-o de tal modo que Corchuelo, por despeito, cólera e raiva, agarrou o florete pela empunhadura e o atirou pelo ar com tanta força que um dos camponeses que foi buscá-lo, que era escrivão, testemunhou depois que o encontrou a quase três quartos de légua, testemunho que serviu e serve para que se saiba e se comprove com toda a certeza como a força foi vencida pela arte.

Corchuelo se sentou, cansado. Sancho se aproximou dele e disse:

— Por Deus, senhor bacharel, se vossa mercê seguir meu conselho, daqui por diante não deve mais desafiar ninguém a esgrimir, mas a lutar ou atirar a barra, pois tem idade e força para isso. Pois olhe, desses que chamam de duelistas ouvi dizer que metem a ponta de uma espada no buraco de uma agulha.

— Eu me contento — respondeu Corchuelo — em ter caído de quatro e ter visto, na prática, como eu estava longe da verdade.

E, levantando-se, abraçou o licenciado, e ficaram mais amigos que antes. Sem desejarem esperar o escrivão que tinha ido procurar o florete, por acharem que demoraria muito, resolveram seguir viagem, para chegar cedo à aldeia de Quitéria, de onde eles todos eram.

No caminho, o licenciado foi explicando as excelências da arte da esgrima com tantos argumentos conclusivos, com tantas figuras geométricas e demonstrações matemáticas que todos ficaram inteirados das virtudes da ciência, e Corchuelo, desenganado de sua teimosia.

Anoitecera, mas, antes que chegassem à aldeia, todos pensaram que diante dela estava um céu cheio de inumeráveis e resplandecentes estrelas. Também ouviram sons confusos e suaves de diversos instrumentos, como de flautas, tamborins, saltérios, alboques, pandeiros e chocalhos. Quando se aproximaram, viram que os ramos de um caramanchão feito na entrada do povoado estavam cheios de lanternas, a quem o vento não ofendia, pois soprava então muito manso, não tendo força para mover as folhas das árvores. Os músicos eram os animadores da festa e andavam em grupos por aquele lugar agradável, uns dançando e outros cantando, e outros ainda tocando os diversos instrumentos que se mencionou. Realmente parecia que em todo aquele campo não andavam mais que a alegria e o contentamento, correndo e saltando. Muitas outras pessoas andavam ocupadas em levantar andaimes, de onde, com comodidade, pudessem ver no dia seguinte as representações e danças que seriam realizadas naquele lugar para comemorar o casamento do rico Camacho e o funeral de Basílio.

Dom Quixote não quis entrar no povoado, mesmo que insistissem tanto o camponês como o bacharel: ele deu como desculpa, mais que suficiente em sua opinião, ser costume dos cavaleiros andantes dormirem pelos campos e florestas em vez de povoados, mesmo que fosse sob tetos dourados. Então se afastou um pouco da estrada, muito contra a vontade de Sancho, que se lembrou do bom acolhimento que havia tido no castelo ou casa de dom Diego.

XX

ONDE SE CONTA O CASAMENTO DE CAMACHO, O RICO, COM O QUE ACONTECEU A BASÍLIO, O POBRE

Mal a pálida aurora havia deixado que o brilhante Febo enxugasse com o fogo de seus raios ardentes as pérolas líquidas de seus cabelos de ouro, quando dom Quixote, sacudindo a preguiça de seus membros, se pôs de pé e chamou seu escudeiro Sancho, que ainda roncava. Mas vendo-o assim, antes de acordá-lo, disse:

— Oh, tu, bem-aventurado acima de quantos vivem sobre a face da terra, pois sem ter inveja nem ser invejado dormes com espírito sossegado, sem que magos te persigam nem te assustem encantamentos! Dormes, repito, e repetirei outras cem vezes, sem que te mantenham em vigília ciúmes de tua dama, nem te desvelem pensamentos sobre dívidas que tenhas, nem o que deverás fazer para comer outro dia tu e tua pequena e angustiada família. Nem a ambição te inquieta nem a pompa vã do mundo te preocupa, porque os limites de teus desejos não ultrapassam a ração de teu jumento, pois a responsabilidade de tua pessoa está sobre meus ombros, contrapeso posto aí pela natureza e pelo costume dos senhores. Dorme o criado e vela o senhor, pensando como irá sustentá-lo, aperfeiçoá-lo e lhe fazer mercês. A angústia de ver que o céu se faz de bronze, sem acudir à terra com o orvalho conveniente, não aflige o criado, mas aflige o senhor, que deve sustentar na esterilidade e na fome quem o serviu na fertilidade e na abundância.

Sancho não respondeu a nada disso, porque dormia, nem acordaria tão cedo se dom Quixote não o tivesse cutucado com a parte de trás da lança. Despertou por fim, sonolento e preguiçoso, e, olhando em volta, disse:

— Das bandas deste caramanchão, se não me engano, vem uma fumacinha que cheira bem mais a torresmo que a capim-limão e tomilhos: casamentos que começam com um cheiro desses, benza Deus, devem ser abundantes e generosos.

— Acaba com isso, glutão — disse dom Quixote. — Vem, vamos ver esse casório, para ver o que faz o desprezado Basílio.

— Ele que faça o que quiser — respondeu Sancho. — Se ele não fosse pobre, teria se casado com Quitéria. Então só basta um tostão no bolso para querer se casar nas nuvens? Por Deus, senhor, parece-me que o pobre deve se contentar com o que acha e não pedir nabos à pereira. Aposto um braço que Camacho pode cobrir Basílio de moedas; e, se for assim mesmo, como deve ser, Quitéria seria bem boba em desprezar as roupas e joias que Camacho deve ter lhe dado e pode dar, para escolher o arremesso de barra e a esgrima de Basílio. Por um bom arremesso de barra ou um belo manejo da espada não dão nem meio litro de vinho na taberna. Dons e habilidades que não são vendáveis, mesmo que os tenha o conde Dirlos;[1] mas, quando esses dons caem sobre quem tem um bom dinheiro, minha nossa, tivesse eu tanta sorte assim. Em cima de bons alicerces pode se construir uma boa casa, e o melhor alicerce ou canal do mundo é o dinheiro.

— Por Deus, Sancho — disse dom Quixote a essa altura —, acaba logo com isso! Tenho a impressão de que, se te deixassem continuar essas arengas que começas a toda hora, não te sobraria tempo para comer nem para dormir, pois o gastarias todo falando.

— Se vossa mercê tivesse boa memória — replicou Sancho —, deveria se lembrar das cláusulas de nosso contrato antes de sairmos de casa nessa última vez: uma delas foi que havia de me deixar falar tudo aquilo que eu quisesse, desde que não fosse contra o próximo nem contra a autoridade de vossa mercê; e até agora me parece que não transgredi a tal cláusula.

— Eu não me lembro da dita cláusula, Sancho — respondeu dom Quixote —, mas, mesmo assim, quero que te cales e que venhas, pois os instrumentos que ouvimos ontem à noite voltam a alegrar os vales, e sem dúvida o casório será celebrado no frescor da manhã, e não no calor da tarde.

Sancho fez o que seu senhor mandava e botou a sela em Rocinante e a albarda no burro. Então os dois montaram e, passo a passo, foram entrando pelo caramanchão.

A primeira coisa que se ofereceu à vista de Sancho foi um novilho inteiro num espeto feito com o tronco inteiro de um olmo; e no fogo onde devia assar ardia uma montanha razoável de lenha, e as seis panelas que estavam ao redor da fogueira não tinham sido feitas na mesma forma das panelas comuns, porque eram do tamanho de seis meias tinas — cabia um açougue de carne em cada uma, tanto que ali se cozinhavam carneiros sem que se pudesse notar, como se fossem pombinhos. Eram inumeráveis as lebres já sem pele e as galinhas sem penas que estavam penduradas pelas árvores à espera de mergulharem nas panelas; eram infinitos os pássaros e caça de diversos tipos, também pendurados nas árvores para que o ar os mantivesse frios.

Sancho contou mais de sessenta odres de mais de duas arrobas cada um, e todos cheios de vinhos generosos, como se viu depois. Havia também pilhas de pão branquíssimo como costuma haver montões de trigo nas eiras; os queijos, empilhados como tijolos, formavam uma muralha, e dois caldeirões de azeite maiores que os de uma tinturaria serviam para fritar bolos, que eram retirados com duas valentes pás e mergulhados em outro caldeirão de mel apurado que estava ali perto.

Os cozinheiros e cozinheiras passavam de cinquenta, todos limpos, todos diligentes e todos alegres. Costurados no ventre amplo do novilho estavam doze leitões pequenos e tenros para lhe dar sabor e amaciá-lo. As especiarias de diversos tipos não pareciam ter sido compradas a quilo, mas por arrobas, e todas estavam à mostra numa grande arca. Enfim, o aparato do casamento era rústico, mas tão abundante que podia sustentar um exército.

Sancho Pança tudo via, tudo contemplava e tudo o arrebatava. Primeiro as panelas cativaram e renderam o desejo dele: de muito boa gana tomaria delas uma bela porção; depois dominaram sua vontade os odres e, por fim, os bolinhos com açúcar e mel que saíam das frigideiras, se é que se podia chamar de frigideiras caldeirões tão bojudos. Assim, sem poder se aguentar, porque estava acima de suas forças, aproximou-se de um dos solícitos cozinheiros, e com palavras corteses e famintas rogou que o deixasse molhar um pedaço de pão num daqueles panelões. Ao que o cozinheiro respondeu:

— Hoje, meu irmão, a fome não manda, graças ao rico Camacho. Apeai, vede por aí se há uma concha e puxai uma galinha ou duas, e bom apetite.

— Não vejo nenhuma — respondeu Sancho.

— Esperai — disse o cozinheiro. — Por meus pecados, que melindroso e acanhado deveis ser!

Dizendo isso, agarrou uma caçarola e a meteu numa das meias tinas, tirando-a com três galinhas e dois gansos, e disse a Sancho:

— Aqui tendes, meu amigo. Quebrai o jejum com esta canja, enquanto espera a hora de jantar.

— Não tenho no que despejá-la — respondeu Sancho.

— Ora — disse o cozinheiro —, levai com caçarola e tudo, que a riqueza e a alegria de Camacho suprem tudo.

Enquanto isso acontecia a Sancho, dom Quixote estava olhando para um lado do caramanchão, por onde entravam uns doze camponeses montando doze éguas muito lindas, com ricos e vistosos enfeites e muitos guizos nos peitorais, e todos vestidos de gala e de festa, que em grupo bem organizado correram não uma, mas muitas carreiras pelo campo, com alegre algazarra e gritaria, dizendo:

— Vivam Camacho e Quitéria, ele tão rico como ela formosa, e ela a mais formosa do mundo!

Ouvindo isso, dom Quixote disse a si mesmo:

— Bem se vê que estes nunca viram minha Dulcineia del Toboso, pois, se a tivessem visto, teriam refreado os elogios a essa sua Quitéria.

Dali a pouco começaram a encontrar em diversos lugares do caramanchão muitas e diferentes danças, entre as quais uma de espadas, com vinte e quatro rapazes galantes e animados, todos vestidos com o linho mais fino e branco, usando lenços de seda de várias cores na cabeça. Um dos homens das éguas perguntou a um rapaz desembaraçado, que guiava os dançarinos, se algum deles havia se ferido.

— Por ora, graças a Deus, ninguém se feriu: estamos todos bem.

E em seguida começou a lutar com os companheiros, com tantas piruetas e com tanta destreza que dom Quixote, mesmo acostumado com semelhantes danças, achou que nunca tinha visto outra tão boa como aquela.

Também considerou boa a próxima dança, com donzelas lindíssimas, tão moças que pelo visto nenhuma tinha menos de catorze nem mais de dezoito anos, todas vestidas com tecidos verdes de Cuenca,[2] os cabelos parte trançados e parte soltos, mas todos tão loiros que podiam competir com os raios do sol, e sobre eles traziam grinaldas de jasmins, rosas, amarantos e madressilvas. Eram guiadas por um velho venerável e uma velha matrona, mas mais ligeiros e desenvoltos do que prometiam seus anos. A música vinha de uma flauta da Zamora, de dois tubos, e as donzelas, levando a modéstia nos rostos e nos olhos e a rapidez nos pés, se mostravam as melhores dançarinas do mundo.

Depois desse, entrou outro grupo que ia dançar uma mascarada com enredo e declamações. Eram oito ninfas divididas em duas fileiras: uma das fileiras era guiada pelo deus Cupido e a outra, pelo Interesse; aquele, enfeitado com asas, aljava e setas; este, vestido de ricas e diversas cores de seda bordada de ouro. As ninfas que seguiam o Amor traziam nas costas um pergaminho branco com seus nomes escritos em letras grandes. Poesia era o título da primeira; o da segunda, Bom Senso; o da terceira, Boa Linhagem, e a quarta, Valentia. Do mesmo modo vinham assinaladas as que seguiam o Interesse: a primeira, Generosidade; a segunda, Dádiva; a terceira e a quarta, Tesouro e Posse Pacífica. Na frente de todos vinha um castelo de madeira, puxado por quatro selvagens vestidos de hera e cânhamo tingido de verde, que pareciam tão reais que quase assustaram Sancho. Na fachada do castelo e em suas quatro paredes, estava escrito: Castelo do Bom Recato. A música era feita por quatro tocadores de tamborim e flauta.

Cupido começava a dança e, depois de duas evoluções, levantava os olhos e retesava o arco contra uma donzela que aparecia nas alamedas do castelo, a quem falou desse modo:

— *Eu sou o deus poderoso*
no ar e na terra
e no largo mar tempestuoso
e em tudo que o abismo encerra
em seu inferno espantoso.
Nunca conheci o medo;
tudo o que quero, posso,

mesmo que queira o impossível,
e em tudo o que é possível
*mando, tiro, ponho e vedo.**

Acabada a estrofe, disparou uma flecha por cima do castelo e retirou-se a seu posto. Logo saiu o Interesse e fez outras duas evoluções; os tamborins se calaram e ele disse:

— Sou quem pode mais que o Amor,
mas é o Amor quem me guia;
sou da melhor estirpe
que o céu na terra cria,
mais conhecida e antiga.
Sou o Interesse, com quem
poucos costumam agir bem,
mas agir sem mim é grande milagre;
e como sou, a ti me consagro,
*para sempre jamais, amém.***

O Interesse se retirou e se adiantou a Poesia, que, depois de fazer suas evoluções como os demais, com os olhos postos na donzela do castelo, disse:

— Em dulcíssimos conceitos,
altos, graves e sábios,

* *— Yo soy el dios poderoso/ en el aire y en la tierra/ y en el ancho mar undoso/ y en quanto el abismo encierra/ en su báratro espantoso./ Nunca conocí qué es miedo;/ todo cuanto quiero puedo,/ aunque quiera lo imposible,/ y en todo lo que es posible/ mando, quito, pongo y vedo.*

** *— Soy quien puede más que Amor,/ y es Amor el que me guía;/ soy de la estirpe mejor/ que el cielo en la tierra cría,/ más conocida y mayor./ Soy el Interés, en quien/ pocos suelen obrar bien,/ y obrar sin mí es grande milagro;/ y cual soy te me consagro,/ por siempre jamás, amén.*

a dulcíssima Poesia,
senhora, a alma te envia
envolta entre mil sonetos.
Se acaso não te importuna
minha disputa, tua fortuna,
por muitas outras invejada,
será por mim elevada
*sobre o aro da lua.**

A Poesia se afastou, e do lado do Interesse avançou a Generosidade que, depois de feitas suas evoluções, disse:

Chamam Generosidade
ao dar que foge do extremo
da prodigalidade
e do contrário, que argui
morna e frouxa vontade.
Mas eu, para te valorizar,
a partir de hoje serei mais pródiga:
embora seja vício, é vício honrado
e de peito apaixonado,
*que em dar se deixa ver.***

Desse modo se apresentaram e se retiraram todos os personagens dos dois grupos, e cada um dançou e disse

* — *En dulcísimos conceptos,/ la dulcísima Poesía,/ altos, graves y discretos,/ señora, el alma te envía/ envuelta entre mil sonetos./ Si acaso no te importuna/ mi porfía, tu fortuna,/ de otras muchas envidiada,/ será por mí levantada/ sobre el cerco de la luna.*

** *Llaman Liberalidad/ al dar que el extremo huye/ de la prodigalidad/ y del contrario, que arguye/ tibia y floja voluntad./ Mas yo, por te engrandecer,/ de hoy más pródiga he de ser:/ que aunque es vicio, es vicio honrado/ y de pecho enamorado,/ que en el dar se echa de ver.*

seus versos, alguns elegantes e alguns ridículos, mas dom Quixote decorou apenas os já referidos, mesmo tendo grande memória. Então todos se misturaram na dança, enlaçando-se e se desenlaçando com posturas graciosas e desenvoltas, e o Amor, quando passava diante do castelo, disparava suas flechas para o alto, mas o Interesse quebrava em suas paredes alcancias cheias de moedas de ouro.

Finalmente, depois de ter dançado um bom tempo, o Interesse puxou uma grande bolsa feita com a pele de um gato tigrado, que parecia cheia de dinheiro, e a jogou contra o castelo. Com o golpe, as tábuas das paredes se desencaixaram e caíram, deixando a donzela à mostra e sem defesa alguma.

O Interesse chegou com sua comitiva e pôs uma grande corrente de ouro no pescoço dela, dando mostras de prendê-la, rendê-la e sujeitá-la. Ao ver isso, o Amor e sua comitiva se dispuseram a libertá-la, e todas as demonstrações que faziam eram ao som dos tamborins, dançando harmoniosamente. A paz foi restabelecida pelos selvagens, que com muita rapidez levantaram e encaixaram de novo as paredes do castelo, e a donzela se encerrou nele como antes, para grande contentamento dos que assistiam.

Dom Quixote perguntou a uma das ninfas quem havia composto e dirigido a dança. Ela respondeu que um padre daquele povoado, que tinha muito jeito para semelhantes invenções.

— Aposto — disse dom Quixote — que deve ser mais amigo de Camacho que de Basílio o tal bacharel ou padre, e que deve se dar melhor com as sátiras que com as orações: encaixou muito bem as habilidades de Basílio e as riquezas de Camacho!

Sancho, que escutava tudo, disse:

— Aposto no mais galo: fico com Camacho.

— Ora, ora, Sancho — disse dom Quixote —, bem se vê que és camponês e daqueles que dizem: “Viva quem vence!”.

— Não sei se sou desses — respondeu Sancho —, mas sei muito bem que nunca vou tirar das caçarolas de Basílio canja tão saborosa como tirei das de Camacho.

E mostrou a caçarola cheia de gansos e galinhas e, pegando uma, começou a comer com muita distinção e apetite, e depois disse:

— Pendure a conta nas habilidades de Basílio, pois vales tanto quanto tens e tens tanto quanto vales! Só há duas linhagens no mundo, como dizia minha avó: a que tem e a que não tem, e ela se agarrava com a que tinha. E, nos dias de hoje, meu senhor dom Quixote, se respeita mais o haver que o saber: um burro coberto de ouro parece melhor que um cavalo encilhado com albarda. Assim sendo, repito que fico com Camacho. Nas caçarolas dele são fartos os ensopados de gansos e galinhas, lebres e coelhos; nas de Basílio, se é que vou botar a mão em alguma, ou mesmo o pé, só deve haver sopa de pedra.

— Acabaste tua arenga, Sancho? — disse dom Quixote.

— Acabei, sim — respondeu Sancho —, porque vejo que vossa mercê se amola com ela, pois, se isso não atrapalhasse, teria pano para três dias de mangas.

— Queira Deus, Sancho — replicou dom Quixote —, que eu não morra sem te ver mudo.

— No passo que vamos — respondeu Sancho —, antes que vossa mercê morra, eu estarei comendo grama pela raiz, e aí pode ser que eu fique mudo, que não diga uma palavra até o fim do mundo, ou pelo menos até o dia do juízo.

— Mesmo que isso aconteça assim, Sancho — respondeu dom Quixote —, nunca teu silêncio chegará aonde chegou o que falaste, falas e falarás em tua vida. Além disso, é muito mais provável que chegue primeiro o dia de minha morte que o da tua; então não penso jamais te ver mudo, nem quando estejas bebendo ou dormindo, que é o que mais me admira.

— Por Deus, senhor — respondeu Sancho —, não dá

para se fiar na Caveirosa, digo, na morte, que tanto come bodes como cordeiros; e, como ouvi nosso padre dizer, pisa com o mesmo pé nos palácios dos reis como nas cabanas humildes dos pobres. Essa senhora tem mais poder que melindres, não tem nojo de nada: come de tudo e tudo faz, e de todo tipo de pessoas, idades e posições enche seus alforjes. Não é ceifador que durma as sestas, porque a toda hora ceifa, e tanto apara a grama seca como a verde; e parece que não mastiga, mas que engole tudo o que aparece pela frente, pois tem fome canina, que nunca se satisfaz; e, embora não tenha barriga, dá a entender que está hidrópica e tem sede para beber sozinha a vida de todos, como quem bebe um copo de água fria.

— Basta, Sancho — disse dom Quixote nesse ponto. — Fica aí, em terra firme, pois na verdade o que disseste sobre a morte com tuas palavras grosseiras é o que poderia dizer um bom pregador. Olha, Sancho, se tivesses bom senso como tens boa índole, poderias arranjar um emprego de pregador e ir-te por esse mundo dando lindos sermões.

— Prega bem quem vive bem — respondeu Sancho —, e outras teologias não sei.

— Nem precisa — disse dom Quixote. — Mas não consigo entender como, sendo o princípio da sabedoria o temor a Deus, tu, que tens mais medo de um lagarto que d'Ele, sabes tanto.

— Julgue vossa mercê suas cavalarias, senhor — respondeu Sancho —, mas não se meta a julgar os temores e valentias alheias, que sou pagão tão temente a Deus como qualquer cristão. E me deixe despachar logo essa canja, que o resto são palavras ociosas, de que irão nos pedir contas na outra vida.[3]

E, dizendo isso, assaltou de novo sua caçarola, com tão bom apetite que despertou o de dom Quixote, que sem dúvida o teria ajudado, se não o impedisse o que por força se contará adiante.

XXI

ONDE PROSSEGUE A FESTA DE CASAMENTO DE CAMACHO, COM OUTROS ACONTECIMENTOS SABOROSOS

Enquanto dom Quixote e Sancho estavam na conversa narrada no capítulo anterior, ouviram-se grandes brados e grande estrépito, causados pelos cavaleiros das éguas, que numa algazarra e a todo galope foram receber os noivos, que, rodeados de mil tipos de instrumentos, adornos e máscaras, vinham com o padre, os parentes de ambos e as pessoas mais destacadas das aldeias vizinhas, todos em trajes de festa. Mal Sancho viu a noiva, disse:

— Minha nossa, a noiva não vem vestida de camponesa, mas como uma galante dama da corte. Por Deus, pelo que vejo, em vez de medalhas de lata que devia usar vem com colares de corais, e o vestido é do melhor veludo em vez de algodão verde de Cuenca! E olha só, as guarnições são de franjas brancas! Juro que é cetim! E as mãos, então, adornadas com anéis de azeviche? Que raios me partam se não são anéis de ouro, e ouro maciço, engastados com pérolas mais brancas que coalhada, que devem valer os olhos da cara. Ah, fiadaputa, que cabelos, se não são postiços, nunca vi mais longos nem mais loiros em toda a minha vida! Não, não vou ficar aqui procurando defeitos, nem na elegância nem no corpo. Ela só pode ser comparada a uma palmeira que se move, carregada de tâmaras, que isso parecem os adornos que traz pendentes dos cabelos e do pescoço! Juro por minha alma que é moça de truz, capaz de carregar qualquer cruz.

Dom Quixote riu dos elogios rústicos de Sancho Pança e pensou que nunca tinha visto mulher mais formosa, com exceção de sua senhora Dulcineia del Toboso. Quitéria, a Bela, vinha um tanto pálida, talvez pela noite mal dormida que as noivas sempre enfrentam para se arrumar para o dia seguinte de seu casamento. Iam se aproximando de um tablado que havia a um canto do campo, enfeitado com tapetes e ramos, onde devia se realizar a cerimônia e de onde iriam assistir às danças e mascaradas. Mas, quando chegavam a ele, ouviram às suas costas grandes brados, e alguém que dizia:

— Esperai um instante, gente leviana e apressada!

A esses brados e palavras todos viraram a cabeça, e viram que os dava um homem trajado com um saio preto com adornos em forma de tiras vermelhas como chamas, pelo que se via. Vinha, como depois se comprovou, com uma coroa funesta de cipreste; nas mãos trazia um cajado grande. Quando chegou mais perto, foi reconhecido por todos como o galante Basílio, e todos ficaram surpresos, sem saber onde tudo aquilo ia parar, temendo alguma desgraça com sua vinda numa hora dessas.

Chegou, por fim, cansado e sem fôlego, e diante dos noivos, fincando no chão o cajado que tinha uma ponteira de aço, empalideceu. Com os olhos em Quitéria, com voz trêmula e rouca, disse estas palavras:

— Bem sabes, ingrata Quitéria, que, de acordo com a santa lei que professamos, eu estando vivo tu não podes te casar. Também não ignoras que, por eu esperar que o tempo e minha diligência melhorassem os bens de minha fortuna, não quis deixar de guardar o decoro que convinha a tua honra. Mas tu, jogando fora todas as obrigações que deves a minha boa intenção, queres fazer senhor do que é meu outro cujas riquezas lhe servem não apenas de boa fortuna, como de boníssima ventura. E, para que realizes tua felicidade (não como eu penso que a merece, mas como a querem dar os céus), eu, com minhas próprias mãos, desfarei o impedimento ou obstáculo que pode frustrá-la, retirando-me de entre vós. Viva, viva o rico Camacho com a ingrata Quitéria longos e felizes séculos, e morra, morra o pobre Basílio, cuja pobreza cortou as asas de sua sorte e o levou à sepultura!

Dizendo isso, puxou o cajado que cravara no chão, mas metade dele ficou lá, revelando que servia de bainha para um estoque de tamanho médio que ocultava. Então, apoiando na terra do que podia se chamar de empunhadura do estoque, com determinação e rápida desenvoltura se jogou sobre ele, e num instante surgiu nas costas a ponta sangrenta da lâmina de aço, ficando o triste homem banhado em seu sangue e estendido no chão, trespassado por sua própria arma.

Em seguida acudiram seus amigos para socorrê-lo, condoídos com sua miséria e desgraça lamentável. Deixando Rocinante, dom Quixote também se aproximou, tomou-o nos braços e achou que ainda não havia expirado. Quiseram tirar o estoque, mas o padre, que estava presente, foi de opinião que não o tirassem antes que o ferido se confessasse, porque tirá-lo seria morte certa. Mas Basílio, voltando um pouco a si, com voz dolorida e apagada, disse:

— Se quisesses, cruel Quitéria, neste último e fatal momento me dar tua mão como esposa, eu ainda poderia pensar que minha temeridade teria desculpa, pois nela alcancei a felicidade de ser teu.

O padre, ouvindo isso, disse a ele que desse atenção à saúde da alma em vez de aos prazeres do corpo e que pedisse perdão a Deus com sinceridade por seus pecados e por sua decisão desesperada. Então Basílio respondeu que de jeito nenhum se confessaria se antes Quitéria não lhe desse a mão em casamento, pois essa alegria fortaleceria sua vontade e lhe daria alento para se confessar.

Dom Quixote, ouvindo o pedido do ferido, disse com palavras eloquentes que Basílio pedia uma coisa muito justa e razoável, além do mais fácil de atender, e que o senhor Camacho ficaria tão honrado recebendo a senhora Quitéria viúva do valente Basílio como se a recebesse da mão do pai dela:

— Aqui não haverá mais que um sim, sem outro efeito que o de ser pronunciado, pois o leito deste casamento será a sepultura.

Camacho ouvia tudo e tudo o deixava estupefato e confuso, sem saber o que fazer nem o que dizer, mas os gritos dos amigos de Basílio — pedindo a ele que consentisse que Quitéria desse a mão em casamento ao moribundo, para que sua alma não se perdesse partindo desesperada desta vida — levaram-no ou até o forçaram a dizer que, se Quitéria queria dá-la, ele concordava, pois tudo se resumia a retardar um instante o cumprimento de seus desejos.

Todos correram para Quitéria, e uns com súplicas, outros com lágrimas, outros ainda com palavras eficazes, tratavam de persuadi-la a dar a mão ao pobre Basílio. Mas ela, mais dura que mármore e mais imóvel que uma estátua, mostrava que nem sabia nem podia nem queria responder nada, nem responderia se o padre não dissesse que se decidisse logo o que havia de fazer, porque Basílio já tinha o último suspiro entre os dentes, e não havia lugar para hesitações.

Então a formosa Quitéria, sem responder uma palavra, perturbada, parecendo triste e pesarosa, foi até onde Basílio estava, já com os olhos revirados e a respiração entrecortada, murmurando entre os dentes o nome de Quitéria, dando sinais de que ia morrer como pagão, não como católico. Por fim Quitéria chegou e, ajoelhando-se, pediu a mão dele com um gesto, não com palavras. Os olhos de Basílio voltaram às órbitas e ele, olhando Quitéria atentamente, disse:

— Oh, Quitéria, vieste ser piedosa quando tua piedade será o punhal que vai acabar de me tirar a vida, pois já não tenho forças para suportar a glória que me dás ao me escolher como teu, nem para conter a dor que com tamanha pressa vai me cobrindo os olhos com a espantosa sombra da morte! O que te suplico, minha estrela fatal, é que esta cerimônia não seja por obrigação nem para me enganar de novo, mas para que confesses e digas que, sem forçar tua vontade, me entregas e me dás tua mão como a teu legítimo esposo, pois não há motivo para que num momento como este me enganes, nem uses de fingimentos com quem foi tão sincero contigo!

Ele desmaiava, entre uma palavra e outra, de modo que todos os presentes pensavam que a cada desmaio entregava sua alma. Quitéria, toda recatada e cheia de vergonha, segurando com sua mão direita a de Basílio, lhe disse:

— Força nenhuma seria suficiente para dobrar minha vontade; assim, com toda a liberdade que tenho, te dou minha mão como legítima esposa e recebo a tua, se é que também a dás livremente, sem que te perturbe ou prejudique a calamidade em que tua decisão desvairada te pôs.

— Sim, dou — respondeu Basílio —, nem perturbado nem confuso, mas com o claro entendimento que o céu quis me dar. Assim me entrego para ser teu esposo.

— E eu para ser tua esposa — respondeu Quitéria. — Agora vivas por longos anos, ou agora te levem de meus braços para a sepultura.

— Para alguém tão ferido — disse Sancho Pança nesse ponto —, este rapaz fala demais: façam com que deixe de galanteios e trate da salvação de sua alma, que em minha opinião está mais presa na língua que a caminho do céu.

Com Basílio e Quitéria de mãos dadas, o padre, doce e choroso, abençoou-os e pediu ao céu que desse eterno repouso à alma do recém-casado. Assim que recebeu a bênção, com rapidez Basílio se pôs de pé e, com inacreditável desenvoltura, tirou o estoque a que seu corpo servia de bainha. Todos os presentes ficaram espantados, e alguns deles, mais simplórios que impertinentes, em altos brados começaram a dizer:

— Milagre, milagre!

Mas Basílio replicou:

— Milagre nada, astúcia, astúcia!

O padre, perturbado e perplexo, levou ambas as mãos para apalpar a ferida e descobriu que o punhal não passara pela carne e costelas de Basílio, mas por um tubo de ferro que estava em lugar bem apropriado, cheio de sangue preparado de modo que não coagulasse, como se soube depois.

Por fim, o padre e Camacho, mais todos os presentes, se consideraram tapeados e escarnecidos. A esposa não deu mostras de que a trapaça lhe pesava: pelo contrário, ao ouvir que aquele casamento não podia ser considerado válido, por se basear numa fraude, disse que o confirmava de novo, do que todos deduziram que de comum acordo os dois tinham tramado aquele plano. Com isso Camacho e seus partidários ficaram tão envergonhados que confiaram a vingança às mãos e, desembainhando muitas espadas, atacaram Basílio, em cuja defesa num instante se desembainharam quase outras tantas. Mas dom Quixote tomou a iniciativa: a cavalo, com a lança em riste e bem protegido por seu escudo, fazia com que todos os defensores cercassem Basílio. Sancho, a quem semelhantes façanhas nunca agradaram nem divertiram, refugiou-se nas tinas de onde tinha tirado sua canja apetitosa, considerando aquele lugar como sagrado, a que se devia respeito feito a uma igreja. Dom Quixote dizia, em altos brados:

— Detende-vos, senhores, detende-vos! Não há motivo para vos vingardes dos agravos que o amor nos faz. E reparai que o amor e a guerra são uma mesma coisa, e assim como na guerra é coisa lícita e costumeira usar de ardis e estratagemas para vencer o inimigo, assim nas contendas e disputas amorosas se têm por bons os embustes e as tramoias que se fazem para conseguir o fim que se deseja, desde que não sejam em prejuízo e desonra da coisa amada. Quitéria era de Basílio, e Basílio de Quitéria, por justa e favorável disposição dos céus. Camacho é rico e poderá comprar seus prazeres, quando, onde e como quiser. Basílio não tem mais que esta ovelha,[1] e ninguém deve tomá-la, por mais poderoso que seja, pois aos que Deus une o homem não pode separar,[2] e aquele que tentar terá primeiro de passar pela ponta desta lança.

E aí a brandiu com tanta força e destreza que meteu medo em todos os que não o conheciam. E tão intensamente se fixou na imaginação de Camacho o desdém de Quitéria que apagou a donzela da memória num instante, o que o fez ouvir as palavras persuasivas do padre, que era homem prudente e bem-intencionado. Com elas, Camacho e seus seguidores ficaram calmos e em paz, tanto que devolveram as espadas às bainhas e botaram a culpa mais na leviandade de Quitéria que na astúcia de Basílio. Camacho raciocinou que, se Quitéria amava Basílio quando solteira, casada também o amaria, e que devia dar graças ao céu mais por tê-la tirado dele que por tê-la dado.

Então, com Camacho e seu bando pacíficos e consolados, todos os do bando de Basílio se acalmaram. Aí o rico Camacho, para mostrar que não sentia a trapaça nem fazia caso dela, quis que as festas continuassem como se realmente se casasse. Mas Basílio não quis ficar, nem sua esposa, nem seus sequazes, e então foram embora para a aldeia dele, pois os pobres virtuosos e argutos também têm quem os siga, honre e ampare como os ricos têm quem os lisonjeie e acompanhe.

Levaram dom Quixote com eles, considerando-o homem de valor e de cabelo no peito. Apenas Sancho ficou com o coração sombrio, por ter de abandonar o banquete esplêndido e a festa de Camacho, que duraram até a noite. Então, amolado e triste, seguiu seu senhor, que ia com o grupo de Basílio, deixando para trás aquele país da Cocanha, embora o levasse na alma; para ele, a canja quase toda consumida e acabada, que levava na caçarola, representava a glória e a abundância da felicidade perdida. Enfim, acabrunhado e pensativo, como se disse, embora sem fome, seguiu as pegadas de Rocinante sem apear do burro.

XXII

ONDE SE RELATA A GRANDE AVENTURA DA CAVERNA DE MONTESINOS, QUE ESTÁ NO CORAÇÃO DA MANCHA, VIVIDA COM FELIZ DESFECHO PELO VALOROSO DOM QUIXOTE DE LA MANCHA

Foram muitas e grandes as cortesias feitas a dom Quixote por Basílio e Quitéria, agradecidos pelo que demonstrara na defesa da causa deles, e lhe concederam o título tanto de valente como de sábio, vendo nele um Cid nas armas e um Cícero na eloquência. O bom Sancho se refocilou três dias à custa dos noivos, por quem se soube que o plano de se ferir falsamente não tinha sido tramado com Quitéria, mas apenas por Basílio, que esperava dela a reação que se tinha visto. É bem verdade, confessou, que tinha avisado alguns de seus amigos para que o ajudassem em sua intenção e tornassem crível a fraude, quando chegasse a hora.

— Não podem se chamar de fraudes — disse dom Quixote — os planos que têm fins virtuosos.

E apaixonados se casarem era o melhor dos fins, mas reparando sempre que os piores adversários que o amor tem são a fome e a necessidade contínua, porque o amor é todo alegria, regozijo e prazer, mais ainda quando o amante está de posse da coisa amada, contra quem são inimigos declarados a necessidade e a pobreza. E dizia isso tudo com a intenção de encorajar o senhor Basílio a deixar de lado suas conhecidas habilidades, que lhe davam fama mas não davam dinheiro, e tratasse de enriquecer por meios lícitos e engenhosos, que nunca faltam aos prudentes e aplicados.

— O pobre honrado (se é que o pobre pode ser honrado) tem sorte em ter mulher formosa, mas, quando a tiram dele, tiram sua honra e a matam. A mulher formosa e honrada, cujo marido é pobre, merece ser coroada com os louros e as palmas da vitória e do triunfo. A formosura por si só atrai os desejos de todos que a olham e conhecem, é como isca deliciosa para o ataque de águias e falcões soberbos; mas, se à formosura se somarem a necessidade e a pobreza, também ela é atacada pelos corvos, gaviões e outras aves de rapina: e mulher que resiste a tantas ofensivas bem merece ser chamada de coroa de seu marido.[1] Vede, meu inteligente Basílio — acrescentou dom Quixote —, não sei que sábio era da opinião de que em todo o mundo havia apenas uma mulher virtuosa, e aconselhava que cada um pensasse e acreditasse que essa única mulher virtuosa era a sua, e assim viveria contente. Eu não sou casado, nem pensei até hoje em me casar, mas, apesar disso, me atreveria a aconselhar quem me consultasse sobre o modo que haveria de procurar a mulher com quem deveria se casar. Primeiro, aconselharia que olhasse mais a reputação que a riqueza, porque a mulher virtuosa não ganha boa reputação apenas por ser virtuosa, mas por parecer, pois prejudicam muito mais a honra das mulheres as leviandades e imprudências públicas que as maldades secretas. Se levas mulher virtuosa para tua casa, será coisa fácil conservá-la e até mesmo melhorar essa qualidade dela; mas, se levas uma má, será uma trabalheira emendá-la, pois não é nada fácil passar de um extremo a outro. Eu não digo que seja impossível, mas considero complicado.

Sancho ouvia isso tudo e disse a si mesmo:

— Esse meu amo, quando tiro coisas de substância dos miolos, costuma dizer que eu poderia arrumar cargo de pregador e sair pelo mundo dando lindos sermões. Pois eu digo dele que, quando começa a alinhavar sentenças e a dar conselhos, não só pode tomar na mão um cargo desses, como dois em cada dedo, e andar por essas praças de barriga cheia. Que o diabo o carregue, cavaleiro andante, que tantas coisas sabes! No fundo de minha alma, eu pensava que só podia saber aquilo que dizia respeito à cavalaria, mas não há coisa que não belisque e onde não deixe de meter a colher.

Ouvindo algo do que Sancho murmurava, seu senhor perguntou:

— Que cochicho é este, Sancho?

— Não digo nem cochicho nada — respondeu Sancho. — Eu apenas estava dizendo a mim mesmo que gostaria de ter ouvido o que vossa mercê disse antes de me casar, pois talvez agora eu dissesse: "O boi solto se lambe à vontade".

— Tua Teresa é tão ruim assim, Sancho? — disse dom Quixote.

— Não é muito ruim, não — respondeu Sancho —, mas não é muito boa. Pelo menos, não é tão boa como eu gostaria.

— Fazes mal, Sancho — disse dom Quixote —, em falar mal de tua mulher, que na verdade é mãe de teus filhos.

— Estamos quites — respondeu Sancho —, porque ela também fala mal de mim quando lhe dá na veneta, principalmente quando sente ciúmes. Aí nem Satanás aguenta.

Enfim, estiveram três dias com os noivos, onde foram tratados e servidos como reis. Dom Quixote pediu ao licenciado espadachim que arranjasse um guia que o levasse à caverna de Montesinos, porque tinha grande desejo de entrar nela e ver com os próprios olhos se eram verdadeiras as maravilhas que se diziam dela por aquelas bandas todas. O licenciado disse que lhe mandaria um primo seu, estudante famoso e leitor aficionado de livros de cavalaria, que com boa vontade o deixaria na própria boca da caverna e lhe mostraria as lagoas da Ruidera, também célebres em toda a Mancha, ou mesmo em toda a Espanha; e disse ainda que o primo era uma companhia muito agradável, porque o rapaz sabia compor livros para imprimir e para dedicá-los aos príncipes.

Veio então o primo numa burrinha prenhe, com a albarda cobrindo um baixeiro ou enxerga com listras coloridas. Sancho encilhou Rocinante e seu burro, encheu os alforjes, que acompanharam os do primo, também bem providos, e, encomendando-se a Deus e se despedindo de todos, se puseram a caminho, tomando o rumo da famosa caverna de Montesinos.

Na estrada, dom Quixote perguntou ao primo de que gênero e condição eram suas atividades, sua profissão e seus estudos. Ele respondeu que sua profissão era ser humanista; suas atividades e estudos, compor livros para publicar, todos de grande proveito para a república mas nem por isso menos divertidos. Um deles se intitulava *Das librés*, onde descrevia setecentas e três librés[2], com suas cores, motes e cifras, de onde os cavaleiros cortesãos podiam copiar as que quisessem em tempo de festas e diversões, sem precisar mendigá-las a ninguém nem espremer o cérebro, como se diz, para imaginá-las conforme seus desejos e intenções.

— Porque dou ao ciumento, ao desprezado, ao esquecido e ao ausente os trajes que mais lhes convêm, feitos como sob medida. Também tenho outro livro, que vou chamar de *Metamorfóseos*, ou *Ovídio espanhol*, com ideias novas e estranhas, porque nele, imitando Ovídio no modo burlesco, descrevo quem foi a Giralda de Sevilha e o Anjo da Igreja Madalena em Salamanca, quem foi o Cano de Vecinguerra de Córdoba, quem foram os Touros de Guisando, a Serra Morena, as fontes de Leganitos e Lavapiés em Madri, não me esquecendo da de Piojo, do Cano Dourado e da Priora, e tudo isso com suas alegorias, metáforas e metamorfoses, de modo que alegram, surpreendem e ensinam ao mesmo tempo. Tenho outro livro, que chamo *Suplemento a Virgílio Polidoro, que trata da invenção das coisas*,[3] que é de grande erudição e instrutivo, porque as coisas essenciais que Polidoro deixou de dizer eu as pesquiso e as relato em estilo gracioso. Virgílio esqueceu de nos declarar quem foi o primeiro homem no mundo que teve catarro, o primeiro que usou unguentos para se curar da sífilis, e eu conto tudo ao pé da letra, citando mais de vinte e cinco autores, para que veja vossa mercê se trabalho bem e se tal livro não vai ser útil a todo mundo.

Sancho, que estava muito atento à narração do primo, lhe disse:

— Perdão, senhor (que Deus lhe dê boa mão na impressão de livros), mas poderia me dizer, pois deve saber, já que sabe tudo, quem foi o primeiro a coçar a cabeça? A mim parece que deve ter sido nosso pai Adão.

— Sim, deve ter sido — respondeu o primo —, porque não há dúvida de que Adão teve cabeça e cabelos. Assim sendo, e sendo o primeiro homem do mundo, alguma vez deve ter se coçado.

— É o que penso — respondeu Sancho. — Mas me diga agora: quem foi o primeiro saltimbanco do mundo?

— Para falar a verdade, irmão — respondeu o primo —, não posso afirmar nada por ora, até que o pesquise. Eu pesquisarei logo que voltar aonde tenho meus livros e vos responderei quando nos virmos outra vez, que esta não deve ser a última.

— Pois olhe, senhor — replicou Sancho —, não se dê ao trabalho, que agora me dei conta do que lhe perguntei: saiba que o primeiro saltimbanco do mundo foi Lúcifer, quando o tocaram ou o jogaram do céu, pois veio dando cambalhotas até os quintos dos infernos.

— Tens razão, meu amigo — disse o primo.

Então dom Quixote disse:

— Essa pergunta e resposta não são tuas, Sancho: ouviste alguém dizer.

— Por Deus, senhor, cale-se — replicou Sancho —, pois, se eu começasse a perguntar e a responder, não acabaríamos até amanhã. Ora, para perguntar asneiras e responder tolices não preciso de ajuda dos vizinhos.

— Disseste mais do que sabes, Sancho — disse dom Quixote —, pois há quem se canse em saber e averiguar coisas que depois de sabidas e averiguadas não valem um tostão para o entendimento ou para a memória.

Com essas e outras conversas saborosas passaram aquele dia, e à noite se abrigaram numa pequena aldeia, onde o primo disse a dom Quixote que dali até a caverna de Montesinos não havia mais que duas léguas, e que, se realmente estava decidido a entrar nela, era preciso arrumar umas cordas, para se atar e descer em suas profundezas.

Dom Quixote disse que, mesmo que fosse parar no inferno, havia de ir até o fundo da caverna. Então compraram quase cem braças de corda, e no outro dia às duas da tarde chegaram à caverna, cuja boca é grande e larga, mas cheia de espinhos-de-são-joão e figueiras selvagens, de sarças e matos, tão espessos e intrincados que a cegam e ocultam inteiramente. Ao vê-la, apearam o primo, Sancho e dom Quixote, em quem logo amarraram as fortíssimas cordas. E, enquanto o atavam e apertavam, Sancho disse a ele:

— Veja bem o que faz, meu senhor: não queira se sepultar em vida, nem fique onde pareça garrafa de vinho posta em poço para esfriar. Sim, porque não cabe nem compete a vossa mercê explorar esta que deve ser pior que uma masmorra.

— Amarra e cala — respondeu dom Quixote —, pois façanha como esta, meu amigo Sancho, para mim estava reservada.[4]

E então o guia disse:

— Suplico a vossa mercê, senhor dom Quixote, que olhe bem e examine com cem olhos o que há lá dentro: talvez haja coisas que eu possa pôr no livro de minhas *Transformações*.

— Não se preocupe, o pandeiro está em mãos de quem sabe tocar — respondeu Sancho Pança.

Depois de bem amarrado — não sobre a armadura, mas sobre o perponte[5] —, dom Quixote disse:

— Andamos descuidados em não ter trazido um sininho para amarrar comigo nessa mesma corda; pelo som dele se perceberia que eu ainda descia e estava vivo; mas agora é tarde: estou nas mãos de Deus, Ele que me guie.

Em seguida caiu de joelhos e fez uma oração ao céu, em voz baixa, pedindo a Deus que o ajudasse a levar a bom termo aquela, pelo visto, estranha e perigosa aventura, e depois disse em voz alta:

— Oh, senhora de minhas ações e movimentos, nobre e inigualável Dulcineia del Toboso! Se é possível chegar a teus ouvidos as preces e súplicas deste teu venturoso apaixonado, por tua inaudita beleza te rogo que escutes, pois apenas quero te pedir que não me negues teu favor e amparo, agora que tanto necessito deles. Eu vou mergulhar, irromper e sumir no abismo que tenho diante de mim, apenas para que o mundo saiba que, se tu me favoreceres, não haverá façanha impossível que eu não tente e realize.

Dizendo isso, aproximou-se da caverna e viu que não era possível descer sem abrir espaço na entrada, ou a força de braço ou a cutiladas. Então, empunhando a espada, começou a derrubar e a cortar aquele mato todo; por causa do barulho estrondoso, saiu da caverna uma infinidade de corvos e gralhas, bando tão espesso e tão rápido que atirou dom Quixote ao chão. Se ele fosse tão supersticioso como católico, encararia isso como mau agouro e desistiria de se meter em semelhante lugar.

Por fim se levantou e, vendo que não saíam mais corvos nem outras aves noturnas, como morcegos, que também tinham saído no meio dos corvos, o primo e Sancho lhe deram corda, e ele se deixou descer ao fundo da caverna espantosa. Quando entrou, Sancho lhe deu sua bênção e, fazendo mil sinais da cruz sobre ele, disse:

— Deus te guie (Deus, a Pedra da França e a Trindade de Gaeta também),[6] flor, nata e espuma dos cavaleiros andantes! Lá vais, valentão do mundo, coração de aço, braços de bronze! Deus te guie, outra vez, e te devolva livre, são e sem dívidas à luz desta vida que deixas para te enterrar nesta escuridão que buscas!

O primo fez quase as mesmas preces e invocações.

Dom Quixote ia gritando para que lhe dessem mais e mais corda, e eles davam pouco a pouco; e quando os gritos, canalizados pela caverna, deixaram de ser ouvidos, eles já tinham desenrolado as cem braças de corda e acharam melhor puxar dom Quixote de volta, pois não podiam descê-lo mais. Mas, mesmo assim, demoraram uma meia hora; no fim desse tempo, recolheram de novo a corda com muita facilidade e sem peso algum, sinal que os levou a imaginar que dom Quixote ficara lá dentro. Sancho, acreditando nisso, chorava amargamente e puxava com muita pressa para se desenganar, mas chegando, em sua opinião, a pouco mais de oitenta braças, sentiram peso outra vez, o que os alegrou ao extremo. Finalmente, pelas dez braças, viram distintamente dom Quixote, a quem Sancho gritou, dizendo:

— Seja muito bem-vindo, meu senhor, pois já pensávamos que vossa mercê tinha ficado lá para semente.

Mas dom Quixote não respondia uma palavra; quando o tiraram para fora, viram que trazia os olhos fechados, dando sinais de que estava dormindo. Estenderam-no no chão e o desamarraram; mesmo assim, continuava dormindo. Mas tanto o viraram e reviraram, tanto o sacudiram que depois de um bom tempo voltou a si, espreguiçando-se, como se acordasse de um sono pesado e profundo. Olhando em volta, como que surpreso, disse:

— Deus vos perdoe, amigos, pois me tirastes da vida e dos lugares mais deliciosos e agradáveis que um homem já viveu ou viu. Realmente, agora acabo de saber que todas as alegrias desta vida passam como sombra e sonho ou murcham como uma flor do campo. Oh, infeliz Montesinos! Oh, moribundo Durandarte! Oh, desventurada Belerma! Oh, lacrimoso Guadiana, e vós infelizes filhas da Ruidera, que mostrais em vossas águas as que choraram vossos formosos olhos!

O primo e Sancho escutaram com muita atenção as palavras de dom Quixote, que as dizia como se com dor imensa as arrancasse das entranhas. Suplicaram a ele que explicasse o que dizia e contasse o que tinha visto naquele inferno.

— Chamais de inferno? — disse dom Quixote. — Não o chameis assim, porque não o merece, como logo vereis.

Pediu que lhe dessem alguma coisa para comer, que estava com muita fome. Estenderam a enxerga do primo sobre a grama verde, correram às provisões de seus alforjes e, sentados todos os três em boa paz e companhia, almoçaram e jantaram ao mesmo tempo. Tirada a enxerga, dom Quixote de la Mancha disse:

— Ficai sentados e atentos, meus filhos.

XXIII

DAS COISAS ADMIRÁVEIS QUE O EXTRAORDINÁRIO DOM QUIXOTE DIZ TER VISTO NAS PROFUNDEZAS DA CAVERNA DE MONTESINOS, COISAS QUE, PELA IMPOSSIBILIDADE E MAGNITUDE, LEVAM A SE CONSIDERAR ESTA AVENTURA APÓCRIFA

Seriam umas quatro da tarde, quando o sol, encoberto entre nuvens, com luz escassa e raios cálidos, permitiu que dom Quixote, sem calor nem incômodo, contasse a seus dois ilustríssimos ouvintes o que tinha visto na caverna de Montesinos; ele começou deste modo:

— A uns vinte ou vinte e quatro metros de profundidade desta masmorra, do lado direito, há uma concavidade com espaço suficiente para um grande carro com suas mulas. Entra nela um pouco de luz, vinda de longe por umas frestas ou buracos abertos na superfície da terra. Eu vi essa concavidade quando já me sentia cansado e moído de me ver, preso e pendurado pela corda, andar para baixo por aquela região escura sem ter um rumo certo e determinado; assim, resolvi entrar ali e descansar um pouco. Gritei, pedindo-vos que não descêsseis mais a corda até que eu vos dissesse, mas com certeza não me ouvistes. Fui recolhendo a corda que descíeis e, fazendo um rolo com ela, me sentei sobre ele muito pensativo, considerando o que devia fazer para chegar ao fundo, não tendo quem me segurasse; estava nesse pensamento e confusão quando, de repente e sem procurá-lo, me assaltou um sono profundíssimo e, quando menos esperava, sem saber como nem por quê, acordei dele e me encontrei no meio do mais belo, ameno e delicioso campo que a natureza pode criar nem imaginar a mais perspicaz mente humana. Arregalei os olhos, limpei-os e vi que não dormia, que realmente estava acordado. Mesmo assim, apalpei a cabeça e o peito, para me certificar se era eu mesmo que estava ali ou algum fantasma ilusório e monstruoso; mas o tato, as emoções, os pensamentos coerentes que me ocorriam me garantiram que ali naquele momento eu era o mesmo homem que sou aqui agora.

"Então se apresentou a minha vista um palácio ou alcácer real e suntuoso, com muros e paredes que pareciam feitos com o mais puro cristal; abriram-se nele duas grandes portas, por onde saía e vinha até mim um ancião venerável, vestido com uma capa de baeta roxa, com capuz, que se arrastava pelo solo. Cingia-lhe o ombro e o peito uma palatina de cetim verde; na cabeça, usava um gorro redondo de lã preta; e a barba, branquíssima, ultrapassava a cintura. Não trazia arma nenhuma, apenas tinha na mão um rosário de contas maiores que nozes médias, e as do padre-nosso eram quase como ovos de avestruz. O porte dele, o andar, a gravidade e a presença majestosa, cada coisa por si mesma e todas juntas, me surpreenderam e espantaram. Aproximou-se de mim e a primeira coisa que fez foi me abraçar fortemente, depois me disse: 'Há longo tempo, valoroso dom Quixote de la Mancha, estamos encantados nesta solidão, esperando te ver, para que dês notícias ao mundo do que encerra e oculta a profunda caverna onde entraste, conhecida como caverna de Montesinos: façanha reservada apenas para teu invencível coração e tua coragem estupenda. Vem comigo, nobre senhor, pois quero te mostrar as maravilhas que este alcácer transparente esconde, de que eu sou o alcaide e o tesoureiro perpétuo, porque sou o próprio Montesinos, de quem a caverna toma o nome'.

"Apenas me disse que era Montesinos, perguntei se era verdade o que no mundo de cá de cima se conta, que ele havia tirado do meio do peito, com uma pequena adaga, o coração de seu grande amigo Durandarte e o levara para a senhora Belerma, como ele tinha ordenado na hora da morte. Respondeu-me que diziam a verdade em tudo, menos sobre a adaga, porque não usou uma adaga, nem grande nem pequena, mas um punhal afiado, mais pontudo que uma sovela."

— Devia ser — disse Sancho nesse ponto — o tal punhal de Ramón de Hoces, o sevilhano.

— Não sei — prosseguiu dom Quixote —, mas não seria desse artífice, porque Ramón de Hoces foi ontem, e a batalha de Roncesvalles, onde aconteceu essa desgraça, foi há muitos anos. Depois, não tem importância saber disso: nem obscurece a verdade nem altera o desenrolar da história.

— Sim, sim — respondeu o primo. — Prossiga vossa mercê, senhor dom Quixote, pois o escuto com o maior prazer do mundo.

— Não é menor o prazer com que eu conto — respondeu dom Quixote. — Bem, então o venerável Montesinos me levou ao palácio cristalino, onde numa sala baixa, extremamente fresca e toda de alabastro, estava um sepulcro de mármore feito com grande maestria; sobre ele vi um cavaleiro estendido de fora a fora, não de bronze, nem de mármore, nem de jaspe, como costuma haver em outros sepulcros, mas de carne e osso de verdade. Tinha a mão direita (que em minha opinião é um tanto peluda e musculosa, sinal de que seu dono tem muita força) posta sobre o coração; e, antes que eu perguntasse qualquer coisa a Montesinos, vendo-me olhar surpreso o homem do sepulcro, me disse: "Este é meu amigo Durandarte, flor e espelho dos cavaleiros apaixonados e valentes de seu tempo. Foi encantado, como eu e muitos outros e muitas outras, por Merlin, aquele mago francês que dizem que é filho do diabo.[1] Mas eu acho que não é filho do diabo e sim que sabe um truque a mais que o diabo, como diz o ditado. Como e por que nos encantou, ninguém sabe, mas isso será revelado no devido tempo, que não está muito distante, pelo que imagino. O que me admira é que sei, tão certo como agora é dia, que Durandarte entregou sua vida em meus braços e que, depois de morto, tirei o coração dele com minhas próprias mãos, coração que devia pesar quase um quilo, porque, conforme dizem os filósofos, aquele que tem o coração maior é dotado de maior valentia que aquele que o tem pequeno. Então, se tudo foi assim, se este cavaleiro morreu realmente, como agora se queixa e suspira de tanto em tanto como se estivesse vivo?". Dito isto, o pobre Durandarte, dando um grande grito, disse:

Oh, meu primo Montesinos!
O derradeiro pedido vos rogava:
quando eu estiver morto,
e minha alma arrancada,
leveis meu coração
onde Belerma estiver,
tirando-o de meu peito,
ou com punhal, ou com adaga.[2]

"Ouvindo isso, o venerável Montesinos se ajoelhou diante do cavaleiro queixoso e, com lágrimas nos olhos, lhe disse: 'Sim, senhor Durandarte, meu caro primo, já fiz o que me mandastes no dia funesto de nossa derrota: eu vos tirei o coração do melhor modo que pude, sem vos deixar uma mínima parte no peito; eu o limpei com um lenço de rendas; eu parti às pressas com ele para a França, antes vos tendo posto no seio da terra, com tantas lágrimas que foram suficientes para me lavar as mãos e me limpar o sangue que tinham por terem andado em vossas entranhas. Para vos dar todos os detalhes, primo de minha alma, saiba que no primeiro povoado que encontrei saindo de Roncesvalles pus um pouco de sal em vosso coração, para que não cheirasse mal e chegasse, se não fresco, pelo menos marinado à presença da senhora

Belerma, que, convosco e comigo, e com Guadiana, vosso escudeiro, e com dona Ruidera e suas sete filhas e duas sobrinhas, e com muitos outros de vossos conhecidos e amigos, tem aqui encantados o mago Merlin há muitos anos. Mas, embora esses anos passem de quinhentos, nenhum de nós morreu. Estão ausentes apenas Ruidera e suas filhas e sobrinhas: Merlin, talvez compadecido com as lágrimas delas, transformou-as em lagoas, que agora são chamadas de lagoas da Ruidera no mundo dos vivos e na província da Mancha; as sete são dos reis da Espanha, e as duas sobrinhas, dos cavaleiros de uma ordem santíssima que se chama São João.[3] Guadiana, vosso escudeiro, também chorando vossa desgraça, foi transformado num rio conhecido pelo mesmo nome, que, ao chegar à superfície da terra e ver o sol do outro céu, sentiu tanto pesar ao perceber que vos deixava que mergulhou nas entranhas da terra; mas, como não é possível deixar de voltar a sua natural corrente, de tanto em tanto sai e se mostra onde o sol e as pessoas o podem ver. Vai sendo abastecido com as águas das referidas lagoas; com elas e muitas outras que lhe chegam entra torrencial e pomposo em Portugal. Mas, apesar disso, por onde quer que passe revela sua tristeza e melancolia, e não se gaba de criar em suas águas peixes delicados e saborosos, mas ordinários e insossos, bem diferentes dos do Tejo dourado. Isto que vos digo agora, meu querido primo, já vos disse muitas vezes, mas como não me respondeis imagino que não me dais crédito ou não me ouvis, o que me deixa com tamanha pena que só Deus sabe.

"'Quero, porém, vos dar notícias novas que, embora não sirvam de alívio para vossa dor, não a aumentarão de forma alguma. Abri vossos olhos e vereis que tendes em vossa presença aquele grande cavaleiro de quem tantas coisas tem profetizado o mago Merlin, digo, aquele dom Quixote de la Mancha que, com maiores vantagens que nos séculos passados, ressuscitou nos presentes a já esquecida cavalaria andante, por cujo meio e favor poderia ser que nós fôssemos desencantados, pois as grandes façanhas estão reservadas para os grandes homens.'

"'E, se não for assim', respondeu o queixoso Durandarte, em voz baixa e desalentada, 'se não for assim, meu primo, paciência e baralha de novo.' E, virando-se de lado, voltou ao costumeiro silêncio, sem falar mais uma palavra.

"Nisso se ouviram gritos e choros, acompanhados de gemidos profundos e soluços angustiados. Virei a cabeça e vi, pelas paredes de cristal, que em outra sala passava uma procissão de duas filas de donzelas formosíssimas, todas vestidas de luto, com turbantes brancos na cabeça, à maneira turca. Fechando as filas, vinha uma senhora (assim parecia, pela gravidade) também vestida de preto, com uma touca branca tão longa que as pontas penduradas beijavam a terra. Seu turbante era duas vezes maior que o maior de qualquer outra; tinha as sobrancelhas juntas e o nariz um tanto achatado; a boca grande, mas com lábios coloridos; os dentes, que às vezes mostrava, eram separados e meio tortos, embora brancos como uma amêndoa descascada; trazia entre as mãos um pedaço de cambraia que envolvia, pelo que pude divisar, um coração mumificado, de tão seco e salgado que estava. Montesinos me disse que todas aquelas pessoas da procissão eram da criadagem de Durandarte e de Belerma, que fora encantada com seus dois senhores. E a última, a que trazia o coração no pano entre as mãos, era a senhora Belerma. Ela e suas aias faziam aquela procissão quatro vezes por semana e entoavam, ou melhor dizendo, choravam canções fúnebres sobre o corpo e sobre o atormentado coração de seu primo; e, se havia me parecido um tanto feia, ou não tão formosa como tinha fama, era por causa das más noites e piores dias que passava naquele encantamento, como podia ver por suas grandes olheiras e sua palidez.

"'Essa palidez e olheiras não se devem ao mal mensal comum às mulheres, porque há muitos meses ou mesmo anos que ele não bate às suas portas, mas à dor que seu coração sente pelo que está em suas mãos o tempo todo, que traz à memória e aviva a desgraça de seu malogrado amante. Se não fosse por isso, seria igualada apenas em formosura, elegância e brio pela grande Dulcineia del Toboso, tão celebrada por essas bandas todas, ou mesmo pelo mundo todo.'

"'Devagar com o andor, senhor dom Montesinos', disse eu então. 'Conte vossa mercê sua história como deve, pois já sabe que toda comparação é odiosa, daí que não há por que comparar ninguém com ninguém. A sem-par Dulcineia del Toboso é quem é, e a senhora dona Belerma é quem é e quem foi, e fiquemos por aqui.'

"Ao que ele respondeu: 'Senhor dom Quixote, perdoe-me vossa mercê: confesso que andei mal ao dizer que apenas a senhora Dulcineia igualaria a senhora Belerma, pois me bastaria ter suspeitado que vossa mercê é seu cavaleiro para morder a língua antes que compará-la a não ser com o próprio céu'.

"Com essa explicação, o grande Montesinos me sossegou o coração do susto que levei ao ouvir que comparavam minha senhora com Belerma."

— Ainda estou pasmo — disse Sancho — de como vossa mercê não se atirou sobre o velhote e moeu a pontapés todos os ossos dele, e não lhe arrancou as barbas, sem deixar um fio.

— Não, meu amigo Sancho — respondeu dom Quixote —, não ficava bem fazer isso, porque todos temos obrigação de respeitar os anciãos, mesmo que não sejam cavaleiros, e principalmente os que o são e estão encantados. Eu sei muito bem que não ficamos devendo nada um ao outro em muitas outras perguntas e respostas que trocamos na conversa.

Nesse ponto, o primo disse:

— Eu não sei, senhor dom Quixote, como vossa mercê, em tão pouco espaço de tempo que esteve lá embaixo, tenha visto tantas coisas e falado e respondido tanto.

— Quanto faz que desci? — perguntou dom Quixote.

— Pouco mais de uma hora — respondeu Sancho.

— Não pode ser — respondeu dom Quixote —, porque lá anoiteceu e amanheceu e tornou a anoitecer e amanhecer três vezes, de modo que por minhas contas estive três dias naquele lugar remoto e oculto de nossa vista.

— Meu senhor deve estar falando a verdade — disse Sancho —, pois, como todas as coisas que aconteceram com ele foram por encantamento, talvez o que parece a nós uma hora deve parecer três dias e três noites lá.

— Deve ser isso — respondeu dom Quixote.

— E vossa mercê comeu em todo esse tempo, meu senhor? — perguntou o primo.

— Não provei um bocado — respondeu dom Quixote —, e não tive fome nem em pensamento.

— E os encantados comem? — disse o primo.

— Não comem nem evacuam — respondeu dom Quixote —, embora se diga que crescem as unhas, as barbas e os cabelos deles.

— E por acaso os encantados dormem, senhor? — perguntou Sancho.

— Não, com certeza — respondeu dom Quixote. — Pelo menos, nesses três dias que estive com eles, nenhum pregou os olhos, nem eu também.

— Aqui encaixa direitinho o ditado "me digas com quem andas e te direi quem és" — disse Sancho. — Andava vossa mercê com encantados em jejum e insones? Não é de estranhar que nem tenha comido nem dormido também enquanto andou com eles. Mas vossa mercê me perdoe se lhe disser que Deus me carregue (por pouco não falo o diabo) se acreditar numa palavra do que disse.

— Por que não? — disse o primo. — Como o senhor dom Quixote poderia mentir, mesmo que quisesse, se não teve tempo para imaginar e burilar esse amontoado de mentiras?

— Não acho que meu senhor minta — respondeu Sancho.

— Então, acreditas em quê? — perguntou dom Quixote.

— Acredito que o tal Merlin — respondeu Sancho —, ou aqueles magos que encantaram toda essa chusma que vossa mercê disse que viu e com quem falou lá embaixo, lhe enfiou na imaginação ou na memória essa coisarada toda que nos contou e tudo aquilo que ainda resta por contar.

— É, Sancho, poderia ter sido assim mesmo — replicou dom Quixote —, mas não foi, porque o que contei eu vi com meus próprios olhos e toquei com minhas próprias mãos. Mas que dirás quando te disser agora como (entre outras infinitas coisas e maravilhas que Montesinos me mostrou, que irei contando devagar e a seu tempo durante nossa viagem, por não serem todas deste lugar) ele me mostrou três camponesas que iam por aqueles campos aprazíveis correndo e saltando como cabras? Mal as avistei, reconheci numa a inigualável Dulcineia del Toboso e nas outras duas aquelas mesmas camponesas que vinham com ela, quando as encontramos na saída de El Toboso. Perguntei a Montesinos se as conhecia; respondeu que não, mas que ele imaginava que deviam ser algumas senhoras distintas encantadas, pois fazia poucos dias que haviam aparecido naquele campo, e que não me espantasse com isso porque havia muitas outras senhoras dos tempos passados e do presente encantadas com diferentes e estranhas aparências, entre as quais ele reconhecia a rainha Guinevere e sua criada dona Quintañona, servindo vinho a Lancelot "quando veio da Bretanha".

Quando Sancho Pança ouviu isso de seu amo, pensou perder o juízo ou morrer de rir; como ele sabia a verdade do falso encantamento de Dulcineia, de que tinha sido o mago e a testemunha, acabou por saber indubitavelmente que seu senhor estava louco varrido, e então lhe disse:

— Em péssima ocasião, em pior hora e em dia mais infeliz ainda vossa mercê resolveu descer ao outro mundo, meu caro patrão, e em lugar mais excomungado se encontrou com o senhor Montesinos, que o deixou assim. Vossa mercê estava muito bem aqui em cima, com todo o seu juízo, como Deus lhe dera, dizendo provérbios e dando conselhos a cada passo, não como agora, contando os maiores disparates que se possa imaginar.

— Como te conheço, Sancho — respondeu dom Quixote —, não faço caso de tuas palavras.

— Nem eu das de vossa mercê — replicou Sancho —, mesmo que me bata, mesmo que me mate pelas que lhe disse, ou pelas que penso lhe dizer se o senhor não se corrige e emenda nas suas. Mas, agora que estamos em paz, diga-me uma coisa: como reconheceu a senhora nossa ama? E, se falou com ela, o que disse e o que lhe respondeu?

— Eu a reconheci — respondeu dom Quixote — porque usava a mesma roupa que trazia quando tu a mostraste a mim. Falei com ela, mas não me respondeu uma palavra; pelo contrário, virou-me as costas e se foi, fugindo tão apressada que nem uma flecha a alcançaria. Quis segui-la, mas Montesinos me aconselhou a não me cansar com isso, porque seria inútil, mais ainda porque se aproximava a hora em que me convinha sair do abismo. Ele me disse também que, chegando o devido tempo, me avisaria de como deviam ser desencantados ele e Belerma e Durandarte, com todos os que estavam lá. Mas o que mais me deu pena entre as tristezas que vi e observei lá foi que, enquanto Montesinos me dizia essas palavras, chegou ao meu lado, sem que eu percebesse, uma das duas companheiras da desventurada Dulcineia. Com os olhos cheios de lágrimas, a voz baixa e embargada, ela me disse: ‘Minha senhora Dulcineia del Toboso beija as mãos de vossa mercê e suplica que a honre lhe dizendo como está, e que, por estar muito necessitada, suplica também a vossa mercê tão encarecidamente quanto pode que lhe empreste meia dúzia de reais ou os que vossa mercê tiver, pondo-os aqui nas fraldas de minha saia nova de algodão, que ela dá sua palavra de os devolver em breve'.

"Como esse recado me surpreendeu e me admirou, virei-me para o senhor Montesinos e perguntei: 'É possível, senhor Montesinos, que pessoas distintas encantadas padeçam de necessidades?'.

"Ao que ele me respondeu: 'Acredite-me, senhor dom Quixote de la Mancha, que isso a que se chama necessidade ocorre em todo lugar, estende-se a tudo e a todos alcança, e não perdoa nem mesmo os encantados. Então, se a senhora Dulcineia del Toboso manda lhe pedir esses seis reais, e a palavra empenhada parece boa, não há mais que os dar, pois sem dúvida a donzela está num grande aperto'.

"'Não peço que me dê sua palavra', respondi, 'e muito menos lhe darei o que me pede, porque não tenho nada fora quatro reais.'

"Dei os quatro reais, que foram os que tu, Sancho, me deste outro dia para dar de esmola aos pobres que encontrasse pelo caminho, e lhe disse: 'Dizei a vossa senhora, minha amiga, que suas dificuldades me pesam na alma, e que gostaria de ser um Fúcar[4] para remediá-las, e que lhe faço saber que eu não posso nem devo ter saúde na falta de sua agradável presença e espirituosa conversação, e que suplico o mais encarecidamente que posso que me conceda a honra de se deixar ver e falar com este seu cativo servo e maltratado cavaleiro. Dizei também que quando menos esperar ouvirá dizer como eu fiz um juramento e promessa à maneira daqueles que fez o marquês de Mântua a seu sobrinho Valdovinos, quando o achou morrendo na encosta da montanha, que foram de não comer pão à mesa e outras coisinhas que acrescentou até que o vingasse; pois assim eu jurarei não ter sossego e andar pelos sete cantos do mundo, com mais diligência que o infante dom Pedro de Portugal,[5] até desencantá-la'.

"'Tudo isso e muito mais vossa mercê deve a minha senhora', respondeu-me a donzela. E, pegando os quatro reais, em vez de me fazer uma reverência, fez uma cabriola, elevando-se uns dois metros no ar."

— Santo Deus! — disse Sancho nesse ponto, com um grito. — É possível que isso aconteça no mundo? É possível que magos e encantados tenham tanta força que tenham transformado o bom senso de meu senhor nessa loucura disparatada? Oh, senhor, senhor, em nome de Deus, olhe bem para si mesmo e cuide de sua honra: não dê crédito a essas asneiras que lhe têm murchado e amolecido o miolo!

— Como me queres bem, Sancho, falas dessa maneira — disse dom Quixote. — E, como não tens experiência das coisas do mundo, todas as coisas com alguma dificuldade de compreensão te parecem impossíveis. Mas chegará o momento, como disse outras vezes, em que eu te contarei algumas das coisas que vi lá embaixo que te farão acreditar nas que já te contei, cuja veracidade não admite réplica nem disputa.

XXIV

ONDE SE CONTAM MIL NINHARIAS TÃO IMPERTINENTES COMO NECESSÁRIAS PARA O VERDADEIRO ENTENDIMENTO DESTA GRANDE HISTÓRIA

Diz o tradutor do original manuscrito desta grande história que, chegando ao capítulo da aventura da caverna de Montesinos, estava anotado na margem as seguintes palavras com letra do próprio autor, Cide Hamete Benengeli:

"Não posso entender nem me convencer de que ao valoroso dom Quixote tenha acontecido exatamente tudo o que foi descrito no capítulo anterior. A razão é que todas as aventuras narradas até aqui são possíveis e críveis, mas não vejo como essa da caverna pode ser verdadeira, por estar muito longe do razoável. E pensar que dom Quixote mentiu, sendo o fidalgo mais veraz e o cavaleiro mais nobre de sua época, não é admissível, pois ele não mentiria nem que fosse crivado de flechas. Por outro lado, considero que ele realmente a contou com todas as circunstâncias mencionadas, e que não pôde inventar em tão pouco tempo tamanha batelada de disparates; então, se esta aventura parece apócrifa, eu não tenho culpa, e a escrevo sem garantir que é falsa ou verdadeira. Tu, leitor, que és sábio, julga o que achar melhor, porque eu não devo nem posso acrescentar mais nada, embora se comente que sem dúvida dom Quixote se retratou dela na hora da morte e disse que a tinha inventado, por lhe parecer que era conveniente e se ajustava às aventuras que havia lido nas histórias de cavalaria."

Depois prosseguiu, narrando:

O primo se espantou tanto com o atrevimento de Sancho Pança quanto com a paciência de seu amo e julgou que, por causa da alegria de ter visto sua senhora Dulcineia del Toboso, embora encantada, nascia nele aquela brandura que mostrava então; caso contrário, teria desancado Sancho a pau, porque era o que merecia pelas palavras que disse. O primo realmente achava que Sancho tinha andado muito malcriadinho com seu amo, a quem disse:

— Eu, senhor dom Quixote de la Mancha, dou por muito bem empregada a jornada que fiz com vossa mercê, porque nela consegui quatro coisas. A primeira: ter conhecido vossa mercê, o que considero uma grande felicidade. A segunda: ter sabido o que se encerra na caverna de Montesinos, com as mutações de Guadiana e das lagoas da Ruidera, que me servirão no *Ovídio espanhol* que tenho entre as mãos. A terceira: descobrir a antiguidade das cartas do baralho, que já se usavam pelo menos na época do imperador Carlos Magno, conforme pude deduzir das palavras que vossa mercê diz que disse Durandarte, quando, depois daquele longo tempo em que Montesinos esteve falando com ele, acordou dizendo: "Paciência e baralha de novo". Ele não poderia ter aprendido esse modo de falar enquanto estava encantado, mas antes, na França, no tempo do referido imperador Carlos Magno. E essa descoberta vem a calhar para o outro livro que escrevo, que é o *Suplemento de Virgílio Polidoro na invenção das antiguidades*, pois penso que não se lembrou de incluir os baralhos em seu livro, como eu o farei agora, o que será muito importante, mais ainda alegando autoridade tão séria e tão confiável como é o senhor Durandarte. A quarta é ter sabido com certeza o nascimento do rio Guadiana, até agora ignorado pelas pessoas.

— Vossa mercê tem razão — disse dom Quixote —, mas eu gostaria de saber, se com a graça de Deus lhe derem licença para imprimir esses livros, coisa que eu duvido, a quem pensa dedicá-los.

— Há senhores e nobres na Espanha a quem se pode dedicar — disse o primo.

— Não muitos — respondeu dom Quixote —, e não porque não o mereçam, mas porque não querem aceitar, para não se obrigarem a retribuir o que se deve ao trabalho e à cortesia de seus autores. Eu conheço um príncipe que pode suprir a falta dos demais com tantas vantagens que, se me atrevesse a dizê-las, talvez despertasse a inveja em mais de quatro peitos nobres. Mas deixemos isso para outra ocasião mais oportuna e vamos procurar um lugar para nos abrigar esta noite.

— Não longe daqui fica uma ermida — respondeu o primo —, onde vive um ermitão que dizem que foi soldado e tem fama de ser bom cristão, e muito sábio, e caritativo ao extremo. Ao lado da ermida há uma pequena casa, que ele construiu a sua custa. Mas, apesar de pequena, é capaz de receber hóspedes.

— Por acaso o tal ermitão tem galinhas? — perguntou Sancho.

— Poucos ermitões vivem sem elas — respondeu dom Quixote —, porque os de agora não são como aqueles do deserto do Egito, que se vestiam com folhas de palmeiras e comiam raízes nos matos. E não se entenda que por falar bem daqueles não fale destes, quero dizer apenas que as penitências de hoje em dia não se comparam ao rigor e à penúria de então. Mas nem por isso todos deixam de ser bons: eu pelo menos os julgo bons; e, no pior dos casos, faz menos mal o hipócrita que finge ser bom que o pecador público.

Estavam nisso, quando viram que se aproximava deles um homem a pé, caminhando apressado e dando com uma vara num mulo carregado de lanças e alabardas. Quando os encontrou, cumprimentou-os e passou ao largo. Dom Quixote lhe disse:

— Detende-vos, bom homem, pois parece que vais com mais pressa do que aguenta este mulo.

— Não posso parar, senhor — respondeu o homem —, porque as armas que vedes que levo serão necessárias amanhã. Portanto, não posso parar, e adeus. Mas, se quiserdes saber para que as levo, penso me alojar esta noite na estalagem que fica mais acima da ermida; e, se fizerdes este mesmo caminho, lá me encontrareis, onde vos contarei verdadeiras maravilhas. E adeus de novo.

E de tal maneira instigou o mulo que dom Quixote não teve oportunidade de perguntar que maravilhas pensava lhes contar; como era um tanto curioso e sempre o acossavam desejos de saber coisas novas, dom Quixote ordenou que partissem logo e fossem passar a noite na estalagem, sem parar na ermida, onde o primo gostaria que ficassem.

Assim fizeram: os três montaram a cavalo e seguiram direto para a estalagem, onde chegaram um pouco antes de anoitecer. No caminho o primo disse a dom Quixote que passassem na ermida, para tomar um trago. Sancho Pança, mal ouviu isso, encaminhou o burro para lá, seguido por dom Quixote e o primo; mas a má sorte de Sancho parece que ordenou que o ermitão não estivesse em casa, que foi o que disse uma ermitoa ou ermi-à-toa que encontraram. Pediram vinho, do caro; ela respondeu que seu senhor não o tinha, mas, se quisessem água barata, de boa vontade a daria.

— Se eu tivesse sede de água — respondeu Sancho —, há poços pelo caminho, onde teria me fartado. Oh, festança de Camacho, oh, abundância da casa de dom Diego: quantas vezes vou sentir saudades!

Assim deixaram a ermida e tocaram para a estalagem; dali a pouco viram um rapazinho à frente deles, caminhando sem muita pressa, tanto que logo o alcançaram. Levava a espada sobre o ombro e, pendurada nela, uma trouxa ou embrulho, pelo visto de suas roupas, provavelmente calções ou bombachas, capa e alguma camisa, porque vestia um casaco de veludo que brilhava como cetim em alguns lugares, e camisa com as fraldas para fora; as meias eram de seda e os sapatos, de ponta quadrada, em voga na corte; devia ter uns dezoito ou dezenove anos; tinha o rosto alegre e o corpo ágil, pelo visto. Para se distrair da canseira da estrada, ia cantando uma seguidilha, que acabou quando o alcançaram, mas que o primo aprendeu de cor, que dizem que dizia:

À guerra me leva
minha pobreza;
se tivesse dinheiro,
não iria, com certeza.

Quem primeiro falou com ele foi dom Quixote, que disse:

— Quase em pelo vai vossa mercê, meu galante rapaz. E para onde, pode-se saber, se lhe agrada dizer?

Ao que o rapaz respondeu:

— Vou quase em pelo por causa do calor e da pobreza, e vou para a guerra.

— Pobreza? Como assim? — perguntou dom Quixote. — Pelo calor pode ser.

— Senhor — replicou o rapaz —, eu levo nesta trouxa umas bombachas de veludo, companheiras deste casaco: se as gastar no caminho, não poderei me trajar com elas na cidade, e não tenho com que comprar outras. Então, tanto por isso como para me refrescar, vou dessa maneira até alcançar umas companhias de infantaria que estão a umas doze léguas daqui, onde sentarei praça, e não faltarão mulas de carga para me levarem até o lugar do embarque, que dizem que deve ser em Cartagena. E prefiro muito mais ter o rei por amo e senhor, e servi-lo na guerra, que a algum pobretão em Madri.

— E por acaso vossa mercê tem alguma regalia? — perguntou o primo.

— Se eu houvesse servido a um nobre da Espanha ou alguma pessoa importante — respondeu o rapaz —, com certeza teria, pois isto tem de bom servir aos grandes: da mesa dos criados se costuma sair alferes ou capitão, ou com alguma pensão. Mas eu, pobre de mim, servi sempre a oportunistas e estrangeiros, a troco de comida magra e salário tão minguado que ia metade só para engomar o colarinho. Seria um verdadeiro milagre que um pajem aventureiro como eu pudesse ter alguma sorte.

— Santo Deus, meu amigo, diga-me — perguntou dom Quixote —, é possível que em todos os anos que serviu não pôde arrumar uma libré?

— Olhe, deram-me duas — respondeu o pajem —, mas, assim como tiram da gente o hábito e devolvem as roupas velhas, quando se sai de uma ordem religiosa antes do juramento, meus amos me devolviam as minhas, logo que terminavam os negócios que tinham na corte, pois voltavam para suas casas e recolhiam as librés que haviam dado apenas por ostentação.

— Que *spilorceria*,[1] como dizem os italianos — disse dom Quixote. — Mas, apesar de tudo, dê-se por feliz tendo saído da corte com tão boa intenção, porque não há outra coisa na terra mais honrada nem mais proveitosa que servir a Deus, em primeiro lugar, e depois a seu rei e senhor natural, especialmente no exercício das armas, pelas quais se alcançam, se não riquezas, pelo menos mais honra que pelas letras, como eu já disse muitas vezes. Apesar de as letras terem fundado mais morgadios que as armas, os homens de armas têm um não sei quê a mais que os das letras, com um sei muito bem o quê de esplendor indefinível, que a todos torna superior. E lembre sempre o que pretendo lhe dizer agora, pois lhe será de muito proveito e alívio durante suas provações: afaste da mente as adversidades que poderão lhe ocorrer, pois a pior de todas é a morte, mas, se esta for boa, a melhor de todas é morrer. Perguntaram a Júlio César, aquele valoroso imperador romano, qual era a melhor morte. Respondeu que a impensada, repentina, imprevista. Embora tenha respondido como pagão, alheio ao conhecimento do verdadeiro Deus, falou bem, porque uma morte assim nos poupa do sofrimento. Digamos que vos matem na primeira patrulha ou refrega, com um tiro de canhão, ou voando com uma mina, que importa? Tudo é morrer, e acabou-se a história; e, segundo Terêncio, melhor parece o soldado morto em batalha que vivo e salvo na fuga, e tanto alcança de fama o bom soldado quanto tem de obediência a seus capitães e aos que podem comandá-lo. E reparai, meu filho, é melhor o soldado cheirar a pólvora que a almíscar, e se a velhice vos colher nesse exercício honroso, embora esteja cheio de cicatrizes e estropiado ou maneta, pelo menos não vos colherá sem vossa honra, que a pobreza não poderá prejudicar, tanto mais que já estão tomando medidas para ajudar os soldados velhos e estropiados, porque não fica bem que se faça com eles o que costumam fazer os que emancipam seus negros, quando já estão velhos e não podem mais trabalhar: botando-os para fora de casa com cartas de alforria os tornam escravos da fome, de quem não pensam ser alforriados a não ser pela morte. E por ora não vos quero dizer mais nada, apenas que salte para a garupa de meu cavalo até a estalagem, e lá jantareis comigo, e pela manhã seguireis vosso caminho, que Deus vos dê tão bom quanto vossas intenções merecem.

O pajem não aceitou o convite para montar na garupa, mas aceitou, sim, jantar na estalagem. Dizem que nesse ponto Sancho disse a si mesmo: "Valha-te Deus pela nobreza! Como é possível que um homem que sabe falar tantas coisas sábias como as que acabou de dizer afirme que viu aqueles disparates todos na caverna de Montesinos? Bem, bem, vamos ver".

Chegaram à estalagem ao anoitecer e, para alegria de Sancho, seu senhor a julgou estalagem mesmo, não castelo, como de costume. Mal tinham entrado, quando dom Quixote perguntou ao estalajadeiro pelo homem das lanças e alabardas. Ele respondeu que estava acomodando o mulo na estrebaria. O mesmo fizeram o primo e Sancho com seus jumentos, dando a Rocinante a melhor baia.

XXV

ONDE SE INICIA A AVENTURA DO ZURRO E O CASO ENGRAÇADO DO TITEREIRO, COM AS MEMORÁVEIS ADIVINHAÇÕES DO MACACO VIDENTE

Dom Quixote não se aguentava, como se costuma dizer, para ouvir as maravilhas prometidas pelo homem que carregava as armas. Foi procurá-lo onde o estalajadeiro disse que estava e, ao encontrá-lo, pediu que dissesse de uma vez o que pretendia dizer depois acerca do que tinha perguntado no caminho. O homem respondeu:

— Mais devagar e não em pé, meu bom senhor, vai se ouvir a história de minhas maravilhas: deixe-me vossa mercê acabar de dar a ração ao meu mulo, que eu lhe direi coisas que vão deixá-lo pasmo.

— Não seja por isso — respondeu dom Quixote —, que eu vos ajudarei em tudo.

E assim o fez, peneirando a cevada e limpando a baia, humildade que obrigou o homem a lhe contar com boa vontade o que lhe pedia; e, sentando-se num banco, com dom Quixote perto dele, tendo por assembleia e auditório o primo, o pajem, Sancho Pança e o estalajadeiro, começou a falar desta maneira:

— Saibam vossas mercês que numa aldeia que fica a quatro léguas e meia desta estalagem sumiu um burro de um vereador, devido à astúcia e trapaça de uma moça criada dele, mas isto é uma história muito comprida para se contar. Embora o tal vereador tenha feito as diligências possíveis, não o achou. Deviam ter se passado uns quinze dias que o burro tinha sumido, coisa que era pública e notória, quando outro vereador da mesma aldeia topou na praça com o vereador lesado e lhe disse: "Dai-me alvíssaras, compadre, que vosso jumento apareceu".

"'Eu as prometo, e boas, compadre', respondeu o outro, 'mas vamos saber onde ele apareceu.'

"'Eu o vi no mato esta manhã', disse o que achara o jumento, 'sem albarda ou apetrecho algum, e tão magro que dava pena de olhar. Quis tocá-lo para cá, mas já está tão arisco e intratável que, quando me aproximei dele, fugiu e se embrenhou mato adentro. Se quereis que eu vá convosco procurá-lo, deixai-me levar esta burrinha em casa, que já volto.'

"'Grande favor me fareis', disse o do jumento, 'e eu tentarei vos pagar na mesma moeda.'

"Com todas essas circunstâncias e da mesma maneira que eu as vou contando, contam-nas todos aqueles que estão inteirados da verdade deste caso. Em suma, lá se foram os dois vereadores para o mato, lado a lado e a pé; chegando ao lugar onde pensavam encontrar o burro, não o acharam, nem ele apareceu em toda aquela vizinhança, por mais que o procurassem. Vendo, então, que não aparecia, o vereador que o tinha visto disse ao outro: 'Vede, compadre: tive uma ideia com que sem dúvida alguma poderemos descobrir esse animal, mesmo que não esteja mais metido no mato, mas nas entranhas da terra. É que eu sei zurrar maravilhosamente, e, se sabeis um pouco, considerai o negócio concluído'.

"'Se sei um pouco, compadre?', disse o outro. 'Por Deus, nisso ninguém me ganha, nem os próprios burros.'

"'Agora veremos', respondeu o segundo vereador. 'Façamos assim: ide por um lado do mato e eu irei por outro, de modo que o rodeemos e percorramos todo, e de tanto em tanto vós zurrais e eu também. Não pode acontecer nada exceto o burro nos ouvir e nos responder, se é que ainda está por aqui.'

"'Tenho de vos dizer, compadre', respondeu o dono

do jumento, 'que o plano é excelente e digno de vosso grande engenho.'

"Conforme o combinado, eles se separaram e aconteceu que zurraram quase ao mesmo tempo e, cada um enganado com o zurro do outro, se procuraram às pressas, pensando que o jumento já tinha aparecido. Ao se verem, disse o lesado: 'Será possível, compadre, que não tenha sido o burro que zurrou?'.

"'Não, não, fui eu', respondeu o outro.

"'Depois dessa', disse o dono, 'juro que entre vós e um burro não há diferença alguma, no que toca a zurrar, porque nunca vi nem ouvi na vida coisa mais parecida.'

"'Esses elogios e louvações', respondeu o do plano, 'cabem melhor a vós que a mim, compadre, pois, pelo Deus que me criou, podeis dar dois zurros de vantagem ao maior e mais perito zurrador do mundo: porque o som que emitis é alto; sustentais a voz no tempo e ritmo corretos; e as inflexões são variadas e rápidas. Em suma, dou-me por vencido e vos entrego o troféu e a coroa dessa rara habilidade.'

"'Pois vos garanto que, daqui por diante', respondeu o dono, 'me terei em maior conta e pensarei que sei alguma coisa, porque tenho algum dom. Apesar de pensar que zurrava bem, nunca percebi que chegava ao extremo que dizeis.'

"'Também vos garanto', respondeu o segundo, 'que há raras habilidades perdidas no mundo e que são mal empregadas por aqueles que não sabem se aproveitar delas.'

"'As nossas', respondeu o dono, 'se não for em casos semelhantes como o que temos em mãos, não podem nos servir em outros, e, mesmo neste, que Deus nos ajude que seja de proveito.'

"Depois disso, eles se separaram de novo e de novo zurraram, e a toda hora se enganavam e se reuniam de novo, até que combinaram um sinal: para entender que eram eles, não o burro, zurrariam duas vezes, uma depois da outra. Com isso, zurrando duas vezes de tanto em tanto, percorreram todo o mato sem que o jumento respondesse, nem mesmo por gestos. Mas como poderia responder o pobre e malfadado jumento se o encontraram comido pelos lobos no mais fechado da floresta? E, ao vê-lo, seu dono disse: 'Eu já estava achando estranho que não respondesse, pois, a menos que estivesse morto, ele zurraria se nos ouvisse, ou não seria burro. Mas em troca de vos ter ouvido zurrar com tanta graça, compadre, dou por bem empregado o trabalho que tive ao procurar o bicho, mesmo tendo-o achado morto'.

"'Obrigado, compadre, mas o primeiro lugar está em boas mãos', respondeu o outro, 'pois, se o abade canta bem, o noviço não fica atrás.'

"Com isso, desconsolados e roucos, voltaram para a aldeia, onde contaram a seus amigos, vizinhos e conhecidos tudo o que havia acontecido a eles na busca do burro, um exagerando o dom que o outro tinha para zurrar. Assim se soube tudo e assim se espalhou pelas aldeias dos arredores. Mas o diabo, que é amigo de rixas e de semear discórdias, e que quando descansa amola as moscas com o rabo, fez com que as pessoas dos outros povoados, ao encontrar algumas de nossa aldeia, zurrassem, como se nos jogassem na cara o zurro de nossos vereadores. Então os meninos descobriram a brincadeira, que foi como botar nas mãos e nas bocas de todos os demônios do inferno, e o zurro se espalhou de um povoado para outro de tal maneira que os nativos do povoado do zurro são conhecidos da mesma forma que os negros são conhecidos e diferenciados dos brancos. A desgraça dessa zombaria chegou a tanto que muitas vezes, em pelotões bem formados e armados, os zombados saíram para atacar os zombadores, sem que os detivesse nem rei nem roque, nem temor ou vergonha. Eu acho que amanhã ou depois de amanhã vão sair em campanha os de minha aldeia, que são os dos zurros, contra outra aldeia que está a duas léguas da nossa, que é uma das que mais nos perseguem; e, para saírem bem prevenidos, fui comprar estas lanças e alabardas que vistes. E estas são as maravilhas que disse que vos contaria, e, se não apreciaram estas, sinto muito, não sei outras."

E assim deu fim à conversa o bom homem, e nisso entrou pela porta da estalagem um homem todo vestido de camurça, meias, bombachas e gibão, e com voz elevada disse:

— Senhor hospedeiro, há quarto? Pois vem aqui o macaco vidente e o teatro de marionetes com *A liberdade de Melisendra*.[1]

— Santo Cristo — disse o estalajadeiro —, aqui está o senhor, mestre Pedro! Boa noite nos espera.

Eu me esquecia de dizer como o tal mestre Pedro trazia tapados o olho esquerdo e quase meia bochecha com uma venda de tafetá verde, sinal de que todo aquele lado devia estar doente. E o estalajadeiro continuou, dizendo:

— Seja bem-vindo, mestre Pedro. Onde estão o macaco e o teatro, que não os vejo?

— Já estão perto — respondeu o homem todo de camurça. — Eu vim na frente, para saber se havia quarto.

— Eu tiraria o próprio duque de Alba dele para dá-lo ao senhor, mestre Pedro — respondeu o estalajadeiro. — Que cheguem logo o macaco e o teatro, que esta noite tem gente na estalagem que pagará para ver a peça e as habilidades do macaco.

— Para mim está bem — disse o da venda —, vou baixar o preço, e se cobrir os custos me darei por satisfeito. Volto lá para apressar a carreta em que vêm o macaco e os títeres.

E em seguida saiu de novo da estalagem.

Então dom Quixote perguntou ao estalajadeiro quem era esse mestre Pedro e que teatro e que macaco trazia. O estalajadeiro respondeu:

— Ele é um famoso titereiro, que há muitos dias anda por estas bandas da Mancha de Aragão[2] com uma peça sobre a libertação de Melisendra, feita pelo célebre dom Gaifeiros, que é uma das melhores e mais bem representadas histórias que já se viu neste reino em muito tempo. Também traz consigo um macaco com a mais estranha habilidade que se viu entre macacos nem se imaginou entre homens, porque, quando lhe perguntam alguma coisa, fica atento ao que dizem e depois salta para os ombros de seu amo e, aproximando-se do ouvido, diz a resposta ao que foi perguntado, e mestre Pedro a declara em seguida. Diz muito mais coisas sobre o passado que sobre o futuro e, embora nem sempre acerte todas, não erra na maioria, de modo que nos leva a acreditar que tem o diabo no corpo. Cobra dois reais por pergunta, quando o macaco responde, quero dizer, quando o amo responde por ele, depois de lhe ter falado ao ouvido. Por isso se pensa que o tal mestre Pedro está riquíssimo, e que é um *galante home* e *bono companho*,[3] como dizem na Itália, e leva a melhor vida do mundo: fala mais que seis e bebe mais que doze, tudo à custa de sua língua, de seu macaco e de seus títeres.

Nisso, voltou mestre Pedro, e numa carreta vinham o palco e o macaco, grande e sem rabo, com a bunda pelada, mas não mal-encarado. Dom Quixote, mal o viu, perguntou a ele:

— Diga-me vossa mercê, senhor adivinho: *que pesce pigliamo?*[4] O que será de nós? E veja aí meus dois reais.

E mandou que Sancho os desse ao mestre Pedro, que, respondendo pelo macaco, disse:

— Senhor, este animal não responde nem dá notícias das coisas que estão por acontecer; das passadas sabe um pouco, e das presentes outro tanto.

— Raios me partam — disse Sancho — se eu der um tostão para que me digam o que aconteceu comigo! Quem pode saber melhor que eu mesmo? Ora, pagar para que me digam o que sei seria uma grande asneira, mas, se souber das coisas presentes, eis aqui meus dois reais, e diga-me o senhor macaquíssimo por onde anda agora minha mulher Teresa Pança e de que se ocupa.

Mestre Pedro não quis pegar o dinheiro, dizendo:

— Não quero receber o pagamento antes de meus serviços.

E deu duas batidas com a mão direita sobre o ombro esquerdo; num pulo o macaco estava lá, aproximando a boca do ouvido do dono e batendo os dentes muito depressa. Depois de fazer isso pelo tempo de uma oração, com outro pulo foi para o chão, e no mesmo instante, com uma pressa tremenda, mestre Pedro foi se ajoelhar diante de dom Quixote e, abraçando-o pelas pernas, disse:

— Abraço estas pernas como se abraçasse as duas colunas de Hércules, oh, ressuscitador insigne da já esquecida cavalaria andante, oh, o nunca louvado como se deve dom Quixote de la Mancha, esperança dos desamparados, arrimo dos que vão cair, braço dos caídos, báculo e consolo de todos os infelizes!

Dom Quixote ficou pasmo e Sancho, estupefato; o primo, perplexo, e o pajem, atônito; o do zurro, abobalhado, e o estalajadeiro, confuso. Enfim, todos ouviram com espanto as palavras do titereiro, que prosseguiu:

— E tu, meu bom Sancho Pança, o melhor escudeiro do melhor cavaleiro do mundo, alegra-te, que tua boa mulher Teresa está bem, e justo agora está limpando um meio quilo de linho. Se quiseres mais detalhes, bem, do lado esquerdo dela há um jarro desbeiçado em que cabe uma boa quantidade de vinho, com que ela se distrai no trabalho.

— Nisso eu acredito, sim — respondeu Sancho —, porque ela é uma boa alma e, se não fosse ciumenta, não a trocaria nem pela giganta Andandona,[5] que, segundo meu amo, foi uma mulher e tanto; e minha Teresa é daquelas que não passam mal, nem que seja à custa de seus herdeiros.

— Pois eu digo agora — disse dom Quixote nessas alturas — que quem lê muito e viaja muito vê muito e sabe muito. Digo isso porque não havia argumento bastante bom para me persuadir de que há no mundo macacos videntes, mas o vi agora com meus próprios olhos. Porque eu sou mesmo dom Quixote de la Mancha, como disse este bom animal, embora ele tenha exagerado um pouco em meus elogios; mas, tenha eu as qualidades que tiver, dou graças ao céu, que me deu um temperamento brando e compassivo, sempre inclinado a fazer o bem a todos e mal a ninguém.

— Se eu tivesse dinheiro — disse o pajem —, perguntaria ao senhor macaco o que vai me acontecer na peregrinação que iniciei.

Ao que respondeu mestre Pedro, que já havia se levantado dos pés de dom Quixote:

— Já disse que este bichinho não responde sobre o futuro. Se respondesse, o dinheiro não importaria, pois para servir o senhor dom Quixote, aqui presente, eu abandonaria todos os lucros do mundo. E agora, porque devo isso a ele e para lhe dar um pouco de distração, quero armar meu palco e divertir quantos estão na estalagem, sem cobrar nada.

Ouvindo isso o estalajadeiro, por demais alegre, mostrou o lugar onde se podia montar o palco, que num instante foi armado.

Dom Quixote não estava muito satisfeito com as adivinhações do macaco, por achar que não era natural que um macaco adivinhasse, nem as coisas futuras nem as passadas, e assim, enquanto mestre Pedro arranjava o palco, afastou-se com Sancho para um canto da estrebaria, onde não poderia ser ouvido por ninguém:

— Olha, Sancho, eu examinei bem a estranha habilidade deste macaco, e acho que sem dúvida o amo dele, mestre Pedro, deve ter feito um pacto sujo com o demônio, tácito ou expresso.

— Se o pátio é do demônio — disse Sancho —, sem

dúvida deve ser muito sujo; mas o que mestre Pedro ganha com esses pátios?

— Não me entendes, Sancho: só quero dizer que ele deve ter feito algum acerto com o demônio para dar ao macaco essa habilidade, para ganhar o pão, e depois que estiver rico lhe entregará sua alma, que é o que esse universal inimigo pretende. E penso isso porque o macaco não responde nada além das coisas passadas ou presentes, porque a sabedoria do diabo não pode ir mais longe, pois não conhece as futuras a não ser por conjecturas, e nem sempre, porque o futuro a Deus pertence, só a Ele está reservado conhecer os tempos e os momentos:[6] para ele não há passado nem futuro, tudo é presente. Então, sendo isso assim, como é, está claro que esse macaco fala com o estilo do diabo, e estou admirado de que não o tenham denunciado ao Santo Ofício, interrogando-o e arrancando-lhe pela raiz a verdade sobre de onde provém seu poder de adivinhação; porque com certeza esse macaco não é astrólogo, nem seu amo nem ele sabem fazer o mapa das posições dos planetas e dos signos, coisa tão popular hoje em dia na Espanha que não há mulherzinha nem pajem nem remendão que não pense entender de mapa astral, botando a perder com suas mentiras e ignorâncias a verdade maravilhosa da ciência. Sei de uma senhora que perguntou a um desses astrólogos se uma cachorrinha que tinha ia ficar prenhe e pariria, e quantos filhotes e de que cor seriam se parisse. Ao que o senhor adivinho, depois de ter examinado a posição dos astros, respondeu que a cachorrinha ficaria prenhe e pariria três cachorrinhos, um deles verde, outro vermelho e outro malhado, com a condição de que emprenhasse entre as onze e as doze horas do dia ou da noite, e que fosse numa segunda-feira ou num sábado; e o que aconteceu foi que dali a dois dias a cadela morreu de indigestão, e o senhor astrólogo continuou com a mesma reputação no povoado, como continuam todos ou a maioria deles.

— Mesmo assim — disse Sancho —, gostaria que vossa mercê dissesse a mestre Pedro que perguntasse ao macaco se é verdade o que aconteceu com vossa mercê na caverna de Montesinos, pois me parece, com perdão de vossa mercê, que tudo foi embuste e mentira, ou pelo menos coisas sonhadas.

— Nada é impossível — responde dom Quixote —, mas eu farei o que me aconselhas, embora eu tenha certos escrúpulos sobre isso.

Estavam nessa conversa, quando chegou mestre Pedro em busca de dom Quixote e lhe disse que o palco já estava montado, que sua mercê fosse ver a peça, porque valia a pena. Dom Quixote disse então o que pensava, suplicando que perguntasse logo ao macaco se certas coisas que haviam acontecido na caverna de Montesinos tinham sido verdadeiras ou sonhadas, porque a ele parecia que elas tinham um pouco de tudo. Ao que mestre Pedro, sem responder uma palavra, trouxe de novo o macaco e, diante de dom Quixote e de Sancho, disse:

— Olhai, senhor macaco, que este cavaleiro quer saber se certas coisas que lhe aconteceram numa caverna conhecida como de Montesinos foram falsas ou verdadeiras.

Depois que ele fez o sinal costumeiro, o macaco pulou para seu ombro esquerdo e pareceu lhe falar ao ouvido; em seguida mestre Pedro disse:

— O macaco diz que parte das coisas que vossa mercê viu ou viveu na dita caverna são falsas e parte verídicas. Isso é tudo o que sabe a respeito dessa questão, mas que, se vossa mercê quiser saber mais, que na próxima sexta-feira responderá tudo o que lhe perguntar, porque perdeu por ora o poder de adivinhar, que não voltará até sexta-feira, como já disse.

— Eu não disse, meu senhor — disse Sancho —, que não podia engolir a ideia de que tudo ou mesmo a metade do que vossa mercê falou que aconteceu na caverna era verdade?

— Os fatos falarão por si, Sancho — respondeu dom Quixote —, pois o tempo, revelador de todas as coisas, não deixa nenhuma sem ser exposta à luz do sol, mesmo que esteja escondida no seio da terra. Mas chega, por ora, e vamos ver a peça do bom mestre Pedro. Acho que ele deve ter alguma novidade.

— Como alguma? — respondeu mestre Pedro. — Sessenta mil este meu palco encerra. Digo a vossa mercê, meu senhor dom Quixote, que é uma das melhores coisas que se tem hoje para se ver no mundo, e *operibus credite, et non verbis*,[7] e mãos à obra, que já é tarde e temos muito que fazer e que dizer e que mostrar.

Dom Quixote e Sancho obedeceram e foram para onde o palco já estava armado e descoberto, cheio por todos os lados de candeeirinhos de cera acesos que o tornavam vistoso e resplandecente. Mestre Pedro se meteu dentro dele, pois era quem tinha de manejar as marionetes, e do lado de fora ficou um rapaz, criado de mestre Pedro, para servir de apresentador e intérprete dos mistérios do palco: tinha uma varinha na mão com que apontava os personagens que apareciam.

Então, reunidos todos os que estavam na estalagem diante do palco, alguns de pé, outros sentados nos melhores lugares, como dom Quixote, Sancho, o pajem e o primo, o apresentador começou a dizer o que ouvirá e verá quem ouvir ou vir o capítulo seguinte.

XXVI

ONDE SE PROSSEGUE A ENGRAÇADA AVENTURA DO TITEREIRO, COM OUTRAS COISAS REALMENTE MUITO BOAS

"Calaram-se todos, tírios e troianos",[1] quero dizer, todos os que olhavam para o palco estavam pendentes dos lábios do narrador das maravilhas que se passavam ali, quando ouviram soar muitos atabales, trombetas e disparos de artilharia. O barulho cessou logo e, em seguida, o rapaz elevou a voz e disse:

— Esta história verídica que se representa aqui a vossas mercês foi tirada ao pé da letra das crônicas francesas e dos romances espanhóis que andam na boca das pessoas e até dos meninos pelas ruas. Trata da luta do senhor Gaifeiros pela libertação de sua esposa Melisendra, que estava presa na Espanha, em poder dos mouros, na cidade de Sansueña,[2] que assim se chamava então a hoje conhecida Zaragoza. Mas vejam vossas mercês como está ali dom Gaifeiros jogando gamão, conforme se canta:

Dom Gaifeiros está jogando as tábulas,
pois já está esquecido de Melisendra.

"E aquele personagem que surge ali com coroa na cabeça e cetro nas mãos é o imperador Carlos Magno, suposto pai da tal Melisendra, que, amofinado por ver o ócio e descaso de seu genro, vem ralhar com ele. Reparem com que veemência e obstinação o repreende, que até parece querer dar uma meia dúzia de cascudos com o cetro, e há autores que dizem que os deu, e muito bem dados; e, depois de lhe ter dito muitas coisas sobre o perigo que corria sua honra em não procurar libertar sua esposa, dizem que disse: 'Cansei de vos dizer: emendai-vos'.

"Olhem também vossas mercês como o imperador dá as costas e deixa ressentido dom Gaifeiros, que, impaciente de cólera, joga longe o tabuleiro e as peças e pede a toda pressa as armas e a armadura, mais a espada Durindana[3] a seu primo Roland. Mas vejam como dom Roland não a quer emprestar e oferece sua companhia na difícil aventura que inicia. Porém, o corajoso e irado cavaleiro não quer aceitar isso; pelo contrário, diz que apenas ele é o bastante para libertar sua esposa, mesmo que estivesse metida nas profundezas do centro da terra; e com isso começa a botar a armadura, para se pôr a caminho em seguida.

"Voltem vossas mercês os olhos para aquela torre que aparece ali e se imagina ser uma das torres do alcácer de Zaragoza, que agora chamam de Aljafería.[4] Aquela dama que surge naquela sacada vestida ao modo mouro é a inigualável Melisendra, que muitas vezes fica olhando dali a estrada para a França e, com a mente em Paris e em seu esposo, se consola em seu cativeiro.

"Reparem, acontece agora um novo incidente, talvez jamais visto. Não veem aquele mouro que, dissimulado e pé ante pé, com um dedo na boca, se aproxima pelas costas de Melisendra? Pois vejam como lhe dá um beijo em plena boca, e a pressa com que ela cospe e se limpa com a manga branca de sua camisa, e como se lamenta e de pesar arranca os lindos cabelos, como se eles tivessem a culpa do malefício.

"Olhem também aquele mouro circunspecto que está naquela varanda: é o rei Marsílio de Sansueña, que, por ter visto a insolência do mouro, apesar de ele ser parente seu e muito íntimo, mandou que o prendessem em seguida e lhe dessem duzentos açoites, levando-o pelas ruas de costume,

com gritões pela frente
e varadas por trás;[5]

e vejam aqui como saem para executar a sentença, logo depois de cometido o delito, porque entre os mouros não há notificação da acusação nem prisão preventiva, como entre nós."

— Ei, menino — disse dom Quixote em voz alta nessas alturas —, contai vossa história em linha reta e não vos meteis em curvas ou transversais, que para passar a limpo a verdade são necessárias muitas provas e contraprovas.

Também disse mestre Pedro lá de dentro:

— Vamos, rapaz, basta de floreios. Faz como esse senhor manda, que será muito melhor: continua teu canto com simplicidade e não te metas em contrapontos, que é fácil desafinar.

— Está bem — respondeu o rapaz, prosseguindo. — Este personagem que aparece aqui a cavalo, coberto por uma capa da Gasconha,[6] é o próprio dom Gaifeiros. Aqui, já vingada do atrevimento do mouro apaixonado, está sua esposa, que com melhor cara e mais calma foi para os mirantes da torre e fala com seu esposo, pensando que é algum viajante de passagem, com quem teve todas aquelas conversas que aquele romance relata:

Cavaleiro, se à França vais,
perguntai por Gaifeiros,

que eu não repito agora, porque a prolixidade costuma engendrar o tédio. Basta ver como dom Gaifeiros baixa o capuz da capa e como Melisendra, pelos gestos alegres, dá a entender que o reconheceu, e mais ainda agora que vemos que salta da sacada para a garupa do cavalo de seu bom esposo. Mas ai, desventurada!, a barra da saia se prendeu numa das hastes de ferro da sacada, e está suspensa no ar, sem poder chegar ao chão. Vejam, porém, como o piedoso céu intervém nas maiores necessidades, pois chega dom Gaifeiros e, sem pensar se rasgará ou não a preciosa saia, agarra a esposa e a puxa até o chão, depois a põe de um salto na garupa de seu cavalo, escanchada como um homem, e lhe ordena que se firme e o abrace pelas costas, de modo que cruze as mãos no peito, para não cair, pois a senhora Melisendra não estava acostumada a semelhantes cavalgadas.

"Vejam também como os relinchos do cavalo dão mostras de que está contente com a brava e formosa carga que leva na forma de seu senhor e sua senhora. Vejam como dão as costas à fortaleza e saem da cidade e, cheios de alegria e regozijo, tomam o rumo de Paris.

"Ide em paz, oh, par sem-par de verdadeiros amantes! Chegai a salvo a vossa pátria desejada, sem que a sorte ponha algum obstáculo em vossa feliz viagem! Que os olhos de vossos amigos e parentes vos vejam desfrutar em paz tranquila os dias (que sejam tantos como os de Nestor) que vos restam de vida!"

Aqui se elevou de novo a voz de mestre Pedro, que disse:

— Simplicidade, meu rapaz, simplicidade. Não te pavoneies, que toda afetação é má.

O intérprete não respondeu nada, apenas prosseguiu, dizendo:

— Não faltaram alguns olhos ociosos, que costumam ver tudo, para observar a fuga de Melisendra, sacada abaixo e garupa acima, e contar ao rei Marsílio, que em seguida mandou dar o toque de alarme. E olhem com que pressa, pois a cidade já se atordoa com o som dos sinos que tocam em todas as torres das mesquitas.

— Essa não! — disse dom Quixote nessa altura. — Nisso dos sinos mestre Pedro anda perdido, porque entre os mouros não se usam sinos, mas atabales e uma espécie de oboé que parece com nossas charamelas. Esse negócio de tocarem sinos em Sansueña é sem dúvida um disparate.

Ouvindo isso, mestre Pedro parou de tocar e disse:

— Não dê atenção a ninharias, senhor dom Quixote, nem queira levar tudo a ponta de faca, que assim não se chega a nada. Não se apresentam por aí quase todo dia mil comédias cheias de mil impropriedades e disparates, e mesmo assim correm felizes suas carreiras e se ouvem não apenas aplausos, mas admiração e tudo? Prossegue, rapaz, e deixa que falem, pois, se eu encher minha bolsa, dá na mesma que represente mais impropriedades do que o sol tem de átomos!

— Isso lá é verdade — replicou dom Quixote.

E o rapaz disse:

— Vejam a numerosa e resplandecente cavalaria que sai da cidade em perseguição aos amantes católicos, quantas trombetas soam, quantas charamelas tocam, quantos atabales e tambores retumbam. Temo que os alcancem e os tragam de volta amarrados à cauda de seu próprio cavalo, o que seria um horrendo espetáculo.

Então, vendo e ouvindo tantos mouros e tanto barulho, dom Quixote achou bom ajudar os fugitivos e, levantando-se, disse em voz alta:

— Não consentirei que em meus dias e em minha presença se cometa um ultraje desses a tão famoso cavaleiro e a tão atrevido amante como dom Gaifeiros. Detende-vos, canalha malnascida! Não o sigais nem o persigais, ou travareis batalha comigo!

Dito e feito: desembainhou a espada, aproximou-se do palco com um pulo e, com rapidez e fúria nunca vista, começou a desferir cutiladas sobre os títeres mouros, derrubando uns, decapitando outros, estropiando este, destroçando aquele e, entre muitos golpes, desfechou um fendente que, se mestre Pedro não se abaixasse, não se encolhesse e se escondesse, lhe teria partido a cabeça com mais facilidade que se fosse feita de marzipã. Mestre Pedro bradava:

— Detenha-se vossa mercê, senhor dom Quixote! Repare que estes que derruba, destroça e mata não são mouros de verdade, mas bonequinhos de massa. Por meus pecados, olhe, que botas a perder todo o meu ganha-pão!

Mas nem por isso dom Quixote diminuiu as cutiladas, mandobres, pranchadas e reveses que caíam cerrados como granizo. Finalmente, mais rápido que dois suspiros, botou todo o palco abaixo, picando em pedacinhos todos os títeres e apetrechos, o rei Marsílio gravemente ferido e o imperador Carlos Magno com a coroa partida e a cabeça rachada em duas partes. O grupo de ouvintes se sobressaltou, o macaco fugiu pelos telhados da estalagem, o primo se amedrontou, o pajem se acovardou e até o próprio Sancho Pança teve um grande pavor porque, como ele jurou depois de passada a tempestade, jamais havia visto seu senhor com ira tão desatinada. Então, com o palco num destroço generalizado, dom Quixote se acalmou um pouco e disse:

— Gostaria de ter agora em minha presença todos aqueles que não acreditam nem querem acreditar na serventia dos cavaleiros andantes no mundo. Olhem, se eu não me achasse aqui, o que seria do bom dom Gaifeiros e de sua formosa Melisendra? Com certeza que a esta hora já teriam sido alcançados por estes cães, que teriam feito alguma barbaridade com eles. Enfim, viva a cavalaria andante sobre todas as coisas!

— Viva a cavalaria — disse mestre Pedro nessa altura com voz enfermiça — e morra eu! Pois sou tão desgraçado que posso dizer com o rei dom Rodrigo:

Ontem fui senhor da Espanha,
e hoje não tenho uma ameia
que possa dizer que é minha.

"Não faz meia hora, nem mesmo meio minuto, que me vi senhor de reis e de imperadores, cheias minhas cavalariças, minhas arcas e minhas bolsas de infinitos cavalos e de inumeráveis riquezas, e agora me vejo desolado e abatido, pobre e mendigo, mas acima de tudo sem meu macaco: por Deus, podem me suar os dentes antes que ele volte para mim. E tudo por causa da fúria desatada deste senhor cavaleiro, de quem se diz que ampara os órfãos, repara injúrias e faz outras obras de caridade, e apenas comigo falhou sua intenção generosa, benditos e louvados sejam os céus, lá onde estão os assentos mais elevados. Enfim, tinha de ser o Cavaleiro da Triste Figura aquele que iria desfigurar a de meus títeres."

Sancho Pança se comoveu com as palavras de mestre Pedro e lhe disse:

— Não chores, mestre Pedro, nem te lamentes, que me partes o coração, pois te garanto que meu senhor dom Quixote é tão católico e escrupuloso que, se se der conta de que te deu algum prejuízo, saberá como te pagar em dobro.

— Se o senhor dom Quixote me pagasse uma parte do que seu feito desfez, eu ficaria contente e sua mercê resguardaria sua consciência, porque não se pode salvar quem tem o alheio contra a vontade de seu dono e não lhe restitui.

— Isso é verdade — disse dom Quixote —, mas não sei de nada que eu tenha de vosso, mestre Pedro.

— Como não? — respondeu mestre Pedro. — E estas relíquias que jazem neste chão duro e estéril? Quem as aniquilou e as espalhou senão a força invencível desse poderoso braço? E de quem eram seus corpos senão meus? E com que me sustentava eu senão com eles?

— Agora me convenci — disse dom Quixote nesse ponto — de que é verdade o que pensei muitas outras vezes: esses magos que me perseguem simplesmente botam as coisas como elas são diante de meus olhos e depois as mudam e transformam no que querem. Com toda sinceridade vos digo, senhores que me ouvis, que tudo o que aconteceu aqui me pareceu acontecer ao pé da letra: que Melisendra era Melisendra; dom Gaifeiros, dom Gaifeiros; Marsílio,

Marsílio; e Carlos Magno, Carlos Magno. Por isso fui tomado de cólera, e para cumprir com meu dever de cavaleiro andante quis ajudar os que fugiam, e com esse bom propósito fiz o que haveis visto. Se saiu tudo às avessas, não é culpa minha, mas dos maus que me perseguem. Mas, apesar desse meu erro não proceder de malícia, quero eu mesmo me condenar a pagar as custas: mestre Pedro, veja o que quer pelos títeres destruídos, que eu me ofereço para pagá-los logo, em boa e corrente moeda castelhana.

Mestre Pedro se inclinou, dizendo:

— Eu não esperava menos da inaudita cristandade do valoroso dom Quixote de la Mancha, verdadeiro socorro e amparo de todos os andarilhos desvalidos e necessitados. O senhor estalajadeiro e o grande Sancho serão mediadores entre mim e vossa mercê e avaliarão o que valem ou podiam valer os fantoches destruídos.

O estalajadeiro e Sancho disseram que assim o fariam, e logo mestre Pedro pegou no chão o sem cabeça rei Marsílio de Zaragoza, e disse:

— Já se vê como é impossível transformar este rei no que era antes, de modo que me parece, salvo melhor juízo, que me dê por seu término, fim e morte quatro reais e meio.

— Adiante! — disse dom Quixote.

— Bem, por este talho de cima a baixo — prosseguiu mestre Pedro, tomando nas mãos o partido imperador Carlos Magno —, não seria muito pedir cinco reais e um quarto.

— Não é pouco — disse Sancho.

— Nem muito — replicou o estalajadeiro. — Arredonde a conta: cinco reais.

— Eu pago os cinco reais e um quarto — disse dom Quixote —, que não está num quarto a mais ou a menos o montante dessa grande desgraça. E acabe logo com isso, mestre Pedro, que é hora de jantar, pois já sinto a barriga roncando de fome.

— Por este títere da formosa Melisendra — disse mestre Pedro — que está sem nariz e com um olho a menos, quero, e me atenho ao justo, dois reais e doze maravedis.

— Isso sim seria o diabo — disse dom Quixote —, se Melisendra já não estivesse com seu esposo pelo menos na fronteira da França, porque o cavalo em que ia me pareceu que não corria, voava; então, não venha me vender gato por lebre, apresentando-me aqui Melisendra desnarigada, quando a outra talvez esteja se divertindo a valer com o esposo na França. Que Deus ajude cada um em suas coisas, senhor mestre Pedro, e andemos todos com passos firmes e boas intenções. E prossiga.

Mestre Pedro, que viu que dom Quixote começava a desvairar, voltando à velha mania, não quis deixá-lo escapar e então disse:

— Esta não deve ser Melisendra, mas alguma das aias que a serviam. Assim, com sessenta maravedis que me deem por ela me sentirei contente e bem pago.

Dessa maneira foi dando o preço de muitos outros bonecos destroçados, que depois os dois árbitros ajustaram, para satisfação de ambas as partes, chegando o total a quarenta reais e três quartos. Além disso, que Sancho desembolsou em seguida, mestre Pedro pediu dois reais pelo trabalho de trazer o macaco de volta.

— Pode dá-los, Sancho — disse dom Quixote —, não para trazer o adivinho, mas para o trago de vinho. E eu daria duzentos em alvíssaras a quem me dissesse com certeza que a senhora Melisendra e dom Gaifeiros já estão na França, entre os seus.

— Ninguém poderá nos dizer melhor que meu macaco — disse mestre Pedro —, mas agora não há diabo que o pegue, embora eu imagine que o carinho e a fome o forçarão a me procurar esta noite. Se Deus quiser, amanhã será outro dia, e então veremos.

Em suma, a tempestade do teatro acabou e todos jantaram em paz e em boa companhia, à custa de dom Quixote, que era generoso ao extremo.

Antes que amanhecesse se foi o que carregava as lanças e as alabardas, e logo que amanheceu vieram se despedir de dom Quixote o primo e o pajem, um para voltar a sua terra, o outro para seguir viagem, a quem dom Quixote deu como ajuda uma dúzia de reais. Mestre Pedro não quis mais bater boca com dom Quixote, a quem ele conhecia muito bem; então madrugou antes do sol e, pegando os títeres de seu teatro e seu macaco, também foi embora em busca de aventuras. O estalajadeiro, que não conhecia dom Quixote, tinha ficado surpreso tanto por suas loucuras como por sua generosidade. Enfim, Sancho o pagou muito bem, por ordem de seu senhor, e, despedindo-se por ele, quase às oito deixaram a estalagem e se puseram a caminho, onde os deixamos ir, que assim convém para podermos contar outras coisas relevantes para a narração desta história famosa.

XXVII

ONDE SE REVELA QUEM ERAM MESTRE PEDRO E SEU MACACO, COM O MAU RESULTADO QUE DOM QUIXOTE TEVE NA AVENTURA DO ZURRO, QUE NÃO ACABOU COMO ELE GOSTARIA E COMO TINHA PENSADO

Cide Hamete, cronista desta grande história, começa este capítulo com estas palavras: "Juro, como cristão e católico...". Seu tradutor anota que, ao jurar como cristão e católico, sendo ele mouro, como sem dúvida era, Cide Hamete não quis dizer outra coisa além de que, assim como o cristão e católico, quando jura, jura ou deve jurar dizer sempre a verdade em tudo que falar, assim ele a dizia como se jurasse como cristão e católico no que queria escrever sobre dom Quixote, especialmente no que se refere a quem era mestre Pedro e quem era o macaco vidente que espantava a todos aqueles povoados com suas adivinhações.

Cide Hamete Benengeli diz, então, que aquele que leu a primeira parte desta história estará bem lembrado de Ginés de Pasamonte, que dom Quixote libertou na Serra Morena entre outros condenados às galés, favor que aquela gente maligna e de maus costumes depois lhe agradeceu muito mal e lhe pagou pior ainda. Esse Ginés de Pasamonte, a quem dom Quixote chamava de "Ginesillo de Parapilla", foi quem furtou o burro de Sancho Pança, que, por não ter sido relatado nem o como nem o quando na primeira parte, por culpa dos impressores, levou muitos a atribuir a falha à pouca memória do autor. Mas, enfim, Ginés furtou o burro enquanto Sancho Pança dormia sobre ele, usando o ardil que usou Brunelo quando, estando Sacripante sobre Albraca, lhe tirou o cavalo de entre as pernas, e depois Sancho o recuperou como se contou.

Esse Ginés, portanto, com medo de ser achado pela justiça que o procurava para castigá-lo por seus infinitos delitos e velhacarias, que foram tantos e tamanhos que ele mesmo escreveu um grande volume contando-os, resolveu ir para o reino de Aragão e cobrir o olho esquerdo, dedicando-se ao ofício de titereiro, que nisso e na mão leve sabia se desempenhar de modo excelente.

Aconteceu, então, que comprou de uns cristãos já livres que vinham da Berbéria aquele macaco, a quem ensinou a pular para o ombro a um certo sinal e a murmurar no ouvido, ou assim parecer. Feito isso, antes de entrar numa aldeia com seu teatro e seu macaco, informava-se nos lugares mais próximos, ou com quem podia, que coisas interessantes tinham acontecido na tal aldeia e com que pessoas; e, levando-as bem guardadas na memória, a primeira coisa que fazia era apresentar seu teatro, às vezes com uma história, às vezes com outra, mas todas alegres e prazerosas e conhecidas. Acabada a peça, propunha as habilidades do macaco, dizendo ao povo que adivinhava todo o passado e o presente, mas que o futuro não estava a seu alcance. Pela resposta a cada pergunta pedia dois reais, mas às vezes dava um desconto, dependendo da cara dos perguntadores. E, se alguma vez chegava às casas de gente de quem ele conhecia a história, mesmo que ninguém lhe perguntasse nada, para não pagá-lo, fazia sinal ao macaco e logo dizia que ele tinha dito tais e tais coisas, que se ajustavam aos acontecimentos. Com isso ganhava crédito incontestável, e todo mundo andava atrás dele. Outras vezes, como era muito arguto, respondia de maneira que as respostas casavam bem com as perguntas; e, como ninguém o apertava para que dissesse como seu macaco adivinhava, pasmava a todos com a macaquice e enchia os bolsos.

Assim que entrou na estalagem, reconheceu dom Quixote e Sancho, de modo que foi fácil deixar pasmos o cavaleiro e o escudeiro e todos os demais presentes. Mas haveria de lhe custar caro se dom Quixote tivesse baixado um pouco mais a mão quando cortou a cabeça do rei Marsílio e destruiu toda a sua cavalaria, como ficou dito no capítulo precedente.

Isto é o que havia para ser dito sobre mestre Pedro e seu macaco.

Voltando a dom Quixote de la Mancha, digo que, depois de ele ter saído da estalagem, resolveu ver primeiro as margens do rio Ebro e aqueles arredores todos, antes de entrar na cidade de Zaragoza, pois tinha tempo de sobra para tudo até começarem as justas. Com essa intenção seguiu seu caminho, pelo qual andou dois dias sem que lhe acontecesse coisa digna de se pôr no papel, até que no terceiro, na subida de uma ladeira, ouviu um grande barulho de tambores, trombetas e arcabuzes. No começo pensou que um regimento de soldados passava por aquelas bandas e, para vê-los, esporeou Rocinante e se foi ladeira acima. Quando chegou ao alto do morro, viu lá embaixo o que lhe pareceu mais de duzentos homens armados com diferentes tipos de armas, como se disséssemos chuços, balestras, partasanas, alabardas e aguilhões, e alguns arcabuzes e muitas rodelas. Desceu a encosta e se aproximou do esquadrão, até que viu perfeitamente as bandeiras, distinguiu as cores e percebeu as divisas que elas estampavam, especialmente uma em que, num estandarte ou pendão de cetim branco, estava pintado de modo muito vívido um burro pequeno como os da Sardenha, a cabeça levantada, a boca aberta e a língua de fora, no ato e postura de zurrar; em torno dele estavam escritos estes versos, em letras grandes:

Em vão não foram os zurros
nem dos alcaides nem dos burros.

Por esta insígnia, dom Quixote deduziu que aquela gente devia ser do povoado do zurro, o que disse a Sancho, lendo o que estava escrito no estandarte. Disse também que o homem que havia dado a notícia daquele caso tinha errado ao dizer que haviam sido dois vereadores os que zurraram, porque, conforme os versos, não haviam sido outros que não os alcaides. Ao que Sancho Pança respondeu:

— Senhor, não tem de reparar nisso, pois pode ser que os vereadores que zurraram então viessem com o tempo a ser alcaides de seu povoado, de modo que podem ser chamados com ambos os títulos, ainda mais que não diminui a verdade da história os zurradores serem alcaides ou vereadores, desde que eles tenham realmente zurrado, porque tão a pique de zurrar está um alcaide como um vereador.

Enfim, eles entenderam que a aldeia zombada saía para lutar com a outra que a zombava além da conta e do que se devia à boa vizinhança.

Dom Quixote foi se aproximando dos combatentes, não sem grande desgosto de Sancho, que nunca foi amigo de se meter em semelhantes campanhas. Os homens do esquadrão o receberam entre eles, acreditando que era de sua facção. Dom Quixote, alçando a viseira, foi com atitude sóbria e elegante até o estandarte do burro, e ali o rodearam todos os chefes do exército para vê-lo, pasmos com o pasmo costumeiro em que caíam todos aqueles que o viam pela primeira vez. Dom Quixote, notando como o olhavam com tanta atenção, sem falar nem perguntar nada, quis se aproveitar daquele silêncio e, quebrando o seu, elevou a voz e disse:

— Meus bons senhores, tão encarecidamente quanto posso vos suplico que não interrompais um discurso que desejo vos fazer, até que possais ver se vos desgosta ou aborrece, pois, se acontecer isso, ao menor sinal que me fizerdes porei um ferrolho em minha boca e uma mordaça em minha língua.

Todos lhe disseram que falasse o que quisesse, que o escutariam de boa vontade. Com essa licença, dom Quixote prosseguiu, dizendo:

— Eu, meus caros senhores, sou cavaleiro andante, que tem as armas por ofício e professa o socorro dos necessitados e desvalidos. Há dias soube de vossa desgraça e da causa que os move a pegar em armas a cada passo, para vos vingar de vossos inimigos. E, tendo pensado e repensado muitas vezes sobre vosso caso, acho, pelas leis do duelo, que estais enganados em se ter por afrontados, porque uma pessoa apenas não pode afrontar um povoado inteiro, a menos que o desafie como traidor em conjunto, por não saber especificamente quem cometeu a traição pela qual o desafia. Exemplo disso temos em dom Diego Ordóñez de Lara, que desafiou todo o povo de Zamora, porque ignorava que apenas Vellido Dolfos havia cometido a traição de matar seu rei, de modo que desafiou a todas as pessoas, e a todas a vingança e a resposta concerniam. Agora, cá para nós, a verdade é que o senhor dom Diego foi um tanto impertinente e ultrapassou muito os limites do desafio, pois não tinha motivo para desafiar os mortos, as águas, nem os trigais, nem os que estavam para nascer, nem outras coisas que ali se declaram.[1] Mas vá lá, porque, quando a cólera sobe à cabeça, a língua fica sem pai nem mãe e não há mestre nem freio que a corrija. Como, enfim, um só homem não pode afrontar um reino, uma província, uma cidade, uma república, nem uma aldeia inteira, fica claro que não há motivo para sair em busca de vingança por causa do desafio da dita afronta, porque ela não o é. Imaginai só se os habitantes da aldeia da Relógia e os que os chamam assim se matassem a cada encontro, ou os caçaroleiros, berinjeleiros, filhotes de baleia, saboeiros,[2] ou tantos outros nomes ou apelidos que andam na boca dos meninos e de gente baixa? Não seria ótimo que todas essas pessoas insignes se envergonhassem e se vingassem e andassem como se não existisse bainha, sempre de espada em punho por qualquer pendência, por menor que fosse? Não, não, Deus não permita nem queira! Por quatro coisas os homens prudentes, ou as repúblicas bem organizadas, devem pegar em armas, desembainhar as espadas e pôr em risco suas pessoas, vidas e bens: a primeira, para defender a fé católica; a segunda, para defender sua vida, que é de lei natural e divina; a terceira, em defesa de sua honra, de sua família e bens; a quarta, a serviço de seu rei na guerra justa; e, se quiséssemos acrescentar uma quinta, que pode contar como segunda, é em defesa de sua pátria. A esses cinco motivos capitais, podem se acrescentar alguns outros que sejam justos e razoáveis e que obriguem a pegar em armas, mas pegá-las por ninharias, por coisas que são antes brincadeiras e diversões que afrontas, não parece uma atitude de gente sensata, ainda mais que se meter numa vingança injusta, pois justa não pode haver nenhuma, vai diretamente contra a santa lei de nossa religião, que nos ordena fazer o bem a nossos inimigos e a amar os que nos odeiam,[3] mandamento que, embora pareça difícil de cumprir, não o é senão para aqueles que têm menos de Deus que do mundo e mais de carne que de espírito; porque Jesus Cristo, Deus e homem verdadeiro, que nunca mentiu, nem pôde nem pode mentir, sendo nosso legislador, disse que seu jugo era suave e sua carga, leve,[4] de modo que não havia de ordenar coisa que fosse impossível de cumprir. Então, meus senhores, vossas mercês estão obrigados pelas leis divinas e humanas a se acalmar.

— Que o diabo me carregue — disse Sancho a si mesmo nessas alturas — se este meu amo não é teólogo, e se não o for, parece, como um ovo a outro.

Dom Quixote recuperou um pouco o fôlego e, vendo que ainda se mantinham em silêncio, quis continuar sua conversa e teria continuado se não o interrompesse a sagacidade de Sancho, que, vendo que seu amo se detinha, tomou a palavra por ele, dizendo:

— Meu senhor dom Quixote de la Mancha, que por um tempo se chamou o Cavaleiro da Triste Figura e agora se chama o Cavaleiro dos Leões, é um fidalgo dos mais atilados, que sabe latim e espanhol como um bacharel, e em tudo quanto trata e aconselha procede como um excelente soldado, e tem na ponta da língua todas as leis e os mandamentos do que chamam duelo. Então, não há mais o que fazer senão se deixar levar pelo que ele disser, e me culpem se errarem, sem falar que está claro que é uma asneira se envergonhar apenas por ouvir um zurro, pois eu me lembro que, quando menino, zurrava a toda hora que me dava na veneta, sem que ninguém zurrasse melhor, e com tanta graça e propriedade que bastava zurrar para que todos os burros do povoado zurrassem, e nem por isso deixava de ser filho de meus pais, que eram honradíssimos, e, embora fosse invejado por essa habilidade por mais de quatro empertigados de meu povoado, pouco se me dava. E, para que se veja que digo a verdade, esperem e escutem, que essa arte é como a de nadar, que, uma vez aprendida, nunca se esquece.

E em seguida, com uma das mãos no nariz, começou a zurrar com tanta força que todos os vales próximos retumbaram. Mas um dos que estavam perto dele, achando que nisso havia zombaria, levantou um porrete que tinha na mão e lhe deu tamanha pancada que, sem que nada evitasse, deu com Sancho Pança no chão. Dom Quixote, vendo Sancho tão maltratado, com a lança em riste atacou o que havia batido, mas foram tantos os que se puseram entre eles que não foi possível vingá-lo; pelo contrário, vendo que chovia sobre ele uma tormenta de pedras e que o ameaçavam mil balestras apontadas e uma quantidade nada menor de arcabuzes, virou as rédeas de Rocinante e saiu a galope do meio deles, encomendando-se a Deus de todo coração que o livrasse daquele perigo, temendo a cada passo que lhe entrasse uma bala pelas costas e lhe saísse pelo peito, e a todo instante respirava fundo, para ver se lhe faltava o ar.

Mas os do esquadrão se contentaram em vê-lo fugir, sem disparar nele. Depois, logo que Sancho voltou a si, puseram-no sobre seu jumento, deixando-o ir atrás de seu amo — não que ele estivesse em condições de saber o que fazer com as rédeas. Mas seu burro seguiu as pegadas de Rocinante, de quem não se separava nunca. Então, depois de se afastar um bom pedaço, dom Quixote virou a cabeça e viu que Sancho vinha, e o esperou, notando que ninguém o seguia.

Os do esquadrão ficaram por ali até de noite, mas, como os adversários não vieram para a batalha, voltaram para seu povoado, alvoroçados e alegres. Se conhecessem o costume antigo dos gregos, ergueriam naquele lugar um monumento para lembrar a vitória.

XXVIII

DAS COISAS QUE BENENGELI DIZ QUE SABERÁ QUEM AS LER, SE AS LER COM ATENÇÃO

Quando o valente foge é porque descobriu a cilada, e é de homens prudentes se guardar para melhor ocasião. Essa verdade foi confirmada por dom Quixote, que, cedendo à fúria das pessoas e às más intenções daquele esquadrão indignado, botou o pé no mundo e, sem se lembrar de Sancho nem do perigo em que o deixava, se afastou tanto quanto lhe pareceu seguro. Sancho o seguia atravessado sobre seu jumento, como foi dito. Por fim, chegou, já recuperado do desmaio, e aí se deixou cair do burro aos pés de Rocinante, todo ansioso, todo moído e todo desancado. Dom Quixote apeou para tratar das feridas dele, mas, como o achou são dos pés à cabeça, disse muito encolerizado:

— Não podias ter escolhido pior hora para zurrar, Sancho! E a troco de que achaste bom falar de corda em casa de enforcado? Para música de zurros que contraponto poderia haver além de cacetadas? E dai graças a Deus, Sancho, que tenham te benzido com um porrete e não te fizeram o sinal da cruz com um alfanje.

— Não me sinto bem — respondeu Sancho —, parece que falo pelas feridas nas costas. Montemos e nos afastemos daqui. Calarei meus zurros, mas não deixarei de dizer que os cavaleiros andantes fogem e deixam seus bons escudeiros moídos como bagaço na mão dos inimigos.

— Não foge quem se retira — respondeu dom Quixote. — Deves saber, Sancho, que a valentia que não se funda sobre a base da prudência se chama temeridade, e as façanhas do temerário são atribuídas mais à sorte que a sua coragem. Então, confesso que me retirei, não que fugi, e nisto imitei a muitos valentes que se guardaram para tempos melhores. As histórias estão cheias de casos como este, mas, por não serem de proveito para ti nem me dar prazer, não te conto nenhuma agora.

Nisso, Sancho já estava a cavalo, ajudado por dom Quixote, que também montou em Rocinante, e passo a passo foram se abrigar num mato de álamos que a um quarto de légua se avistava dali. De quando em quando Sancho dava uns ais profundos e uns gemidos dolorosos; e, perguntando-lhe dom Quixote a causa de sentimentos tão amargos, respondeu que desde a ponta do espinhaço até a nuca lhe doía tanto que o deixava louco.

— Sem dúvida, a causa dessa dor deve ser porque, como o porrete com que te acertaram era grosso e comprido — disse dom Quixote —, te pegou as costas de cima a baixo, onde ficam todas essas partes que te doem. Se te pegasse mais, mais te doeria.

— Por Deus — disse Sancho —, vossa mercê me tirou de uma dúvida tenebrosa e me falou com lindas palavras! Minha nossa! Estava tão oculta a causa de minha dor que foi preciso me dizer que me dói tudo aquilo que o cacete alcançou? Se me doessem os tornozelos, ainda valeria a pena adivinhar por que me doíam, mas adivinhar que me dói onde me bateram não é grande coisa. Por Deus, senhor meu amo, o mal alheio não pesa em nossa balança, e a cada dia vou descobrindo o pouco que posso esperar do convívio que tenho com vossa mercê; porque, se dessa vez me deixou espancar, em outras cem voltaremos aos velhos manteamentos e outras criancices, pois, se agora me custaram as costas, depois me custarão os olhos da cara. Eu faria muito melhor, mas, como sou um bruto e não farei nada bom em toda a minha vida, muito melhor eu faria, repito, se voltasse para casa e para minha mulher e meus filhos, e sustentá-la e criá-los com o que Deus quisesse me dar, e não andar atrás de vossa mercê por caminhos desencaminhados e por trilhas e estradas que não levam a lugar nenhum, bebendo mal e comendo pior ainda. Pois nem falemos de dormir! Medi, irmão escudeiro, sete palmos de terra, e se quiserdes mais, estejais a gosto, medi outros tantos, e estenda-vos como vos der na telha, que queimado e feito pó eu veja o primeiro que se ocupou da cavalaria andante, ou pelo menos ao primeiro que quis ser escudeiro de tais bobos como deveriam ser todos os passados cavaleiros andantes. Sobre os do presente não digo nada, pois eu os respeito, por ser vossa mercê um deles, e porque sei que vossa mercê sabe um truque ou dois a mais que o diabo no que fala e no que pensa.

— Eu faria uma boa aposta convosco, Sancho: que agora que ides falando sem que ninguém vos atalhe, não vos dói nada em todo o corpo — disse dom Quixote. — Falai, meu filho, tudo aquilo que vos vier à cabeça e à boca, pois, em troca de que não vos doa nada, terei eu por prazer o aborrecimento que me causam vossas impertinências. E, se desejais tanto voltar para vossa casa, com vossa mulher e vossos filhos, não permita Deus que eu vos impeça: tendes meu dinheiro, vede quanto tempo faz que saímos de nosso povoado esta terceira vez, vede o que podeis e deveis ganhar por mês e pagai-vos com vossa própria mão.

— Quando eu trabalhava para Tomé Carrasco, pai do bacharel Sansão Carrasco, que vossa mercê conhece bem — respondeu Sancho —, ganhava dois ducados por mês, além da comida. Com vossa mercê não sei o que posso ganhar, porque sei que o escudeiro de cavaleiro andante tem mais trabalho que aquele que serve a um camponês, pois veja, os que servem aos camponeses, por mais que trabalhem de dia, por pior que passem, à noite jantam um cozido e dormem na cama, onde não tenho dormido desde que comecei a servir vossa mercê. Se não fosse o breve tempo que estivemos na casa de dom Diego de Miranda, o banquete que tive com a canja que peguei nas panelas de Camacho e o que comi e bebi e dormi na casa de Basílio, o resto do tempo dormi na terra dura, ao relento, sujeito ao que chamam inclemências do céu, sustentando-me com pedaços de queijo e pão dormido, bebendo água, ora nos riachos, ora nas fontes que encontramos por esses ermos por onde andamos.

— Confesso que é verdade tudo o que dizeis, Sancho — disse dom Quixote. — Quanto pensais que devo dar a mais do que vos dava Tomé Carrasco?

— Em minha opinião — disse Sancho —, eu me daria por bem pago com dois reais a mais que vossa mercê acrescentasse todo mês. Isto quanto ao salário por meu trabalho; quanto a cumprir com a palavra que vossa mercê empenhou de me dar o governo de uma ilha, seria justo que me acrescentasse outros seis reais, que daria ao todo trinta.

— Muito bem — replicou dom Quixote —, faz vinte e cinco dias que saímos de nosso povoado. Conforme o salário que apontastes, calculai, Sancho, a parte que vos corresponde, e vede o que vos devo, e pagai-vos com vossa própria mão, como já disse.

— Santo Cristo! — disse Sancho. — Vossa mercê está muito errado nessa conta, porque a promessa da ilha deve ser contada desde o dia em que vossa mercê me prometeu até a hora presente em que estamos.

— Então, Sancho, quanto faz que vos prometi a ilha? — disse dom Quixote.

— Se não me lembro mal — respondeu Sancho —, deve fazer uns vinte anos, dois ou três dias a mais ou a menos.

Dom Quixote deu uma grande palmada na testa e desatou a rir com muita vontade.

— Não gastei na Serra Morena, nem em todo o tempo de nossas andanças, mais de dois meses, e dizes que te prometi a ilha há vinte anos, Sancho? Pois digo que queres que se gaste em teu salário todo o meu dinheiro que tens aí contigo; bem, se é assim, se tu gostas disso, agora mesmo te dou, e faça bom proveito, que, em troca de me ver sem tão mau escudeiro, tenho prazer em ficar pobre e sem um tostão. Mas me diz, profanador dos regulamentos escudeiris da cavalaria andante, onde viste ou leste que algum escudeiro de cavaleiro andante tenha discutido com seu senhor "quanto mais haveis de me dar por mês para que vos sirva"? Lança-te, lança-te, velhaco, preguiçoso, monstro (que tudo isso pareces ser), lança-te no mar profundo de tuas histórias e, se achares que algum escudeiro tenha dito ou pensado o que aqui disseste, quero que me jogues a verdade na cara e me dês quatro bofetões nas bochechas, para completar. Vira as rédeas do burro, ou o cabresto, e volta para tua casa, porque daqui por diante não vais dar mais nenhum só passo comigo. Tu mordes a mão que te alimenta! Oh, promessas mal-empregadas! Oh, homem que tem mais de bicho que de gente! Agora, quando eu pensava melhorar tua posição, tanto que, apesar de tua mulher, te chamassem de "senhoria", te despedes? Agora te vais, quando eu vinha com a intenção firme e resoluta de te fazer senhor da melhor ilha do mundo? Enfim, como tu disseste outras vezes, o mel não é para a boca do burro. Burro és, burro serás, burro deves morrer, porque me parece que chegarás ao último dia de tua vida antes de te dares conta de que és uma besta.

Sancho olhava dom Quixote fixamente, enquanto dizia tais vitupérios, e se emocionou tanto que lhe vieram lágrimas aos olhos e com voz aflita e doente disse:

— Meu senhor, confesso que para ser burro de todo não me falta mais que o rabo: se vossa mercê quiser me pôr um, vou considerar bem-feito, e o servirei como jumento todos os dias que restam de minha vida. Vossa mercê me perdoe e tenha dó de minha ignorância: repare que sei pouco e que se falo muito é mais por doença que por malícia. Mas quem erra e se emenda a Deus se encomenda.

— Eu teria ficado pasmo, Sancho, se não enfiasses algum ditadozinho em teu discurso. Pois muito bem, eu te perdoo, desde que te emendes e que não te mostres daqui por diante tão amigo de teus interesses, mas que procures abrir o coração e te encorajes e animes a esperar o cumprimento de minhas promessas, que, mesmo que tardem, não são impossíveis.

Sancho respondeu que assim faria, embora tirasse forças da fraqueza.

Então se meteram no mato de álamos, e dom Quixote se acomodou ao pé de um e Sancho ao de uma faia, que estas e outras árvores sempre têm pés, não mãos. Sancho passou a noite penosamente, porque a porretada se fazia sentir mais com o sereno; e dom Quixote passou-a às voltas com suas memórias incessantes. Mas, apesar de tudo, entregaram os olhos ao sono e, ao raiar da manhã, seguiram seu caminho em busca das margens do famoso Ebro, onde lhes aconteceu o que se contará no próximo capítulo.

XXIX

DA FAMOSA AVENTURA DO BARCO ENCANTADO

Dois dias depois de saírem do mato de álamos, com passos contados e alguns por contar, dom Quixote e Sancho chegaram ao rio Ebro. Ao vê-lo, Dom Quixote teve grande prazer, porque percebeu a amenidade de suas margens, a limpidez de suas águas, a calma de sua corrente e a abundância de seus cristais líquidos, cuja alegre visão reviveu em sua memória mil pensamentos amorosos. Ele se demorou especialmente no que havia visto na caverna de Montesinos, pois, apesar de o macaco de mestre Pedro ter dito que parte daquelas coisas era verdade e parte mentira, ele se atinha mais às verdadeiras que às mentirosas, ao contrário de Sancho, que considerava todas uma única e mesma mentira.

Andando assim ao longo do rio, viu um pequeno barco sem remo nem mastros ou velas, que estava amarrado ao tronco de uma árvore na margem. Dom Quixote olhou em volta, mas não viu pessoa alguma; então, sem mais nem menos, apeou de Rocinante e mandou que Sancho também apeasse do burro e atasse os dois animais num álamo ou salgueiro que havia ali. Sancho perguntou a causa daquela decisão súbita. Dom Quixote respondeu:

— Deves saber, Sancho, que este barco atracado aqui está, claramente e sem que nada possa evitar, me chamando e me convidando a entrar nele para ir em socorro de algum cavaleiro ou de alguma outra pessoa importante que deve estar numa grande aflição. Porque é assim que acontecem as coisas nas histórias de cavalaria e dos magos que se intrometem e intervêm nelas: quando algum cavaleiro está em algum aperto de que não pode se livrar a não ser pela mão de outro cavaleiro, mesmo que estejam distantes um do outro duas ou três mil léguas, ou mais ainda, levam-no numa nuvem ou fazem com que tope com um barco onde entra, e num piscar de olhos o levam, ou pelos ares ou pelo mar, aonde querem e sua ajuda é necessária. Assim, meu caro Sancho, este barco está atracado aqui para isso mesmo, e isto é tão verdadeiro como agora é dia; e, antes que este termine, amarra juntos o burro e Rocinante, e que a mão de Deus nos guie, pois não deixarei de embarcar nem que frades descalços me peçam.

— Bem, se a coisa é assim — respondeu Sancho — e vossa mercê quer se meter a cada passo nisso que não sei se chamo de disparates, não há o que fazer, além de baixar a cabeça e obedecer, seguindo o ditado: "Amarra o burro conforme a vontade do dono, que ele te agradecerá". Mas, apesar de tudo, para descargo de minha consciência, quero avisar vossa mercê que me parece que este barco não é dos encantados, mas de alguns pescadores deste rio, porque aqui se pesca a melhor sardinha do mundo.

Sancho dizia isso enquanto amarrava as montarias, deixando-as à proteção e ao amparo dos magos, com o coração partido de dor. Dom Quixote disse a ele que não se preocupasse com os animais, porque aquele que os levaria por caminhos e regiões tão longínquos trataria de cuidar deles.

— Não entendo esse negócio de *logíquos* — disse Sancho —, nem nunca ouvi na vida essa palavra.

— *Longínquo* — respondeu dom Quixote — quer dizer à grande distância. Não é de surpreender que não a entenda, pois não tens obrigação de saber latim, como alguns que fazem de conta que sabem e o ignoram.

— Já amarrei os bichos — replicou Sancho. — O que vamos fazer agora?

— O quê? — respondeu dom Quixote. — Vamos nos benzer e levantar âncora, quero dizer, vamos embarcar e cortar a amarra com que está preso este barco.

Dando um salto para ele, com Sancho atrás, cortou a corda, e o barco foi se afastando pouco a pouco da margem. Quando Sancho se viu a cerca de dois metros dentro do rio, começou a tremer, temendo sua perdição, mas nenhuma coisa o afligiu mais que ouvir o burro zurrar e ver que Rocinante lutava para se desatar, e disse a seu senhor:

— O burro zurra condoído de nossa ausência e Rocinante procura se libertar para se atirar atrás de nós. Oh, caríssimos amigos, ficai em paz. A loucura que nos afasta de vós, transformada em desengano, nos devolverá a vossa presença!

E então começou a chorar tão amargamente que dom Quixote, amofinado e enraivecido, lhe disse:

— De que tens medo, covarde miserável? Por que choras, coração de manteiga? Quem te segue ou te persegue, alma de ratão caseiro? O que te falta, mendigo nas entranhas da abundância? Por acaso caminhas a pé e descalço pelas montanhas da Cítia? Por acaso não estás sentado numa tábua, como um arquiduque, deslizando pela corrente calma deste rio agradável, de onde em breve sairemos para o mar alto? Mas já devemos ter andado pelo menos seiscentas ou oitocentas léguas. Se eu tivesse aqui um astrolábio com que medir a altura dos astros, eu te diria o que já viajamos, embora ou eu saiba pouco ou já passamos ou passaremos em seguida pela linha do equador, que divide os polos contrários em igual distância.

— E quanto teremos andado — perguntou Sancho — quando passarmos por esse fio de que vossa mercê falou?

— Muito — replicou dom Quixote —, porque de trezentos e sessenta graus que o globo contém de água e de terra, conforme o cômputo de Ptolomeu, que foi o maior cosmógrafo que se conhece, teremos andado a metade, chegando à linha de que falei.

— Por Deus — disse Sancho —, que vossa mercê me apresenta por testemunha uma bela pessoa com um puto, o maior biógrafo de um tolo seu, ou sei lá de quem.

Dom Quixote riu muito da interpretação que Sancho tinha dado ao nome, ao cômputo e ao cosmógrafo Ptolomeu, e lhe disse:

— Olha, Sancho, um dos sinais que os espanhóis e os que embarcam em Cádiz para ir às Índias Orientais observam, para saber se ultrapassaram a linha do equador, é se morreram todos os piolhos dos marinheiros que estão no navio, sem que tenha sobrado um. Se ultrapassaram, não acharão piolho algum em todo o baixel, mesmo que se pague seu peso em ouro. Então, Sancho, podes passar a mão pela coxa, e, se topares com alguma coisa viva, sairemos dessa dúvida, e, se não, estamos do lado de lá.

— Não acredito em nada disso — respondeu Sancho —, mas, mesmo assim, farei o que vossa mercê me manda, ainda que não veja necessidade da experiência, pois eu vejo com meus próprios olhos que não nos afastamos da margem mais que cinco metros, nem descemos rio abaixo dois metros de onde estão as montarias, porque ali estão Rocinante e o burro no mesmo lugar em que os deixamos. Dê uma olhada e calcule, como eu fiz agora. Juro que não nos movemos nem andamos um passo de formiga.

— Vamos, Sancho, faz a averiguação dos piolhos e não te preocupes com outras, que tu não sabes que coisas são coluros, linhas, paralelos, zodíacos, elípticas, polos, solstícios, equinócios, planetas, signos, pontos, medidas, de que se compõem a esfera celeste e a terrestre. Pois, se soubesses todas essas coisas, ou parte delas, verias claramente quais paralelos cortamos, quais signos vimos e quais constelações deixamos para trás e vamos deixando agora. E te digo de novo que te apalpes e te cates, porque me parece que estás mais limpo que uma folha de papel liso e branco.

Sancho se apalpou e, levando a mão devagar e cuidadosamente na curva atrás do joelho esquerdo, levantou a cabeça, olhou para seu amo e disse:

— Ou a experiência é falsa ou não chegamos aonde vossa mercê disse, nem estamos perto.

— Como? — perguntou dom Quixote. — Topaste com algum?

— E mais alguns! — respondeu Sancho.

E, sacudindo os dedos, lavou toda a mão no rio, por onde o barco deslizava calmo no meio da corrente, sem que o dirigisse alguma inteligência secreta nem algum mago escondido, mas apenas o curso da água, brando e suave então.

Nisso, avistaram uns grandes moinhos localizados no meio do rio, e, mal dom Quixote os viu, disse em voz alta a Sancho:

— Vês? Ali, meu amigo! Ali se avista a cidade, castelo ou fortaleza onde deve estar preso algum cavaleiro, ou alguma rainha ou infanta ou princesa embaraçada, para cujo socorro fui atraído.

— Que diabos de cidade, fortaleza ou castelo vossa mercê viu, senhor? — disse Sancho. — Não está vendo que aqueles são moinhos que estão no rio, onde se mói o trigo?

— Cala-te, Sancho — disse dom Quixote —, porque embora pareçam moinhos não o são. Já te disse que os encantamentos mudam e transformam o ser natural de todas as coisas. Não quero dizer que as transformam em outras coisas realmente, mas a aparência delas, como demonstrou a experiência da transformação de Dulcineia, único refúgio de minhas esperanças.

Então o barco, entrando no meio da corrente do rio, começou a andar não tão lentamente como até ali. Os moleiros, que viram vir aquele barco em direção aos moinhos e que ia entrar pelo canal que movia as rodas, saíram para fora muito apressados, vários deles com varas longas para detê-lo; e, como saíam enfarinhados, com os rostos e as roupas cobertos pelo pó branco, pareciam uma visão tenebrosa. Davam grandes brados, dizendo:

— Demônios desgraçados, aonde ides? Vindes tão desesperados que quereis vos afogar e vos fazer em pedaços nestas rodas?

— Eu não te disse, Sancho — disse dom Quixote nessas alturas —, que havíamos de chegar aonde hei de mostrar até onde vai o valor de meu braço? Olha só que patifes e covardes me saem ao encontro! Olha quantos monstros me atacam! Olha quantas carrancas feias nos fazem caretas... Pois agora vereis, velhacos!

E, de pé no barco, com grandes brados começou a ameaçar os moleiros, dizendo-lhes:

— Canalha malvada e imprudente, deixai em liberdade a pessoa que tendes presa nessa fortaleza ou prisão, plebeia ou nobre, de qualquer tipo ou posição que seja, pois eu sou dom Quixote de la Mancha, conhecido pela alcunha de Cavaleiro dos Leões, a quem está reservado por ordem dos altos céus dar um feliz desfecho a esta aventura.

Dizendo isso, empunhou a espada e começou a esgrimi-la no ar contra os moleiros, que, ouvindo sem entender aquelas asneiras, começaram a deter o barco com as varas, pois já ia entrando na torrente ou canal que dava nas rodas.

Sancho ficou de joelhos, pedindo devotamente ao céu que o livrasse de perigo tão manifesto, coisa que o céu atendeu pela astúcia e presteza dos moleiros: eles pararam o barco com suas varas, mas não de modo que deixassem de embocá-lo e de atirar dom Quixote e Sancho na água. A coisa teria sido feia, se dom Quixote não soubesse nadar como um ganso, pois o peso da armadura o levou duas vezes ao fundo. Porém, se não fossem os moleiros, que se lançaram na água e tiraram ambos como pesos mortos, ali teria sido Troia para os dois.

Enfim em terra, estavam mais molhados que mortos de sede. Sancho, caído de joelhos, as mãos juntas e os olhos cravados no céu, pediu a Deus com uma longa e devota prece que o livrasse dali por diante dos desejos e empreendimentos atrevidos de seu senhor.

Aí chegaram os pescadores donos do barco, que as rodas dos moinhos tinham feito em pedaços. Vendo-o em lascas, trataram de despir Sancho e pedir a dom Quixote que o pagasse. Ele, com muita calma, como se não tivesse acontecido nada demais, disse aos moleiros e pescadores que ele pagaria o barco com muita boa vontade, com a condição de que lhe entregassem livre e sem resgate a pessoa ou pessoas que mantinham presas naquele castelo.

— De que pessoas e de que castelo falas, homem sem juízo? — respondeu um dos moleiros. — Por acaso queres levar as que vêm moer trigo aqui?

— Basta! — disse dom Quixote a si mesmo. — Será o mesmo que pregar no deserto querer levar esta canalha a praticar a virtude com palavras. Nesta aventura devem ter se enfrentado dois valentes magos, e um atrapalha o que o outro tenta: um me levou ao barco e o outro deu comigo na água. Deus me ajude, que tudo neste mundo são tretas e tramoias, umas contrárias às outras. Eu não aguento mais.

E prosseguiu em voz alta, olhando os moinhos:

— Meus amigos, quem quer que sejais, que nessa prisão ficais trancados, perdoai-me, pois, para minha infelicidade e para a vossa, não posso tirá-los desta desgraça. Para outro cavaleiro deve estar destinada e reservada esta aventura.

Depois de dizer isso, acertou-se com os pescadores e pagou cinquenta reais pelo barco, que Sancho deu de muita má vontade, dizendo:

— Mais dois passeios de barco como este e todo o nosso cabedal vai ao fundo.

Os pescadores e moleiros estavam pasmos, olhando aquelas duas figuras tão diferentes dos outros homens, e não conseguiam entender as alegações e perguntas de dom Quixote; e, tendo-os por loucos, os deixaram — os moleiros se recolheram a seus moinhos e os pescadores às suas cabanas. Dom Quixote e Sancho voltaram a seus animais, e a ser animais, e este foi o fim da aventura do barco encantado.

XXX

DO QUE ACONTECEU A DOM QUIXOTE COM UMA BELA CAÇADORA

Cavaleiro e escudeiro chegaram muito melancólicos e rabugentos a seus animais, especialmente Sancho, a quem partia o coração meter a mão no bolso atrás de dinheiro, pois parecia que tudo o que se tirava dele era como lhe arrancar a menina dos olhos. Finalmente, sem falar uma palavra, montaram a cavalo e se afastaram do famoso rio, dom Quixote mergulhado nos pensamentos de seus amores e Sancho nos da melhora de sua vida, que então ele achava que estava bem longe de acontecer, porque, embora fosse um tolo, percebia muito bem que as ações de seu amo, todas ou a maioria, eram disparates, e procurava uma oportunidade para um dia se separar de seu senhor e ir embora para casa, sem entrar em discussões e despedidas com ele. Mas a sorte ordenou as coisas de modo muito diferente do que ele temia.

Aconteceu que no outro dia, ao pôr do sol, ao sair de uma mata, dom Quixote espichou a vista por um campo verde e viu umas pessoas ao longe. Ao se aproximar, descobriu que eram caçadores de falcoaria. Aproximando-se mais, viu entre eles uma garbosa senhora sobre um palafrém ou hacaneia branquíssima, adornada de guarnições verdes e com um selim de prata. A senhora também vinha vestida de verde, tão elegante e ricamente que ela mesma era a própria elegância em pessoa. Na mão esquerda trazia um açor, detalhe que levou dom

Quixote a pensar que se tratava de uma nobre, senhora de todos aqueles caçadores, como era realmente. Então disse a Sancho:

— Corre, Sancho, meu filho, e diz àquela senhora do palafrém e do açor que eu, o Cavaleiro dos Leões, beijo as mãos de sua grande formosura e que, se sua grandeza me der licença, irei beijá-las e servi-la enquanto minhas forças puderem e sua alteza me ordenar. E olha como falas, Sancho, e vê se não encaixa nenhum de teus ditados em meu recado.

— Com bom encaixador haveis topado! — respondeu Sancho. — Ainda essa conversa? Olhai, meu senhor, não é a primeira vez na vida que levei recado a senhoras nobres e distintas!

— Exceto o que levaste à senhora Dulcineia — replicou dom Quixote —, não sei de outro que tenhas levado, pelo menos enquanto estás comigo.

— É verdade — respondeu Sancho —, mas ao bom pagador as penhoras não doem, e a bom entendedor, meia palavra basta: quero dizer que para mim não é preciso dizer nem me recomendar nada, que estou pronto para tudo e de tudo sei um pouco.

— Acredito, Sancho, acredito — disse dom Quixote —, mas vai logo, e que Deus te guie.

Sancho partiu a galope, tirando o burro do passo de sempre, e chegou aonde a bela caçadora estava. Apeando, caiu de joelhos diante dela e disse:

— Formosa senhora, aquele cavaleiro que se vê ali, chamado o Cavaleiro dos Leões, é meu amo, e eu sou seu escudeiro, a quem chamam em sua casa de Sancho Pança. Este tal Cavaleiro dos Leões, que não faz muito tempo se chamava Cavaleiro da Triste Figura, envia por mim a vossa grandeza votos de que lhe dê licença para que ele, sob sua determinação e beneplácito e consentimento, venha a realizar seu desejo, que não é outro, segundo ele disse e eu confirmo, que servir a vossa honrada altanaria e lindeza.

Concedendo-lhe vossa senhoria esta licença, ele cometerá façanhas que redundem em seu favor, e disso ele receberá gloriosa mercê e contentamento.

— Com certeza, bom escudeiro — respondeu a senhora —, desincumbistes-vos de vossa embaixada com todas aquelas circunstâncias que essas embaixadas demandam. Levantai-vos, que não é justo que escudeiro de tão grande cavaleiro como é o da Triste Figura, de quem já tivemos muitas notícias, fique de joelhos. Levantai-vos, amigo, e dizei a vosso senhor que seja muito bem-vindo e que será servido com todo prazer por mim e pelo duque, meu marido, numa casa de campo que temos aqui.

Sancho se levantou, pasmo tanto pela formosura da boa senhora como por sua grande distinção e cortesia, e mais ainda por ela ter dito que tinha notícias de seu senhor, o Cavaleiro da Triste Figura — e se não o chamara de Cavaleiro dos Leões devia ser porque tinha adotado o nome recentemente. A duquesa — cujo título ainda não se sabe — lhe perguntou:

— Dizei-me, irmão escudeiro: este vosso senhor não é um de que anda impressa uma história que se chama *O engenhoso fidalgo dom Quixote de la Mancha*, que tem por senhora de sua alma uma tal Dulcineia del Toboso?

— É ele mesmo, senhora — respondeu Sancho —, e aquele escudeiro dele que anda ou deve andar na dita história, a quem chamam Sancho Pança, sou eu, se é que não me trocaram no berço, quero dizer, se não imprimiram outro.

— Isso tudo me alegra muito — disse a duquesa. — Ide, meu caro Pança, e dizei a vosso senhor que ele é bem-vindo aos meus domínios, que nenhuma coisa poderia me deixar mais contente.

Sancho, depois dessa resposta tão agradável, voltou com muito prazer a seu amo, a quem contou tudo o que a nobre senhora havia dito, elevando aos céus com seus termos rústicos sua grande formosura, elegância e cortesia. Dom Quixote empertigou-se na sela, firmou-se nos estribos, ajeitou a viseira, esporeou Rocinante e com graciosa desenvoltura foi beijar as mãos da duquesa. Enquanto ele vinha, ela mandou chamar o duque, seu marido, e contou toda a sua embaixada; e os dois, por terem lido a primeira parte desta história e compreendido a índole disparatada de dom Quixote, aguardavam-no com muito gosto e desejo de conhecê-lo, dispostos a lhe seguir o humor e concordar em tudo que dissesse, tratando-o como cavaleiro andante por todos os dias que ficasse com eles, com todas as cerimônias habituais vistas nos livros de cavalaria, que haviam lido e a que ainda eram muito aficionados.

Chegou então dom Quixote, a viseira levantada. Como desse sinais de que ia apear, Sancho correu para lhe segurar o estribo, mas foi tão desastrado que, ao descer do burro, enroscou um pé numa corda da albarda de tal modo que não foi possível se desenredar, ficando pendurado por ele, com a cara e o peito no chão. Dom Quixote, que não tinha o costume de apear sem que lhe segurassem o estribo, pensando que Sancho já havia chegado e o segurava, descarregou de repente o corpo e levou junto a sela de Rocinante, que devia estar com a cincha frouxa. Assim, a sela e ele caíram por terra, não sem vergonha e muitas pragas entre dentes contra Sancho, que ainda tinha o pé embaraçado na corda.

O duque mandou seus caçadores ajudarem o cavaleiro e o escudeiro. Eles levantaram dom Quixote, que, maltratado pela queda, rengueando um pouco, foi como pôde se ajoelhar diante dos dois senhores. Mas o duque não consentiu isso de forma alguma; pelo contrário, apeando do cavalo, foi abraçar dom Quixote, dizendo-lhe:

— Com pesar vejo, senhor Cavaleiro da Triste Figura, que a primeira figura que vossa mercê fez em minha terra tenha sido tão triste, mas descuidos de escudeiros costumam ser causa de piores males.

— O que foi a causa de vos conhecer, valoroso senhor — respondeu dom Quixote —, não pode ser um mal, mesmo que minha queda não parasse até os quintos dos infernos, pois dali me levantaria e me arrancaria a glória de vos ter conhecido. Meu escudeiro, que Deus o castigue, melhor desata a língua para dizer malícias que aperta e ata a cincha de uma sela para que fique firme. Mas, esteja eu como estiver, prostrado ou ereto, a pé ou a cavalo, sempre estarei a vosso serviço e ao serviço de minha senhora a duquesa, digna consorte vossa e digna senhora da formosura e universal princesa da cortesia.

— Vamos com calma, senhor dom Quixote de la Mancha! — disse o duque —, pois onde está minha senhora dona Dulcineia del Toboso não há razão para que se louvem outras formosuras.

A essas alturas Sancho Pança já se livrara da corda e, como estava por perto, antes que seu amo respondesse, disse:

— Não se pode negar nem denegar que minha senhora Dulcineia del Toboso é muito formosa, mas a lebre salta onde a gente menos espera, pois eu ouvi dizer que isso que chamam de natureza é como um oleiro que faz canecos de barro: aquele que faz um caneco formoso também pode fazer dois ou três ou cem. Digo isso porque juro que minha senhora, a duquesa, não fica atrás de minha ama, a senhora Dulcineia del Toboso.

Dom Quixote se virou para a duquesa e disse:

— Vossa grandeza imagine que não houve no mundo cavaleiro andante com escudeiro mais linguarudo nem mais gracioso do que eu tenho; e ele demonstrará que digo a verdade se vossa nobre excelsitude desejar servir-se de mim alguns dias.

Ao que a duquesa respondeu:

— Que Sancho, o bom, seja gracioso me agrada muito, porque é sinal de que é atilado, pois as pilhérias e os gracejos, meu caro dom Quixote, como vossa mercê bem sabe, não assentam em espíritos obtusos. Como o bom Sancho é cheio de pilhérias e gracejos, desde já o tomo por atilado.

— E falador — acrescentou dom Quixote.

— Tanto melhor — disse o duque —, porque muitos gracejos não podem ser ditos com poucas palavras. Mas, para que não se vá nosso tempo nelas, venha o grande Cavaleiro da Triste Figura...

— "Dos Leões" vossa alteza deve dizer — disse Sancho —, pois já não há mais triste figura nem figurão.

— Que seja dos Leões — prosseguiu o duque. — Repito, então, que venha o senhor Cavaleiro dos Leões a um castelo que tenho perto daqui, onde terá a recepção devida a tão nobre pessoa, coisa que eu e a duquesa costumamos fazer a todos os cavaleiros andantes que a ele chegam.

Nesse meio-tempo, Sancho já havia ajeitado a sela e apertado bem a cincha; montando dom Quixote em Rocinante e o duque num belo cavalo, puseram a duquesa entre eles e se encaminharam para o castelo. A duquesa mandou que Sancho ficasse perto dela, porque gostava imensamente de ouvir seus ditos espirituosos. Sancho não se fez de rogado, meteu-se entre os três e entrou na conversa, o quarto mas não o último, para grande prazer da duquesa e do duque, que consideraram uma enorme sorte acolher em seu castelo tal cavaleiro andante e tal escudeiro andado.

XXXI

QUE TRATA DE MUITAS E GRANDES COISAS

Era extrema a alegria que Sancho sentia ao se ver, em sua opinião, tão íntimo da duquesa, porque imaginava que havia de encontrar em seu castelo o que encontrara na casa de dom Diego e na de Basílio. Sempre um aficionado pela boa vida, agarrava a oportunidade pelos cabelos toda vez que ela se oferecia.

A história conta, portanto, que, antes de chegarem à casa de campo ou castelo, o duque se adiantou e deu ordens a seus criados sobre como deviam tratar dom Quixote. Quando o cavaleiro chegou com a duquesa às portas do castelo, no mesmo instante surgiram dois lacaios ou cavalariços vestidos até os pés com umas roupas que chamam de roupão, de finíssimo cetim púrpura, e, tomando dom Quixote nos braços antes que ele se desse conta, lhe disseram:

— Vá vossa grandeza apear minha senhora, a duquesa.

Dom Quixote o fez, e houve então grande troca de cortesias entre os dois, mas na verdade a duquesa venceu a teima e não quis desmontar do palafrém a não ser nos braços do duque, dizendo que não se considerava digna de dar tão inútil trabalho a tão grande cavaleiro. Por fim o duque veio apeá-la. Ao entrarem num grande pátio, chegaram duas formosas donzelas e lançaram sobre os ombros de dom Quixote um manto de escarlate finíssimo, e num instante todas as varandas do pátio se encheram de criados e criadas daqueles senhores, dizendo em grandes brados:

— Seja bem-vindo a flor e a nata dos cavaleiros andantes!

E todos ou a maioria derramaram frascos de água perfumada sobre dom Quixote e sobre os duques, do que dom Quixote muito se admirava. E aquele foi o primeiro dia em que realmente esteve convencido de que era um cavaleiro andante de verdade, não a fantasia de um, ao se ver tratar do mesmo modo que tratavam os ditos cavaleiros nos séculos passados, como havia lido.

Sancho, abandonando o burro, se colou na duquesa e entrou no castelo; mas, remoendo a consciência por ter deixado o bicho sozinho, se aproximou de uma ama venerável, que tinha vindo receber a duquesa com outras criadas, e lhe disse em voz baixa:

— Senhora González, ou seja lá como for a graça de vossa mercê...

— Eu me chamo dona Rodríguez de Grijalba — respondeu a ama. — Que é que mandais, irmão?

Ao que Sancho respondeu:

— Queria que a senhora me fizesse a mercê de ir até a entrada do castelo, onde encontrará meu burro, um ruço: pode vossa mercê levá-lo ou mandar levá-lo à cavalariça, porque o pobrezinho é um tanto medroso e não gostará de jeito nenhum de ficar sozinho?

— Se o amo for tão ladino como o criado — respondeu a ama —, estamos bem arrumadas! Andai, meu irmão, que um raio vos parta ou a pessoa que vos trouxe, e tomai conta de vosso jumento, que as amas desta casa não estamos acostumadas a semelhantes serviços.

— Ora, ora — respondeu Sancho —, bem que ouvi meu senhor, que é o rei das histórias, contando aquela de Lancelot,

quando veio da Bretanha,
damas tratavam dele,
e amas de seu pangaré,

mas, cá para nós, em se tratando de meu burro, de jeito nenhum eu o trocaria pelo pangaré do senhor Lancelot.

— Meu irmão, se sois bufão — replicou a ama —, guardai vossas graças para quem gosta delas e vos pague, que de mim só podereis receber uma figa.

— Figa ou figo — respondeu Sancho —, estará caindo de madura, mesmo que seja mais nova que vossa mercê.

— Filho da puta — disse a ama, pegando fogo de raiva —, se eu sou velha ou não, a Deus prestarei contas, não a vós, velhaco empanturrado de alho.

E disse isso em voz tão alta que a duquesa ouviu e, virando-se e vendo a ama tão agitada e com os olhos inflamados, perguntou com quem brigava.

— Com este bom homem aqui — respondeu a ama —, que me pediu encarecidamente que vá levar à cavalariça um burro dele que está na entrada do castelo, dizendo-me que assim fizeram umas damas que cuidaram de um tal de Lancelot e umas criadas do pangaré dele. Além do mais, para coroar a coisa, chamou-me de velha.

— Isso sim eu tomaria por ofensa — respondeu a duquesa —, mais que qualquer outra.

E, para Sancho, disse:

— Reparai, meu amigo Sancho, que dona Rodríguez é muito moça e usa aquelas toucas mais por costume e devido a sua autoridade que por velhice.

— Que a minha seja desgraçada — respondeu Sancho — se quis ofender: só falei porque é tão grande o carinho que tenho por meu jumento que me pareceu que não poderia encomendá-lo a pessoa mais caritativa que à senhora dona Rodríguez.

Dom Quixote, que ouvia tudo, disse a ele:

— Que conversas são estas, Sancho, neste lugar?

— Senhor — respondeu Sancho —, cada um deve falar de suas coisas onde quer que esteja: aqui me lembrei de meu burro e aqui falei dele; se me lembrasse na cavalariça, lá falaria.

Então o duque interveio:

— Sancho tem toda a razão, não há motivo para culpá-lo. A ração do burro será o que ele pediu a Deus: não se preocupe, Sancho, que vão tratá-lo como a sua própria pessoa.

Depois dessa conversa, agradável para todos menos para dom Quixote, chegaram ao alto da escada e levaram o cavaleiro a uma sala adornada com brocados e sedas bordadas com ouro. Seis aias tiraram a armadura dele e serviram de pajens, todas instruídas e avisadas pelo duque e pela duquesa sobre o que haviam de fazer e de como deviam tratar dom Quixote para que visse e pensasse que o tratavam como cavaleiro andante. Dom Quixote, sem a armadura, ficou em seus calções apertados e em seu gibão de camurça, seco, alto, teso, as bochechas tão chupadas que se beijavam por dentro: figura que teria feito as aias arrebentar de riso, se não tratassem de dissimular, o que foi justamente uma das ordens que seus senhores haviam dado.

Pediram-lhe que se deixasse despir para lhe vestirem uma camisa, mas ele não consentiu de jeito nenhum, dizendo que o recato parecia tão bom nos cavaleiros como a valentia. Disse porém que dessem a camisa a Sancho e, trancando-se com ele num quarto onde havia um lindo leito, se despiu e vestiu a camisa. A sós com Sancho, disse:

— Diz-me, bufão de hoje e bobo de ontem: parece-te bem insultar uma ama tão venerável e tão digna de respeito como dona Rodríguez? Que hora era aquela para te lembrares do burro? Que duque e duquesa são esses para deixar maltratar os animais, quando tratam tão elegantemente a seus donos? Pelo amor de Deus, Sancho, comporta-te, e não te mostres muito, para que não se deem conta de que és feito de estopa camponesa. Olha, pecador miserável, tanto mais é considerado o senhor quanto mais honrados e bem-nascidos são seus criados, e que uma das maiores vantagens que os príncipes levam sobre os demais homens é que se servem de criados tão nobres quanto eles.[1] Pobre de mim, não percebes, desgraçado, que se veem que tu és um camponês grosseiro ou um mentecapto gracejador, pensarão que eu sou algum charlatão ou embusteiro? Não, não, meu amigo Sancho: foge, foge desses inconvenientes, pois quem anda tagarela e gracioso no primeiro tropeço cai feito bufão sem graça. Trava a língua, mede e rumina as palavras antes que te saiam da boca, e repara que, com a ajuda de Deus e o valor de meu braço, chegamos aonde haveremos de sair enriquecidos como nunca em fama e bens.

Sancho prometeu com toda sinceridade fechar a boca ou morder a língua antes de falar uma palavra que não fosse muito apropriada e bem pesada, como ele ordenava, e que não se preocupasse mais com isso, que por ele nunca descobririam quem eles eram.

Dom Quixote se vestiu, pôs seu talim com a espada, jogou nas costas o manto de escarlate e meteu um gorro de cetim verde que as aias lhe deram. Com esses adornos, foi para a sala grande, onde encontrou as aias em duas filas, o mesmo número de um lado como do outro, todas com os acessórios para que ele lavasse as mãos, o que foi feito com muitas reverências cerimoniosas.

Depois chegaram doze pajens, com o mordomo, para levá-lo para jantar, pois os anfitriões já o aguardavam. Os pajens o rodearam e, com pompa e majestade, o levaram à outra sala, onde estava posta uma linda mesa para apenas quatro pessoas. A duquesa e o duque foram até a porta da sala recebê-lo, acompanhados por um eclesiástico muito circunspecto, desses que governam as casas dos nobres — desses que, como não nasceram nobres, não conseguem ensinar como devem ser os que o são; desses que querem que a grandeza dos grandes seja medida pela estreiteza de suas almas; desses que, querendo mostrar aos que eles governam como ser comedidos, fazem-nos miseráveis. Desses, enfim, digo que devia ser o circunspecto religioso que foi com os duques receber dom Quixote. Fizeram mil cumprimentos corteses e, então, ladeando dom Quixote, foram se sentar à mesa.

O duque convidou dom Quixote a ocupar a cabeceira da mesa; ele recusou, mas a insistência do duque foi tanta que teve de ceder. O religioso se sentou a sua frente, e o duque e a duquesa, aos lados.

Sancho assistia a tudo, pasmo de admiração com a honra que aqueles nobres faziam a seu senhor; depois de ver todas aquelas formalidades e súplicas entre o duque e dom Quixote, para fazê-lo sentar à cabeceira da mesa, disse:

— Se vossas mercês me dão licença, contarei uma história que aconteceu em meu povoado sobre esse negócio de se sentar.

Mal Sancho disse isso, dom Quixote tremeu, acreditando sem dúvida alguma que havia de dizer alguma asneira. Sancho olhou-o e, entendendo tudo, disse:

— Não se preocupe, meu senhor, que não vou perder as estribeiras nem dizer coisas que não caiam bem, pois não me esqueci dos conselhos que vossa mercê me deu sobre falar muito ou pouco, bem ou mal.

— Eu não me lembro de nada, Sancho — respondeu dom Quixote. — Diz o que quiseres, mas diz logo.

— Bem, o que eu gostaria de dizer — disse Sancho — é tão verdadeiro que meu senhor dom Quixote, que está presente, não me deixará mentir.

— Por mim, Sancho — replicou dom Quixote —, podes mentir à vontade, que eu não vou te pegar pela palavra, mas vê o que vai dizer.

— Tenho tão visto e revisto que já estou vesgo.

— Seria melhor — disse dom Quixote — que vossas

grandezas mandassem tirar daqui este tolo, que dirá mil despropósitos.

— Pela vida do duque — disse a duquesa —, não vão afastar Sancho de mim nem um instante: gosto muito dele, porque sei que é homem brilhante.

— Brilhantes dias viva Vossa Santidade pelo bom conceito que tem de mim — disse Sancho —, embora eu não o mereça. E a história que gostaria de contar é esta: um fidalgo de meu povoado, muito rico e importante, porque vinha dos Álamos de Medina del Campo, que casou com dona Mencía de Quiñones, que era filha de dom Alonso de Marañon, Cavaleiro da Ordem de Santiago, que se afogou no desastre da Herradura,[2] por causa de quem houve aquela pendência há anos em nossa aldeia, em que, pelo que sei, o senhor dom Quixote estava envolvido, de onde saiu ferido Tomasillo, o Travesso, filho de Balbastro, o Ferreiro... Não é verdade isso tudo, senhor nosso amo? Diga-o por sua vida, para que estes senhores não me tenham por um tagarela mentiroso.

— Até agora — disse o religioso — eu o tenho mais por tagarela que por mentiroso, mas daqui por diante não sei pelo que o terei.

— Tu dás tantos testemunhos, Sancho, e tantos detalhes, que não posso deixar de dizer que deves dizer a verdade. Vai em frente e encurta a história, porque levas jeito de não acabar em dois dias.

— Não, não deve encurtá-la — disse a duquesa —, se quer me agradar. Pelo contrário, deve contar da maneira que sabe, mesmo que não acabe em seis dias, pois, se forem tantos, serão para mim os melhores que passei em minha vida.

— Como ia dizendo, meus senhores — prosseguiu Sancho —, esse tal fidalgo, que eu conheço como as palmas de minhas mãos, porque minha casa fica a menos de um tiro de balestra da dele, convidou um camponês pobre mas honrado...

— Adiante, irmão — disse o religioso nessas alturas —, pois levais jeito de que não vais acabar até o fim do mundo.

— Acabarei bem antes disso, se Deus quiser — respondeu Sancho. — Bem, digo que quando o camponês chegou à casa do dito fidalgo convidador, que bom pouso tenha sua alma, pois já está morto, e pelo que dizem morreu como um anjo, pois eu não estava presente, porque havia ido naquele tempo para a ceifa em Tembleque...

— Por nossas vidas, meu filho, voltai logo de Tembleque, e acabai vossa história sem enterrar o fidalgo, se não quiserdes celebrar novos funerais aqui mesmo.

— Bem — replicou Sancho —, o caso foi que, estando os dois para se sentar à mesa... ah, até parece que os vejo agora, melhor que nunca...

Os duques se divertiam muito com o desgosto que causavam no bom religioso as pausas e digressões com que Sancho contava sua história, e dom Quixote se consumia em cólera e raiva.

— Mas, como ia dizendo — disse Sancho —, estando os dois para se sentar à mesa, o camponês teimava com o fidalgo para que sentasse à cabeceira, e o fidalgo teimava também para que o camponês sentasse à cabeceira, porque em sua casa devia se fazer as coisas como ele mandava. Mas o camponês, que se achava cortês e bem-educado, jamais quis, até que o fidalgo, melindrado, botou ambas as mãos sobre os ombros dele e o fez sentar a força, dizendo: "Sentai-vos, sua besta, que onde quer que eu me sente será vossa cabeceira". Esta é a história, e, pensando bem, não acho que a contei fora de propósito.

Dom Quixote ficou de mil cores, que se mostravam matizando o moreno da pele. Os duques dissimularam o riso, para que dom Quixote não acabasse de se envergonhar de vez, tendo entendido a malícia de Sancho; e, para mudar de conversa e fazer com que Sancho não prosseguisse com outros disparates, a duquesa perguntou a dom Quixote que notícias tinha da senhora Dulcineia e se havia lhe enviado por aqueles dias alguns presentes de gigantes ou vilões, pois não podia ter deixado de vencer muitos. Ao que o cavaleiro respondeu:

— Cara senhora, minhas desgraças, embora tenham tido princípio, nunca terão fim. Venci gigantes e enviei velhacos e vilões a ela, mas onde haveriam de encontrá-la, se está encantada e transformada na mais feia camponesa que se possa imaginar?

— Não sei — disse Sancho —, a mim parece a mais formosa criatura do mundo. Bem sei que, pelo menos na rapidez e no saltar, nem um saltimbanco leva vantagem sobre ela. Juro, senhora duquesa, ela salta do chão para cima da burrinha como se fosse um gato.

— Então a viste encantada, Sancho? — perguntou o duque.

— E como a vi! — respondeu Sancho. — Com os diabos, não fui eu quem primeiro se deu conta do encantatório? Está tão encantada como meu pai!

O religioso, que ouviu falar de gigantes, vilões e encantamentos, por fim compreendeu que aquele devia ser dom Quixote de la Mancha, cuja história o duque tinha o costume de ler, e ele o tinha repreendido muitas vezes, dizendo que era absurdo ler tais absurdos; e, percebendo ser verdade o que suspeitava, muito encolerizado, falando com o duque, disse:

— Meu senhor, vossa excelência tem de prestar contas a Nosso Senhor do que este bom homem faz. Este dom Quixote, ou dom Parvo, ou sei lá como se chama, não deve ser tão mentecapto como vossa excelência quer que seja, dando-lhe oportunidade de levar adiante suas loucuras e imbecilidades.

E, virando-se para dom Quixote, disse:

— E a vós, alma de querubim, quem vos encasquetou no cérebro que sois cavaleiro andante e que venceis gigantes e prendeis vilões? Para vosso bem, ide embora, antes que vos diga: "Regressai para vossa casa e criai vossos filhos, se os tendes, e cuidai de vossas posses, e deixai de andar vagando pelo mundo, comendo mosca e sendo motivo de riso a quantos vos conhecem e não conhecem". Santo Deus, em que má hora pensastes que houve ou há cavaleiros andantes? Onde há gigantes na Espanha, ou vilões na Mancha, ou Dulcineias encantadas, ou esse monte todo de tolices que se comenta sobre vós?

Dom Quixote esteve atento a todas as palavras daquele venerável senhor e, vendo que já se calava, sem manter o devido respeito pelos duques, com expressão irritada e o rosto alterado, ficou de pé e disse...

Mas esta resposta merece um capítulo novo.

XXXII

DA RESPOSTA QUE DOM QUIXOTE DEU A SEU CRÍTICO, COM OUTROS ACONTECIMENTOS SÉRIOS E DIVERTIDOS

De pé, tremendo de cima a baixo como vara verde, com língua precipitada e confusa, dom Quixote disse:

— O lugar onde estou, a presença ante quem me encontro e o respeito que sempre tive e tenho pela fé que vossa mercê professa detêm e atam as mãos de minha ira mais que justa. Então, tanto por isso como por saber que todos sabem que as armas dos letrados são as mesmas que as da mulher, que são a língua, entrarei com a minha em igual batalha com vossa mercê, de quem devia se esperar antes bons conselhos que vitupérios infames.

"As repreensões piedosas e bem-intencionadas requerem outras circunstâncias e pedem outros argumentos: pelo menos, o fato de ter me repreendido em público e tão asperamente ultrapassou todos os limites da boa repreensão, pois elas antes assentam melhor sobre a brandura que sobre a aspereza, e não fica bem, sem ter conhecimento do pecado que se censura, chamar o pecador sem mais nem menos de mentecapto e parvo. Se não, diga-me vossa mercê por qual das tolices que viu em mim me condena, insulta e me manda para casa cuidar de minhas coisas, de minha mulher e de meus filhos, sem saber se a tenho ou os tenho. Então não há mais o que fazer que entrar atabalhoadamente pelas casas alheias para governar seus donos? Não há mais que, tendo alguns dos que fazem isso se criado na mesquinharia de algum seminário, sem ter visto mais do mundo que o que pode haver em vinte ou trinta léguas do município, se meter de roldão a impor leis à cavalaria e a julgar os cavaleiros andantes?

"Por acaso é coisa inútil ou é tempo mal-empregado o que se gasta em vagar pelo mundo, não buscando os prazeres dele, mas as asperezas por onde os virtuosos sobem ao repouso da imortalidade? Se me tivessem por tolo os cavaleiros, os magníficos, os generosos, os nobres de nascimento, eu consideraria uma afronta irreparável; mas que me tenham por doido os letrados, que nunca entraram nem pisaram as trilhas da cavalaria, não me importa um ovo podre: sou cavaleiro e cavaleiro hei de morrer, se o Altíssimo assim quiser.

"Uns vão pelo longo campo da ambição soberba, outros pelo da adulação servil e baixa, outros pelo da hipocrisia enganosa e alguns pelo da verdadeira religião. Mas eu, guiado por minha estrela, vou pela trilha estreita da cavalaria andante, por cujo exercício desprezo as posses, mas não a honra. Reparei afrontas, desfiz injustiças, castiguei insolências, venci gigantes e derrubei monstros; sou apaixonado, apenas porque é forçoso que os cavaleiros andantes o sejam, e, sendo-o, não sou dos apaixonados viciosos, mas dos puros e platônicos. Sempre dirijo minhas intenções a bons fins, que são fazer o bem a todos e mal a ninguém: se quem entende isso, se quem isso faz, se quem disso trata merece ser chamado de tolo, digam-no vossas grandezas, meus excelentes duques e duquesa."

— Chega, por Deus! — disse Sancho. — Não diga mais nada em sua defesa, porque não há mais o que dizer, nem mais o que pensar, nem mais o que perseverar no mundo. E, como este senhor nega, como negou, que tenham existido ou existam cavaleiros andantes, não admira que não saiba nada das coisas que falou.

— Por acaso — disse o eclesiástico —, sois vós, irmão, aquele Sancho Pança a quem, dizem, vosso amo prometeu uma ilha?

— Sou eu mesmo — respondeu Sancho —, aquele que a merece tanto quanto qualquer outro. Sou dos que se juntam aos bons para ser um deles; sou dos que acham que não importa a casta, mas com quem se pasta; sou dos que se escoram em boas árvores em busca de boa sombra. Eu me escorei em meu bom senhor e há muitos meses ando em sua companhia; se Deus quiser, serei como ele. E viva ele e viva eu, pois nem a ele faltarão impérios em que mandar, nem a mim ilhas para governar.

— Não, com certeza, meu amigo Sancho — disse o duque nessas alturas —, pois eu, em nome do senhor dom Quixote, vos entrego o governo de uma ilha que está vaga agora, e não é de pouca importância.

— Ajoelha-te, Sancho — disse dom Quixote —, e beija os pés de Sua Excelência pela mercê que te fez.

Assim fez Sancho. O religioso, vendo isso, se levantou da mesa amolado demais, dizendo:

— Pela batina que uso, estou para dizer que vossa excelência é tão insano como estes pecadores. Vede se não hão de ser loucos, se os saudáveis aprovam suas loucuras! Ficai vossa excelência com eles, pois, enquanto estiverem em vossa casa, eu estarei na minha, e estarei livre de censurar o que não posso remediar.

E, sem comer nem dizer mais nada, foi embora, sem que pudessem detê-lo as súplicas dos duques, embora o duque não tenha dito grande coisa, impedido pelo riso que a cólera impertinente dele havia lhe causado; então, quando acabou de rir, disse a dom Quixote:

— Vossa mercê, senhor Cavaleiro dos Leões, respondeu por si mesmo tão nobremente que não resta nada por sanar deste que, embora pareça um insulto, não o é de maneira nenhuma, porque assim como as mulheres não insultam, não insultam os religiosos, como vossa mercê sabe melhor que eu.

— É verdade — respondeu dom Quixote —, porque quem não pode ser ofendido não pode ofender ninguém.

Como as mulheres, as crianças e os eclesiásticos não podem se defender mesmo que sejam ofendidos, não podem ser humilhados. Pois entre a ofensa e a humilhação há esta diferença, como vossa excelência bem sabe: a humilhação vem da parte de quem a pode fazer e a faz e a sustenta; a ofensa pode vir de qualquer parte, sem que humilhe. Por exemplo, o sujeito está despreocupado na rua; chegam dez homens e o desancam a pau; ele empunha a espada e cumpre com seu dever, mas a multidão dos adversários resiste e não o deixa realizar sua intenção, que é se vingar; esse sujeito foi ofendido, mas não humilhado.

"Outro exemplo confirmará a mesma coisa: o sujeito está de costas; chega outro e o ataca a pauladas, depois foge e não espera, e o atacado o segue mas não o alcança; esse que recebeu as pauladas foi ofendido, mas não humilhado, porque a humilhação deve ser sustentada. Se o que deu as pauladas, mesmo que as tenha dado às escondidas, empunhasse a espada e esperasse quieto, encarando seu inimigo, o espancado ficaria ofendido e humilhado ao mesmo tempo: ofendido, porque lhe bateram à traição; humilhado porque o que bateu sustentou o que havia feito, sem dar as costas e fugir com pés de lã. Então, conforme as leis do excomungado duelo,[1] eu posso ser ofendido, mas não humilhado, porque as crianças e as mulheres não sentem essas questões de honra, nem podem fugir, nem têm por que esperar, e a mesma coisa acontece com os engajados na religião sagrada, porque esses três gêneros de gente carecem de armas ofensivas e defensivas; assim, embora naturalmente tenham obrigação de se defender, não a têm de atacar ninguém. E embora há pouco eu tenha dito que podia estar humilhado, agora digo que não, de jeito nenhum, porque quem não pode ser humilhado menos ainda pode humilhar. Por isso não devo sentir nem sinto as acusações que aquele bom homem me fez: gostaria apenas que esperasse um pouco, para levá-lo a entender o erro em que está em pensar e dizer que não houve, nem há, cavaleiros andantes no mundo. Pois se Amadis o ouvisse, ou um dos enumeráveis cavaleiros de sua linhagem, eu sei que sua mercê não se sairia bem."

— Isso eu juro de pés juntos: teriam lhe dado uma espadada que o abriria de cima a baixo como uma romã ou um melão bem maduro — disse Sancho. — Ora se iam aguentar essas amolações! Minha nossa, tenho certeza de que, se Reinaldos de Montalbán tivesse ouvido essas palavras do homenzinho, teria lhe dado tal bofetão que ele não falaria mais por três anos. Ora, ora, que se metesse com eles para ver se escapava de suas mãos!

A duquesa morria de rir ouvindo Sancho falar e em sua opinião ele era mais engraçado e mais louco que seu amo, e foram muitos naquele tempo os que concordavam com ela. Finalmente, dom Quixote se acalmou, e a refeição acabou. E, tirada a mesa, chegaram quatro aias, uma com uma bacia de prata e a outra com uma jarra também de prata, a terceira com duas toalhas lindas e branquíssimas no ombro, e a quarta, com os braços nus até a metade, trazia nas mãos muito brancas — pois sem dúvida eram brancas — um sabonete napolitano.[2] A primeira aia se aproximou e, com graça e desenvoltura, encaixou a bacia embaixo das barbas de dom Quixote, que, sem dizer uma palavra, admirado com semelhante cerimônia, acreditando que devia ser costume daquela terra lavar as barbas em vez das mãos, esticou as suas o quanto pôde. No mesmo instante começou a chover da jarra, e a aia do sabonete manuseou as barbas dele com muita pressa, formando flocos de neve — pois as espumas não eram menos brancas — não só pelas barbas, mas por todo o rosto e pelos olhos do obediente cavaleiro, que foi obrigado a fechá-los. O duque e a duquesa, que não tinham conhecimento de nada, estavam esperando para ver onde ia parar tão extraordinária lavação. A aia barbeira, quando teve o cavaleiro com um palmo de espuma na cara, fingiu que havia acabado a água e mandou a da jarra buscar mais, que o senhor dom Quixote esperaria. Assim foi feito, e ali ficou dom Quixote com a mais estranha das aparências e a mais risível que se podia imaginar.

Todos os presentes, que eram muitos, olhavam-no — e como o viam com um palmo e pouco de pescoço, mais que medianamente moreno, os olhos fechados e as barbas cheias de espuma, foi um verdadeiro milagre e um tremendo esforço de discrição dissimular o riso. As aias da brincadeira mantinham os olhos baixos, sem ousar olhar seus amos, que, com a cólera e o riso entreverados dentro deles, não sabiam o que fazer, se castigar o atrevimento das moças ou lhes premiar pelo prazer que lhes proporcionava ver dom Quixote daquele jeito. Por fim, a donzela da jarra voltou, e acabaram de lavar dom Quixote. Então, logo que a aia que trazia as toalhas o enxugou muito calmamente, todas quatro, lado a lado, fizeram uma grande, profunda e reverente inclinação. Elas queriam ir embora, mas o duque, para que dom Quixote não se desse conta da zombaria, chamou a aia da bacia, dizendo-lhe:

— Vinde me lavar também e cuidai para que não vos acabe a água.

Ladina e diligente, a moça se aproximou e botou a bacia diante do duque como tinha feito com dom Quixote. Apressando-se, ensaboaram-no e o lavaram muito bem, deixando-o limpo e enxuto, e foram embora fazendo reverências. Depois se soube que o duque havia jurado que, se elas não o lavassem como a dom Quixote, ele ia castigar seu descaramento, que emendaram manhosamente ao ensaboá-lo.

Sancho prestava atenção às cerimônias de lavação e murmurou para si mesmo:

— Que Deus me ajude! Será que também é costume nesta terra lavar as barbas dos escudeiros? Do fundo do coração tenho de admitir que estou bem necessitado. Na verdade, se me raspassem as barbas a navalha, eu acharia melhor.

— Que dizes, Sancho? — perguntou a duquesa.

— Minha senhora — respondeu ele —, sempre ouvi dizer que nas cortes de outros nobres, depois que se tira a mesa, se lavam as mãos, nunca que ensaboam as barbas. Por isso é bom viver muito, para ver muito; embora também digam que "quem vive vida longa muitos males vai passar",[3] mesmo que passar por um lavatório desses seja antes um prazer que uma miséria.

— Não vos aflijais, meu amigo Sancho — disse a duquesa —, que eu mandarei minhas aias vos lavar, e até vos botarem de molho em água sanitária, se for o caso.

— Com as barbas me contento — respondeu Sancho —, por ora pelo menos, pois o futuro a Deus pertence.

— Vede, mordomo — disse a duquesa —, o que o bom Sancho pediu, e cumpri sua vontade ao pé da letra.

O mordomo respondeu que o senhor Sancho seria atendido em tudo e foi comer, levando Sancho consigo. Ficaram à mesa os duques e dom Quixote, falando das mais diversas coisas, mas todas relacionadas ao exercício das armas e da cavalaria andante.

A duquesa suplicou a dom Quixote, pois parecia que tinha excelente memória, que delineasse e descrevesse a formosura e as feições da senhora Dulcineia del Toboso, porque, conforme o que a fama apregoava de sua beleza, tinha entendido que devia ser a mais bela criatura do orbe, e de toda a Mancha ainda por cima. Dom Quixote suspirou, ao ouvir o que a duquesa lhe ordenava, e disse:

— Se eu pudesse arrancar meu coração e pô-lo diante dos olhos de vossa grandeza, aqui sobre esta mesa e num prato, pouparia o trabalho a minha língua de dizer o que apenas se pode pensar, para que vossa excelência visse Dulcineia retratada por inteiro nele. Mas por que vou me pôr agora a delinear e descrever tintim por tintim e parte por parte a formosura da inigualável Dulcineia, sendo carga digna de outros ombros que não os meus, empresa em que deviam se ocupar os pincéis de Parnaso, de Timantes e de Apeles, e os buris de Lisipo,[4] para pintá-la e gravá-la em tábuas, em mármore e em bronzes, e a retórica ciceroniana e demostênica para louvá-la?

— Que quer dizer "demostênica", senhor dom Quixote? — perguntou a duquesa. — Pois nunca ouvi essa palavra em toda a minha vida.

— Retórica demostênica — respondeu dom Quixote — é o mesmo que dizer retórica de Demóstenes, como ciceroniana, de Cícero, que foram os dois maiores retóricos do mundo.

— Sim, é isso — disse o duque —, e andastes meio desatinada com tal pergunta. Mas, enfim, senhor dom Quixote, o senhor nos daria grande prazer se nos pintasse sua dama, pois com certeza, mesmo que nos deis apenas um esboço, há de sair tal que faria inveja às mais formosas.

— Sim, faria, com certeza — respondeu dom Quixote —, se ela não tivesse sido apagada de minha mente pela desgraça que há pouco lhe aconteceu, que foi tamanha que estou mais para chorá-la que para descrevê-la. Porque vossas grandezas devem saber que indo, dias atrás, beijar as mãos dela e receber sua bênção, beneplácito e licença para esta terceira saída, encontrei outra muito diferente da que buscava: encontrei-a encantada e convertida de princesa em camponesa, de formosa em feia, de anjo em demônio, de perfumada em fedorenta, de bem-educada em ignorante, de plácida em moleque pulador, de luz em trevas. Em suma, de Dulcineia del Toboso num bicho do mato.

— Valha-me Deus! — disse nesse instante o duque com um grande brado. — Quem poderá ter feito tanto mal ao mundo? Quem o privou da beleza que o alegrava, da graça que o entretinha e do recato que o honrava?

— Quem? — respondeu dom Quixote. — Quem pode ser senão algum mago perverso dos muitos invejosos que me perseguem? Essa raça maldita, nascida no mundo para obscurecer e aniquilar as façanhas dos bons e para iluminar e exaltar os feitos dos maus. Magos me perseguiram, magos me perseguem e magos me perseguirão até dar comigo e com minha nobre cavalaria no profundo abismo do esquecimento, e me atacam e me ferem naquela parte que veem que mais sinto; porque tirar a dama de um cavaleiro andante é tirar os olhos com que ele olha, o sol com que se ilumina e o alimento com que se mantém. Disse muitas outras vezes e volto a repetir agora: o cavaleiro andante sem dama é como a árvore sem folhas, a casa sem alicerce e a sombra sem o corpo que a produz.

— Não há mais o que dizer — disse a duquesa. — Mas, mesmo assim, se formos dar crédito à história de dom Quixote que apareceu há poucos dias, com aplauso geral de todos, dela se conclui, se bem me lembro, que vossa mercê nunca viu a senhora Dulcineia, e que essa senhora não existe no mundo, que é apenas uma criatura da fantasia, que vossa mercê concebeu e pariu em sua imaginação, e a pintou com todas as graças e perfeições que quis.

— Sobre isso há muito que dizer — respondeu dom Quixote. — Deus sabe se há ou não Dulcineia no mundo, ou se é ou não é uma criatura da fantasia, sem falar que essas coisas não são das que se averiguam até o fim. Não, eu não concebi nem pari minha senhora, porque a vejo como convém que seja uma dama que contém em si todas as qualidades que possam fazê-la formosa em qualquer parte do mundo, que são: bela sem mácula, grave sem ser soberba, amorosa com recato, agradecida por cortesia, cortês por bem-educada e, por fim, nobre por linhagem, porque sobre o sangue azul resplandece e campeia a formosura com maior grau de perfeição que nas formosas de nascimento humilde.

— É verdade — disse o duque —, mas o senhor dom Quixote há de me dar licença para que diga o que me força a dizer a história que li de suas façanhas, de onde se deduz que, mesmo que se conceda que existe uma Dulcineia em El Toboso, ou fora dele, e que seja formosa no grau extremo que vossa mercê a pintou para nós, no quesito da nobreza de linhagem não corre parelha com as Orianas, com as Alastrajareas, com as Madásimas nem com outras desse jaez, de que estão cheias as histórias que vossa mercê conhece muito bem.

— Sobre isso posso dizer que Dulcineia é filha de suas obras — respondeu dom Quixote —, e que as virtudes melhoram o sangue, e que se deve ter mais estima e consideração por um humilde virtuoso que por um aristocrata vicioso. Mas além disso Dulcineia tem uma qualidade que pode levá-la a ser rainha com coroa e cetro, porque os méritos de uma mulher formosa e virtuosa podem levá-la a fazer maiores milagres, e, embora não formalmente, virtualmente encerra em si as maiores venturas.

— Vejo, senhor dom Quixote — disse a duquesa —, que em tudo quanto vossa mercê diz vai pé ante pé e, como costuma se dizer, com a sonda na mão. Daqui por diante, eu acreditarei e farei com que acreditem todos os de minha casa, e também o duque, meu esposo, se for necessário, que existe uma Dulcineia em El Toboso e que vive nos dias de hoje, é formosa e nobre de nascimento e merecedora de que um cavaleiro como o senhor dom Quixote a sirva, que é o maior elogio que posso ou sei fazer. Mas não posso deixar de ter um escrúpulo e um não sei quê de aversão contra Sancho Pança: minha dúvida é que a referida história afirma que o dito Sancho Pança encontrou a tal senhora Dulcineia, quando levou a ela uma epístola de parte de vossa mercê, peneirando duas sacas de trigo, e ainda especificou que era trigo-mourisco, coisa que me faz duvidar da nobreza de sua linhagem.

Ao que dom Quixote respondeu:

— Minha senhora, garanto a vossa grandeza que todas ou a maior parte das coisas que me acontecem estão fora dos limites ordinários das que acontecem com os outros cavaleiros andantes, quer sejam dirigidas pela vontade inescrutável do destino ou pela malícia de algum mago invejoso. E, como já é coisa mais que sabida que todos ou a maioria dos cavaleiros andantes e famosos têm um dom, um o de não ser encantado, outro de possuir um corpo invulnerável, tanto que não pode ser ferido, como foi o famoso Roland, um dos Doze Pares de França, de quem se conta que não podia ser ferido a não ser na planta do pé esquerdo, e que isso tinha de ser com a ponta de um alfinete grande, e não com qualquer outro tipo de arma, e então, quando Bernardo del Carpio o matou em Roncesvalles, vendo que não podia atingi-lo com uma espada, o levantou do chão entre os braços e o sufocou, lembrando-se da morte que Hércules deu a Anteu, aquele gigante feroz que diziam ser filho da Terra... Bem, quero concluir do que disse que poderia ser que eu tivesse algum desses dons, mas não o de não poder ser ferido, porque muitas vezes a experiência me mostrou que minhas carnes são macias e nada invulneráveis, nem o de não poder ser encantado, pois já me vi metido numa jaula, onde o mundo todo não teria poder para me prender, se não fosse à força de encantamentos. Mas, como me livrei daquele, quero crer que não há outro que me cause dano. Assim, esses magos, vendo que com minha pessoa não podem usar de suas manhas perversas, vingam-se nas coisas que mais amo, e querem me tirar da vida maltratando a de Dulcineia, por quem existo. Por isso acho que quando meu escudeiro levou a ela minha cartinha, transformaram-na em aldeã e ocupada com trabalho tão baixo como é o de peneirar trigo. Mas eu já disse que aquele trigo nem era mourisco nem mesmo trigo, mas pérolas orientais, e quero dar a vossas magnitudes a prova desta verdade: vindo há pouco de El Toboso, jamais pude encontrar os palácios de Dulcineia, e outro dia, tendo Sancho, meu escudeiro, visto minha dama com sua própria aparência, que é a da mais bela do orbe, apareceu para mim como uma camponesa tosca e feia, e incapaz de dizer coisa com coisa, sendo ela o discernimento em pessoa. Então, como não estou encantado, nem o posso estar, segundo boa dedução, é ela a encantada, a ofendida e a alterada, modificada e transformada, e nela se vingaram de mim meus inimigos, e por ela viverei eu em perpétuas lágrimas até vê-la em seu estado primeiro.

"Disse isso tudo para que ninguém repare no que Sancho falou sobre Dulcineia joeirar ou peneirar, pois, se a modificaram para mim, não é de espantar que a alterassem para ele. Dulcineia é nobre e bem-nascida; e das famílias fidalgas que há em El Toboso, que são muitas, antigas e das mais distintas,[5] com certeza não deve caber pouco à sem-par Dulcineia. Por ela sua terra será famosa e falada nos próximos séculos, como o foi Troia por causa de Helena, e a Espanha por causa da Cava, embora por melhores razões e reputação mais decente.

"Por outro lado, quero que vossas senhorias entendam que Sancho Pança é um dos escudeiros mais divertidos que jamais serviu a um cavaleiro andante: às vezes tem umas simplicidades tão sagazes que pensar se é simplório ou arguto causa uma alegria nada pequena; tem malícias que o condenam por velhaco e descuidos que o confirmam como bobo; duvida de tudo e em tudo acredita; quando penso que vai se atolar em tolices, sai com umas sabedorias que o elevam ao céu. Enfim, eu não o trocaria por outro escudeiro, mesmo que me dessem uma cidade de quebra. Por isso estou em dúvida se será certo enviá-lo ao governo da ilha que vossa grandeza lhe fez mercê, embora eu veja nele uma certa aptidão para isto de governar: dando uma escovadinha em seu entendimento, ele se sairia como qualquer outro governante, como o rei com seus tributos, sem falar que por longa experiência sabemos que não é necessário nem muita habilidade nem muitas letras para alguém ser governador, pois há por aí centenas que mal sabem ler e governam como águias. O certo é que tenham boa intenção e desejem acertar em tudo, que nunca lhes faltará quem os aconselhe e encaminhe no que devem fazer, como os governadores cavaleiros e não letrados, que sentenciam com um assessor. Eu o aconselharia a não aceitar gorjetas nem se meter em tretas, e outras coisinhas que guardo comigo, que direi com o tempo, para utilidade de Sancho e proveito da ilha que governar."

Estavam nesse ponto da conversa o duque, a duquesa e dom Quixote, quando ouviram uma gritaria e confusão no palácio, e Sancho entrou intempestivamente na sala, todo assustado, com um trapo velho como babador, e atrás dele muitos rapazes ou, digamos melhor, ajudantes da cozinha e outros mais baixos ainda, e um vinha com uma gamela de água, que pela cor e pouca limpeza mostrava ser de louça lavada. O da gamela o seguia e o perseguia, procurando com toda solicitude botá-la embaixo de suas barbas, e outro ajudante demonstrava querer lavá-las.

— Que é isso, meus caros? — perguntou a duquesa. — Que é isso? Que quereis com esse bom homem? Como não considerais que foi eleito governador?

Ao que o barbeiro improvisado respondeu:

— Este senhor não quer deixar que lavemos sua barba, como é costume, e como foi lavada a do duque meu senhor e a do senhor amo dele.

— Claro que quero — respondeu Sancho, espumando de raiva —, mas gostaria que fosse com toalhas limpas, água mais clara e com mãos menos sujas; pois não há tanta diferença entre mim e meu amo, para que o lavem com águas de anjos[6] e a mim com o escalda-pés do diabo. Os costumes de cada terra e dos palácios dos nobres são muito bons se não amolarem ninguém; mas o costume da lavação aqui é pior que o dos penitentes. Eu tenho as barbas limpas e não tenho necessidade de me refrescar assim. Falando com todo o respeito, se alguém ousar me lavar ou tocar num só fio de cabelo, digo, da barba, vai levar tamanho murro que meu punho ficará encaixado no focinho dele, pois essas tais cerimônias e ensaboaduras mais parecem zombarias que mimos com os hóspedes.

A duquesa morria de rir vendo a cólera e ouvindo as palavras de Sancho, mas dom Quixote não ficou nada contente ao vê-lo tão mal-ajambrado com o esfregão manchado de babador e perseguido por tantos parasitas de cozinha, de modo que, fazendo uma profunda reverência aos duques, como se pedisse licença para falar, disse com voz calma à ralé:

— Calma, meus caros cavalheiros! Deixem vossas mercês em paz ao moço e voltem para a cozinha, ou para onde se lhes der na veneta, pois meu escudeiro é limpo como qualquer um, e para ele essa gamela é como uma garrafa de vinho com gargalo estreito demais. Ouçam meu conselho e deixem-no, porque nem ele nem eu vemos motivo para zombarias.

Sancho lhe tomou as palavras da boca e prosseguiu, dizendo:

— Isso mesmo, senão venham zombar do fulano aqui, que vão ver: suportarei tanto a maroteira como agora é de noite! Tragam aqui um pente, ou o que quiserem, e me passem a rascadeira nas barbas; se tirarem delas alguma coisa que ofenda à limpeza, tosquiem-me como aos presos ou aos loucos.

Nesse ponto, sem parar de rir, a duquesa disse:

— Sancho Pança tem razão em tudo quanto disse e a terá em tudo o que disser: ele é limpo e, como disse, não tem necessidade de se lavar; e, se nossos costumes não o satisfazem, a sua alma, sua palma, ainda mais que vós, serventes da limpeza, haveis andando demasiado indolentes e desleixados, para não dizer atrevidos, ao trazer gamelas de madeira e panos de prato para tal personagem e tais barbas, em vez de bacias e jarras de ouro puro e toalhas de linho. Mas, enfim, sois maus e malcriados, e não podeis deixar, como perversos que sois, de mostrar a aversão que tendes pelos escudeiros dos cavaleiros andantes.

Os serventes desaforados e até mesmo o mordomo, que vinha com eles, acreditaram que a duquesa falava para valer, de modo que tiraram a gamela do peito de Sancho e todos, confusos e quase envergonhados, foram embora e o deixaram. Ele, vendo-se livre daquele, em sua opinião, perigo extremo, foi se ajoelhar diante da duquesa e disse:

— De grandes senhoras, grandes mercês se esperam: esta que vossa grandeza me fez hoje não pode ser paga com nada menos que o desejo de me ver armado cavaleiro andante, para me ocupar todos os dias de minha vida em servir tão nobre senhora. Sou camponês, me chamo Sancho Pança, sou casado, tenho filhos e sirvo como escudeiro: se com alguma dessas coisas posso ser útil a vossa grandeza, demorarei menos em obedecer que vossa senhoria em ordenar.

— Até parece, Sancho — respondeu a duquesa —, que aprendestes a ser cortês na escola da própria cortesia: até parece, quero dizer, que fostes amamentado nos peitos do senhor dom Quixote, que deve ser a nata da urbanidade e a flor das cerimônias, ou *cirimônicas*, como dizeis. Abençoados sejam tal senhor e tal criado, um por ser o norte da cavalaria andante e o outro por ser a estrela da fidelidade escudeiril. Levantai-vos, meu amigo Sancho, que retribuirei vossas cortesias fazendo o duque, meu senhor, cumprir a mercê prometida do governo o mais rápido que puder.

Com isso, acabou a conversa, e dom Quixote foi dormir a sesta, e a duquesa pediu a Sancho que, se não tivesse muita vontade de dormir, viesse passar a tarde com ela e com suas aias numa sala muito fresca. Sancho respondeu que, embora fosse verdade que tinha o costume de dormir quatro ou cinco horas nas sestas do verão, para servir a sua bondade ele procuraria com todas as suas forças não dormir nenhuma naquele dia, e viria obedecer a sua ordem, e se foi. O duque deu novas ordens para que tratassem dom Quixote como cavaleiro andante, sem perder um detalhe do estilo como contam que se tratavam os antigos cavaleiros.

XXXIII

DA DELICIOSA CONVERSA QUE A DUQUESA E SUAS AIAS TIVERAM COM SANCHO PANÇA, DIGNA DE QUE SE LEIA COM TODA A ATENÇÃO

A história conta então que Sancho não dormiu aquela sesta — para cumprir a palavra, logo depois de comer foi ver a duquesa, que, como gostava muito de ouvi-lo, o fez se sentar perto dela numa cadeira de espaldar baixo, embora Sancho, por pura educação, quisesse permanecer de pé. Mas a duquesa lhe disse que se sentasse como governador e falasse como escudeiro, porque por ambas as coisas ele merecia o próprio assento do Cid Ruy Díaz, o Campeador.[1]

Sancho encolheu os ombros, obedeceu e se sentou, e todas as aias e amas da duquesa o rodearam atentas, em grande silêncio, para escutar o que diria. Mas foi a duquesa que falou primeiro, dizendo:

— Agora que estamos a sós e que aqui ninguém nos ouve, gostaria que o senhor governador me aclarasse certas dúvidas que tenho, nascidas da história do grande dom Quixote que foi impressa. Uma dessas dúvidas é que o bom Sancho nunca viu Dulcineia, digo, a senhora Dulcineia del Toboso, nem levou a carta do senhor dom Quixote, porque ficou naquele livrinho de anotações na Serra Morena. Como se atreveu a fingir a resposta e aquilo de que a encontrou peneirando trigo, sendo tudo mentira e zombaria, e tão prejudicial à boa reputação da sem-par Dulcineia? São todas coisas que não casam bem com a qualidade e a fidelidade dos bons escudeiros.

A essas palavras, sem responder com nenhuma, Sancho se levantou da cadeira e, com passos silenciosos, o corpo curvado e um dedo posto sobre os lábios, andou pela sala toda levantando as cortinas. Depois, sentou de novo e disse:

— Agora, minha senhora, que vi que ninguém nos escuta às escondidas, exceto os presentes, sem medo nem sustos responderei ao que me perguntou e a tudo aquilo que me perguntar. A primeira coisa que tenho a dizer é que considero meu senhor dom Quixote um louco rematado, mesmo que às vezes diga coisas que em minha opinião e na de todos que o escutam são tão sábias e tão bem alinhavadas que nem o próprio Satanás poderia falar melhor... Bem, apesar disso tudo, convenci-me de que realmente, no fundo, no fundo, ele é um mentecapto. Enfim, como eu tenho isso bem assentado na cachola, atrevo-me a fazê-lo acreditar em coisas que não têm nem pé nem cabeça, como foi aquela da resposta da carta ou essa que aconteceu há seis ou oito dias, que, como ainda não consta em livro, convém saber: o encantamento de minha senhora dona Dulcineia. Pois eu lhe dei a entender que está encantada, não sendo isso mais verdadeiro que qualquer história fabulosa.

A duquesa suplicou que lhe contasse o encantamento ou trapaça, e Sancho contou tudo do mesmo jeito que havia acontecido, do que não se divertiram pouco as ouvintes. Prosseguindo em sua conversa, a duquesa disse:

— Depois de tudo o que o bom Sancho me contou, uma dúvida ficou me comichando na alma, e um certo sussurro chega a meus ouvidos e me diz: "Se dom Quixote de la Mancha é louco, tolo e mentecapto, e seu escudeiro Sancho Pança o conhece bem, mas o serve e o segue e vai agarrado às vãs promessas que ele fez, sem dúvida alguma ele deve ser mais louco e tolo que seu amo. Sendo isso assim, como deve ser, não parecerá nada bom, senhora duquesa, que entregues a esse tal Sancho Pança o governo da ilha, porque como saberá governar os outros aquele que não sabe governar a si mesmo?".

— Por Deus, senhora — disse Sancho —, que essa dúvida teve parto normal, mas diga vossa mercê a ela que pode falar mais alto, se quiser, pois sei que diz a verdade: se eu tivesse juízo, há tempos devia ter deixado meu amo. Mas esta foi minha sorte e meu azar: não posso fazer outra coisa, tenho de segui-lo; somos da mesma terra, comi seu pão, gosto dele; é agradecido, deu-me seus burrinhos; mas, acima de tudo, sou fiel, de modo que é impossível que qualquer coisa possa nos separar além da gadanha da Caveirosa. E, se vossa magnitude não quiser que me deem o prometido governo, paciência: Deus nos fez com menos, pois nos fez do nada. E poderia ser que, não me dando, redundasse em favor de minha consciência, que, mesmo tola, entende aquele ditado que diz que para mal dela nasceram asas na formiga, e até pode ser que o Sancho escudeiro fosse mais fácil para o céu que o Sancho governador. Aqui fazem pão tão bom quanto na França, e de noite todos os gatos são pardos, e desgraçada mesmo é a pessoa que às duas da tarde não quebrou o jejum, e não há estômago que seja um palmo maior que outro que não possa ser enchido de palha ou feno, como se diz; e as avezinhas dos campos têm em Deus seu provedor e despenseiro, e mais esquentam quatro metros de estopa de Cuenca que quatro de sarja de Segóvia, e tanto o nobre como seu criado deixam este mundo para comer grama pela raiz, e não ocupa um túmulo maior o corpo do papa que o do sacristão, mesmo que um seja mais alto que o outro, pois ao entrar no buraco todos nos ajustamos e encolhemos, ou nos ajustam ou nos encolhem mesmo que a gente não queira, e bênção e boa noite. E digo de novo: se vossa senhoria não quiser me dar a ilha por eu ser tolo, saberei não me dar nada por sábio, porque ouvi dizer que atrás da cruz às vezes está o diabo, e que nem tudo que reluz é ouro, e que de entre bois, arados e jugos tiraram o lavrador Bamba para ser rei da Espanha, e de entre os brocados, diversões e riquezas tiraram Rodrigo para ser comido pelas cobras, se é que os versos dos trovadores antigos não mentem.

— É claro que não mentem! — disse nessa altura dona Rodríguez, que era uma das ouvintes. — Há um romance que diz que meteram o rei Rodrigo vivo numa tumba cheia de sapos, cobras e lagartos, e que dali a dois dias o rei disse lá do fundo, em voz baixa e queixosa:

Já me comem, já me comem
justo por onde mais pequei;[2]

então, como se vê, este senhor tem muita razão ao dizer que quer mais ser camponês que rei, se os vermes irão comê-lo.

A duquesa não pôde controlar o riso ouvindo a simplicidade de sua ama, nem deixou de se admirar com as palavras e os ditados de Sancho, a quem disse:

— O bom Sancho já sabe que um cavaleiro procura cumprir aquilo que promete, mesmo que lhe custe a vida. O duque, meu senhor e marido, embora não seja dos andantes, nem por isso deixa de ser cavaleiro, portanto cumprirá a palavra da ilha prometida, apesar da inveja e da malícia do mundo. Fique, Sancho, tranquilo, que quando menos pensar se verá sentado no trono de sua ilha, em sua nova condição, à frente de seu governo, que mais tarde deixará por um de maior quilate. O que eu lhe recomendo é que olhe como governa seus vassalos, notando que todos são leais e bem-nascidos.

— Isso de governá-los bem não é preciso me recomendar — respondeu Sancho —, porque sou caridoso por natureza e tenho compaixão pelos pobres. Quem a raposa quer enganar muito cedo tem de madrugar, e juro pelo que há de mais sagrado que comigo não vão tirar farinha: sou macaco velho e não meto a mão em cumbuca, se a água me alcança a cintura aprendo a nadar, e não consinto que me joguem fumaça nos olhos, porque sei onde me aperta o sapato; digo isso porque não tenho dois pesos nem duas medidas: com os bons, mão aberta; com os maus, pé alerta. E me parece que nisso de governo é questão de começar, e poderia ser que em quinze dias como governador eu me pelasse pelo ofício e soubesse mais dele que do trabalho no campo, em que me criei.

— Tendes razão, Sancho — disse a duquesa —, pois ninguém nasce sabendo, e dos homens se fazem os bispos, não das pedras. Mas, voltando ao assunto do encantamento da senhora Dulcineia, de que tratávamos há pouco, tenho por coisa certa e mais que sabida que aquela ideia que Sancho teve de enganar seu senhor (dando a entender que a camponesa era Dulcineia e que, se seu senhor não a reconhecesse, era porque devia estar encantada) foi tudo invenção de algum dos magos que perseguem dom Quixote. Porque eu sei com certeza, de fonte segura, que a aldeã que deu o pulo sobre a burrinha era e é Dulcineia del Toboso, e que o bom Sancho, pensando ser o enganador, é o enganado. Como se diz no catecismo, não se deve duvidar dessa verdade mais que das coisas que nunca vimos. Pois saiba o senhor Sancho Pança que também temos por aqui magos que nos querem bem e nos dizem o que acontece pelo mundo, pura e simplesmente, sem enredos nem tramoias. Assim, Sancho, pode acreditar em mim: a aldeã puladora era e é Dulcineia del Toboso, que está tão encantada como a mãe que a pariu, e, quando menos pensemos, haveremos de vê-la com sua própria aparência, e então Sancho sairá do engano em que vive.

— Pode ser, pode ser — disse Sancho Pança. — Então devo acreditar no que meu amo conta sobre o que viu na caverna de Montesinos, onde diz que estava a senhora Dulcineia del Toboso com as mesmas roupas que eu disse que tinha visto quando a encantei por puro gosto.

Sim, tudo deve ser às avessas, como diz vossa mercê, minha senhora, porque com a cabeça ruim que tenho não se pode esperar que fabricasse num instante um embuste tão sagaz, nem acho que meu amo seja tão louco que com tão fraca e magra persuasão como a minha acreditasse numa coisa tão fora do esquadro. Mas, senhora, nem por isso fica bem que vossa bondade me tenha por malévolo, pois um burro como eu não tem obrigação de penetrar os pensamentos e as malícias desses magos desgraçados: fingi aquilo para escapar das reprimendas de meu senhor dom Quixote, não com a intenção de ofendê-lo; e, se o tiro saiu pela culatra, lá está Deus no céu que julga os corações.

— É verdade, Sancho — disse a duquesa —, mas me diga que negócio é esse da caverna de Montesinos, que eu gostaria de saber.

Então Sancho Pança contou tintim por tintim o que foi dito antes sobre essa aventura. Ao acabar de ouvir, a duquesa disse:

— Se o grande dom Quixote diz que viu ali a mesma camponesa que Sancho viu na saída de El Toboso, podemos concluir que sem dúvida é Dulcineia, e que andam por aqui magos dos mais ladinos e diligentes.

— É o que digo — disse Sancho Pança —, se minha senhora Dulcineia del Toboso está encantada, azar dela, pois eu não tenho de me meter com os inimigos de meu amo, que devem ser muitos e maus. Mas a verdade é que a moça que vi era uma camponesa, e por camponesa a tive, e por camponesa a julguei. Agora, se aquela era Dulcineia, não é de minha conta, nem tenho culpa nenhuma: ou terão de se haver comigo. Não, não, senão vão andar a toda hora em cima de mim, com disse me disse, "Sancho disse, Sancho fez, Sancho foi, Sancho voltou", como se Sancho fosse um qualquer, e não fosse o próprio Sancho Pança, o que anda já em livros por este mundo de Deus, conforme me disse Sansão Carrasco, que, pelo menos, é bacharel por Salamanca, e esses não podem mentir, a não ser quando lhes dá na veneta ou quando lhes cai bem. De modo que não há motivo para que ninguém se meta comigo. Além do mais, tenho boa reputação e, conforme ouvi meu senhor dizer, mais vale ter um bom nome que muitas riquezas. Encaixem-me logo nesse governo e verão maravilhas, pois quem foi bom escudeiro será bom governador.

— Tudo que disse aqui o bom Sancho — disse a duquesa — são sentenças dignas de Catão ou, pelo menos, tiradas das próprias entranhas do próprio Micael Verino, *florentibus occidit annis*.[3] Enfim, enfim, falando de seu modo, embaixo de uma má capa pode haver um bom bebedor.

— Para dizer a verdade, senhora — respondeu Sancho —, nunca na vida bebi por vício: por sede, bem poderia ser, porque não tenho nada de hipócrita; bebo quando tenho vontade, quando não a tenho e quando me oferecem bebida, para não parecer melindroso ou mal-educado, pois, ao brinde de um amigo, que coração será de mármore que não o retribua? Embora empine, nunca caio, sem falar que os escudeiros dos cavaleiros andantes quase que só bebem água, porque sempre andam pelas florestas, matas e campos, montanhas e despenhadeiros, sem topar com uma gota de vinho nem para remédio, mesmo que deem um olho por ela.

— Acredito — respondeu a duquesa. — Mas agora vá, Sancho, descansar, que depois falaremos mais demoradamente e daremos as ordens para que logo o encaixem no governo, como ele disse.

De novo Sancho beijou as mãos da duquesa e suplicou que fizesse o favor de cuidarem bem de seu ruço, porque era a luz de seus olhos.

— Que ruço é este? — perguntou a duquesa.

— Meu burro — respondeu Sancho —, pois, para não chamá-lo por esse nome, costumo dizer "o ruço"; e a essa senhora ama roguei, quando entrei no castelo, que cuidasse dele, e se amolou tanto como se tivesse dito que era feia ou velha, devendo ser mais próprio e natural que as amas cuidem de jumentos que enfeitem as salas com sua presença. Oh, que Deus me ajude, como se dava mal com essas senhoras um fidalgo de minha terra.

— Deve ser algum aldeão — disse dona Rodríguez, a ama —, pois, se fosse fidalgo e bem-nascido, ele as poria nos cornos da lua.

— Muito bem — disse a duquesa —, já chega: cale-se dona Rodríguez e acalme-se o senhor Pança, e deixem comigo os mimos ao ruço, que, por ser joia de Sancho, cuidarei como se fossem as meninas de meus olhos.

— Basta que esteja na estrebaria — respondeu Sancho —, porque nem ele nem eu somos dignos de ser comparados às meninas dos olhos de vossa grandeza, e consentirei nisso tanto quanto me deixar apunhalar, pois, embora meu senhor diga que nas cortesias deve-se perder com carta demais que de menos, nas cortesias jumentais e burrais deve-se falar com palavras medidas e andar com a sonda na mão.

— Que Sancho o leve para a ilha — disse a duquesa —, e lá, enquanto governa, poderá mimá-lo como quiser, e até aposentá-lo.

— Não pense vossa mercê, senhora duquesa, que disse grande coisa — disse Sancho —, pois vi mais de dois burros irem para o governo, e se eu levasse o meu não seria nenhuma novidade.

As palavras de Sancho renovaram os risos e a alegria da duquesa; e, mandando-o descansar, ela foi contar ao duque o que havia acontecido, e entre os dois combinaram fazer uma brincadeira com dom Quixote, que se tornasse famosa e fosse bem ao estilo cavaleiresco — e realmente fizeram muitas nesse estilo, tão apropriadas e ladinas que são as melhores aventuras que se contam nesta grande história.

XXXIV

EM QUE SE DÁ NOTÍCIA DE COMO HAVERIA DE SE DESENCANTAR A INIGUALÁVEL DULCINEIA DEL TOBOSO, QUE É UMA DAS AVENTURAS MAIS FAMOSAS DESTE LIVRO

Era grande a satisfação do duque e da duquesa com a conversa de dom Quixote e Sancho Pança, o que confirmaram com a intenção que tinham de fazer com eles algumas brincadeiras que tivessem traços ou aparência de aventura, aproveitando como motivo o que dom Quixote havia lhes contado sobre a caverna de Montesinos para lhe pregar uma peça que ficasse famosa. Mas o que mais surpreendia a duquesa era que a tolice de Sancho fosse tanta que tivesse acabado por acreditar ser verdade completa que Dulcineia del Toboso estava encantada, tendo sido ele mesmo o mago e embusteiro daquele negócio. Então, dando ordens a seus criados sobre tudo o que deviam fazer, dali a seis dias o duque e a duquesa levaram dom Quixote a uma caça de montaria, com tanto aparato de batedores e caçadores como poderia levar um rei coroado. Deram a dom Quixote uma roupa de caça e outra a Sancho, de fino tecido verde, mas dom Quixote não quis vesti-la, dizendo que no outro dia havia de voltar ao duro exercício das armas e que não podia levar enxovais nem bagagens. Sancho sim ficou com a que lhe deram, com a intenção de vendê-la na primeira ocasião que se apresentasse.

No dia marcado, dom Quixote botou a armadura, Sancho se vestiu e, sobre seu burro, que não quis deixar embora tivessem lhe oferecido um cavalo, meteu-se no meio da tropa dos batedores. A duquesa apareceu trajada elegantemente, e dom Quixote, por pura cortesia e boa educação, segurou a rédea de seu palafrém, embora o duque não quisesse permitir. Por fim chegaram a uma mata que ficava entre duas montanhas muito altas, onde tomaram seus postos, paradeiros e trilhas, e, com todos distribuídos em seus diferentes lugares, começou a caçada com grande barulheira e gritaria, de maneira que uns não podiam ouvir os outros, tanto pelo latido dos cães como pelo som das trompas.

A duquesa apeou e, com um dardo afiado nas mãos, ocupou seu posto por onde ela sabia que alguns javalis costumavam vir. O duque e dom Quixote também apearam, ladeando-a; Sancho ficou atrás de todos, sem apear do burro, a quem não ousava abandonar, com medo de que lhe acontecesse alguma desgraça. E, mal haviam posto o pé no chão e ficado em fila com muitos criados, quando, acossado pelos cães e seguido pelos caçadores, viram que vinha na direção deles um desmesurado javali, rangendo dentes e presas e espumando pela boca; e, ao vê-lo, dom Quixote meteu o braço no escudo, empunhou a espada e se adiantou para recebê-lo. O mesmo fez o duque com sua lança, mas a duquesa teria sido mais rápida que todos se ele não a tivesse atrapalhado. Sancho, apenas viu o valente animal, abandonou o burro e desatou a correr o quanto pôde, e, ao tentar trepar numa alta azinheira, se deu mal: quando estava pela metade dela, agarrado num galho, lutando para alcançar a copa, teve tão pouca sorte que o dito galho se partiu e Sancho, ao cair, ficou no ar, sem poder chegar ao chão, preso numa forquilha. E vendo-se assim, e que o traje verde se rasgava, e pensando que se aquele animal feroz chegasse até ali podia alcançá-lo, começou a dar tantos gritos e a pedir socorro com tanto afinco que todos os que o ouviam, sem vê-lo, acreditaram que estava entre os dentes de alguma fera.

Por fim, o dentuço javali foi atravessado pelas pontas de muitos dardos que cortaram seu caminho. E dom

Quixote, virando a cabeça para o lado dos gritos de Sancho, que havia reconhecido, viu o escudeiro pendurado na azinheira, de cabeça para baixo, com o burro perto dele, pois não o abandonara em sua desgraça. Cide Hamete acrescenta que poucas vezes viu Sancho Pança sem ver o burro nem o burro sem ver Sancho, tamanha era a amizade e a boa-fé que havia entre os dois.

Dom Quixote se aproximou e soltou Sancho, que, vendo-se livre e no chão, olhou o saio de caça esfarrapado, e isso pesou em sua alma, pois pensou que tinha naquele traje uma fortuna para deixar de herança. Nisso, atravessaram o enorme javali sobre um burro de carga e o levaram, coberto com ramos de alecrim e mirto, como despojo da vitória, para umas grandes tendas de campanha armadas no meio da mata, onde encontraram as mesas em ordem e o almoço preparado, tão suntuoso e grande que podia se ver por ele a grandeza e a magnificência de quem o dava. Sancho, mostrando os rasgões de seu traje à duquesa, disse:

— Se esta caçada fosse de lebres ou de passarinhos, com certeza meu saio não se veria neste estado. Não sei que gosto pode se ter em esperar um animal que, se vos alcançar com uma presa, pode vos tirar a vida. Eu me lembro de ter ouvido cantarem um romance antigo que diz:

Pelos ursos sejas comido
como o famoso Fávila.[1]

— Esse foi um rei godo — disse dom Quixote — que foi comido por um urso numa caçada.

— É disso que estou falando — respondeu Sancho —, pois eu não gostaria que os nobres e os reis se expusessem a semelhantes perigos, por um prazer que não parece ser prazer nenhum, porque consiste em matar um animal que não cometeu delito algum.

— Pelo contrário, enganai-vos, Sancho — respondeu o duque —, porque o exercício da caça de montaria é o mais conveniente e necessário para os reis e os nobres que qualquer outro. A caça é uma imagem da guerra: há nela estratagemas, astúcias, insídias, para vencer sem perigo o oponente; nela se padecem frios de rachar e calores intoleráveis; desdenha-se do ócio e do sono, provam-se as forças e deixam-se os membros ágeis. Em suma, é um exercício que se pode fazer sem prejudicar ninguém e com o prazer de muitos; e o melhor é que não é para todos, como os demais tipos de caça, exceto o da falcoaria, que também é só para reis e grandes senhores. Então, meu caro Sancho, mudai de opinião e, quando fordes governador, ocupai-vos na caça e vereis como lucrais muito com tão pouco.

— Essa não — respondeu Sancho. — O bom governador é como mulher honrada e perna quebrada: deve ficar em casa. Seria bonito que demandantes preocupados viessem procurá-lo e ele estivesse se divertindo no mato! Bem arrumado estaria o governo! Por Deus, meu senhor, a caça e os passatempos devem ser mais para os vadios que para os governadores. No que eu penso me distrair é com um bom jogo de burro, uma vez hoje, outra na morte, e com o boliche nos domingos e feriados, que esse negócio de caça não é para mim nem para minha consciência.

— Queira Deus, Sancho, que assim seja, porque entre o digo e faço há um bom pedaço.

— Haja o que houver — replicou Sancho —, ao bom pagador as penhoras não doem, e mais vale quem Deus ajuda que quem cedo madruga, e saco vazio não para em pé; quero dizer que, se Deus me ajudar, e eu fizer o que devo com boa intenção, sem dúvida governarei melhor que o diabo. Não, não, botem o dedo em minha boca para ver se não mordo!

— Maldito sejas, por Deus e todos os santos, seu desgraçado! — disse dom Quixote. — Quando, como já te disse mil vezes, eu te verei falar sem ditados, de modo simples e coerente?! Não deem ouvidos vossas grandezas a este tolo, meus senhores, que vos esmagará a alma, não entre dois ditados, mas entre dois mil, lembrados tão a propósito quanto lhe dê Deus em saúde, ou a mim, se os quisesse escutar.

— Os ditados de Sancho Pança — disse a duquesa —, embora sejam mais numerosos que os do comendador Grego,[2] nem por isso devem ser menos considerados, pela brevidade das sentenças. Devo dizer que a mim dão mais prazer que outros, mesmo que sejam mais oportunos e apropriados à ocasião.

Com esta e outras conversas divertidas, saíram da tenda para a mata, onde passaram o dia examinando novos postos e paradeiros, até que veio a noite, e não tão clara nem tão serena como a estação do ano pedia, que era pelo meio do verão. Mas um certo lusco-fusco que trouxe consigo ajudou muito as intenções dos duques. Logo que começou a escurecer, um pouco depois do crepúsculo, pareceu de repente que a mata ardia pelos quatro lados, e então se ouviram aqui e ali, cá e lá, infinitas cornetas e outros instrumentos de guerra, como de muitas tropas de cavalaria que passassem pela mata. A luz do fogo e o som dos instrumentos bélicos quase cegaram e ensurdeceram os olhos e os ouvidos dos presentes, e de quantos andavam por aquelas bandas.

Depois se ouviu uma tremenda algazarra, como dos mouros quando entram em batalha; soaram trompas e clarins, retumbaram tambores, ressoaram pífaros, quase todos ao mesmo tempo, de modo tão contínuo e tão apressado que não teria juízo quem não o perdesse com a confusão de tantos instrumentos. Pasmou-se o duque, surpreendeu-se a duquesa, admirou-se dom Quixote, tremeu Sancho Pança — enfim, até os que conheciam a causa desse tumulto se espantaram. Com o temor, o silêncio os tomou, e surgiu diante deles um arauto a cavalo, vestido de demônio, tocando, em vez de corneta, um desmesurado corno oco, que desprendia um som rouco e tenebroso.

— Olá, irmão arauto — disse o duque —, quem sois, aonde ides, e que soldados são esses que parecem atravessar a mata?

O arauto respondeu com voz aterradora e desenvolta:

— Eu sou o Diabo, vim buscar dom Quixote de la Mancha e os soldados que vêm aí são seis tropas de magos que, num carro triunfal, trazem a sem-par Dulcineia del Toboso. Ela vem encantada, com o galhardo francês Montesinos, que irá explicar a dom Quixote como ela deve ser desencantada.

— Se fôsseis o Diabo, como dizeis e vossa aparência mostra, já teríeis reconhecido o dito cavaleiro dom Quixote de la Mancha, pois que o tendes diante de vós.

— Por Deus e minha consciência — respondeu o Diabo — que não tinha reparado, porque trago o pensamento distraído com tantas coisas que havia me esquecido da principal, aquela que me trazia aqui.

— Sem dúvida que este demônio deve ser homem de bem e bom cristão — disse Sancho —, porque senão não juraria por Deus e por sua consciência. Isso me leva a pensar que no próprio inferno deve haver gente boa.

Então o demônio, sem apear, dirigindo a vista a dom Quixote, disse:

— A ti, Cavaleiro dos Leões, que entre as garras deles te veja eu, me envia o desgraçado mas valente cavaleiro Montesinos para que, de sua parte, te diga que o esperes no mesmo local em que eu te encontrar, pois traz consigo a que chamam Dulcineia del Toboso, para te dizer o que é necessário para desencantá-la. E, como não era por mais minha vinda, não há de ser mais minha estada: que os demônios como eu fiquem contigo, e que os anjos bons com estes senhores.

Dizendo isso, tocou o corno gigantesco, deu as costas a todos e foi embora sem esperar resposta de ninguém.

Isso renovou o espanto de todos, especialmente de Sancho e dom Quixote: Sancho por ver que, a despeito da verdade, queriam que Dulcineia estivesse encantada; dom Quixote por não ter certeza se era verdade ou não o que havia acontecido na caverna de Montesinos. Estava enlevado nesses pensamentos, quando o duque lhe disse:

— Vossa mercê pensa esperar, senhor dom Quixote?

— Como não? — respondeu ele. — Esperarei aqui, intrépido e forte, mesmo que me ataque todo o inferno.

— Pois eu, se vejo outro diabo e outro corno como aquele, esperarei aqui tanto como onde o Judas perdeu as botas — disse Sancho.

Nisso, a noite ficou mais fechada, e muitas luzes começaram a correr pela mata, como correm pelo céu as exalações secas da terra que a nós parecem estrelas cadentes.[3] Ouviu-se também um barulho espantoso, do tipo daquele que causam as rodas maciças que costumam ter os carros de bois, de cujo rangido áspero e contínuo se diz que fogem os lobos e os ursos, se existem por onde passam. Somou-se a toda essa tempestade outra maior que todas: foi como se realmente, nos quatro cantos da mata, estivessem ocorrendo quatro ataques ou batalhas, porque ali soava o duro estrondo da terrível artilharia, lá se disparavam inumeráveis escopetas, perto soavam os gritos dos combatentes, longe se reiteravam os gritos de guerra árabes.

Em suma, as cornetas, os cornos, as trompas, os clarins, as trombetas, a artilharia, os arcabuzes e, acima de tudo, o terrível barulho dos carros formavam juntos um som tão confuso e tão horrendo que foi necessário que dom Quixote se valesse de toda a sua coragem para suportá-lo. Mas a de Sancho veio por terra e deu com ele desmaiado no colo da duquesa, que o acolheu e mandou a toda pressa que lhe jogassem água no rosto. Assim se fez, e ele voltou a si quando um carro de rodas rangedoras chegava naquele posto.

Puxavam-no quatro bois preguiçosos, todos cobertos de paramentos negros; em cada corno havia atado e aceso um grande círio de cera, e em cima do carro vinha sentado um velho venerável com uma barba mais branca que a própria neve e tão longa que lhe ultrapassava a cintura; vestia uma roupa longa de bocassim preto, (pois como o carro vinha cheio de inúmeras luzes podia-se ver muito bem o que ele continha). Guiavam-no dois demônios vestidos com o mesmo bocassim, com rostos tão feios que Sancho, tendo-os visto uma vez, fechou os olhos para não vê-los outra. Chegando o carro à altura do posto, o velho venerável se levantou de seu assento e, ficando de pé, em altos brados disse:

— Eu sou o sábio Lirgandeu.[4]

E o carro seguiu em frente, sem que o sábio dissesse mais uma palavra. Atrás veio outro carro do mesmo jeito, com outro velho entronizado, que, fazendo-o parar, disse com voz não menos grave que a do outro:

— Eu sou o sábio Alquife, o grande amigo de Urganda, a Desconhecida.[5]

E foi embora.

Em seguida, da mesma forma, chegou outro carro, mas o homem que vinha sentado no trono não era velho como os demais e sim um grandalhão mal-encarado; ao chegar, ficou de pé como os outros e disse com voz mais rouca e mais endiabrada:

— Eu sou Arcalaus, o mago, inimigo mortal de Amadis de Gaula e de todos os parentes dele.

E foi embora.

Não muito longe dali, esses três carros fizeram alto, e cessou o ruído desagradável de suas rodas. Então se ouviu não um ruído, mas uma música suave e harmoniosa, com que Sancho se alegrou, considerando um bom sinal, o que disse para a duquesa, de quem não se afastava nem um palmo:

— Senhora, onde há música não pode haver coisa ruim.

— Também onde há luz e claridade — respondeu a duquesa.

Ao que Sancho replicou:

— O fogo dá luz e as fogueiras, claridade, como vemos nas que nos cercam, mas podem muito bem nos queimar; mas a música é sempre indício de alegria e de festas.

— Já veremos — disse dom Quixote, que escutava tudo.

E disse muito bem, como se verá no capítulo seguinte.

XXXV

ONDE SE PROSSEGUE A EXPLICAÇÃO QUE DERAM A DOM QUIXOTE SOBRE O DESENCANTAMENTO DE DULCINEIA, COM OUTRAS COISAS ADMIRÁVEIS

Viram que vinha até eles, no compasso da música agradável, um carro dos que chamam triunfais, puxado por seis mulas pardas, cobertas porém de linho branco, e sobre cada uma vinha um penitente com sua carapuça, também vestido de branco e com um círio grande aceso na mão. O carro era duas ou até três vezes maior que os anteriores, e ao lado dele e em cima vinham mais doze penitentes alvos como a neve, todos com seus círios acesos, visão que admirava e assustava ao mesmo tempo. Num trono elevado, vinha sentada uma ninfa, vestida com mil véus de seda bordada de prata, brilhando em todos eles infinitas folhas de lantejoulas de ouro, o que tornava a ninfa se não rica, pelo menos vistosamente vestida. Trazia o rosto coberto por uma seda transparente e delicada, de modo que, sem que seus fios impedissem, por entre eles se revelava seu formosíssimo rosto de donzela, e todas aquelas luzes deixavam distinguir a beleza e a idade, que pelo visto estava entre dezessete e vinte anos.

Perto dela vinha um personagem com uma roupa ostentosa que ia até os pés, a cabeça coberta por um véu negro. Quando o carro ficou diante dos duques e de dom Quixote, a música das charamelas parou, em seguida a das harpas e dos alaúdes que soavam no carro, e o personagem ficou de pé, abriu a roupa de lado a lado e, tirando o véu do rosto, revelou ser sem dúvida nenhuma a própria figura da morte, descarnada e feia, o que angustiou dom Quixote e meteu medo em Sancho, e os duques também fizeram um gesto de temor. Em pé, com voz um tanto sonolenta e com língua não muito desperta, essa morte viva começou a falar desta maneira:

— Eu sou Merlin, aquele que as histórias
dizem que teve por pai o diabo
— mentira autorizada pelos tempos —,
príncipe da magia e monarca
e repositório da ciência zoroástrica,
inimigo das épocas e dos séculos
que pretendem ocultar as façanhas
dos bravos cavaleiros andantes,
por quem eu tive e tenho grande carinho.
E apesar de que a índole
dos feiticeiros, magos ou mágicos
é sempre dura, áspera e forte,
a minha é tenra, branda e amorosa,
e amiga de fazer o bem a toda gente.

Nas cavernas tétricas de Hades,
onde estava minha alma distraída
traçando figuras e símbolos mágicos,
chegou a voz dolente da bela
e sem-par Dulcineia del Toboso.
Soube de seu encantamento e desgraça,
de sua transformação de graciosa dama
em rústica aldeã; comovi-me
e, encerrando meu espírito no oco
deste espantoso e feroz esqueleto,
depois de ter remexido cem mil livros
desta minha ciência endiabrada e torpe,
achei o remédio que convém
a tamanha dor, a tamanho mal.

Oh, tu, glória e honra de quantos vestem
as túnicas de aço e de diamante,
luz e farol, caminho, norte e guia
daqueles que, deixando o sono vadio
e as plumas ociosas, decidem
adotar o exercício intolerável
das sangrentas e pesadas armas!
Digo a ti, oh, guerreiro jamais louvado
como se deve!, a ti, dom Quixote,
valente e sábio a um só tempo,
da Mancha esplendor, da Espanha, estrela,
que para a sem-par Dulcineia del Toboso
voltar a seu estado primitivo
é preciso que Sancho, teu escudeiro,
se aplique três mil e trezentos açoites
em seu amplo e audaz traseiro,
ao ar descoberto, e de modo
que lhe arda, amargure e desgoste.
Com isso se satisfazem todos quantos
foram os autores de sua desgraça,
*e por isso aqui estou, meus senhores.**

** — Yo soy Merlín, aquel que las historias/ dicen que tuve por mi padre al diablo/ — mentira autorizada de los tiempos —,/ príncipe de la mágica y monarca/ y archivo de la ciencia zoroástrica,/ émulo a las edades y a los siglos/ que solapar pretenden las hazañas/ de los andantes bravos caballeros,/ a quien yo tuve y tengo gran cariño./ Y puesto que es de los encantadores,/ de los magos o mágicos continuo/ dura la condición, áspera y fuerte,/ la mía es tierna, blanda y amorosa,/ y amiga de hacer bien a todas gentes.// En las cavernas lóbregas de Dite,/ donde estaba mi alma entretenida/ en formar ciertos rombos y carácteres,/ llegó la voz doliente de la bella/ y sin par Dulcinea del Toboso./ Supe su encantamento y su desgracia,/ y su trasformación de gentil dama/ en rústica aldeana; condolime,/ y encerrando mi espíritu en el hueco/ de esta espantosa y fiera notomía,/ después de haber revuelto cien mil libros/ de esta mi ciencia endemo-*

— Juro e esconjuro! — disse Sancho nesse ponto. — Eu nem digo três mil açoites, mas me darei três tanto quanto três punhaladas. Que o diabo te carregue, que modo de desencantar! Não sei o que meu traseiro tem que ver com os encantos! Por Deus que, se o senhor Merlin não achar outro jeito de desencantar a senhora Dulcineia del Toboso, ela vai encantada para a sepultura!

— Eu vos pego, dom bronco, saco de alho — disse dom Quixote —, e vos amarro numa árvore, nu como vossa mãe vos pariu, e vos darei, não digo três mil e trezentos, mas seis mil e seiscentos açoites, tão bem dados que não sei se não o deixarei em três mil e trezentos farrapos! E não me respondeis uma palavra, que vos arrancarei a alma.

Ouvindo isso, Merlin disse:

— Não pode ser assim, porque os açoites que o bom Sancho deve levar têm de ser por sua vontade, não pela força, e quando ele quiser, pois não se dá um prazo determinado. Mas é permitido que ele, se quiser reduzir sua pena pela metade, deixe que essa sova seja dada por mão alheia, embora mais pesada.

— Nem alheia nem minha, nem pesada nem por pe-

niada y torpe,/ vengo a dar el remedio que conviene/ a tamaño dolor, a mal tamaño.// ¡Oh tú, gloria y honor de cuantos visten/ las túnicas de acero y de diamante,/ luz y farol, sendero, norte y guía/ de aquellos que, dejando el torpe sueño/ y las ociosas plumas, se acomodan/ a usar el ejercicio intolerable/ de las sangrientas y pesadas armas!// A ti digo, ¡oh varón como se debe/ por jamás alabado!, a ti, valiente/ juntamente y discreto don Quijote,/ de la Mancha esplendor, de España estrella,/ que para recobrar su estado primo/ la sin par Dulcinea del Toboso/ es menester que Sancho tu escudero/ se dé tres mil azotes y trescientos/ en ambas sus valientes posaderas, al aire descubiertas, y de modo,/ que le escuezan, le amarguen y le enfaden./ Y en esto se resuelven todos cuantos/ de su desgracia han sido los autores,/ y a esto es mi venida, mis señores.

sar — replicou Sancho. — Comigo não, mão nenhuma vai me tocar. Por acaso eu pari a senhora Dulcineia del Toboso, para que meu traseiro pague os pecados dos olhos dela? O senhor meu amo sim que é parte sua, pois a chama a todo instante de "minha vida", "minha alma", sustento e arrimo seu, pode e deve se açoitar por ela e fazer tudo o que for necessário para seu desencanto; mas eu me açoitar? *Abernúncio!*

Mal Sancho acabou de dizer isso, ficou de pé a ninfa prateada que estava perto do espírito de Merlin, tirando o véu sutil do rosto, revelando-o tal como era, que a todos pareceu mais que extremamente formoso. Então, com uma desenvoltura varonil e com uma voz não muito feminina, falando diretamente com Sancho, disse:

— Oh, escudeiro desventurado, alma de granizo, coração de asno, com entranhas de cascalho e pedregulho! Se te mandassem, ladrão descarado, que te atirasses do alto de uma torre; se te pedissem, inimigo do gênero humano, que comesses uma dúzia de sapos, duas de lagartos e três de cobras; se te convencessem a matar tua mulher e teus filhos com um terrível e afiado alfanje, não seria de admirar que te mostrasses melindroso e esquivo. Mas fazer caso de três mil e trezentos açoites, quando não há criança nos orfanatos, por pior que seja, que não os leve todo mês, surpreende, assombra e espanta a todas as almas piedosas dos que te escutam, e até das de todos aqueles que vierem a saber disso com o correr do tempo. Põe, oh, animal miserável e empedernido, põe, repito, esses teus olhos de filhote de burro assustado nas meninas dos meus, comparados a estrelas rutilantes, e poderás vê-los chorar lágrima por lágrima rios que abrirão sulcos, estradas e caminhos pelos formosos campos de minhas faces. Apieda-te, monstro malicioso e perverso: meus verdes anos, pois ainda estou na casa dos dez e me falta um para chegar à dos vinte, se consomem e definham sob a crosta de uma camponesa rústica; se agora pareço o que sou, por uma mercê particular que me fez o senhor Merlin, que aqui está, é apenas para que minha beleza te enterneça, para que as lágrimas de uma donzela aflita transformem os penhascos em algodão e os tigres, em ovelhas. Vamos, açoita esta carcaça, bestalhão indomável; afasta a preguiça, que tu só prestas para comer e comer mais; liberta a pureza de meu corpo, a suavidade de meu gênio e a beleza de minha face. Mas, se não queres te abrandar nem te comportar de modo razoável por minha causa, faze-o por esse pobre cavaleiro que está a teu lado: sim, por teu amo, que tem a alma atravessada na garganta, a menos de um palmo dos lábios, à espera apenas de tua dura ou branda resposta para lhe sair pela boca ou voltar a suas entranhas.

Quando ouviu isso, dom Quixote apalpou a garganta e disse, virando-se para o duque:

— Por Deus, senhor, que Dulcineia disse a verdade, que aqui tenho a alma atravessada, como a noz da balestra.

— Que dizeis a isto, Sancho? — perguntou a duquesa.

— Digo, senhora — respondeu Sancho —, o que já disse antes: o negócio dos açoites, *abernúncio*.

— Não deveis dizer assim, Sancho, mas *abrenúncio* — disse o duque.

— Deixe disso vossa grandeza — respondeu Sancho —, que agora não estou para sutilezas nem para letras de mais ou de menos, porque me deixou tão perturbado esse negócio dos açoites que vão me dar ou terei de me dar que não sei o que digo nem o que faço. Mas eu gostaria de saber de minha senhora dona Dulcineia del Toboso onde aprendeu esse jeito de suplicar: vem me pedir que entregue minha carcaça aos açoites e me chama de "alma de granizo" e "bestalhão indomável", com uma ladainha de insultos que nem o diabo aguenta. Por acaso minhas carnes são de bronze, ou eu me importo que ela se desencante ou não? Onde está o baú com roupa-branca, camisas, lenços e meias, embora eu não os use, que trouxe para me abrandar? Não, só um insulto depois do outro, quando aquele ditado que anda por aí reza que um burro carregado de ouro sobe ligeiro uma montanha, sem falar que presentes amolecem pedras, e a Deus rogando e com o porrete dando, e que mais vale um pássaro na mão que dois voando? Pois o senhor meu amo, que devia me passar a mão pelo lombo e me afagar para que eu me tornasse uma seda, diz que, se me pegar, me amarrará despido numa árvore e dobrará o número de açoites. Esses senhores prejudicados deviam considerar que não pedem que um mero escudeiro se açoite, mas um governador, como quem diz: é a cereja em cima do bolo. Aprendam, aprendam enquanto é tempo, a saber suplicar, a saber pedir e a ter boa educação, pois os tempos variam e os homens nem sempre estão de bom humor. Agora, que eu estou arrebentando de pena por ver meu saio verde rasgado, veem me pedir que me açoite por livre e espontânea vontade, estando ela tão alheia a isso como o de me tornar cacique.

— Na verdade, meu amigo Sancho — disse o duque —, se não ficardes mais macio que um figo maduro, nunca que tereis o governo. Seria muito bonito se eu enviasse a meus ilhéus um governador cruel, de entranhas empedernidas, que não se dobra às lágrimas das donzelas aflitas nem às súplicas dos doutos, imperiosos e antigos magos e sábios! Em suma, Sancho, ou vos açoitais ou vos açoitarão, ou não sereis governador.

— Senhor — respondeu Sancho —, não me dariam dois dias de prazo para pensar no que é melhor?

— Não, de jeito nenhum — disse Merlin. — Aqui, neste instante e neste lugar, esse negócio deve ficar resolvido: ou Dulcineia voltará para a caverna de Montesinos e ao estado de camponesa, ou, com a aparência que tem agora, será levada aos Campos Elíseos, onde ficará à espera do cumprimento da sova.

— Vamos, Sancho — disse a duquesa —, coragem, e

vos mostrai grato pelo pão que comestes na mesa do senhor dom Quixote, a quem todos devemos servir e agradar por sua boa condição e seus grandes feitos de cavalaria. Dizei sim, meu filho, a essa sova, e que o diabo vá para o diabo e o medo, para os maus, pois um coração forte dobra a má sorte, como bem sabeis.

A essas palavras, Sancho respondeu com estas, dispa ratadas, ao perguntar a Merlin:

— Diga-me uma coisa, senhor Merlin. Quando o Diabo arauto chegou aqui, deu a meu amo um recado do senhor Montesinos, com ordens de sua parte para que o esperasse aqui, porque vinha explicar o modo de desencantar a senhora dona Dulcineia del Toboso. Pois bem, até agora não vimos Montesinos nem nada parecido.

Ao que Merlin respondeu:

— O Diabo, meu amigo Sancho, é um ignorante e um grandessíssimo velhaco: eu o mandei em busca de vosso amo não com recado de Montesinos, mas meu, porque Montesinos está em sua caverna compenetrado em seu desencantamento, ou, digamos melhor, esperando por ele, pois ainda lhe falta a pior parte, que é esfolar a cauda. Se vos deve alguma coisa ou se tendes alguma coisa para negociar com ele, eu o trarei e o porei onde quiserdes. Mas, enquanto isso, tratai de concordar com essa penitência, que, podeis acreditar, vos será de muito proveito, tanto para a alma como para o corpo: para a alma, por causa da caridade com que a fareis; para o corpo, porque eu sei que sois de temperamento sanguíneo, e não vos poderá causar dano perder um pouco de sangue.

— Há muitos médicos no mundo: até os magos são médicos! — replicou Sancho. — Bem, como todos me dizem a mesma coisa, embora eu não consiga ver por mim mesmo, digo que fico contente de me aplicar os três mil e trezentos açoites, com a condição de que possa aplicá-los quando me der na veneta, sem uma cota diária nem prazo nenhum, que eu procurarei sair da dívida o mais rápido que for possível, para que o mundo desfrute da beleza da senhora dona Dulcineia del Toboso, pois, pelo visto, ao contrário do que eu pensava, é realmente formosa. Outra condição é que não fico obrigado a tirar sangue com a penitência, e que, se alguns açoites forem do tipo espanta-moscas, devem ser contados também. Ademais, se eu errar no número, o senhor Merlin, que sabe tudo, deve ter o cuidado de contá-los e de me avisar quantos faltam ou quantos me sobram.

— Das sobras não é preciso avisar — respondeu Merlin —, porque, quando se completar o número certo, num instante a senhora Dulcineia ficará desencantada e, muito reconhecida, virá procurar o bom Sancho, e além de agradecer lhe dará prêmios pela boa ação. De modo que não precisa haver preocupação com as sobras nem com as faltas, nem permita o céu que eu engane ninguém, mesmo que seja por um fio de cabelo.

— Ai, ai, ai, entrego-me às mãos de Deus! — disse Sancho. — Aceito minha má sorte, digo, aceito a penitência, com as condições apontadas.

Mal Sancho disse a última palavra, voltou a soar a música das charamelas e os inumeráveis arcabuzes voltaram a disparar, e dom Quixote se pendurou no pescoço de Sancho, dando nele mil beijos na testa e nas bochechas. A duquesa e o duque, e todos os presentes, deram sinais de grande contentamento. Então o carro começou a andar e, ao passar por eles, a formosa Dulcineia inclinou a cabeça para os duques e fez uma grande reverência para Sancho.

Nisso, a aurora já vinha adiantada, alegre e risonha; as florzinhas dos campos se abriam e se erguiam, e os líquidos cristais dos riachos, murmurando por entre seixos brancos e pardos, iam desaguar nos rios que os esperavam. A terra feliz, o céu claro, o ar limpo, a luz serena, cada um por si e todos juntos davam sinais evidentes de que o dia que vinha pisando nas saias da aurora havia de ser sereno e claro. Os duques, satisfeitos com a caçada, e de ter realizado sua intenção com tanto sucesso e habilidade, voltaram ao castelo, dispostos a continuar com suas brincadeiras, pois nada feito a sério lhes daria mais prazer.

XXXVI

ONDE SE CONTA A ESTRANHA E JAMAIS IMAGINADA AVENTURA DA AMA DOLORIDA, ALCUNHA DA CONDESSA TRIFALDI, COM UMA CARTA QUE SANCHO PANÇA ESCREVEU A SUA MULHER TERESA PANÇA

O duque tinha um administrador, muito malicioso e desembaraçado — aquele que havia representado o papel de Merlin, fizera todos os arranjos da aventura passada, compusera os versos e persuadira um pajem a se passar por Dulcineia —, que, por ordem de seus senhores, organizou outra aventura, a mais estranha, burlesca e engenhosa que se possa imaginar.

No dia seguinte, a duquesa perguntou a Sancho se havia começado a cumprir a penitência que devia fazer pelo desencantamento de Dulcineia. Ele disse que sim, e que naquela mesma noite havia se dado cinco açoites. A duquesa perguntou com que ele havia se açoitado. Respondeu que com a mão.

— Isso é palmada — replicou a duquesa —, não açoite. Tenho a impressão de que o sábio Merlin não deve estar satisfeito com tanta brandura: será necessário que o bom Sancho use uma boa vara de marmelo ou um chicote de couro trançado, para que sinta, pois se aprende com sangue, sem falar que não vai se dar liberdade tão barata a uma senhora tão cara como é Dulcineia. Sancho deve reparar que as obras de caridade feitas com mornidão e desleixo não têm mérito nem valem nada.[1]

Ao que Sancho respondeu:

— Dê-me vossa senhoria algum chicote ou uma vara na medida que eu me baterei com ele, desde que não me doa demais; porque garanto a vossa mercê que, mesmo eu sendo um grosso, minhas carnes têm mais de algodão que de estopa, e não fica bem que eu me moleste pelo proveito alheio.

— Muito bem, Sancho — respondeu a duquesa —, amanhã vos darei um chicote que venha a calhar e se ajuste à delicadeza de vossas carnes como se fosse irmão delas.

Ao que Sancho disse:

— Saiba vossa alteza, senhora de minha alma, que eu escrevi uma carta para minha mulher, Teresa Pança, contando tudo o que me aconteceu depois que me afastei dela. Eu a tenho aqui no peito, prontinha, só falta endereçar. Gostaria que vossa sabedoria a lesse, porque me parece digna de governador, digo, que foi escrita ao modo que devem escrever os governadores.

— E quem a concebeu? — perguntou a duquesa.

— Quem, por meus pecados, havia de conceber senão eu? — respondeu Sancho.

— E também a escrevestes? — disse a duquesa.

— Nem em sonhos — respondeu Sancho —, porque eu não sei ler nem escrever, embora saiba assinar.

— Então vamos ver — disse a duquesa —, pois certamente mostrais nela a capacidade e a qualidade de vosso engenho.

Sancho tirou do peito uma carta aberta, e, pegando-a, a duquesa viu que dizia isto:

CARTA DE SANCHO PANÇA A TERESA PANÇA, SUA MULHER

Se bons açoites me davam, bem montado eu ia, como disse o ladrão ao carrasco:[2] se um bom governo tenho, bons açoites me custa. Por ora, tu não entenderás isto, minha querida Teresa, mas logo te explicarei. Deves saber, Teresa, que resolvi que andes de carruagem, porque é o que convém — de qualquer outro jeito é andar de quatro.

És mulher de um governador: olha só se não falarão por tuas costas! Aí te mando um traje verde de caçador que me deu minha senhora, a duquesa: reforma de modo que dê para fazer um vestido para nossa filha. Dom Quixote, meu amo, segundo ouvi nesta terra, é um louco manso e um mentecapto engraçado, e eu não fico muito atrás. Estivemos na caverna de Montesinos, e o sábio Merlin lançou mão de mim para desencantar Dulcineia del Toboso, que por aí se chama Aldonza Lorenzo: com três mil e trezentos açoites, que devo me aplicar, menos cinco, ela ficará desencantada como a mãe que a pariu. Não deves comentar nada disso com ninguém, porque, se pedes opinião sobre teus negócios, uns dirão que é branco e outros que é preto. Daqui a poucos dias partirei para o governo, aonde vou louco de vontade de fazer dinheiro, porque me disseram que isso acontece com todos os governadores novos; tomarei o pulso da situação e te avisarei se deves ou não vir para ficares comigo. O ruço está bem e te manda muitas lembranças, e não penso deixá-lo mesmo que me levem para ser califa da Turquia. Minha senhora a duquesa te beija as mãos mil vezes: retribui com dois mil, pois não há coisa que dê menos trabalho nem saia tão barato que a cortesia, conforme me disse meu amo. Deus não permitiu que eu topasse com outra maleta com cem escudos como aquela, mas não te preocupes, minha querida Teresa, porque está a salvo quem dá o alarme de longe, e vou tirar a limpo as tramoias do governo. Só o que me preocupa é que me dizem que, depois de sentir o gostinho, darei um braço para continuar no cargo, e, se for assim mesmo, não me custaria muito barato, embora os aleijados e manetas já tenham sua renda nas esmolas que pedem — portanto, de um modo ou de outro, terás boa sorte e serás rica. Deus te proteja como puder, e a mim guarde para te servir.
Deste castelo, vinte de julho de 1614.
Teu marido, o governador
Sancho Pança

Ao acabar a leitura da carta, a duquesa disse a Sancho:

— Em duas coisas o bom governador anda meio extraviado: uma, ao dizer ou dar a entender que lhe deram este governo em troca dos açoites, sabendo ele, pois não o pode negar, que quando o duque, meu senhor, o prometeu, nem se sonhava haver açoites no mundo; outra é que se mostra muito cobiçoso, mas nem tudo são flores, porque a cobiça rompe o saco, e governador cobiçoso faz justiça desgovernada.

— Eu não quis dizer isso, senhora — respondeu Sancho. — E, se vossa mercê acha que esta carta não está como deve, não há mais nada a fazer que rasgá-la e escrever outra nova, mas talvez saia pior ainda, se a deixarem por minha conta.

— Não, não — replicou a duquesa —, está boa, e quero que o duque a veja.

Com isso, foram a um jardim onde haveriam de almoçar naquele dia. A duquesa mostrou a carta de Sancho ao duque, o que lhe deu grande prazer. Comeram e, depois de tirada a mesa, depois de terem se divertido um bom tempo com a deliciosa conversa de Sancho, se ouviu de repente o som tristíssimo de um pífaro e o de um tambor rouco e desafinado. Todos se inquietaram com a confusa, marcial e melancólica harmonia, especialmente dom Quixote, que não se aguentava em sua cadeira, tão agitado estava; sobre Sancho não há o que dizer, exceto que o medo o levou ao refúgio de sempre, que era ao lado da duquesa ou se agarrar às saias dela, porque o som que se ouvia era realmente sombrio e desconsolado.

Estavam todos abismados, quando viram entrar no jardim dois homens vestidos de luto, com roupas tão compridas que arrastavam pelo chão. Eles vinham tocando dois grandes tambores, também cobertos de negro. Ao lado, vinha o tocador de pífaro, cor de alcatrão como os outros. Seguia os três um personagem gigantesco, mais enrolado que vestido com uma sotaina negríssima, cuja fralda também era descomunal de grande. Por cima da sotaina lhe cingia, cruzando o peito, um talim também negro, de onde pendia um alfanje desmesurado com guarnições e bainha negras. Tinha o rosto coberto por um véu negro, mas transparente, por onde se entrevia uma longa barba branca como a neve. Andava ao som dos tambores, com muita calma e gravidade. Enfim, seu tamanho, seu andar, sua negrura e seu séquito poderiam — e puderam — surpreender todos aqueles que o olhavam sem conhecê-lo.

Chegou então com a lentidão e a solenidade referidas para cair de joelhos diante do duque, que o aguardava em pé, com os demais presentes. Mas o duque não consentiu de modo algum que ele falasse antes de se levantar. O espantalho prodigioso obedeceu e afastou o véu do rosto, revelando a mais horrenda, a mais longa, a mais branca e a mais cerrada barba que até então olhos humanos tinham visto. Então, depois de cravar os olhos no duque, arrancou do peito forte e largo uma voz grave e sonora para dizer:

— Nobilíssimo e poderoso senhor, a mim chamam Trifaldin da Barba Branca;[3] sou escudeiro da condessa Trifaldi, conhecida também como Ama Dolorida, da parte de quem trago a vossa grandeza um recado: ela gostaria que vossa magnificência lhe desse autorização e licença para entrar e lhe contar sua desgraça, que é uma das mais estranhas e admiráveis que a mente mais infeliz do orbe possa ter pensado. Mas primeiro quer saber se está neste vosso castelo o valoroso e jamais vencido cavaleiro dom Quixote de la Mancha, a quem busca a pé e sem descanso desde o reino de Candaia[4] até vossos domínios, coisa que se pode e se deve ter por milagre ou atribuir à força de encantamentos. Ela está à porta desta fortaleza ou casa de campo, e só aguarda vosso beneplácito para entrar. Tenho dito.

Em seguida, tossiu e afagou a barba de cima a baixo com ambas as mãos, e com muita calma ficou ouvindo a resposta do duque, que foi:

— Há muitos dias, meu bom escudeiro Trifaldin da Barba Branca, que temos notícia da desgraça de minha senhora a condessa Trifaldi, a quem os magos fazem chamar de Ama Dolorida. Então, estupendo escudeiro, podeis dizer a ela que entre e que aqui está o valente cavaleiro dom Quixote de la Mancha, de cujo temperamento generoso pode se esperar com certeza todo o amparo e toda a ajuda. Também podeis lhe dizer de minha parte que, se precisar de meu favor, não hei de lhe faltar, pois a isso estou obrigado por ser cavaleiro, a quem cabe e concerne favorecer a toda espécie de mulheres, em especial as amas viúvas, desprezadas e doloridas, como deve estar sua senhoria.

Ao ouvir isso, Trifaldin dobrou o joelho até o chão e, fazendo um sinal aos parceiros para que tocassem o pífaro e os tambores, com a mesma música e com o mesmo passo que havia entrado saiu de novo do jardim, deixando todos admirados de sua presença e compostura. E o duque disse, virando-se para dom Quixote:

— Em suma, famoso cavaleiro, nem as trevas da malícia nem as da ignorância podem encobrir e obscurecer a luz da coragem e da virtude. Digo isto porque há seis dias apenas vossa bondade está neste castelo e já vos vêm procurar de terras distantes e remotas, e não de carroças nem montados em dromedários, mas a pé e em jejum, os tristes, os aflitos, confiantes em que irão achar nesse fortíssimo braço o remédio para suas penas e dificuldades, graças a vossas grandes façanhas, cujas notícias correm e percorrem toda a terra conhecida.

— Eu gostaria, senhor duque — respondeu dom Quixote —, que estivesse aqui aquele bendito religioso que outro dia mostrou, à mesa, tanta aversão e antipatia pelos cavaleiros andantes, para que visse com os próprios olhos se os ditos cavaleiros são necessários no mundo: pelo menos poderia comprovar de modo palpável que os extremamente aflitos e desconsolados, nas grandes adversidades e nas desgraças enormes, não vão procurar ajuda na casa dos letrados, nem na dos sacristãos de aldeia, nem vão ao cavaleiro que nunca se aventurou fora de sua terra, nem ao cortesão preguiçoso que prefere ir atrás de notícias para contar que empreender feitos e façanhas para que outros as contem e as escrevam: o remédio para as aflições, o socorro das necessidades, o amparo das donzelas, o consolo das viúvas, em nenhum tipo de pessoa se encontra melhor que nos cavaleiros andantes. E, por eu ser um deles, dou infinitas graças ao céu, e dou por muito bem empregada qualquer desgraça e dificuldade que neste tão honroso exercício possa me acontecer. Venha então essa ama e peça o que quiser, que eu garanto seu socorro com a força de meu braço e a intrépida resolução de meu espírito corajoso.

XXXVII

ONDE SE PROSSEGUE A FAMOSA AVENTURA DA AMA DOLORIDA

O prazer do duque e da duquesa foi extremo ao verem como dom Quixote ia respondendo à intenção deles. Nesse ponto, Sancho disse:

— Eu não gostaria que essa ama viesse atrapalhar a promessa de meu governo, porque ouvi um boticário de Toledo, que tinha uma língua de ouro, dizer que onde se metiam amas não podia acontecer boa coisa. Que Deus me ajude, como o boticário estava de mal com elas! Pesco disso que todas as amas, de qualquer tipo e condição, são maçantes e impertinentes. Imagine então como serão as doloridas, como disseram que é essa condessa Três Faldas ou Três Fraldas? Mas, faldas ou fraldas, dá na mesma, todas tapam a cauda.

— Cale-se, meu amigo Sancho — disse dom Quixote —, porque, se essa ama de terras tão longínquas vem me procurar, não deve ser daquelas da lista do boticário, quanto mais que essa é condessa, e, quando as condessas servem de amas, servem a rainhas e imperatrizes, pois em suas casas são senhoríssimas que se servem de outras amas.

A isso respondeu dona Rodríguez, que se achava presente:

— Minha senhora a duquesa tem amas a seu serviço que poderiam ser condessas se a sorte desejasse, mas as leis vão onde querem os reis, e ninguém fale mal das amas, e menos ainda das antigas e donzelas, pois, embora eu não o seja, percebo muito bem a vantagem que uma ama donzela leva sobre uma ama viúva; e cuidado, porque quem nos tosquiou continua com a tesoura nas mãos.

— Apesar disso — replicou Sancho —, há tanto que tosquiar nas amas, conforme disse meu barbeiro, que é melhor não mexer o arroz, mesmo que grude.

— Os escudeiros são sempre nossos inimigos — respondeu dona Rodríguez. — Como são assombrações das antessalas e nos veem a cada passo, nos instantes em que não rezam, que são muitos, gastam com mexericos, desenterrando nossos podres e enterrando nosso bom nome. Bem, por mim deviam exercitar os braços nas galés, e quer gostem ou não vamos continuar a viver no mundo e nas casas nobres, ainda que morramos de fome e cubramos com um hábito preto de freira nosso corpo delicado, ou nada delicado, como quem cobre ou tapa um monturo com um tapete em dia de procissão. Juro que, se eu pudesse e o tempo permitisse, mostraria, não só aos presentes, mas a todo o mundo, como não há virtude que não se encerre numa ama.

— Eu acho que minha boa dona Rodríguez tem razão, e muita — disse a duquesa —, mas convém que aguarde outra hora para defender a si mesma e as amas em geral, para refutar a má opinião daquele mau boticário e arrancar a que o grande Sancho Pança tem em seu peito.

Ao que Sancho respondeu:

— Desde que sou meio governador, minhas dores de barriga de escudeiro passaram e não dou uma figa a quantas amas haja.

Teriam ido em frente com a discussão amesca, se não ouvissem que o pífaro e os tambores soavam de novo, o que os levou a pensar que a Ama Dolorida entrava. A duquesa perguntou ao duque se não seria melhor ir recebê-la, pois era condessa e pessoa nobre.

— Pelo que tem de condessa — respondeu Sancho, antes que o duque respondesse —, acho que seria bom que vossas grandezas saíssem para recebê-la; mas, pelo que tem de ama, sou da opinião de que não se mexam nenhum passo.

— Quem és tu para te meteres nisso, Sancho? — disse dom Quixote.

— Quem, senhor? — respondeu Sancho. — Eu me meto porque posso me meter: como escudeiro aprendi os modos da cortesia na escola de vossa mercê, que é o mais cortês e bem-educado cavaleiro que há em toda corte; e nessas coisas, conforme ouvi vossa mercê dizer, tanto se perde com uma carta maior como com uma menor, e, a bom entendedor, meia palavra basta.

— É verdade, Sancho — disse o duque. — Vejamos as maneiras da condessa; por elas saberemos a cortesia que lhe devemos.

Nisso entraram os tocadores de tambores e de pífaro como da outra vez.

E aqui o autor acabou este rápido capítulo e começou outro, acompanhando a mesma aventura, que é uma das mais notáveis da história.

XXXVIII

ONDE SE CONTA O QUE A AMA DOLORIDA CONTOU DE SUA MÁ SORTE

Atrás dos músicos tristes começaram a entrar pelo jardim umas doze amas, divididas em duas filas, todas vestidas com uns hábitos largos, de monja, pelo visto de sarja batida, com umas toucas brancas de musselina, tão longas que só deixavam à mostra a barra do hábito. Atrás delas vinha a condessa Trifaldi, pela mão de seu escudeiro Trifaldin da Barba Branca, vestida de finíssima e negra baeta sem frisar — se estivesse frisada, mostraria cada nó do tamanho de um grão-de-bico de Martos.[1] A cauda ou falda, ou como quiserem chamar, era de três pontas, seguras pelas mãos de três pajens também vestidos de luto, fazendo uma vistosa e geométrica figura com aqueles três ângulos agudos que as três pontas formavam. Isso levou os presentes a pensar que por causa dessas pontas a condessa era chamada de Trifaldi, como se disséssemos condessa "das Três Faldas". Segundo Benengeli, isso era verdade, e que o sobrenome da condessa era Lobuna, porque em seu condado havia muitos lobos, e, se não fossem lobos, mas animais com chifres, ela se chamaria Chifruda, por ser costume naquela região os senhores adotarem os nomes da coisa ou coisas que mais abundavam em seus domínios. Mas essa condessa, para comemorar a novidade de sua falda, deixou o Lobuna e adotou o Trifaldi.[2]

As doze amas e a senhora vinham em passo de procissão, os rostos cobertos com véus negros, mas não transparentes como de Trifaldin; pelo contrário, eram tão densos que não deixavam entrever coisa nenhuma.

Mal acabou de surgir o esquadrão amesco, o duque, a duquesa e dom Quixote se levantaram, e todos aqueles que contemplavam a lenta procissão. As doze amas pararam, formando um corredor, por onde a Dolorida entrou, sem que Trifaldin lhe soltasse a mão. Ao ver isso, o duque, a duquesa e dom Quixote avançaram uns doze passos para recebê-la. Ela, com os joelhos no chão, com voz forte e rouca em vez de graciosa e delicada, disse:

— Queiram vossas grandezas não ser tão corteses com este seu criado, digo, com esta sua criada, porque estou tão dolorida que não conseguirei corresponder à altura. Minha estranha e jamais vista desgraça me levou o entendimento não sei para onde, mas deve ser muito longe, pois, quanto mais o procuro, menos o acho.

— Sem ele estaria, senhora condessa, quem não percebesse vosso valor em vossa pessoa — respondeu o duque —, que, mesmo sem ver, é merecedor de toda a nata da cortesia e de toda a flor das cerimônias das pessoas bem-educadas.

E, levantando-a pela mão, levou-a a uma cadeira ao lado da duquesa, que também a recebeu com muita polidez.

Dom Quixote se mantinha calado e Sancho morria para ver o rosto da Trifaldi e de alguma de suas muitas amas, mas não foi possível até que elas, de livre e espontânea vontade, se descobriram.

Calmos todos e em silêncio, esperavam quem o haveria de romper, e foi a Ama Dolorida, com estas palavras:

— Estou confiante, poderosíssimo senhor, formosíssima senhora e sapientíssimos presentes, que minha desgracíssima há de encontrar em vossos valorosíssimos corações acolhida não menos plácida que generosa e dolorosa, porque minha desgracíssima é tamanha que é capaz de amolecer os mármores e abrandar os diamantes e suavizar o aço dos mais endurecidos espíritos do mundo. Mas, antes de trazê-la ao domínio de vossos ouvidos, para não dizer orelhas, gostaria que me tornassem ciente se nesta fraternidade, grupo ou companhia se acha o imaculadíssimo cavaleiro dom Quixote de la Mancha e seu escudeiríssimo Pança.

— O Pança — disse Sancho, antes que outro respondesse — está aqui e o dom Quixotíssimo também, de modo que podeis, dolorosíssima amíssima, dizer o que quereisíssimo, que estamos todos prontos e preparadíssimos para ser vossos servidoríssimos.

Nisso dom Quixote se levantou e, dirigindo suas palavras à Ama Dolorida, disse:

— Se vossas penas, angustiada senhora, podem ter alguma esperança de remédio pela coragem e forças de algum cavaleiro andante, aqui estão as minhas, que, embora poucas e reduzidas, todas serão empregadas a vosso serviço. Eu sou dom Quixote de la Mancha, cuja ocupação é socorrer todo tipo de necessitados. Sendo isso assim, como de fato é, não tendes necessidade, senhora, de solicitar benevolências nem buscar preâmbulos. Dizei simplesmente, sem rodeios, vossos males, que vos escutam ouvidos que saberão, se não saná-los, ao menos condoer-se deles.

Ao ouvir isso, a Ama Dolorida deu sinais de querer se atirar de joelhos aos pés de dom Quixote, e acabou mesmo se atirando, e dizia, enquanto tentava abraçá-los:

— Ante estes pés e pernas me ajoelho, oh, invicto cavaleiro, porque são as bases e os pilares da cavalaria andante! Quero beijar estes pés, de cujos passos pende e depende toda solução de minha desgraça, oh, corajoso andante, cujas façanhas verdadeiras deixam para trás e obscurecem as fantasiosas dos Amadises, Esplandianes e Belianises!

E, deixando dom Quixote, se virou para Sancho Pança e, segurando as mãos dele, disse:

— Oh, tu, o mais leal escudeiro que jamais serviu cavaleiro andante nos tempos presentes ou passados, de bondade maior que as barbas de Trifaldin, meu acompanhante, que aqui se encontra! Bem podes te gabar de que, ao servir ao grande dom Quixote, serves num lance à tropa toda de cavaleiros que empunharam armas no mundo. Conjuro-te, pelo que deves a tua bondade fidelíssima, a ser o intercessor com teu amo, para que logo favoreça a esta humilíssima e infelicíssima condessa.

Ao que Sancho respondeu:

— Para mim tanto faz que minha bondade seja tão comprida e grande como a barba de vosso escudeiro, minha senhora. O que importa é que eu tenha barbuda e bigoduda minha alma quando ela se for desta vida, pois com as barbas do lado de cá pouco ou nada me importo. Mas, sem tretas ou sermões, suplicarei a meu amo, que sei que me quer bem, ainda mais agora que precisa de mim para certo negócio, que favoreça e ajude vossa mercê em tudo o que puder. Desembuche vossa mercê sua pena, e conte-a para nós, e deixe estar, que todos vamos nos entender.

Os duques se arrebentavam de rir com essas coisas, como aqueles que haviam se enfronhado em tal aventura, e gabavam entre si a argúcia e dissimulação da Trifaldi, que, sentando de novo, disse:

— Do famoso reino de Candaia, que cai entre a grande Taprobana e o mar do Sul, duas léguas além do cabo Comorin,[3] foi senhora a rainha dona Magúncia, viúva do rei Archipiela, seu senhor e marido. Desse matrimônio nasceu a infanta Antonomásia, herdeira do reino; essa infanta Antonomásia se criou e cresceu sob minha tutela e doutrina, por eu ser a mais antiga e a mais nobre ama de sua mãe. Aconteceu que, correndo os dias, a menina Antonomásia chegou à idade de catorze anos com tamanha perfeição que a natureza não conseguiu acrescentar mais nenhum detalhe a essa formosura. Quanto à inteligência, nem é bom falar: a infanta era tão inteligente quanto bela, e era a mais bela do mundo, e é ainda, se os fados invejosos e as parcas cruéis não lhe cortaram o fio da vida. Mas não devem tê-lo feito, pois os céus não podem permitir que se faça tão mal à terra como seria levar verde o cacho da mais formosa das vinhas.

"Um número infinito de nobres, tanto locais como estrangeiros, se apaixonou dessa formosura, que minha pobre língua não enalteceu como se deve. Entre eles ousou elevar os pensamentos ao céu de tanta beleza um cavaleiro particular que estava na corte, confiado em sua mocidade, em sua elegância, em suas muitas habilidades e graças, e na facilidade e felicidade de seu espírito. Pois conto a vossas grandezas, se não me levarem a mal, que tocava uma guitarra tão bem que é como se a fizesse falar, e ainda por cima era poeta e grande dançarino, e sabia fazer gaiolas para pássaros tão bem que poderia ganhar a vida apenas com elas, caso se visse em extrema necessidade. Pois essas qualidades e graças são suficientes para derrubar uma montanha, imagine uma donzela delicada. Mas toda a sua elegância e distinção, todas as suas graças e habilidades teriam sido insuficientes para render a fortaleza de minha menina, se o ladrão descarado não usasse do estratagema de render a mim antes. Primeiro o patife e vagabundo desalmado quis conquistar minha vontade e corromper minha determinação, para que eu, mau alcaide, lhe entregasse as chaves da fortaleza que guardava. Em suma, ele adulou minha mente, depois rendeu minha vontade com não sei quantas joias baratas que me deu; mas o que mais me atraiu e seduziu foram uns versos que o ouvi cantar uma noite, das grades de uma janela que dava para a ruazinha onde ele estava, que, se não me lembro mal, diziam:

De minha doce inimiga
nasce um mal que fere a alma

e para maior tormento quer
que se sinta e não se diga.[4]

"Os versos me pareceram de pérolas e a voz dele, de mel, e de lá para cá, vendo o mal em que caí por causa destes e de outros versos semelhantes, tenho pensado que as repúblicas bem governadas deviam banir os poetas, como aconselhava Platão,[5] pelo menos os lascivos, porque escrevem uns versos não como os do marquês de Mântua, que distraem as crianças e fazem as mulheres chorar, mas com umas astúcias que como espinhos macios vos atravessam a alma e como raios vos ferem nela, sem deixar marcas na roupa. E outra vez cantou:

Vem, morte, tão escondida
que não te sinta vir,
para que o prazer do morrer
não torne a me dar a vida.[6]

"E outros versos desse tipo e canções de amor, que cantados encantam e escritos, enlevam. E quando condescendem a compor um gênero de verso que estava na moda naquele tempo, em Candaia, a que eles chamam 'seguidilhas'? Então sim, era a festa das almas, o prazer do riso, a agitação dos corpos, enfim, a exaltação de todos os sentidos. Por isso digo, meus senhores e senhoras, que com bons motivos esses trovadores deviam ser desterrados para as ilhas dos Lagartos. Mas eles não têm culpa, a culpa é dos tolos que os louvam e das bobas que acreditam neles. Se eu fosse a boa ama que devia ser, suas ideias sovadas não me emocionariam, nem pensaria ser verdade aquela conversa de 'vivo morrendo, ardo no gelo, tremo no fogo, espero sem esperança, parto mas fico', com outros absurdos dessa laia, de que seus escritos estão cheios. E que dizer quando prometem a fênix da Arábia, a coroa de Ariadne, os cavalos do Sol, as pérolas do Sul, o ouro de Tíbar e o bálsamo de Pancaia?[7] É aqui que a pena deles é pródiga, já que lhes custa pouco prometer o que jamais pensam nem podem cumprir. Mas para onde me desvio? Ai de mim, pobre infeliz que sou! Que loucura ou que desatino me leva a contar os pecados dos outros, tendo tanto o que dizer sobre os meus? Ai de mim, repito, pobre desgraçada, não foram os versos que me renderam, mas minha tolice; não me abrandaram as músicas, mas minha leviandade! Minha grande ignorância e negligência abriram o caminho e retiraram os obstáculos aos passos de dom Cravelho, que esse é o nome do referido cavaleiro.

"Então, comigo de intermediária, ele visitou muitas e muitas vezes o quarto de Antonomásia, enganada por mim, não por ele. Mas visitou-a como seu legítimo marido, porque eu, embora pecadora, não consentiria que ele tocasse nem na sola dos sapatos dela sem ser seu marido. Não, não, isso não: o casamento sempre deve vir antes em qualquer um desses negócios que eu trate! Houve apenas um problema dessa vez, que foi o da desigualdade, por dom Cravelho ser um cavaleiro particular, e a infanta Antonomásia herdeira do reino, como eu já disse.

"Essa tramoia ficou oculta e disfarçada pela sagacidade de meu recato por algum tempo, até que, pouco a pouco, me pareceu que a ia revelando um certo aumento do ventre de Antonomásia, e o temor que isso causou nos levou os três a deliberar, e então decidimos que, antes que a má notícia se espalhasse, dom Cravelho devia pedir Antonomásia em casamento ao vigário-geral, apoiado por um documento em que a infanta prometia ser sua esposa, que eu ditara de modo tão engenhoso e com termos tão fortes que nem Sansão poderia rompê-los. As diligências foram feitas, o vigário-geral viu o documento, tomou a confissão da senhora, que contou tudo, o vigário mandou deixá-la sob custódia na casa de um aguazil da corte muito honesto..."

Nessas alturas, Sancho disse:

— Em Candaia também há aguazis na corte, poetas e seguidilhas? Isso me leva a pensar que o mundo é a mesma coisa em toda parte. Mas vamos, senhora Trifaldi, apresse-se, que é tarde e morro para saber o fim de história tão comprida.

— Vou me apressar, sim — respondeu a condessa.

XXXIX

ONDE A TRIFALDI PROSSEGUE SUA ESTUPENDA E MEMORÁVEL HISTÓRIA

Qualquer palavra que Sancho dizia agradava tanto a duquesa quanto desesperava dom Quixote, que o mandou se calar para que a Dolorida prosseguisse:

— Enfim, ao cabo de muitas perguntas e respostas, como a infanta não desse o braço a torcer, sem sair da primeira declaração nem variá-la, o vigário-geral deu a sentença favorável a dom Cravelho e entregou Antonomásia como sua legítima esposa, o que causou tanta raiva na rainha, dona Magúncia, mãe da infanta, que dentro de três dias a enterramos.

— Deve ter morrido, sem dúvida — disse Sancho.

— É claro! — respondeu Trifaldin. — Em Candaia não se enterram as pessoas vivas, só as mortas.

— Já aconteceu, senhor escudeiro, de se enterrar um desmaiado pensando que estivesse morto — replicou Sancho. — Mas me parece que a rainha Magúncia devia era desmaiar em vez de morrer, pois com a vida muitas coisas se remediam e o disparate da infanta não foi tão grande que a obrigasse a senti-lo tanto. Se essa senhora tivesse se casado com algum pajem ou com outro criado de sua casa, como muitas outras fizeram, pelo que ouvi dizer, aí sim o dano não teria cura; mas ter se casado com um senhor tão gentil-homem e tão habilidoso como nos pintou aqui, no fundo no fundo, embora tenha sido uma burrice, não foi tão grande como se pensa, porque conforme as regras de meu senhor, aqui presente e que não me deixará mentir, assim como se fazem bispos dos letrados, podem se fazer reis e imperadores dos cavaleiros, ainda mais se forem andantes.

— Tens razão, Sancho — disse dom Quixote —, porque um cavaleiro andante, desde que tenha dois dedos de sorte, está sempre na iminência de ser o maior senhor do mundo. Mas continue a senhora Dolorida, pois suspeito que falta contar a parte amarga desta história até aqui doce.

— E como falta! — respondeu a condessa. — E essa parte é tão amarga que, em comparação, o fel é doce e o absinto, saboroso. Então, enterramos a rainha, morta, não desmaiada; e mal a cobrimos com a terra, mal lhe dissemos o último adeus, quando — *quis talia fando temperet a lacrimis?*[1] —, montado num cavalo de madeira, apareceu em cima da sepultura da rainha o gigante Malambruno,[2] primo-irmão de Magúncia, que além de cruel era mago. Ele, com suas artes, em vingança pela morte da prima e para castigar o atrevimento de dom Cravelho e por ressentimento pela frivolidade de Antonomásia, deixou-os encantados sobre a própria sepultura, ela transformada numa macaca de bronze e ele, num terrível crocodilo de um metal desconhecido, e entre eles está uma lápide também metálica, em que estão escritas umas letras em sírio, que, traduzidas para o candaiesco e agora para o castelhano, encerram esta sentença: "Estes dois amantes atrevidos não voltarão à forma de antes até que o valoroso manchego venha me enfrentar em singular batalha, pois apenas para sua grande coragem guardam os fados esta nunca vista aventura".

"Depois disso, sacou da bainha um largo e descomunal alfanje e, agarrando-me pelos cabelos, fez menção de me sangrar o pescoço e me decepar rente a cabeça. Fiquei perturbada, minha voz trancou na garganta, enfim, caí numa angústia extrema, mas mesmo assim me esforcei o mais que pude e com voz trêmula e aflita disse a ele tantas e tais coisas que o levaram a suspender a execução de tão rigoroso castigo. Então mandou trazer todas as amas do palácio, que são estas que estão presentes, e, depois de ter exagerado nossa culpa e insultado o caráter das amas em geral, seus maus costumes e piores intrigas, e descarregando em todas a culpa que apenas eu tinha, disse que não queria nos castigar com pena capital, mas com outra mais prolongada, que nos desse uma morte civil e perpétua: e no instante em que acabou de dizer isso, todas sentimos que os poros de nossos rostos se abriam e que em todo ele nos espetavam com pontas de agulha. Em seguida, levamos as mãos aos rostos e nos achamos do modo que vereis."

Então a Dolorida e as outras amas ergueram os véus com que se cobriam e revelaram os rostos povoados de barbas — umas loiras, umas pretas, umas brancas e umas grisalhas. Com a visão, ficaram admirados o duque e a duquesa, pasmos dom Quixote e Sancho, e atônitos todos os presentes.

E a Trifaldi prosseguiu:

— Dessa maneira nos castigou aquele patife malvado do Malambruno, cobrindo a suavidade e a delicadeza de nossos rostos com a aspereza destas cerdas. Pena que o céu não desejou que nos tivesse cortado a cabeça com seu desmesurado alfanje em vez de tirar a luz de nossas faces com estes pelos, porque, se pensarmos direito, meus senhores e senhoras (e gostaria de dizer isso com meus olhos jorrando feito fontes, mas como já remoemos muito nossa desgraça e como os mares que foram vertidos até aqui os têm mais secos que palha de trigo, falarei sem lágrimas), digo, portanto, aonde poderá ir uma ama com barbas? Que pai ou que mãe terá pena dela? Quem lhe dará ajuda? Se mesmo quando tem a pele lisa e o rosto martirizado com mil espécies de pomadas e tinturas mal acha quem goste dela, o que fará quando mostrar o rosto transformado numa floresta? Oh, amas, minhas companheiras, em que ocasião miserável nascemos, em que mau momento nossos pais nos conceberam!

E, ao dizer isso, deu sinais de que ia desmaiar.

XL

DE COISAS QUE DIZEM RESPEITO A ESTA AVENTURA E ESTA HISTÓRIA MEMORÁVEL

Todos os que gostam de histórias como esta devem se mostrar realmente agradecidos a Cide Hamete, seu primeiro autor, pelo cuidado que teve em contar as minúcias dela, sem deixar de mostrar com clareza coisa alguma, por menor que fosse. Pinta os pensamentos dos personagens, revela suas fantasias, responde às perguntas tácitas, tira dúvidas, desembaraça os argumentos, enfim, oferece a última partícula que o mais curioso pode desejar. Oh, célebre autor! Oh, feliz dom Quixote! Oh, afamada Dulcineia! Oh, divertido Sancho Pança! Possam juntos e cada um por si viver inumeráveis séculos, para prazer e entretenimento universais de todo mundo.

A história conta, pois, que mal Sancho viu a Ama Dolorida desmaiada, disse:

— Pela fé de homem de bem, juro pela vida eterna de todos os meus antepassados Panças que jamais ouvi nem vi, nem meu amo me contou, nem em seu pensamento coube aventura parecida com esta. Que mil satanases te ajudem, Malambruno, se não te excomungo como mago e gigante! Não achaste nenhum outro jeito de castigar estas pecadoras a não ser deixá-las barbudas? Como, hein? Não seria melhor e não viria mais em conta para elas que tivesse cortado um pedaço do nariz, da metade para cima, mesmo que ficassem fanhas, que botar barbichas nelas? Aposto que não têm um tostão para pagar um barbeiro.

— É verdade, senhor — respondeu uma das doze amas —, não temos dinheiro para nos barbear, por isso, por economia, algumas de nós resolveram usar uns grudes ou emplastros de alcatrão. Aplicando-os nas faces e puxando-os de repente, ficamos tão suaves e lisas como sovaco de anjo; porque, apesar de em Candaia haver mulheres que andam de casa em casa para tirar o buço, ajeitar as sobrancelhas e aplicar pomadas, nós, as amas de minha senhora, jamais as admitimos, pois a maioria delas cheira a alcovitice, tendo deixado há muito de pisar nas alcovas; e, se não formos salvas pelo senhor dom Quixote, vão nos levar barbudas à sepultura.

— Eu rasparia as minhas nas terras dos mouros — disse dom Quixote —, se não pudesse vos livrar das vossas.[1]

Nesse ponto, a Trifaldi se recuperou do desmaio e disse:

— O eco dessa promessa, valoroso cavaleiro, me chegou aos ouvidos em meio ao meu desmaio e me ajudou a recuperar os sentidos. Então vos suplico de novo, ínclito andante e indomável senhor, que vossa amável promessa não fique apenas em palavras.

— Por mim não ficará — respondeu dom Quixote. — Dizei, senhora, o que devo fazer, que tenho o espírito pronto para vos servir.

— Acontece que daqui ao reino de Candaia, caso se vá por terra, há cinco mil léguas, mais ou menos — respondeu a Dolorida —, mas, indo pelo ar e em linha reta, há três mil duzentas e vinte e sete. É preciso saber também que Malambruno me disse que, quando a sorte me deparasse com o cavaleiro nosso libertador, ele enviaria uma montaria muito melhor e sem as manhas das de aluguel, pois deverá ser aquele mesmo cavalo de madeira em que o valoroso Pierres roubou a linda Magalona, cavalo que se dirige por uma cravelha que tem na testa, que lhe serve de freio, e voa pelo ar com tanta rapidez que parece que os próprios diabos o levam. Esse cavalo, conforme a tradição antiga, foi feito por aquele sábio Merlin; emprestou-o a Pierres, que era seu amigo, e Pierres fez grandes viagens e roubou, como já se disse, a linda Magalona, levando-a na garupa pelo ar, deixando embasbacados a todos que os olhavam da terra. Merlin só o emprestava para quem ele gostava ou para quem o pagava melhor; e desde o grande Pierres até agora não sabemos se mais alguém o montou.[2] Mas Malambruno o tomou com suas artes e o tem desde então em seu poder; serve-se dele para suas viagens, que faz a todo momento a diversas partes do mundo, e hoje está aqui e amanhã na França e outro dia em Potosi. E o melhor é que o dito cavalo não come nem dorme nem gasta ferraduras, e é marchador, vai pelo ar sem ter asas, num galope tão calmo e macio que o cavaleiro pode levar um copo cheio de água na mão sem que se derrame uma gota. É por isso que a linda Magalona adorava cavalgá-lo.

A isso, Sancho disse:

— Para andar com calma e macio, prefiro meu burro, mesmo que não ande pelos ares; mas em terra bate quantos marchadores há no mundo.

Todos riram, e a Dolorida prosseguiu:

— E esse cavalo, se é que Malambruno quer dar fim a nossa desgraça, estará em nossa presença antes de meia hora depois de cair a noite, porque ele me explicou que o sinal que me daria para eu saber que havia encontrado o cavaleiro que buscava seria me enviar o cavalo fosse onde fosse, de modo rápido e oportuno.

— E quantos cabem nesse cavalo? — perguntou Sancho.

A Dolorida respondeu:

— Duas pessoas, uma na sela e outra na garupa, e na maioria das vezes essas pessoas são cavaleiro e escudeiro, quando falta alguma donzela roubada.

— Eu gostaria de saber, senhora Dolorida — disse Sancho —, qual o nome desse cavalo.

— O nome — respondeu a Dolorida — não é como

o do cavalo de Belerofonte, que se chamava Pégaso, nem como o de Alexandre Magno, chamado Bucéfalo, nem como o do furioso Orlando, cujo nome foi Brilhadouro, e menos ainda Baiarte, que foi o de Reinaldos de Montalbán, nem Frontino, como o de Rugero, nem Bootes nem Pirítoo, como dizem que se chamam os de Apolo, nem tampouco se chama Orélia, como o cavalo em que o desgraçado Rodrigo, último rei dos godos, entrou na batalha onde perdeu o reino e a vida.

— Eu aposto — disse Sancho — que não lhe deram nenhum desses nomes de cavalos famosos, nem o de meu amo, Rocinante, que, por ser muito apropriado, é muito melhor que esses que foram nomeados.

— É verdade — respondeu a condessa barbuda —, mas mesmo assim lhe cai muito bem, porque se chama Cravelenho, o Ligeiro, sendo ele de madeira, tendo uma cravelha na testa e andando ligeiro; assim, quanto ao nome, bem pode competir com o famoso Rocinante.

— O nome não me desagrada — replicou Sancho —, mas com que freio ou com que cabresto se dirige o bicho?

— Já disse que com a cravelha — respondeu a Trifaldi. — Virando-a para um lado ou outro, o cavaleiro o encaminha como quer, pelos ares, dando um rasante e quase varrendo a terra, ou a meia altura, que é o melhor jeito para todas as ações bem planejadas.

— Isso eu queria ver — respondeu Sancho —, mas pensar que tenho de montar nele, na sela ou nas ancas, é pedir uvas ao marmeleiro. Eu mal me aguento em meu burro, e numa albarda mais macia que a própria seda, e vão querer agora que monte numa garupa de tábua, sem nenhuma almofada ou travesseiro! Santo Deus, não penso me arrebentar todo pelas barbas de ninguém: cada um que se tosquie como bem entender, que eu não penso acompanhar meu senhor em viagem tão longa. Além do mais, não devo fazer tanta falta na raspação dessas barbas como faço no desencantamento de minha senhora Dulcineia.

— Fazes sim, meu amigo — respondeu a Trifaldi —, e tanta que sem vossa presença me parece que não faremos nada.

— Ai, Jesus! — disse Sancho. — O que é que os escudeiros têm que ver com as aventuras de seus senhores? Eles vão levar a fama das façanhas realizadas e nós ficamos apenas com o trabalho? Santo Deus! Se ao menos os historiadores dissessem "O tal cavaleiro fez tal e tal façanha, mas com a ajuda de fulano, seu escudeiro, sem o qual teria sido impossível vencer...". Mas não, escrevem apenas "dom Paralipômeno[3] das Três Estrelas venceu os seis monstros", sem mencionar a pessoa de seu escudeiro, que se encontrava presente em tudo, como se não existisse! Agora, senhores e senhoras, repito que meu senhor pode ir sozinho e que faça bom proveito, pois eu ficarei aqui em companhia de minha senhora, a duquesa, e até pode ser que na volta dom Quixote encontre a causa da senhora Dulcineia melhorada de cima a baixo, porque penso, em meus momentos de lazer e desocupação, me aplicar tantos açoites que as feridas vão criar bicho.

— Mesmo assim, deveis acompanhá-lo se for necessário, meu bom Sancho, porque boas pessoas vos suplicarão. Por causa de vossos vãos temores, estas senhoras não vão ficar com os rostos tão povoados: isso certamente seria um desastre.

— Ai, Jesus, acuda-me de novo! — replicou Sancho. — Se essa caridade fosse feita por algumas donzelas reclusas ou por algumas meninas órfãs, o homem poderia se arriscar a qualquer perigo. Mas que sofra para tirar as barbas de amas e aias, tenham dó, mesmo que eu as visse todas com barbas, desde a mais velha até a mais nova e da mais melindrosa até a mais metida.

— Estais de mal com as amas e aias, meu amigo Sancho — disse a duquesa. — Ides muito atrás da opinião do boticário de Toledo, mas, juro por Deus, não tendes razão, pois em minha casa há amas que podem ser exemplos de amas: aqui está dona Rodríguez, que não me deixará dizer outra coisa.

— Mas, mesmo que vossa excelência a diga — disse Rodríguez —, Deus conhece a verdade de tudo. E sejamos boas ou más, barbadas ou imberbes, também nos pariram nossas mães como às demais mulheres; enfim, como Deus nos botou no mundo, Ele sabe por quê, e à sua misericórdia me atenho, não às barbas de ninguém.

— Muito bem, senhora Rodríguez, senhora Trifaldi e companhia — disse dom Quixote —, espero que o céu olhe com bons olhos vossas penas e que Sancho faça o que eu lhe ordenar. Ah, estivesse aqui o Cravelenho e eu me visse frente a frente com Malambruno: sei que não haveria navalha que raspasse as barbas de vossas mercês com mais facilidade do que minha espada rasparia dos ombros a cabeça de Malambruno! Que Deus suporte os maus, mas não para sempre!

— Ai! — gemeu nessas alturas a Dolorida. — Espero, valoroso cavaleiro, que todas as estrelas das regiões celestes olhem vossa grandeza com olhos benignos e infundam em vosso peito todo o vigor e valentia para ser escudo e amparo do vituperado e abatido gênero amesco, abominado por boticários, caluniado por escudeiros e logrado por pajens. Ai da velhaca que na flor da idade não resolveu ser monja em vez de ama! Pobres de nós, as amas: mesmo que descendêssemos em linha direta, de pai para filho, do próprio Heitor, o troiano, nossas senhoras não deixariam de nos tratar como ralé, se com isso julgassem ser rainhas! Oh, gigante Malambruno! Apesar de mago, honra tuas promessas! Envia-nos logo o inigualável Cravelenho, para que nossa desgraça se acabe, pois, se o verão nos alcançar com estas barbas, estaremos fritas!

A Trifaldi disse isso com tanto sentimento que arrancou lágrimas de todos os presentes e até deixou os olhos de Sancho rasos d'água. Então ele resolveu, no fundo de seu coração, acompanhar seu senhor até os confins da terra, se isso fosse necessário para tirar a lã daqueles rostos veneráveis.

XLI

DA VINDA DE CRAVELENHO, COM O DESFECHO DESTA PROLONGADA AVENTURA

Então chegou a noite e, com ela, o prazo determinado para a vinda do famoso cavalo Cravelenho, cuja demora já preocupava dom Quixote, que pensou que, se Malambruno embromava, era porque ele não era o cavaleiro para quem estava reservada aquela aventura ou era porque Malambruno não ousava vir enfrentá-lo em singular batalha. Mas eis que de repente entraram no jardim quatro selvagens, todos vestidos de hera verde, que traziam sobre os ombros um grande cavalo de madeira. Puseram-no de pé no chão, e um dos selvagens disse:

— Monte nesta engenhoca quem tiver coragem para isso.

— Eu não monto — disse Sancho —, porque não tenho coragem nem sou cavaleiro.

E o selvagem continuou:

— E monte na garupa o escudeiro, se é que o tem, e confie no valoroso Malambruno, pois, se não for pela espada dele, por nenhuma outra ou por malícia alguma será atingido. Basta torcer esta cravelha que o bicho tem no pescoço, que ele os levará pelos ares até onde Malambruno os espera; mas, para que a altura e a sublimidade do caminho não lhes causem vertigem, devem cobrir os olhos até que o cavalo relinche, sinal de que a viagem acabou.

Dito isto, deixaram Cravelenho e voltaram por onde

tinham vindo com elegante postura. A Dolorida, logo que viu o cavalo, quase em lágrimas disse a dom Quixote:

— Valoroso cavaleiro, as promessas de Malambruno se cumpriram: o cavalo está aí, nossas barbas crescem, e cada uma de nós, com cada pelo delas, te suplicamos que nos tosquies e raspes, pois só depende de que montes nele com teu escudeiro e dês início a tua nova viagem.

— É o que farei, senhora condessa Trifaldi, de bom grado e com a melhor disposição, sem procurar almofada nem botar esporas, para não perder tempo, tamanha é a gana que tenho de ver a senhora e todas estas amas lindas e bem aparadas.

— Mas eu não, de jeito nenhum — disse Sancho —, nem de bom nem de mau grado. Se essa tosquia não pode ser feita sem que eu monte na garupa, meu senhor pode muito bem procurar outro escudeiro que o acompanhe, e estas senhoras outro modo de alisar os rostos, que eu não sou bruxo para gostar de andar pelos ares. E o que dirão meus ilhéus quando souberem que seu governador anda por aí, passeando no vento? E tem outra coisa mais: como daqui a Candaia há três mil e tantas léguas, se o cavalo se cansar ou o gigante se irritar, vamos demorar meia dúzia de anos para voltar, e já não haverá ilha nem bilha que me reconheçam. Por isso se diz comumente que na demora está o perigo e que, quando te derem a vaquinha, bote logo nela a cordinha. Com todo o respeito pelas barbas destas senhoras, quem vai ao vento perde o assento, quero dizer, estou muito bem nesta casa onde tanta mercê me fazem e de cujo dono espero tão grande bem como é me ver governador.

Ao que o duque disse:

— Sancho, meu amigo, a ilha que eu vos prometi não é móvel nem fugitiva: tem raízes tão profundas, lançadas nos abismos da terra, que não a arrancarão nem mudarão de onde está nem que se matem puxando com três cavalos. E como sabeis que eu sei que não há nenhuma espécie de ofício desses de maior importância que se obtenha de graça, o que eu quero em troca desse governo é que vades com vosso senhor dom Quixote resolver e dar cabo dessa memorável aventura. Quer volteis montado no Cravelenho, com a brevidade que sua rapidez promete, quer a má sorte vos traga de volta a pé, feito peregrino, de pousada em pousada e de estalagem em estalagem, ao voltardes achareis vossa ilha onde a deixais, e vossos ilhéus com o mesmo desejo que sempre tiveram de vos receber como seu governador, e minha vontade será a mesma; e não duvideis dessa verdade, senhor Sancho, pois seria cometer uma grave ofensa ao desejo que tenho de vos servir.

— Basta, senhor, não diga mais nada — disse Sancho. — Eu sou um pobre escudeiro, minhas costas não aguentam tantas cortesias; que monte meu amo, tapem-me os olhos e me encomendem a Deus, e me avisem se, quando andarmos por essas altanarias, poderei invocar a Nosso Senhor ou os anjos sem despencar.

Ao que respondeu a Trifaldi:

— Claro, Sancho, podeis vos encomendar a Deus ou a quem quiserdes, pois Malambruno, embora mago, é cristão e faz seus encantamentos com muita sagacidade e com muito cuidado, sem se meter com demônio nenhum.

— Eia — disse Sancho —, que Deus me ajude e a Santíssima Trindade de Gaeta também.

— Desde a memorável aventura dos pisões — disse dom Quixote —, nunca vi Sancho com tanto medo como agora, e, se eu fosse tão supersticioso como outros, sua covardia faria cócegas em meu ânimo. Mas aproximai-vos, Sancho, que com a licença destes senhores quero vos falar duas palavras em particular.

E, afastando-se com Sancho por entre umas árvores do jardim e segurando as mãos dele, disse:

— Já vês, Sancho, meu irmão, a longa viagem que nos espera: sabe lá Deus quando voltaremos, nem as oportunidades e tempo que nos darão os negócios. Assim sendo, gostaria que agora te retirasses para teu quarto, como se fosses procurar alguma coisa necessária para o caminho, e num piscar de olhos, por conta dos três mil e trezentos açoites a que estás obrigado, te aplicasse pelo menos uns quinhentos, que esses ficam dados, pois começar as coisas é tê-las meio acabadas.

— Por Deus! — disse Sancho. — Vossa mercê perdeu o juízo! Isso é como aquele ditado: "Eu grávida e tu me perguntas se sou donzela!". Agora que tenho de ir sentado direto numa tábua, vossa mercê quer que eu esfole o traseiro? No fundo, no fundo, vossa mercê não tem razão. Vamos de uma vez barbear essas senhoras, que na volta eu prometo, por minha honra, me apressar tanto para sair dessa obrigação que vossa mercê ficará contente, e não digo mais nada.

E dom Quixote respondeu:

— Bem, meu caro Sancho, com essa promessa vou consolado, e acredito que a cumprirás, porque, na verdade, apesar de tolo, és homem verídico.

— Não sou *verdico*, sou maduro — disse Sancho —, mas, mesmo que estivesse passado, cumpriria minha palavra.

Depois disso voltaram, e dom Quixote, ao montar Cravelenho, disse:

— Tapai os olhos, Sancho, e montai, pois quem nos envia este cavalo de terra tão longínqua não quer nos enganar: é pouca a glória que pode ter ao enganar quem se fia nele; mas, mesmo que acontecesse o contrário do que imagino, a glória de ter empreendido essa façanha não poderá ser obscurecida por malícia alguma.

— Sim, vamos lá, senhor — disse Sancho —, porque tenho as barbas e as lágrimas dessas senhoras cravadas no coração, e não comerei nada que me dê prazer até vê-las com as bochechas lisas como antes. Monte vossa mercê, e bote a venda primeiro, pois, se eu tenho de ir na garupa, é claro que o da sela monta antes.

— É verdade — replicou dom Quixote.

E, tirando um lenço do bolso, pediu à Dolorida que lhe cobrisse muito bem os olhos, mas em seguida tirou a venda e disse:

— Se não me lembro mal, li em Virgílio sobre o Paládio de Troia, que foi um cavalo de madeira que os gregos deram de presente à deusa Palas; ele ia prenhe de cavaleiros armados, que depois foram a total ruína de Troia. Então, será melhor ver antes o que Cravelenho traz no estômago.

— Não é necessário — disse a Dolorida. — Eu lhe garanto, porque sei, que Malambruno não tem nada de malicioso nem de traidor. Vamos, senhor dom Quixote, monte sem medo, e que recaia em mim qualquer desgraça que lhe acontecer.

Pareceu a dom Quixote que tudo que dissesse sobre sua segurança seria em detrimento de sua valentia. Assim, sem discutir mais, montou em Cravelenho e apalpou a cravelha, que girava com facilidade; como não havia estribos e suas pernas ficavam penduradas, ele parecia apenas uma estátua equestre romana, tecida ou pintada num tapete flamenco. Com má vontade e sem pressa nenhuma, Sancho acabou por montar e, acomodando-se o melhor que pôde na garupa, achou-a bem mais dura do que devia, e pediu ao duque que se fosse possível lhe arranjassem uma almofada ou algum travesseiro, mesmo que fosse do estrado de sua senhora, a duquesa, ou da cama de algum pajem, porque a garupa daquele cavalo mais parecia de mármore que de madeira. Então a Trifaldi disse que Cravelenho não suportava em cima de si nenhum arreio nem adorno de espécie alguma, e que o que podia fazer era não ficar escanchado, mas sentar como as mulheres no selim, de modo que não sentiria tanto a dureza da madeira. Foi o que Sancho fez e, encomendando-se a Deus, se deixou vendar. Mas depois se desvendou de novo e, olhando emocionado e com lágrimas a todos os presentes no jardim, disse a cada um que o ajudasse naquele apuro rezando alguns padre-nossos e ave-marias, para que Deus arranjasse alguém que rezasse por eles quando se vissem em perigo semelhante.

— Ladrão miserável — berrou dom Quixote —, por acaso estás no patíbulo ou dando o último suspiro, para semelhantes súplicas? Não estás, criatura covarde e desalmada, no mesmo lugar que ocupou a linda Magalona, de onde desceu não para a sepultura mas para ser rainha da França, se as histórias não mentem? E eu, que estou aqui contigo, não posso me pôr ao lado do valoroso Pierres, que sentou neste mesmo lugar em que sento agora? Venda os olhos de uma vez, animal desfibrado, e não deixes sair da boca o medo que tens, pelo menos em minha presença.

— Vamos, tapem-me os olhos — respondeu Sancho. — Se não querem que me encomende a Deus nem que seja encomendado, como não vou temer que ande por aí uma legião de diabos, que nos bote nas mãos da Santa Irmandade, para ser flechados em Peralvillo?[1]

Vendaram-nos de novo, e dom Quixote, sentindo que estava como devia estar, apalpou a cravelha, e, mal tinha posto os dedos nela, elevaram-se as vozes de todas as amas e de todos os presentes, dizendo:

— Deus te guie, valoroso cavaleiro!

— Deus esteja contigo, escudeiro intrépido!

— Já vais pelos ares, rompendo-os mais rápido que uma flecha!

— Já começais a espantar a quantos na terra vos estão olhando.

— Agarra-te, valoroso Sancho, que bamboleias! Cuidado, não caias, que será pior que a queda do rapaz atrevido que quis dirigir o carro do Sol, seu pai!

Sancho ouviu os gritos e, apertando-se contra seu amo e envolvendo-o com os braços, lhe disse:

— Senhor, como podem dizer que estamos nas alturas, se ouvimos seus gritos e até parece que estão falando ao nosso lado?

— Não repares nisso, Sancho, porque, como esses casos voláteis não seguem os cursos ordinários, de mil léguas verás e ouvirás o que quiseres. E não me apertes tanto, que me derrubas. Na verdade, não sei o que te preocupa nem o que te espanta, porque ousaria jurar que nunca, em todos os dias de minha vida, montei cavalo com passo mais macio: parece até que nem nos mexemos do lugar. Afasta o medo, meu amigo, que a coisa vai como realmente tinha de ir, e vamos de vento em popa.

— É mesmo — respondeu Sancho —, pois o vento me pega tão rijo por esse lado que parece que estão me soprando com mil foles.

Era o que acontecia: uns grandes foles estavam soprando, porque a aventura tinha sido muito bem planejada pelo duque, pela duquesa e por seu administrador, e não faltou um detalhe para que ficasse perfeita.

Sentindo-se soprado, dom Quixote disse:

— Sem dúvida nenhuma, Sancho, já devemos ter chegado à segunda região do ar, onde se formam o granizo e as neves; os trovões, os relâmpagos e os raios são formados na terceira região; e, se continuarmos subindo dessa maneira, logo chegaremos à região do fogo,[2] e não sei o que fazer com essa cravelha para não subirmos até acabarmos torrados.

Nisso, com umas estopas fáceis de acender e de apagar, de longe, penduradas na ponta de uma vara, esquentavam os rostos deles. Sancho, que sentiu o calor, disse:

— Que me matem se já não estamos no lugar do fogo ou bem perto, porque uma grande parte de minha barba foi chamuscada, e estou para tirar a venda, meu senhor, e ver onde estamos.

— Não faças isso — respondeu dom Quixote —, e lembra-te da história verídica do licenciado Torralba, a quem os diabos levaram flutuando pelo ar montado numa vara, com os olhos fechados. Em doze horas chegou a Roma e apeou na Torre de Nona, que é uma rua da cidade, e viu todo o assalto, ruína e morte de Bourbon, mas de manhã já estava de volta a Madri, onde contou tudo o que tinha visto.[3] Ele também disse que, quando ia pelo ar, o diabo lhe mandou que abrisse os olhos. Pois os abriu e se viu tão perto dos cornos da lua, em sua opinião, que poderia pegá-los com a mão, e que não ousou olhar para a terra para não desmaiar. Então, Sancho, não há motivo para tirarmos a venda, porque quem está encarregado de nós tomará conta de tudo. Talvez estejamos subindo num voo em círculo para cair direto sobre Candaia, como faz o falcão ou nebri sobre a garça para agarrá-la por mais que se esquive; e, mesmo que nos pareça que faz só meia hora que partimos do jardim, podes crer, Sancho, devemos ter feito um bom pedaço de caminho.

— Não sei de nada — respondeu Sancho Pança —, só que se a senhora Magalhães, ou Magalona, ficou satisfeita com esta garupa, não devia ter um traseiro muito macio.

Toda essa conversa dos dois valentes era ouvida com extraordinário prazer pelo duque, pela duquesa e pelos demais que estavam no jardim; e, para terminar a estranha e bem maquinada aventura, botaram fogo na cauda de Cravelenho com umas estopas, e dali a pouco, como o cavalo estava cheio de foguetes ensurdecedores, voou pelos ares com um ruído esquisito e atirou dom Quixote e Sancho Pança no chão, meio chamuscados.

Nesse meio-tempo, já havia desaparecido do jardim todo o esquadrão barbudo das amas, incluindo a Trifaldi, e os demais ficaram como que desmaiados, estendidos no chão. Dom Quixote e Sancho se levantaram alquebrados e, olhando ao redor, ficaram atônitos de se ver no mesmo jardim de onde haviam partido e de ver tanta gente estendida no chão. Aumentou mais o espanto deles quando viram a um lado, fincada na terra, uma grande lança em que pendia, por dois cordões de seda verde, um pergaminho liso e branco, onde estava escrito o seguinte com grandes letras de ouro:

O insigne cavaleiro dom Quixote de la Mancha concluiu com êxito, apenas ao tentá-la, a aventura da condessa Trifaldi — conhecida pela alcunha de Ama Dolorida — e companhia.

Malambruno se dá por total e completamente satisfeito — com as barbas tosquiadas, as amas já estão lisas, e os reis dom Cravelho e Antonomásia voltaram à antiga condição. E, quando se cumprir o flagelo escudeiril, a pomba branca se verá livre dos pestilentos falcões que a perseguem e nos braços de seu querido arrulhador, pois assim foi ordenado pelo sábio Merlin, o protomago dos magos.

É claro que dom Quixote, lendo as letras do pergaminho, entendeu que falavam do desencantamento de Dulcineia; e, dando graças ao céu por ter realizado feito tão grande com tão pouco perigo, devolvendo a antiga tez aos rostos das veneráveis amas, que já não se viam, se foi aonde o duque e a duquesa ainda não tinham voltado a si, e disse, segurando a mão do duque:

— Vamos, meu bom senhor, coragem, coragem, não foi nada! A aventura já acabou e sem dano de terceiros, como mostra com clareza aquele escrito posto na lança.

O duque, pouco a pouco e como quem desperta de um sono pesado, foi voltando a si, e do mesmo modo a duquesa e todos os que estavam caídos no jardim, com tantas demonstrações de admiração e espanto que quase daria para acreditar que tinha acontecido de verdade o que de brincadeira sabiam fingir tão bem. O duque leu o cartaz com os olhos meio fechados e depois, com os braços abertos, foi abraçar dom Quixote, dizendo ser ele o melhor cavaleiro que se vira em qualquer século.

Sancho andava por todo lado em busca da Dolorida, para ver que rosto tinha sem barbas e se era tão formosa sem elas como prometia sua elegante compleição. Mas lhe disseram que, mal Cravelenho desceu ardendo pelos ares e deu com eles no chão, o esquadrão todo das amas, incluindo a Trifaldi, havia desaparecido — e que já iam escanhoadas e sem um restinho de espuma de barbear. A duquesa perguntou a Sancho como tinha passado naquela longa viagem, e ele respondeu:

— Minha senhora, senti que íamos voando pela região do fogo, como disse meu senhor, e quis tirar um pouco a venda dos olhos, porém meu amo, a quem eu tinha pedido licença para isso, não consentiu. Mas eu, que tenho umas pitadas de curioso e sempre desejo saber o que me incomoda e atrapalha, dissimuladamente e sem que ninguém visse, afastei um tanto, perto do nariz, o lenço que me tapava os olhos e por ali olhei para a terra, e me pareceu que toda ela não era maior que um grão de mostarda e os homens que andavam aqui, pouco maiores que avelãs. Veja vossa mercê como devíamos ir altos então.

A isso, a duquesa disse:

— Sancho, meu amigo, olhai bem o que dizeis, pois me parece que não vistes a terra, mas os homens que andavam sobre ela. É evidente que se a terra vos pareceu como uma semente de mostarda e cada homem como uma avelã, um único homem teria coberto toda a terra.

— É verdade — respondeu Sancho —, mas, mesmo assim, destapei um ladinho e a vi toda.

— Ora, Sancho — disse a duquesa —, por um ladinho não se vê inteiro o que se olha.

— Não sei nada dessas olhadas — replicou Sancho —, sei apenas que será bom que vossa senhoria entenda que, como voávamos por encantamento, por encantamento eu podia ver toda a terra e todos os homens em qualquer lugar que olhasse. E, se não acredita nisso, vossa mercê também não vai acreditar que, destapando perto das sobrancelhas, me vi tão perto do céu que ele não estava a mais de um palmo e meio de mim e, posso jurar, minha senhora, é muito, mas muito grande. E aconteceu que íamos ali por onde estão as Sete Cabritinhas;[4] como fui pastor em minha infância, lá em minha aldeia, por Deus e por minha alma, logo que as vi me deu uma gana de brincar um pouco com elas, que se não fizesse isso parece que eu ia arrebentar. Então, chego e aí, faço o quê? Sem dizer nada a ninguém, nem mesmo a meu senhor, bem devagarinho e disfarçadamente apeei de Cravelenho e brinquei por uns três quartos de hora com as cabritinhas, que são lindas como rosas ou camélias. E Cravelenho não se mexeu do lugar nem foi adiante.

— E enquanto o bom Sancho se divertia com as cabras — perguntou o duque —, com que se divertia o senhor dom Quixote?

Dom Quixote respondeu:

— Como todas essas coisas e todos esses acontecimentos estão fora da ordem natural, não é lá grande coisa que Sancho diga o que diz. De mim posso dizer que não mexi na venda nem para baixo nem para cima, nem vi o céu nem a terra, nem o mar nem as areias. É bem verdade que senti que passava pela região do ar e depois que tocava a do fogo, mas não posso acreditar que a ultrapassássemos, pois, estando a região do fogo entre o céu da lua e a última região, não podíamos chegar ao oitavo céu, onde ficam as estrelas fixas, como as Sete Cabritinhas de Sancho, sem nos queimarmos. Então, como não assamos, ou Sancho mente ou Sancho sonha.

— Nem minto nem sonho — respondeu Sancho. — Se não acreditam, perguntem-me como são essas cabras, e então vão ver se digo ou não a verdade.

— Diga lá, Sancho, como são — disse a duquesa.

— Duas delas são verdes — respondeu Sancho —, duas vermelhas, duas azuis e uma furta-cor.

— Trata-se de uma nova espécie de cabras — disse o duque. — Aqui em nossa região da terra não temos essas cores, digo, cabras dessas cores.

— É claro que não — disse Sancho —, pois deve haver diferença entre as cabras do céu e as da terra.

— Dizei-me, Sancho — perguntou o duque —, vistes por lá algum cabrão bem cornudo entre essas cabras?

— Não, senhor — respondeu Sancho —, mas ouvi dizer que nenhum cornudo passa pelos cornos da lua.[5]

Não quiseram perguntar mais nada sobre a viagem, porque lhes pareceu que Sancho levava jeito de que ia passear por todos os céus e dar notícias de tudo o que acontecia por lá sem ter se movido do jardim.

Em suma, este foi o fim da aventura da Ama Dolorida, que deu aos duques muito que rir, não só naquele dia, mas pelo resto de suas vidas, e que daria o que contar a Sancho, por séculos, se os vivesse. E dom Quixote, aproximando-se de Sancho, lhe disse ao ouvido:

— Sancho, como quereis que acreditem no que vistes no céu, eu quero que acrediteis no que vi na caverna de Montesinos. E não vos digo mais nada.

XLII

DOS CONSELHOS QUE DOM QUIXOTE DEU A SANCHO PANÇA ANTES QUE ELE FOSSE GOVERNAR A ILHA, COM OUTRAS COISAS BEM PENSADAS

Os duques ficaram tão contentes com o feliz e divertido resultado da aventura da Dolorida que decidiram seguir adiante com as brincadeiras, vendo que tinham o assunto certo para que as levassem a sério. Assim, tendo explicado o plano e dado as ordens que seus criados e vassalos deviam seguir com Sancho no governo da ilha prometida, no dia seguinte, que foi o que sucedeu ao voo do Cravelenho, o duque disse a Sancho que se aprontasse e se arrumasse para ir ser governador, pois seus ilhéus já o estavam esperando como à água depois da seca. Sancho se ajoelhou e disse:

— Depois que desci do céu, depois que lá das alturas olhei a terra e a vi tão pequena, esfriou em parte a enorme vontade que eu tinha de ser governador, pois que glória há em mandar num grão de mostarda? Ou que dignidade e poder há em governar meia dúzia de homens do tamanho de avelãs, já que não me pareceu que havia maiores em toda a terra? Se vossa senhoria pudesse me dar um tiquinho do céu, embora não fosse mais de meia légua, eu o receberia com mais boa vontade que a maior ilha do mundo.

— Vede, amigo Sancho — respondeu o duque —, não posso dar parte do céu a ninguém, mesmo que não seja maior que uma unha, porque apenas a Deus estão reservadas essas mercês e graças. O que posso dar, eu vos dou, que é uma ilha de verdade, redonda, bem-proporcionada e extremamente fértil e abundante, onde, se agirdes com jeito, podereis alcançar as riquezas do céu com as da terra.

— Se é assim — respondeu Sancho —, que venha essa ilha: lutarei para ser tão bom governador que, apesar dos velhacos, eu vá direto para o céu. Mas isso não é por ambição que eu tenha de tirar o pé da lama nem de ser melhor do que sou, e sim pelo desejo que tenho de provar o gostinho de ser governador.

— Se o provardes uma vez, Sancho — disse o duque —, dareis um braço para continuar no governo, porque não há nada mais doce que mandar e ser obedecido. Quando vosso amo chegar a ser imperador, pois o será sem dúvida, conforme se encaminham os negócios dele, com certeza não deixará que o arranquem do trono de jeito nenhum, e vai lhe doer no fundo da alma o tempo que houver deixado de ser.

— Senhor — replicou Sancho —, eu imagino que é bom mandar, mesmo que seja numa tropa de bois.

— Eu iria ao inferno convosco, Sancho, pois sabeis de tudo, e acho que sereis tão bom governador como vosso juízo promete. Mas fiquemos por aqui — respondeu o duque. — Lembrai que amanhã de manhã havereis de tomar posse do governo da ilha, e esta tarde vos arranjarão o traje conveniente que deveis levar e todas as coisas necessárias para vossa partida.

— Vistam-me como quiserem — disse Sancho —, pois, de qualquer maneira que vá vestido, serei Sancho Pança.

— É verdade — disse o duque —, mas os trajes devem se ajustar ao ofício e à dignidade que se professa, pois não ficaria bem que um jurisconsulto se vestisse como soldado, nem um soldado como um sacerdote. Vós, Sancho, ireis vestido parte como letrado e parte como capitão, porque na ilha que vos dou são necessárias tanto as armas como as letras e tanto as letras como as armas.

— Letras, tenho poucas, porque ainda não sei o ABC — respondeu Sancho —, mas me basta ter na memória a cruz que há na capa da cartilha para ser um bom governador. Quanto às armas, manejarei as que me derem, até cair, e que Deus me ajude!

— Com tão boa memória — disse o duque —, Sancho não poderá errar em nada.

Então chegou dom Quixote e, tomando conhecimento do que acontecia e da rapidez com que Sancho havia de partir para seu governo, com a permissão do duque pegou o escudeiro por uma das mãos e foi com ele para seu quarto, com a intenção de aconselhá-lo sobre como devia se comportar em seu ofício. No aposento, dom Quixote fechou a porta atrás de si e insistiu para que Sancho se sentasse ao seu lado. Aí, com voz muito calma, disse:

— Dou infinitas graças ao céu, Sancho, meu amigo, de que haja tocado a ti encontrar e receber a boa fortuna antes que eu tenha topado com alguma boa sorte. Eu, que confiava à minha boa sorte o pagamento de teus serviços, me vejo apenas no começo da melhora de minha situação, e tu, antes do tempo, contra as leis do razoável e do esperado, te vês premiado em teus desejos. Uns subornam, incomodam, solicitam, antecipam-se, suplicam, insistem e não alcançam o que pretendem, mas aí chega outro e, sem saber como nem por quê, se acha com o cargo e ofício que muitos outros pretenderam. Aqui cabe muito bem dizer que há boa e má sorte nas pretensões. Tu, que para mim, sem sombra de dúvida, és um tolo, sem madrugar nem tresnoitar e sem fazer diligência alguma, animado apenas pelo espírito da cavalaria andante, sem mais nem menos te vês governador de uma ilha, assim como quem não quer nada. Digo isso tudo, Sancho, para que não atribuas a teus méritos a mercê recebida, mas que dês graças ao céu, que dispõe suavemente as coisas, e depois as deve dar à grandeza que em si encerra a profissão da cavalaria andante. Portanto, Sancho, com o coração disposto a acreditar no que te disse, presta atenção a este teu Catão, meu filho, que quer te aconselhar e ser norte e guia que te encaminhe e te leve a porto seguro nesse mar proceloso onde vais te engolfar, pois os ofícios e grandes cargos não são outra coisa que um oceano profundo de confusões.

"Em primeiro lugar, meu filho, deves temer a Deus, porque em temê-lo está a sabedoria e, sendo sábio, não poderás errar em nada.

"Em segundo, deves voltar os olhos para quem és, procurando conhecer a ti mesmo, que é o conhecimento mais difícil que se pode imaginar. Conhecendo-te, não farás como a rã, que inchou para se igualar ao boi, porque, se fizeres isso, o fato de teres sido guardador de porcos em tua terra te fará lembrar de tua loucura, como a visão dos próprios pés leva o pavão a desfazer a roda de sua cauda."

— É verdade — respondeu Sancho —, mas isso foi quando eu era um menino; depois, já homenzinho, o que guardei foram gansos, não porcos. Bem, acho que isso não vem ao caso, pois nem todos os que governam descendem de famílias de reis.

— Sim, é verdade — replicou dom Quixote —, por isso os que não têm um começo nobre devem acompanhar a gravidade do cargo que exercem com uma branda suavidade que, guiada pela prudência, os livra dos mexericos maliciosos, de que não há estado que escape.

"Orgulha-te, Sancho, da humildade de tua linhagem, e não te envergonhes de dizer que descendes de camponeses, porque, vendo que não te vexas, ninguém tratará de te vexar, e envaideça-te mais de ser humilde virtuoso que pecador soberbo. Inumeráveis são aqueles que, nascidos de estirpe baixa, alcançaram a suma dignidade pontifícia e imperatória; e sobre essa verdade eu poderia te dar tantos exemplos que te cansariam.

"Olha, Sancho: se tomares a virtude como meio e te orgulhares de praticar atos virtuosos, não há motivo para teres inveja dos que têm pais e avós príncipes e senhores, porque o sangue se herda e a virtude se adquire, e a virtude vale por si só o que o sangue não vale.

"Sendo as coisas assim, como de fato são, se por acaso quando estejas em tua ilha vier te ver algum de teus parentes, não o ignores nem o afrontes, deves antes recebê-lo, protegê-lo e festejá-lo, que com isso satisfarás o céu, que gosta que ninguém despreze o que ele criou, e corresponderás ao que deves à harmonia da natureza.

"Se trouxeres tua mulher contigo (porque não fica bem que os que governam muito tempo fiquem sem elas), ensina-a, doutrina-a e desbasta-a de sua natureza rude, porque tudo o que um governador atilado costuma adquirir, uma mulher rústica e boba costuma perder e esbanjar.

"Se por acaso ficares viúvo, coisa que pode acontecer, e melhorar de consorte com o cargo, não a tomes por anzol e isca, ou como mão de gato para tirar as castanhas do fogo, porque em verdade te digo que, tudo aquilo que a mulher do juiz receber, o marido deve dar conta no dia do Juízo Final, onde pagará multiplicado por quatro na morte os pecados que não assumiu na vida.

"Nunca te guies por teus caprichos, coisa muito aceita entre os ignorantes que se acham perspicazes.

"Encontrem em ti mais compaixão as lágrimas do pobre, mas não mais justiça que as alegações do rico.

"Procura descobrir a verdade tanto entre as promessas e os presentes do rico como entre os soluços e as súplicas do pobre.

"Quando puder ter lugar a equidade, não descarregues todo o rigor da lei sobre o delinquente, pois não é melhor a fama do juiz rigoroso que a do compassivo.

"Se por acaso penderes para um lado a balança da justiça, não seja com o peso dos presentes, mas com o da misericórdia.

"Quando acontecer de julgares o pleito de algum inimigo teu, afasta teu pensamento da ofensa que sofreste e ajusta-o na verdade do caso.

"Não te cegue a paixão própria na causa alheia, pois os erros que cometeres nela na maioria das vezes não terão remédio, mas, se tiverem, será à custa de tua reputação e até de teus bens.

"Se alguma mulher formosa vier te pedir justiça, tira os olhos das lágrimas dela e teus ouvidos de seus gemidos, e considera devagar o mérito do que te pede, se não quiseres que tua razão se afogue em seu pranto e tua bondade em seus suspiros.

"Ao que deves castigar com atos, não trates mal com palavras, pois basta ao desgraçado a pena da tortura, sem o acréscimo de repreensões.

"Considera homem digno de misericórdia o culpado que cair em tua jurisdição, sujeito às condições de nossa natureza depravada, e em tudo quanto for de tua parte, sem prejudicar a contrária, mostra-te piedoso e clemente, porque, ainda que todos os atributos de Deus sejam iguais, aos nossos olhos mais resplandece e sobressai o da misericórdia que o da justiça.

"Se seguires esses preceitos e essas regras, Sancho, teus dias serão longos, tua fama será eterna, muitos os teus prêmios e indizível tua felicidade; casarás teus filhos como quiseres, e eles e teus netos terão títulos; viverás em paz e com a aprovação do povo, e nos últimos passos da vida te alcançará o da morte na velhice suave e madura, e te fecharão os olhos as ternas e delicadas mãos de teus tataranetos. Isso que te disse até aqui são instruções que devem adornar tua alma; escuta agora as que devem servir para adorno do corpo."

XLIII

DOS SEGUNDOS CONSELHOS QUE DOM QUIXOTE DEU A SANCHO PANÇA

Quem ouvisse o discurso anterior de dom Quixote não o tomaria por pessoa muito sensata e bem-intencionada? Mas, como muitas vezes no andamento desta grande história ficou dito, somente disparatava se se puxasse o assunto de cavalaria, no resto mostrava ter a mente clara e desimpedida, de modo que a cada passo suas ações desacreditavam seu juízo, e seu juízo, suas ações. Mas, nessa segunda rodada de instruções que deu a Sancho, mostrou ter muito espírito e levou seu bom senso e sua loucura ao ponto mais extremo.

Sancho o escutava com toda a atenção e procurava conservar na memória seus conselhos, porque pensava segui-los para levar a gravidez de seu governo a um bom parto. Dom Quixote, então, prosseguiu:

— No que toca a como deves governar tua pessoa e tua casa, Sancho, a primeira coisa que te digo é que sejas limpo e que cortes as unhas, sem deixá-las crescer, como alguns fazem, a quem a ignorância deu a entender que as unhas compridas embelezam as mãos,[1] como se aquela excrescência prolongada que deixam de cortar fosse unha, quando parecem mais garras de gavião comedor de lagartixas, um abuso extraordinário e imundo.

“Não andes, Sancho, com roupas desalinhadas e frouxas, porque é indício de espírito desmazelado, isso se a descompostura e o desalinho já não são motivo para zombaria, como aconteceu com Júlio César.

"Avalia com discrição o que tua nova posição pode valer e, se te permite vestir teus criados com librés, trates de dá-las dignas e úteis mais que vistosas e elegantes, e divide-as entre teus criados e os pobres: quero dizer que, se vais vestir seis pajens, veste três e outros três pobres, e assim terás pajens tanto para o céu como para a terra. E, repara, esse modo novo de dar librés não é entendido pelos vaidosos.

"Não comas alhos nem cebolas para que não percebam pelo cheiro teu plebeísmo.

"Anda devagar e fala com calma, mas não de maneira que pareça que escuta a ti mesmo, que toda afetação é má.

"Almoça pouco e janta menos ainda, que a saúde de todo o corpo se forja na fábrica do estômago.

"Sê moderado ao beber, considerando que vinho demais não guarda segredo nem cumpre a palavra.

"Cuida-te, Sancho, para não comeres esganadamente nem eructares diante de ninguém."

— Não entendo esse negócio de eructar — disse Sancho.

E dom Quixote disse:

— Eructar, Sancho, quer dizer arrotar, e esta é uma das palavras mais grosseiras que há na língua castelhana, embora seja muito expressiva. Então, as pessoas finas se ampararam no latim, e ao arrotarem dizem eructar, e chamam os arrotos de eructações, e quando alguns não entendem esses termos, pouco importa, porque o uso os irá difundindo com o tempo, de modo que serão entendidos com facilidade; e isso é enriquecer a língua, sobre quem o povo e o uso têm poder.

— Na verdade, senhor — disse Sancho —, um dos conselhos e avisos que penso levar na memória será o de não arrotar, porque costumo fazer isso a toda hora.

— *Eructar*, Sancho, não *arrotar* — disse dom Quixote.

— Vou dizer *eructar* daqui por diante — respondeu Sancho —, e tomara que não me esqueça.

— Também não deves misturar em tuas conversas, Sancho, aquela multidão de ditados que costumas usar, porque, apesar de os ditados serem sentenças breves, muitas vezes tu os encaixa a ferro e fogo, tanto que mais parecem disparates que sentenças.

— Isso só Deus pode remediar — respondeu Sancho —, porque sei mais ditados que um livro, e me vêm tantos à boca quando falo que até brigam uns com os outros para sair, mas a língua vai disparando os primeiros que encontra, mesmo que não venham a calhar. Mas eu vou me cuidar daqui por diante para dizer os que convenham à gravidade de meu cargo, pois em casa cheia, logo se serve a ceia, e quem reparte, se não fica com a melhor parte, é bobo ou não entende da arte, e quem ri melhor ri por último.

— Isso sim, Sancho! — disse dom Quixote. — Alinha, desfia e encaixa ditados: nisso ninguém te ganha! Contigo é o mesmo que malhar em ferro frio! Estou te dizendo que deixes de ditados, e num instante fizeste uma ladainha deles, e combinam com o que vamos tratando como água com azeite. Olha, Sancho, não te digo que parece mal um ditado referido a propósito; mas descarregar ditados um atrás do outro, a torto e a direito, torna a conversa vulgar e aborrecida.

"Quando montares a cavalo, não vás com o corpo jogado sobre o arção traseiro nem leves as pernas tesas e espichadas, longe da barriga do cavalo, nem tampouco vás tão frouxo que pareça que vais em teu burro; porque andar a cavalo torna uns cavaleiros, outros cavalariços.

"Teu sono deve ser moderado, pois aquele que não levanta com o sol não goza do dia; e repara, Sancho, que a diligência é mãe da boa sorte, e a preguiça, sua inimiga, jamais chegou ao fim que pedem as boas intenções.

"Gostaria que levasses bem gravado na memória este último conselho que quero te dar agora, mesmo que não sirva para adorno do corpo, pois acho que não será menos proveitoso que os que te dei antes: jamais te metas em disputas de linhagens, pelo menos comparando-as entre si, porque numa comparação, forçosamente, uma vai parecer melhor que a outra, e serás odiado por aquela que abateres e não serás premiado de modo algum por aquela que exaltares.

"Teus trajes serão calça toda de um mesmo tecido, gibão comprido e capa um pouco mais comprida; bragas, nem pensar, pois não caem bem nem nos cavaleiros nem nos governadores.

"Por ora, Sancho, esses eram os conselhos que me ocorreram te dar; correndo o tempo, conforme as ocasiões, darei minhas instruções, desde que tenhas o cuidado de me avisar da situação em que te encontrares."

— Senhor — respondeu Sancho —, percebo muito bem que tudo o que vossa mercê me disse são coisas boas, santas e úteis, mas de que irão me servir, se não me lembro de nenhuma? É verdade que aquele negócio de não deixar crescer as unhas e de me casar outra vez, se por acaso der no jeito, não me sairá do bestunto; mas essas outras bugigangas, mixórdias e saladas, não me lembro nem vou me lembrar mais delas que das nuvens de antigamente. Então, será preciso que me dê por escrito; como não sei ler nem escrever, eu os darei a meu confessor para que me meta na cabeça e o recorde quando for necessário.

— Ai de meus pecados! — respondeu dom Quixote. — Como parece mal nos governadores não saber ler nem escrever! Porque deves saber, Sancho, que um homem não saber ler, ou ser canhoto, das duas, uma: ou é filho de pais demasiado humildes e grosseiros, ou ele é tão travesso e mau que nem os bons costumes nem a boa doutrina puderam entrar na cabeça dele. Grande falta carregas, Sancho. Gostaria então que aprendesses pelo menos a assinar.

— Mas sei assinar meu nome muito bem — respondeu Sancho —, pois quando fui andador da confraria em minha terra aprendi a fazer umas letras como aquelas que vêm nos fardos,[2] que, dizem, dizia meu nome; além do mais, fingirei que tenho a mão direita entrevada e farei outro assinar por mim, pois para tudo há remédio, menos para a morte, e, tendo eu o comando e o porrete, farei o que quiser, mais do que aquele que tem o pai alcaide... Venham para ver o que acontece, eu sendo governador, que é mais que ser alcaide! Ora, que me desprezem e me caluniem: virão por lã e voltarão tosquiados, e Deus ajuda quem cedo madruga, e as asneiras do rico passam por pérolas, e sendo eu rico, governador e generoso, como pretendo ser, não faz mal que notem meus defeitos. Não, não: faça-te de mel e as moscas te comerão; vales tanto quanto tens, já dizia minha avó, e de homem poderoso não te verás vingado.

— Miserável, que um raio te parta, Sancho! — disse dom Quixote nessas alturas. — Que sessenta mil diabos te carreguem, a ti e a teus ditados! Faz uma hora que os desfias, uma hora que estás me dando fel para beber. Eu te garanto que um dia esses ditados te levarão à forca, por causa deles teus vassalos irão te tomar o governo ou haverá revoltas entre eles. Diz-me, seu ignorante, onde os encontras? E como os aplicas, mentecapto? Pois eu, para dizer um e aplicá-lo direito, suo e trabalho como se cavasse.

— Por Deus, senhor nosso amo — replicou Sancho —, vossa mercê se queixa de ninharias. Por que diabos tanto azedume só por eu me servir de minha riqueza, se não tenho nenhuma outra, nem bem algum, senão ditados e mais ditados? E agora mesmo me vieram à ideia quatro sob medida, ou como pedidos de encomenda, mas não os direi, porque o silêncio é de ouro.

— Então é por isso que és pobre, Sancho — disse dom Quixote —, porque não só não calas a boca, como falas mal e teimas, ainda por cima. Mas, mesmo assim, eu gostaria de saber que quatro ditados te vieram agora à memória, tão a propósito, pois ando vasculhando a minha, que é boa, e não acho nenhum.

— Há melhores que estes? — disse Sancho. — "Nunca fiques entre o malho e a bigorna", "Não há o que responder a 'Cai fora de minha casa!' e 'Não te metas com minha mulher!'", e "Se o cântaro dá na pedra ou a pedra dá no cântaro, pior para o cântaro". Então, não vêm todos a calhar? Que ninguém se meta nos assuntos do governador nem com quem manda, porque sairá machucado, como aquele que bota o dedo entre o malho e a bigorna, mesmo que não seja malho, pode ser um martelo, não importa. E não se deve responder ao que o governador disser, como quando se diz "cai fora de minha casa e não te metas com minha mulher". E o da pedra no cântaro, até um cego enxerga. Então é preciso que, aquele que vê um cisco no olho alheio, veja uma viga no seu,[3] para que não digam dele o que disseram do roto que riu do esfarrapado. E vossa mercê sabe muito bem que um burro em sua casa sabe mais que um sábio na alheia.

— Essa não, Sancho — respondeu dom Quixote. — Um burro em sua casa ou na dos outros não sabe nada, porque sobre o alicerce da burrice não se assenta nenhuma construção sábia. Mas vamos parar por aqui, Sancho, pois, se governares mal, a culpa será tua e a vergonha, minha. Meu consolo é ter feito o que devia ao te aconselhar com a verdade e a sabedoria que me eram possíveis: com isso saio de minha obrigação e de minha promessa. Deus te guie, Sancho, e te governe em teu governo, e acabe com o medo que tenho de que vais botar a ilha toda de pernas para cima, coisa que eu poderia evitar revelando ao duque quem és, dizendo-lhe que esse corpo todo e essa graxa toda não são nada mais que um saco cheio de ditados e malícias.

— Senhor — replicou Sancho —, se vossa mercê acha que não estou à altura desse governo, agora mesmo o abandono, pois quero mais a um só tiquinho da unha de minha alma que a todo o meu corpo, e assim me sustentarei, Sancho apenas, a pão e cebola, do que como governador com perdizes e leitões, sem falar que, quando se dorme, todos são iguais, os grandes e os pequenos, os pobres e os ricos. E se vossa mercê prestar atenção nessa coisa toda, verá que foi justamente vossa mercê que me botou nesse negócio de governar, pois não sei mais de governos de ilha que um urubu, e se imagina que por ser governador o diabo me carrega, mais quero ir Sancho para o céu que governador para o inferno.

— Por Deus, Sancho — disse dom Quixote —, apenas por estas últimas palavras que disseste julgo que mereces ser governador de mil ilhas: tens boa índole, sem a qual não há ciência que preste. Encomenda-te a Deus, e procura não errar na primeira intenção: quero dizer que sempre tenhas o firme propósito de acertar em quantos negócios te meteres, porque o céu sempre favorece as boas intenções. E vamos comer, que me parece que esses senhores já estão nos aguardando.

XLIV

COMO SANCHO PANÇA FOI LEVADO AO GOVERNO, E DA ESTRANHA AVENTURA QUE ACONTECEU A DOM QUIXOTE NO CASTELO

Dizem que no manuscrito original desta história se lê que Cide Hamete, chegando a este capítulo, escreveu que seu intérprete não o traduziu como ele o havia escrito, uma espécie de queixa que o mouro fez de si mesmo por ter tomado entre as mãos uma história tão seca e tão limitada como esta de dom Quixote, por lhe parecer que sempre havia de falar dele e de Sancho, sem ousar se estender a outras digressões e episódios mais sérios e mais divertidos. Acrescentou que ter sempre o espírito, a mão e a pluma restritos a escrever sobre um só assunto e falar pelas bocas de poucos personagens era um trabalho insuportável, cujo fruto não redundava em favor de seu autor, e que para fugir desse inconveniente havia usado na primeira parte o artifício de algumas narrativas, como a do *Curioso impertinente* e a do *Capitão cativo*, que estão como que separadas da trama, porque as demais que ali se contam são casos acontecidos ao próprio dom Quixote, que ele não poderia deixar de escrever. Também pensou, como disse, que muitos, levados pela atenção que pedem as façanhas de dom Quixote, não a dariam às narrativas, e passariam por elas ou com pressa ou com exasperação, sem perceber a elegância e a habilidade que contêm em si, coisa que seria bem evidente se saíssem à luz separadamente, sem ser comparadas às loucuras de dom Quixote nem às tolices de Sancho.

Então, nesta segunda parte não quis enxertar narrativas soltas nem postiças, mas alguns episódios que assim parecessem, nascidos porém dos próprios acontecimentos que a verdade oferece, e mesmo estes em número limitado e apenas com as palavras que bastam para contá-los. Assim, visto que Cide Hamete se contém e se encerra nos estreitos limites da narração, tendo a aptidão, a capacidade e o entendimento para tratar do universo todo, pede que não se despreze seu trabalho, e o elogiem não pelo que escreve, mas pelo que deixou de escrever.

Em seguida, prossegue a história dizendo que logo que acabou de almoçar, no dia que deu os conselhos a Sancho, à tarde dom Quixote os entregou escritos para que o escudeiro procurasse quem os pudesse ler para ele. Mas, apenas os deu, caíram no chão e foram parar nas mãos do duque, que os mostrou à duquesa, e os dois se admiraram de novo da loucura e da capacidade de dom Quixote. Assim, levando adiante suas brincadeiras, naquela tarde enviaram Sancho com grande séquito ao lugar que para ele haveria de ser a ilha.

Aconteceu que o homem encarregado da situação era um administrador do duque, muito inteligente e muito engraçado — pois não pode haver graça onde não há inteligência —, que tinha feito o papel da condessa Trifaldi com a elegância com que foi registrado; por isso e por ter sido instruído por seus senhores sobre como devia agir com Sancho, saiu-se maravilhosamente em sua empresa. Então, assim que Sancho topou com o tal administrador, viu em seu rosto o mesmo da Trifaldi e, virando-se para seu amo, disse:

— Senhor, que o diabo me carregue daqui agora mesmo, sem choro nem vela, ou vossa mercê há de me confessar que o rosto deste administrador do duque, que está ali, é o mesmo da Dolorida.

Dom Quixote olhou atentamente o administrador e depois disse a Sancho:

— O diabo não tem motivo nenhum para te carregar, Sancho, nem com choro e vela, nem agora nem daqui a pouco, pois não sei o que queres dizer: o rosto da Dolorida é o do administrador, mas nem por isso o administrador é a Dolorida, pois, se fosse, implicaria uma contradição muito grande, e agora não é hora de fazer essas averiguações, pois seria entrarmos em labirintos dos mais intrincados. Acredite-me, amigo, é preciso suplicar a Nosso Senhor, suplicar para valer que nos livre de feiticeiros e de magos perversos.

— Não é brincadeira, senhor — replicou Sancho. — Antes, quando ouvi o administrador falar, me pareceu que a voz da Trifaldi ressoava em meus ouvidos. Muito bem, vou me calar, mas não deixarei de andar prevenido daqui por diante, para ver se revela outro sinal que confirme ou desfaça minha suspeita.

— É o que deves fazer, Sancho — disse dom Quixote —, e me avisar de tudo o que descobrires neste caso e de tudo aquilo que te acontecer no governo.

Por fim, Sancho saiu acompanhado por muita gente. Estava vestido como um letrado, e tinha por cima um gabão muito largo de chamalote ondulado, cor de leão, e um gorro do mesmo tecido. Ia montado à gineta num mulo, e atrás dele, por ordem do duque, ia o burro ruço com arreios e ornamentos burricais de seda flamante. Sancho virava a cabeça de tanto em tanto para olhar o burro, em cuja companhia ia tão alegre que não trocaria de lugar com o imperador da Alemanha.

Ao se despedir dos duques, beijou as mãos deles, e tomou a bênção de seu senhor, que a deu com lágrimas, e Sancho a recebeu fazendo beicinho.

Deixa, leitor amável, o bom Sancho ir em paz e em boa hora e espera dois bocados de riso que irão te causar ao saber como se portou no cargo. Enquanto isso, presta atenção ao que aconteceu a seu amo naquela noite, que, se não rires com isso, pelo menos abrirás os lábios com uma risada de macaca, porque as façanhas de dom Quixote devem ser celebradas ou com admiração ou com riso.

Enfim, conta-se que, mal Sancho tinha partido, dom Quixote sentiu saudade dele e, se fosse possível revogar a nomeação e tomar o governo dele, era o que teria feito. A duquesa percebeu sua melancolia e lhe perguntou por que estava triste, se era pela ausência de Sancho, pois havia em sua casa escudeiros, damas e aias que lhe serviriam conforme seu desejo.

— É verdade, minha senhora — respondeu dom Quixote —, que sinto a ausência de Sancho, mas essa não é a causa principal que me faz parecer triste. E das muitas gentilezas que vossa excelência me faz somente aceito e escolho a de vossa boa vontade; quanto ao resto, suplico a vossa excelência que dentro de meu aposento consinta e permita que apenas eu sirva a mim mesmo.

— Na verdade, senhor dom Quixote — disse a duquesa —, não há de ser assim, pois quatro de minhas aias, formosas como flores, irão servi-lo.

— Para mim elas não serão como flores — respondeu dom Quixote —, mas como espinhos que me ferem a alma. Elas só entrarão em meu aposento, ou coisa parecida, se vierem voando. Se é que vossa grandeza quer levar adiante o fazer-me mercê sem eu merecê-la, deixe que eu me arrume sozinho e que sirva a mim mesmo na intimidade, que eu ponha uma muralha entre meus desejos e minha virtude. E não quero perder esse costume por força da generosidade que vossa alteza quer mostrar comigo. Em suma, prefiro dormir vestido que consentir que alguém me dispa.

— Chega, senhor dom Quixote, chega — replicou a duquesa. — Garanto que darei ordem para que nem uma mosca entre em seu quarto, nem falemos de uma aia: não sou eu a pessoa que vai desbaratar a decência do senhor dom Quixote, pois, conforme percebi, entre suas muitas virtudes a mais saliente é o recato. Dispa-se e vista-se vossa mercê a sós e a seu modo como e quando quiser, que não haverá quem o impeça, pois dentro de seu aposento encontrará os utensílios necessários a quem dorme a portas fechadas, para que nenhuma necessidade natural o obrigue a abri-las. Viva mil séculos a grande Dulcineia del Toboso, e que seu nome se espalhe por toda a esfericidade da terra, pois mereceu ser amada por tão valente e tão virtuoso cavaleiro, e os céus benignos infundam no coração de Sancho Pança, nosso governador, o desejo de acabar de uma vez com seus açoites, para que o mundo volte a desfrutar da beleza de tão nobre senhora.

A isso, dom Quixote disse:

— Vossa altitude falou como quem é, pois na boca das boas senhoras não deve haver nenhuma outra senhora que seja má; e mais venturosa e mais conhecida será no mundo Dulcineia por vossa grandeza tê-la elogiado que por todos os elogios que podem lhe dar os mais eloquentes da terra.

— Muito bem, senhor dom Quixote — replicou a duquesa —, a hora do jantar se aproxima e o duque deve estar esperando: venha vossa mercê e jantemos, e vamos dormir cedo, pois a viagem que fez ontem de Candaia não foi tão curta que não o tenha deixado meio moído.

— Não deixou nem um pouco, senhora — respondeu dom Quixote —, porque ousarei jurar a vossa excelência que nunca em minha vida montei animal mais calmo nem de melhor trote que Cravelenho, e não sei o que pode ter levado Malambruno a se desfazer de tão rápida e tão gentil cavalgadura, incendiando-a assim sem mais nem menos.

— Bem — respondeu a duquesa —, pode-se imaginar que, arrependido pelo mal que havia feito à Trifaldi e companhia, e a outras pessoas, e das maldades que deve ter cometido como mago e feiticeiro, quis acabar com todos os instrumentos de seu ofício. Como Cravelenho era o principal deles e o que mais o atormentava, vagando de terra em terra, queimou-o. Mas, com suas cinzas ardentes e com o troféu do cartaz, permanece eterna a coragem do grande dom Quixote de la Mancha.

Dom Quixote agradeceu de novo à duquesa e, depois do jantar, se retirou sozinho para seu quarto, sem consentir que ninguém entrasse com ele para servi-lo, tanto temia se deparar com ocasiões que o levassem ou o forçassem a perder o virtuoso decoro que devia a sua senhora Dulcineia, tendo sempre presente na imaginação a honestidade de Amadis, flor e espelho dos cavaleiros andantes. Fechou a porta atrás de si e, à luz de duas velas de cera, se despiu, mas, ao se descalçar — oh, desgraça indigna de sua pessoa! —, deixou escapar não suspiros nem outros sopros que difamassem sua educação, mas umas duas dúzias de pontos de uma das meias, que ficou feita uma gelosia. O bom senhor se afligiu ao extremo e teria dado uma onça de prata por um pouco de seda verde (digo seda verde porque as meias eram verdes).

Aqui Benengeli exclamou e, escrevendo, disse: "Oh, pobreza, pobreza! Não sei que razão levou aquele grande poeta cordovês[1] a te chamar 'dádiva santa mal-agradecida'! Eu, embora mouro, bem sei, pelo contato que tive com cristãos, que a santidade consiste na caridade, humildade, fé, obediência e pobreza; mas, apesar disso, digo que deve ter muito de Deus aquele que vier a se contentar com ser pobre, se não for daquele tipo de pobreza de que fala um de seus maiores santos: 'Tende todas as coisas como se não as tivesses';[2] e a isso chamam pobreza de espírito. Mas tu, pobreza material, que é de quem falo, por que queres afrontar os fidalgos bem-nascidos mais que ao resto das pessoas? Por que os obrigas a remendar os calçados e a que os botões de suas capas sejam uns de seda, outros de crina e outros de vidro? Por que na maioria das vezes seus colarinhos devem ser sempre amassados e não engomados?".

Nisso se pode ver como é antigo o uso da goma e dos colarinhos modelados em onda. E prosseguiu ele: "Coitado do bem-nascido que sustenta sua honra a duras penas, comendo mal e às escondidas, tornando hipócrita o palito com que sai à rua depois de não ter comido coisa que o obrigue a limpar os dentes! Coitado daquele, repito, que tem a honra assustadiça e pensa que de uma légua se enxerga o remendo no sapato, a mancha de suor no chapéu, a capa puída e a fome no estômago!".

Tudo isso dom Quixote lembrou com os pontos soltos, mas se consolou ao ver que Sancho havia deixado umas botas de cano alto, que pensou calçar no outro dia. Finalmente, ele se recostou, pensativo e pesaroso, tanto pela falta que Sancho lhe fazia como pela irreparável desgraça de suas meias, que poderia remendar mesmo com fio de seda de outra cor, que é um dos maiores sinais de miséria que um fidalgo pode dar em meio a suas inumeráveis penúrias. Apagou as velas; fazia calor e não conseguia dormir; então se levantou da cama e abriu um pouco a janela de grade que dava para um belo jardim, e ao abri-la percebeu e ouviu umas pessoas que andavam e falavam lá embaixo. Ficou à escuta, atentamente. As vozes se elevaram, tanto que pôde ouvir estas palavras:

— Não teimes comigo, Emerência, pois sabes que, desde que esse forasteiro entrou neste castelo e meus olhos o viram, não sei mais cantar, apenas chorar. Além do mais, o sono de minha senhora é antes leve que pesado, e não gostaria que nos achasse aqui nem por todos os tesouros do mundo. Mas, mesmo que ela dormisse e não acordasse, meu canto seria em vão se dorme e não acordar para ouvi-lo este novo Eneias, que chegou a minha terra para me humilhar.

— Não digas isso, querida Altisidora — responderam —, pois sem dúvida a duquesa e todos os outros nesta casa dormem, menos o senhor de teu coração, aquele que despertou tua alma, porque percebi agora que abria a janela de seu quarto, e sem dúvida está acordado. Canta, minha pobre amiga, em tom baixo e suave, ao som de tua harpa, e, quando a duquesa perceber, poremos a culpa no calor que faz.

— Não é essa a questão, Emerência — Altisidora respondeu. — Não gostaria que meu canto revelasse meu coração e eu fosse julgada, pelos que não têm notícia das forças poderosas do amor, como uma donzela caprichosa e leviana. Mas, aconteça o que acontecer, mais vale vergonha na cara que um ultraje no coração.

E nisso se escutou tocar uma harpa muito suavemente. Ouvindo-a, dom Quixote ficou pasmo, porque naquele instante lhe vieram à memória inúmeras aventuras semelhantes àquela, com janelas, grades e jardins, galanteios e desmaios que havia lido em seus desatinados livros de cavalaria. Logo imaginou que alguma aia da duquesa estava apaixonada por ele e que a virtude a forçava a manter seus sentimentos em segredo. Teve medo de se render a ela, mas resolveu não se deixar vencer e, encomendando-se com toda a sua alma e toda a sua força a sua senhora Dulcineia del Toboso, decidiu escutar a música. Para dar a entender que estava ali, deu um espirro falso, o que muito alegrou as aias, que só desejavam que dom Quixote as ouvisse. Dedilhada e afinada a harpa, Altisidora deu início a esta balada:

— Oh, tu, que estás em teu leito,
entre lençóis de linho,
dormindo a sono solto
da noite até a manhã,

cavaleiro o mais valente
que produziu a Mancha,
mais honesto e mais bendito
que o ouro fino da Arábia!

Ouve a uma triste donzela
bem-nascida e malograda,
que na luz de teus dois sóis
sente a alma se abrasar.

Tu buscas tuas aventuras
e desgraças alheias achas;
causas feridas e negas
o remédio para curá-las.

Diz-me, jovem corajoso
— que Deus realize teus desejos —,
se te criaste na Líbia
ou nas montanhas de Jaca,

se serpentes te deram leite,
se acaso foram tuas amas
a aspereza das selvas
e o horror das montanhas.

Pode muito bem Dulcineia,
donzela sã e gorducha,
orgulhar-se de que domou
um tigre, uma fera brava.

Por isso será famosa
desde Henares a Jarama,
do Tejo a Manzanares,
desde Pisuerga até Arlanza.

Eu trocaria de lugar com ela
e ainda daria uma saia
das mais adornadas que tenho,
a barra com franjas de ouro.

Oh, quem se visse em teus braços
ou, então, ao lado de tua cama,
coçando-te a cabeça
e te tirando a caspa!

Peço muito e não sou digna

de favor tão elevado:
os pés gostaria de massagear-te,
pois a uma humilde isto basta.

Oh, quantas toucas te daria,
quantos escarpins bordados de prata,
quantas calças de damasco,
quantas capas de linho!

Quantas pérolas finíssimas,
cada qual como uma pinha,
que, por não ter companheiras,
"as solitárias"[3] se chamariam!

Não olhes de tua Tarpeia[4]
este incêndio que me consome,
Nero manchego do mundo,
não o avives com tua sanha.

Sou menina, donzela inocente;
minha idade de quinze não passa:
tenho catorze e três meses,
te juro por Deus e minha alma.

Não sou renga, nem sou coxa,
nem tenho nada de manca;
em pé, meus cabelos,
como lírios, pelo chão se arrastam;

embora minha boca seja aquilina
e o nariz um pouco chato,
por ser meus dentes de topázios,
minha beleza o céu exalta.

Minha voz, já vês, se me escutas,
à que é mais doce iguala,

e sou de compleição
um tanto menos que mediana.

Estas e outras graças minhas
são troféus das setas de tua aljava;
desta casa sou aia
*e Altisidora me chamam.**

**— ¡Oh tú, que estás en tu lecho,/ entre sábanas de holanda,/ durmiendo a pierna tendida/ de la noche a la mañana,// caballero el más valiente/ que ha producido la Mancha,/ más honesto y más bendito/ que el oro fino de Arabia!// Oye a una triste doncella/ bien crecida y mal lograda,/ que en la luz de tus dos soles/ se siente abrasar el alma.// Tú buscas tus aventuras/ y ajenas desdichas hallas;/ das las feridas, y niegas/ el remedio de sanarlas.// Dime, valeroso joven,/ que Dios prospere tus ansias,/ si te criaste en la Libia,/ o en las montañas de Jaca;// si sierpes te dieron leche;// si a dicha fueron tus amas/ la aspereza de las selvas/ y el horror de las montañas.// Muy bien puede Dulcinea,/ doncella rolliza y sana,/ preciarse de que ha rendido/ a una tigre y fiera brava.// Por esto será famosa/ desde Henares a Jarama,/ desde el Tajo a Manzanares,/ desde Pisuerga hasta Arlanza.// Trocárame yo por ella/ y diera encima una saya/ de las más gayadas mías,/ que de oro le adornan franjas.// ¡Oh, quién se viera en tus brazos,/ o, si no, junto a tu cama,/ rascándote la cabeza/ y matándote la caspa!// Mucho pido y no soy digna/ de merced tan señalada:/ los pies quisiera traerte,/ que a una humilde esto le basta.// ¡Oh, qué de cofias te diera,/ qué de escarpines de plata,/ qué de calzas de damasco,/ qué de herreruelos de Holanda!// ¡Qué de finísimas perlas,/ cada cual como una agalla,/ que a no tener compañeras/ "las solas" fueran llamadas!// No mires de tu Tarpeya/ este incendio que me abrasa,/ Nerón manchego del mundo,/ ni le avives con tu saña.// Niña soy, pulcela tierna;/ mi edad de quince no pasa:/ catorce tengo y tres meses,/ te juro en Dios y en mi ánima.// No soy renca, ni soy coja,/ ni tengo nada de manca;/ los cabellos, como lirios,/ que, en pie, por el suelo arrastran;// y aunque es mi boca aguileña/ y*

Aqui acabou o canto da mortalmente ferida Altisidora e começou o espanto do cortejado dom Quixote, que, dando um grande suspiro, disse a si mesmo:

— E dizer que tenho de ser um cavaleiro tão desgraçado que não há donzela que me olhe sem me amar! E dizer que tenha de ser tão curta a ventura da sem-par Dulcineia del Toboso que não irão deixá-la desfrutar sozinha de minha incomparável constância! O que quereis dela, rainhas? Por que a perseguis, imperatrizes? Por que a acossais, donzelas de catorze a quinze anos? Deixai, deixai que a pobre triunfe, regozije-se e se ufane com a sorte que o Amor quis lhe dar ao lhe render meu coração e lhe entregar minha alma. Reparai, corja apaixonada: apenas para Dulcineia sou de merengue e açúcar, para as outras sou de rocha viva; para ela sou mel, para vós, fel. Para mim, apenas Dulcineia é a formosa, a inteligente, a virtuosa, a galharda e a bem-nascida, as demais, as feias, as tolas, as levianas e as de pior linhagem. Para ser dela, e não de alguma outra, a natureza me botou no mundo. Chore ou cante Altisidora, desespere-se a grande senhora Maritornes, por quem me moeram no castelo do mouro encantado, pois eu tenho de ser de Dulcineia de qualquer jeito, assim ou assado, limpo, educado e casto, apesar de todas as potestades feiticeiras da terra.

Com isso fechou a janela com uma pancada e, ressentido e pesaroso como se tivesse lhe acontecido alguma enorme desgraça, se deitou em sua cama, onde o deixaremos por ora, porque está nos chamando o grande Sancho Pança, que quer dar início a seu famoso governo.

---

la nariz algo chata,/ ser mis dientes de topacios/ mi belleza al cielo ensalza.// Mi voz, ya ves, si me escuchas,/ que a la que es más dulce iguala,/ y soy de disposición/ algo menos que mediana.// Estas y otras gracias mías,/ son despojos de tu aljaba;/ de esta casa soy doncella,/ y Altisidora me llaman.

XLV

DE COMO O GRANDE SANCHO PANÇA TOMOU POSSE DE SUA ILHA E DO MODO QUE COMEÇOU A GOVERNAR

Oh, perpétuo descobridor dos antípodas, archote do mundo, olho do céu, doce balanço dos odres,[1] Tímbrio aqui, Febo ali, arqueiro aqui, médico ali, pai da poesia, inventor da música, tu que sempre sais e nunca te pões, apesar das aparências! A ti digo, oh, sol, com cuja ajuda o homem gera o homem, a ti digo que me favoreças e ilumines a escuridão de meu espírito, para que possa narrar ponto por ponto o governo do grande Sancho Pança, pois sem ti me sinto fraco, desmazelado e confuso.

Digo, então, que Sancho chegou com todo o seu séquito a uma aldeia de uns mil moradores, que era das melhores que o duque tinha. Disseram a ele que se chamava ilha Logratária,[2] porque o lugar se chamava Logradouro ou porque aquele governo tinha alguma coisa não muito limpa. Ao chegar às portas da aldeia, que era cercada por uma muralha, saiu o conselho municipal para recebê-lo, tocaram os sinos e todos os moradores deram mostras de alegria geral e com muita pompa o levaram à catedral para agradecer a Deus. Depois, com algumas cerimônias ridículas, lhe entregaram as chaves do povoado e o aceitaram como governador perpétuo da ilha Logratária.

A roupa, as barbas, a gordura e o tamanhico do novo governador tinham causado pasmo a todos os que nada sabiam da tramoia e até mesmo aos que sabiam, que eram muitos. Enfim, tiraram-no da igreja e o levaram à cadeira do tribunal, onde o sentaram. O administrador do duque disse:

— É costume antigo aqui, senhor governador, que aquele que vem tomar posse desta famosa ilha assuma a obrigação de responder a uma pergunta intrincada e muito difícil. Pela resposta o povo toma o pulso da inteligência de seu novo governador, de modo que se alegra ou se entristece com sua vinda.

Enquanto o administrador dizia isso, Sancho estava olhando uma porção de letras grandes que estavam escritas na parede diante de sua cadeira e, como não sabia ler, perguntou que pinturas eram aquelas. Responderam:

— Senhor, ali está escrito e anotado o dia em que vossa senhoria tomou posse desta ilha. A inscrição diz: "Hoje, a tanto de tal mês e de tal ano, tomou posse desta ilha o senhor dom Sancho Pança, que por muitos anos a desfrute".

— E quem é chamado de dom Sancho Pança? — perguntou Sancho.

— Vossa senhoria — respondeu o administrador —, pois nesta ilha não entrou nenhum outro Pança, além do que está sentado nesta cadeira.

— Pois reparai, meu irmão — disse Sancho —, eu não tenho o título de dom, nem nunca ninguém teve em toda a minha família: chamam-me Sancho Pança apenas, e Sancho se chamou meu pai, e Sancho meu avô, e todos foram Panças, sem o acréscimo de dom, que seria sem tom nem som. Imagino que nesta ilha deve haver mais dons que pedras, mas basta: Deus me entende e, se este governo me durar quatro dias, vou fazer uma limpeza nesses dons, pois pela quantidade devem incomodar como mosquitos. Vamos adiante com sua pergunta, senhor administrador, que eu responderei do melhor modo que souber, fique ou não fique triste o povo.

Nesse instante entraram no tribunal dois homens, um vestido de camponês e outro de alfaiate, porque trazia umas tesouras na mão. O alfaiate disse:

— Senhor governador, eu e este camponês viemos ante vossa mercê em razão de que este bom homem chegou a minha loja ontem (pois eu, com perdão dos presentes, sou alfaiate qualificado, graças a Deus),[3] botou-me nas mãos um pedaço de pano e me perguntou: "Senhor, aqui tem pano suficiente para me fazer um capuz?". Apalpando o pano, eu respondi que sim; ele deve ter imaginado, pelo que eu penso, e pensei bem, que sem dúvida eu queria furtar um pedaço do pano, baseando-se em sua malícia e na má opinião que se tem dos alfaiates, e me respondeu que visse se dava para dois. Adivinhei seu pensamento e disse-lhe que sim, e ele, sem apear de sua primeira e miserável intenção, foi acrescentando capuzes, e eu dizendo que sim, até que chegamos a cinco capuzes, e agora nesse instante acaba de vir por causa deles: eu os entrego, mas não quer me pagar a mão de obra, e sim que eu o pague ou devolva seu pano.

— Isso é tudo, irmão? — perguntou Sancho.

— Sim, senhor — respondeu o homem. — Mas vossa mercê deve fazer com que ele mostre os cinco capuzes que me fez.

— De boa vontade — respondeu o alfaiate.

E, tirando imediatamente a mão de sob a capa, mostrou cinco capuzes enfiados nas pontas dos dedos, e disse:

— Aqui estão os cinco capuzes que este bom homem me pediu, e por Deus e por minha consciência que não me sobrou nem um retalho do pano, e submeto o trabalho à vistoria dos fiscais do ofício.

Todos os presentes riram do punhado de capuzes e da novidade do pleito. Sancho ficou pensando um pouco e disse:

— Parece-me que nesse pleito não deve haver longas demoras, mas um julgamento sumário, baseado no mero bom senso. Então vou dar por sentença que o alfaiate perca o trabalho, o camponês o pano, e os capuzes sejam levados para os presos na cadeia, e assunto encerrado.

Se a sentença anterior do saco de dinheiro do criador de porcos encheu os espectadores de espanto,[4] esta provocou o riso, mas, por fim, se fez o que o governador mandou. Então se apresentaram diante dele dois homens velhos, um usando um pedaço de taquara como bengala. O sem bengala disse:

— Senhor, há dias emprestei a este bom homem dez escudos em moedas de ouro, para lhe fazer um favor e uma boa ação, com a condição de que os devolvesse quando eu os pedisse. Passaram-se muitos dias sem que eu os pedisse, para não o deixar em maior necessidade ao me devolvê-los do que estava quando os emprestei. Mas, por me parecer que se descuidava no pagamento, cobrei várias vezes, e não só não me devolve nada, como nega que eu tenha lhe emprestado os ditos dez escudos e diz que, se eu os emprestei, ele já os devolveu. Não tenho testemunhas nem de que emprestei nem do pagamento, porque não me pagou. Gostaria que vossa mercê o fizesse jurar; se jurar que me devolveu os escudos, eu os perdoo aqui e agora, diante de Deus.

— O que dizeis sobre isso, bom velho da bengala? — disse Sancho.

O velho da bengala respondeu:

— Senhor, confesso que ele me emprestou os escudos, mas, por favor, baixe essa vara. Enfim, se ele tem fé em meu juramento, eu jurarei que os devolvi e paguei sem dúvida nenhuma.

O governador baixou a vara, e então o velho da bengala deu a bengala para o outro velho, porque ficaria muito embaraçado se a segurasse enquanto jurava, e depois pôs a mão na cruz da vara, dizendo que era verdade que haviam lhe emprestado aqueles dez escudos que lhe pediam, mas que ele os tinha devolvido em mãos, e que o outro velho, por não se lembrar, pedia de novo com insistência. Vendo isso, o grande governador perguntou ao credor o que respondia ao que seu devedor tinha dito, e ele respondeu que sem dúvida seu devedor devia dizer a verdade, porque o tinha por homem de bem e bom cristão, e que ele devia ter esquecido como e quando fora o pagamento, e que dali por diante não lhe pediria mais nada. O devedor voltou a pegar sua bengala e, baixando a cabeça, saiu do tribunal. Sancho, vendo que se ia sem mais nem menos, e vendo também a paciência do demandante, inclinou a cabeça sobre o peito e, pondo o indicador da mão direita sobre as sobrancelhas e o nariz, ficou como que pensativo por um rápido instante, e depois levantou a cabeça e mandou que chamassem o velho da bengala, que já ia embora. Trouxeram-no. Mal o viu, Sancho disse:

— Dai-me essa bengala, meu bom homem, pois preciso dela.

— De muito boa vontade — respondeu o velho. — Aqui está, senhor.

E a entregou. Sancho a pegou e, dando-a ao outro velho, disse:

— Ide com Deus, que já fostes pago.

— Eu, senhor? — respondeu o velho. — Quer dizer que esta taquara vale dez escudos de ouro?

— Sim — disse o governador —, ou, se não vale, sou o maior burro do mundo, e agora se verá se tenho ou não tenho miolos para governar um reino todo.

E mandou que ali, diante de todos, se quebrasse e abrisse a taquara. Assim fizeram — e dentro dela acharam dez escudos em ouro. Ficaram todos admirados, considerando seu governador um novo Salomão.

Perguntaram-lhe como tinha concluído que os dez escudos estavam dentro da taquara, e ele respondeu que por ter visto o velho dar aquela bengala ao seu credor, justo na hora do juramento, quando disse com a mão na cruz que tinha entregado tudo de verdade, pedindo de volta a bengala logo que acabou de jurar, o que o levou a pensar que dentro dela estava o pagamento que lhe pediam. Disso se podia deduzir que os que governam, mesmo sendo uns bobos, às vezes são orientados por Deus em seus julgamentos; além do mais, ele tinha ouvido o padre de sua aldeia contar outro caso parecido com aquele, e que ele tinha tão boa memória que, se não esquecesse tudo aquilo que queria lembrar, não haveria memória como a dele em toda a ilha. Por fim, os velhos foram embora, um pago e outro envergonhado, e os presentes ficaram admirados, e aquele que escrevia as palavras, os feitos e os movimentos de Sancho não conseguia se resolver se o considerava tolo ou sábio.

Depois de terminado esse pleito, entrou no tribunal uma mulher agarrada fortemente a um homem vestido de fazendeiro rico. Ela vinha dizendo, em grandes brados:

— Justiça, senhor governador, justiça: se não a encontrar na terra, irei procurá-la no céu! Meu caro governador, este homem mau me pegou no meio do campo e se aproveitou de meu corpo como se fosse um trapo mal lavado. Pobre de mim, levou-me o que eu guardava por mais de vinte e três anos, defendendo-o de mouros e cristãos, dos nativos e dos forasteiros, e eu mais firme que um carvalho, conservando-me intacta como a salamandra no fogo, ou como um tufo de lã no espinheiro, para que este sujeito chegasse agora e me bolinasse às mãos lavadas.

— Isso ainda está para se averiguar, se este conquistador tem ou não tem as mãos lavadas — disse Sancho.

E, virando-se para o homem, perguntou o que tinha a dizer sobre a reclamação daquela mulher. Ele, todo confuso, respondeu:

— Senhores, sou um pobre criador de porcos, diga-se com perdão da palavra, e esta manhã saía desta vila, depois de vender quatro deles, que me levaram de impostos e comissões pouco menos do que eles valiam. Voltava para minha aldeia, quando topei no caminho com esta boa senhora, e o diabo, que tudo complica e tudo atiça, fez com que brincássemos um pouco; paguei-lhe o suficiente, mas ela, descontente, me agarrou e não me largou até me trazer aqui. Diz que a forcei, mas mente, como juro ou penso jurar. Esta é toda a verdade, sem faltar um fiapo.

Então o governador perguntou se trazia algum dinheiro em prata; ele disse que tinha uns vinte ducados num saco de couro que carregava no peito. Sancho mandou que o pegasse e o entregasse assim como estava para a queixosa; ele obedeceu, tremendo; a mulher pegou o saco e, fazendo mil reverências a todos e pedindo a Deus pela vida e saúde do senhor governador, que olhava pelas órfãs e donzelas necessitadas, saiu do tribunal, agarrada ao saco com ambas as mãos, embora tenha olhado antes para ver se as moedas que levava eram de prata.

Mal ela saiu, Sancho disse ao homem, que estava em lágrimas, com os olhos e o coração indo atrás de seu dinheiro:

— Bom homem, ide atrás daquela mulher e tirai o saco dela, mesmo que não queira, e voltai aqui com ela.

Não falou nem a bobo nem a surdo: o homem partiu como um raio para fazer o que lhe mandavam. Todos os presentes estavam surpresos, esperando o fim daquele pleito. Dali a pouco voltaram o homem e a mulher, mais juntos e agarrados que da primeira vez, ela com a saia levantada e o saco no regaço, e o homem lutando para pegá-lo; mas não era possível, porque a mulher o defendia, dizendo aos brados:

— Justiça, em nome de Deus e dos homens! Olhe vossa mercê, senhor governador, a falta de vergonha e de medo deste desgraçado, que na metade do povoado e no meio da rua quis me tirar o saco que vossa mercê mandou me dar.

— Ele conseguiu tirá-lo? — perguntou o governador.

— Como?! — respondeu a mulher. — Eu deixaria antes que me tirasse a vida que o dinheiro. Comigo não! Cresce e aparece, nojento miserável! Nem a pau nem a pedra vais me tirar a prata das unhas, nem que tivesses garras de leão! Seria mais fácil me arrancar a alma do peito!

— Ela tem razão — disse o homem —, e eu me dou por vencido e sem forças, e confesso que as minhas não foram suficientes para arrancar o dinheiro dela. Desisto.

Então o governador disse à mulher:

— Mostrai, honrada e valente senhora, esse saco.

Ela o entregou em seguida, e o governador o devolveu ao homem e disse à esforçada, mas não forçada:

— Cara irmã, se mostrásseis o mesmo empenho e coragem que mostrastes na defesa deste saco de dinheiro, ou até menos da metade, para defender vosso corpo, nem Hércules teria forças para violá-la. Ide com Deus, mas ide logo antes que eu me arrependa, e não pareis nesta ilha em lugar nenhum, nem a seis léguas pelos arredores, sob pena de duzentos açoites. Andai logo, digo, patife, desavergonhada, trapaceira!

A mulher se espantou e foi embora, cabisbaixa e descontente. O governador disse ao homem:

— Bom homem, ide com Deus para vossa terra, com vosso dinheiro, mas, daqui por diante, se não quereis perdê-lo, procurai conter a vontade de se divertir por aí.

O homem agradeceu, muito desajeitado, e foi embora. Os presentes ficaram admirados de novo com os julgamentos e as sentenças de seu novo governador. Tudo isso, anotado por seu cronista, foi logo escrito para o duque, que esperava muito ansioso as notícias.

E fique aqui o bom Sancho, porque nos apressa muito seu amo, alvoroçado com a música de Altisidora.

XLVI

DO TERRÍVEL SUSTO CHACOALHANTE E GATESCO QUE DOM QUIXOTE LEVOU NO DECURSO DOS AMORES COM A APAIXONADA ALTISIDORA

Deixamos o grande dom Quixote enrolado com os pensamentos que haviam lhe causado a música da aia apaixonada, Altisidora. Deitou-se com eles, mas eles, como se fossem pulgas, não o deixando dormir nem sossegar um instante, fizeram-no entregar os pontos, que se juntaram aos pontos desfiados das meias. Como o tempo, porém, é ligeiro e não há obstáculo que o detenha, correu montado nas horas, e muito rapidamente chegou a da manhã — vendo isso, dom Quixote deixou as plumas macias da cama e, nada preguiçoso, vestiu suas roupas cor de camurça e calçou as botas de cano alto para encobrir a desgraça de suas meias. Jogou por cima dos ombros seu manto de escarlate e botou na cabeça uma touca de veludo verde, guarnecida de franjas de prata; pendurou a tiracolo o talim com sua boa e cortante espada, agarrou um grande rosário que trazia sempre consigo e, gingando com grande afetação, foi até onde o duque e a duquesa já estavam vestidos, como se o esperassem. Mas antes, ao passar por uma galeria, encontrou a postos Altisidora e outra aia amiga dela. Mal Altisidora viu dom Quixote, fingiu desmaiar, e sua amiga a amparou em seu colo e, muito apressada, ia lhe desabotoar o peito. Dom Quixote, vendo isso, aproximou-se delas e disse:

— Já sei a causa desses ataques.

— Pois eu não sei — respondeu a amiga —, porque

Altisidora é a aia mais saudável de todas nesta casa. Nunca ouvi um ai dela desde que a conheço! Que o diabo carregue todos os cavaleiros andantes, se é que todos são mal-agradecidos. Vá embora vossa mercê, senhor dom Quixote, porque esta pobre menina não voltará a si enquanto vossa mercê estiver por perto.

Dom Quixote respondeu:

— Minha senhora, mande que levem um alaúde a meu quarto esta noite, que consolarei como puder esta infeliz donzela, porque, quando o amor está começando, os desenganos costumam ser os melhores remédios.

E com isso se foi, para que não o censurassem os que o vissem ali. Mal tinha se afastado, a desmaiada Altisidora voltou a si e disse a sua companheira:

— É preciso levar um alaúde, porque sem dúvida dom Quixote quer nos oferecer alguma música, e não será ruim, sendo dele.

Em seguida foram contar à duquesa o que tinha acontecido e sobre o alaúde que dom Quixote pedira, e ela, alegre ao extremo, combinou com o duque e com suas aias de lhe pregar uma peça que fosse mais risonha que maldosa, e muito contentes esperaram a noite, que veio tão rápida como tinha vindo o dia, que os duques passaram em deliciosas conversas com dom Quixote. E naquele dia ainda, a duquesa realmente despachou um pajem seu — que na outra noite, na mata, tinha feito o papel da Dulcineia encantada — a Teresa Pança, com a carta de seu marido Sancho Pança e com a trouxa de roupas que deixara para que enviassem a ela. Havia encarregado o pajem de que lhe trouxesse notícias detalhadas de tudo o que falasse com ela.

Feito isso tudo, quando deram as onze horas da noite, dom Quixote achou em seu quarto uma viola. Dedilhou-a, abriu a janela e percebeu que havia gente no jardim; depois de percorrer os trastos da viola e de afiná-la o melhor que pôde, limpou o peito e cuspiu, e então, com uma voz rouca embora afinada, cantou a seguinte balada, que ele mesmo havia composto naquele dia:

— As forças do amor costumam
tirar as almas dos eixos,
tomando por instrumento
a ociosidade descuidada.

Coser e bordar costumam
e o estar sempre ocupada
ser antídoto ao veneno
dos desejos amorosos.

Às donzelas recatadas
que aspiram ser casadas,
a virtude é o dote
e a voz de seus louvores.

Os cavaleiros andantes
e os que andam na corte
galanteiam as livres,
mas se casam com as castas.

Há amores de aurora,
que entre viajantes acontecem,
que logo chegam ao poente,
pois acabam na partida.

O amor recém-vindo,
que chegou hoje e se vai amanhã,
não deixa as imagens
bem impressas na alma.

Pintura sobre pintura
nem se mostra, nem se aponta.

Se há beleza na primeira
a segunda não aparece.

Dulcineia del Toboso
da alma em tábua rasa
trago pintada de modo
que é impossível apagá-la.

A constância nos amantes
é a coisa mais apreciada,
por quem o amor faz milagres
*e a si mesmo os eleva.**

Dom Quixote chegava neste ponto de sua balada, que estavam ouvindo o duque e a duquesa, Altisidora e quase todas as pessoas do castelo, quando de repente, de cima de uma varanda que caía a prumo sobre a janela do fidalgo, desenrolaram um cordão em que vinham amarrados mais de cem chocalhos, e atrás dele despejaram um grande saco de gatos, que também traziam chocalhos meno-

* — *Suelen las fuerzas de amor/ sacar de quicio a las almas,/ tomando por instrumento/ la ociosidad descuidada.// Suele el coser y el labrar/ y el estar siempre ocupada/ ser antídoto al veneno/ de las amorosas ansias.// Las doncellas recogidas/ que aspiran a ser casadas,/ la honestidad es la dote/ y voz de sus alabanzas.// Los andantes caballeros/ y los que en la corte andan/ requiébranse con las libres,/ con las honestas se casan.// Hay amores de levante,/ que entre huéspedes se tratan,/ que llegan presto al poniente,/ porque en el partirse acaban.// El amor recién venido,/ que hoy llegó y se va mañana,/ las imágenes no deja/ bien impresas en el alma.// Pintura sobre pintura/ ni se muestra ni señala,/ y do hay primera belleza,/ la segunda no hace baza.// Dulcinea del Toboso/ del alma en la tabla rasa/ tengo pintada de modo/ que es imposible borrarla.// La firmeza en los amantes/ es la parte más preciada,/ por quien hace amor milagros/ y a sí mismo los levanta.*

res atados nas caudas. Foi uma barulheira tão grande dos chocalhos e dos miados dos gatos que, embora os duques tivessem ideado a brincadeira, mesmo assim se assustaram, e dom Quixote, amedrontado, ficou pasmo. E quis a sorte que dois ou três gatos entrassem pela grade de seu quarto — correndo de um lado para o outro, em busca de uma saída, pareciam uma legião de diabos e apagaram as velas que ardiam ali. A descida e subida do cordão com os grandes chocalhos não cessava; a maior parte das pessoas do castelo, que não sabia da verdade do caso, estava surpresa e assustada.

Dom Quixote ficou de pé e, empunhando a espada, começou a dar estocadas pela grade e a dizer em grandes brados:

— Fora, magos desgraçados! Fora, canalha bruxesca! Fora, pois eu sou dom Quixote de la Mancha, contra quem não valem nem têm força vossas más intenções!

E, virando-se para os gatos que andavam pelo quarto, deu muitas cutiladas. Eles correram para a grade e fugiram por ali, mas um, vendo-se tão acossado pelos golpes de dom Quixote, pulou no rosto dele e lhe cravou as unhas e os dentes no nariz. Com a dor, dom Quixote começou a dar os gritos mais altos. Ouvindo-o e considerando o que podia ser, o duque e a duquesa correram às pressas para o quarto e, abrindo a porta com a chave mestra, entraram com velas e viram a batalha desigual: o pobre cavaleiro lutando com todas as suas forças para arrancar o gato do rosto. O duque tratou de separar os adversários, enquanto dom Quixote dizia aos berros:

— Não me ajude! Deixe-me mano a mano com este demônio, com este feiticeiro, com este mago, que vou ensinar a ele quem é dom Quixote de la Mancha!

Mas o gato, sem dar a mínima a essas ameaças, grunhia e se agarrava mais firme; o duque então o arrancou e o atirou pela grade.

Dom Quixote ficou com o rosto como uma peneira e o nariz não muito apresentável, mas muito ressentido porque não o deixaram terminar a renhida batalha que travava com aquele mago miserável. Mandaram trazer azeite de Aparício,[1] e a própria Altisidora, com suas mãos branquíssimas, lhe fez os curativos nas feridas e, enquanto os fazia, disse em voz baixa:

— Todas essas mal andanças te acontecem, cavaleiro empedernido, pelo pecado de tua dureza e teimosia. Peço a Deus que Sancho, teu escudeiro, se esqueça dos açoites, para que tua amada Dulcineia nunca veja seu desencantamento, nem tu desfrutes dele, nem chegues ao leito com ela, pelo menos enquanto eu, que te adoro, viver.

Dom Quixote não respondeu uma palavra, apenas deu um profundo suspiro e depois se estendeu na cama, agradecendo aos duques a mercê, não porque ele tivesse medo daquela canalha gatesca, encantada e chacoalhante, mas porque havia entendido a boa intenção com que tinham vindo socorrê-lo. Os duques o deixaram repousar e se foram pesarosos com o mau resultado da brincadeira, pois não acreditaram que aquela aventura custasse tão caro a dom Quixote — o pobre ficou cinco dias de cama, trancado no quarto, onde lhe aconteceu outra aventura mais deliciosa que a anterior, que seu biógrafo não quer contar agora para ir ter com Sancho Pança, que andava muito diligente e muito engraçado em seu governo.

XLVII

ONDE SE CONTINUA A CONTAR COMO SANCHO PANÇA SE PORTAVA EM SEU GOVERNO

Conta a história que do tribunal levaram Sancho Pança a um palácio suntuoso, onde, numa grande sala, estava posta uma mesa régia e muito limpa. Mal Sancho entrou ali, soaram charamelas e apareceram quatro pajens com água para lavar as mãos, que Sancho recebeu com toda a seriedade.

A música cessou e Sancho se sentou à cabeceira da mesa, porque não havia outro assento nem outros talheres. A seu lado ficou de pé um personagem que depois se soube que era médico, com uma vareta feita com uma barbatana de baleia na mão. Levantaram uma toalha branca riquíssima com que estavam cobertas as frutas e uma grande diversidade de pratos com manjares variados. Um dos pajens, que parecia estudante, abençoou a refeição e outro botou um babeiro com rendas em Sancho; um terceiro, que agia como mordomo, aproximou dele um prato de frutas; mas, mal Sancho tinha comido um bocado, o da barbatana tocou o prato com ela, e o prato foi tirado com grande rapidez. Então o mordomo aproximou outro prato com outro manjar. Sancho ia prová-lo, mas, antes que o tocasse ou mesmo que chegasse perto, já a barbatana tinha batido nele, e um pajem o levou com tanta pressa como o da fruta. Vendo isso, Sancho ficou surpreso e, olhando para todos, perguntou se havia de comer como num jogo das cadeiras.

— Não deve comer nada, senhor governador — o da barbatana respondeu —, que não seja uso e costume nas outras ilhas onde há governadores. Eu sou médico, senhor, e estou empregado nesta ilha para tratar dos governadores dela, e olho por sua saúde muito mais que pela minha, estudando de noite e de dia e sondando a compleição do governador, para poder curá-lo quando cair doente. A coisa principal que faço é assistir a seus almoços e jantares, para deixá-lo comer o que me parece conveniente e tirar do senhor o que imagino que será prejudicial e nocivo ao estômago. Por isso mandei tirar o prato de frutas, por elas serem úmidas demais, e também mandei tirar o outro prato por ser quente demais e conter muitas especiarias, coisa que aumenta a sede, e quem bebe muito mata e consome o humor radical,[1] que é a essência da vida.

— Dessa maneira, aquele prato de perdizes assadas que está ali (e, pelo que vejo, bem temperadas) não vai me prejudicar.

O médico respondeu:

— Essas perdizes o governador não comerá enquanto eu estiver vivo.

— Mas a troco de quê? — disse Sancho.

O médico respondeu:

— Porque nosso mestre Hipócrates, norte e luz da medicina, num aforismo, disse: *Omnis saturatio mala, perdicis autem pessima*. Isso quer dizer: "Toda indigestão é má, mas a da perdiz é péssima".

— Se é assim, senhor doutor — disse Sancho —, veja entre esses manjares que estão na mesa qual me fará bem e qual será menos nocivo, e me deixe comer sem espancar os pratos. Pois eu juro pela vida do governador, se é que Deus vai me deixar desfrutá-la, que morro de fome, e me negar a comida, embora pese ao senhor doutor e por mais que ele me diga, será acabar com minha vida em vez de aumentá-la.

— Vossa mercê tem razão, senhor governador — respondeu o médico —, de modo que, em minha opinião, vossa mercê não deve comer daqueles coelhos refogados que estão ali, porque é comida muito arriscada. Daquela vitela, se não fosse assada e marinada, até poderia provar, mas assim de jeito nenhum.

E Sancho disse:

— Aquele pratão que está ali fumegando não é uma olha-podrida? Olhe, pela diversidade de carnes e legumes que há nas olhas-podridas, não poderei deixar de topar com alguma coisa que me dê prazer e não me faça mal.

— *Absit!*[2] — disse o médico. — Longe de nós tão mau pensamento: não há prato mais indigesto no mundo que uma olha-podrida. Fiquem as olhas-podridas para os cônegos ou para os reitores de colégios ou para os casamentos na roça, e deixemos livres as mesas dos governadores, onde tudo deve ser primoroso, feito com todo o cuidado. A razão disso, em qualquer lugar e para qualquer um, é que os remédios simples são sempre melhores que os compostos, pois nos simples não se pode errar, e nos compostos sim, alterando a quantidade das coisas de que são feitos. Mas o que eu sei que o senhor governador deve comer agora, para conservar a saúde e fortalecê-la, é um pirão de farinha e umas fatias fininhas de marmelada, que lhe assentem o estômago e o ajudem na digestão.

Ouvindo isso, Sancho se encostou no espaldar da cadeira e olhou fixamente o dito médico, e com voz sombria perguntou a ele como se chamava e onde havia estudado. Ao que ele respondeu:

— Eu, senhor governador, me chamo doutor Pedro Recio de Agüero, e sou natural de uma aldeia chamada Tirteafuera, que fica entre Caracuel e Almodóvar del Campo, à direita, e tenho o diploma de doutor pela Universidade de Osuna.[3]

Ao que Sancho respondeu, pegando fogo de raiva:

— Pois olhe, senhor doutor Pedro Recio do Mau

Agouro, natural de Tirteafuera, aldeia que fica à direita se vamos de Caracuel a Almodóvar del Campo, diplomado em Osuna, caia fora já da minha frente: se não, juro pelo sol que nos ilumina que pego um porrete e que a porretadas, começando pelo senhor, não vai sobrar um médico em toda a ilha, pelo menos daqueles que eu entenda que são ignorantes, porque os médicos sábios, sensatos e sensíveis respeitarei acima de tudo e os honrarei como a pessoas divinas. E repito, vá embora daqui, senhor Pedro Recio, ou pegarei esta cadeira onde estou sentado e a despedaçarei em sua cabeça, e me peçam contas disso no fim de meu mandato, que eu me livrarei ao dizer que fiz um serviço a Deus ao matar um péssimo médico, verdugo da república. E me sirvam logo este jantar ou, então, tomem de volta o governo, que ofício que não dá de comer a seu dono não vale duas favas.

O doutor se perturbou, vendo o governador tão encolerizado, e quis cair fora da sala, mas naquele instante soou a corneta de um mensageiro na rua. O mordomo espiou pela janela e voltou, dizendo:

— Mensageiro do duque para meu senhor: deve trazer algum comunicado importante.

O mensageiro entrou assustado e suando. Tirou do peito uma carta, que pôs nas mãos do governador, e que Sancho pôs nas do administrador, a quem ordenou que lesse o sobrescrito, que dizia assim:

A DOM SANCHO PANÇA,
GOVERNADOR DA ILHA LOGRATÁRIA,
EM SUAS PRÓPRIAS MÃOS
OU NAS DE SEU SECRETÁRIO.

Ouvindo isso, Sancho disse:

— E quem é meu secretário?

Um dos pajens presentes respondeu:

— Eu, senhor, porque sei ler e escrever. E sou basco.[4]

— E, de quebra, basco! Bem podeis ser secretário do próprio imperador — disse Sancho. — Abri essa carta e olhai o que diz.

Foi o que fez o recém-nascido secretário e, tendo lido o que dizia, disse que era negócio para ser tratado a sós. Sancho mandou esvaziar a sala, que ninguém ficasse ali exceto o administrador e o mordomo. Quando o médico e os demais foram embora, o secretário leu a carta, que dizia assim:

Chegou ao meu conhecimento, senhor dom Sancho Pança, de que uns inimigos meus e dessa ilha vão tentar um violento ataque uma noite dessas, não sei qual: convém velar e ficar alerta, para que não vos peguem desprevenido. Sei também, por espiões confiáveis, que entraram na aldeia quatro pessoas disfarçadas para vos tirar a vida, porque temem vossa astúcia: abri o olho e vede quem chega para vos falar, e não comais de coisas que vos presentearem. Eu terei o cuidado de vos socorrer se vos virdes em apuros, e em tudo deveis proceder como se espera de vosso entendimento. Desta aldeia, dezesseis de agosto, às quatro da manhã.

Vosso amigo
O Duque

Sancho ficou surpreso, e os presentes também. Virando-se para o administrador, Sancho disse:

— O que deve ser feito agora, e rápido, é meter num calabouço o doutor Recio, porque se há alguém que quer me matar é ele, e de morte lenta e horrível, como é a da fome.

— Também acho melhor que o senhor não coma nada de tudo o que está nesta mesa — disse o mordomo —, porque esses pratos foram presenteados por umas monjas, e, como se costuma dizer, atrás da cruz às vezes se esconde o diabo.

— Não nego — respondeu Sancho —, e agora me dê um pedaço de pão e umas quatro libras de uvas, que nelas não poderá vir veneno. A verdade é que não posso passar sem comer e, se temos de estar prontos para essas batalhas que nos ameaçam, é preciso estar bem alimentados, porque saco vazio não para em pé. E vós, secretário, respondei ao duque meu senhor que se fará o que manda e como manda, sem faltar um detalhe. E, de minha parte, deveis beijar as mãos de minha senhora a duquesa e dizer que lhe suplico que não se esqueça de mandar um mensageiro com minha carta e minha trouxa de roupas a minha mulher Teresa Pança, que será um grande favor para mim, e terei muito cuidado de servi-la com tudo o que minhas forças permitirem. Bem, de passagem podeis encaixar meus cumprimentos a meu senhor dom Quixote de la Mancha, para que veja que não cuspo no prato em que comi. E vós, como bom secretário e como bom basco, podeis acrescentar tudo o que quiserdes e o que mais vier a calhar. E tirem essa mesa e me deem de comer, que saberei pegar de jeito quantos espiões e matadores e magos caírem sobre mim e sobre minha ilha.

Nisso entrou um pajem e disse:

— Está aqui um camponês litigante que quer falar a vossa senhoria sobre um negócio, segundo ele diz, da maior importância.

— Gente esquisita esses litigantes — disse Sancho. — É possível que sejam tão burros que não vejam que não se deve vir incomodar com litígios a uma hora dessas? Por acaso nós que governamos e somos juízes não somos homens de carne e osso? Não sabem que é preciso que nos deixem descansar o tempo que a necessidade exige? Ou esperam que sejamos feitos de mármore? Juro por Deus e por minha honra que, se o governo me durar, embora eu tenha um palpite contrário, vou botar nos eixos mais de um demandante. Agora dizei a esse bom homem que entre, mas vede bem se não é algum dos espiões ou matadores.

— Não, senhor — respondeu o pajem —, porque parece um anjo. Ou muito me engano ou ele é bom como pão.

— Não há o que temer — disse o administrador —, pois estamos todos aqui.

— Seria possível, senhor mordomo — disse Sancho —, que, agora que o doutor Pedro Recio não está aqui, eu pudesse comer alguma coisa de peso e sustância, mesmo que fosse um pedaço de pão e uma cebola?

— Esta noite, na ceia, se resolverá a falta do jantar e vossa senhoria ficará inteiramente satisfeito — disse o mordomo.

— Queira Deus — respondeu Sancho.

E nisso entrou o camponês, que tinha muito boa presença, e de mil léguas se notava que era bom e de alma simples. A primeira coisa que disse foi:

— Quem é o senhor governador?

— Quem poderia ser, senão o que está sentado na cadeira? — respondeu o secretário.

— Humilho-me, então, diante de sua presença — disse o camponês.

E, caindo de joelhos, pediu a Sancho a mão para beijar. Ele a negou e mandou que o homem se levantasse e dissesse o que queria. O camponês obedeceu e disse:

— Eu, senhor, sou camponês, natural de Miguel Turra, uma vila que está a duas léguas da Ciudad Real.

— Puxa, temos outro Tirteafuera! — disse Sancho. — Continuai, meu irmão. O que posso garantir é que conheço Miguel Turra muito bem e que não fica muito longe de minha terra.

— O caso, meu senhor — prosseguiu o camponês —, é que eu, pela misericórdia de Deus, sou casado no preto e no branco, no cartório e na santa Igreja Católica Romana; tenho dois filhos estudantes, o menor será bacharel e o mais velho, licenciado; sou viúvo, porque minha mulher morreu ou, melhor dizendo, matou-a um mau médico, que lhe deu purgante quando estava grávida, e se Deus quisesse que ela desse à luz e fosse um filho, eu poria o menino a estudar para ser doutor, para não ter inveja de seus irmãos, o bacharel e o licenciado.

— Quer dizer — disse Sancho — que, se vossa mulher não tivesse morrido, ou não a tivessem matado, agora vós não seríeis viúvo?

— Não, senhor, de jeito algum — respondeu o camponês.

— Estamos bem arrumados! — respondeu Sancho. — Em frente, meu irmão, que são horas de dormir, não de conversar.

— Bem — disse o camponês —, meu filho que vai ser bacharel se apaixonou lá na vila mesmo por uma donzela chamada Clara Perolítica, filha de Andrés Perolítico, camponês riquíssimo. Esse nome, Perolítico, não vem dos antepassados nem nada, mas porque todos desta família são paralíticos, e para melhorar o nome se chamam Perolíticos. Agora, se vamos dizer a verdade, a donzela é realmente uma pérola oriental, e vista pelo lado direito parece uma flor do campo; pelo esquerdo nem tanto, porque falta aquele olho, que perdeu com a varíola. Embora os buracos no rosto sejam muitos e grandes, dizem os que gostam dela que não são buracos, mas sepulturas onde se enterram as almas de seus apaixonados. É tão limpa que, para não sujar o rosto, traz as narinas, como dizem, arreganhadas, pois não parece senão que estão fugindo da boca. Mas, apesar de tudo, parece bela ao extremo, porque tem a boca grande e, se não lhe faltassem uns dez ou doze dentes e molares, poderia se gabar de deixar as mais bem constituídas comendo poeira lá atrás. Dos lábios não tenho o que dizer, porque são tão sutis e delicados que, se pudéssemos desfiá-los, se poderia fazer um novelo deles; mas, como têm uma cor fora do comum, parecem miraculosos, porque são matizados de azul, verde e roxo. Mas me perdoe, senhor governador, se vou pintando com tantos detalhes as qualidades daquela que cedo ou tarde vai acabar sendo minha filha, pois a quero bem e não me parece feia.

— Pintai o que quiserdes — disse Sancho —, pois vou me recreando com a pintura. Se tivesse jantado, não haveria melhor sobremesa para mim que vosso retrato.

— Isso ainda tenho para servir — respondeu o camponês —, mas tempo virá em que sejamos servidos, se agora não somos. E digo, senhor, que se pudesse pintar sua estatura e elegância, seria coisa de espantar, mas não posso, porque ela está curvada e encolhida, e tem os joelhos na boca, mas mesmo assim demonstra que, se pudesse se levantar, bateria a cabeça no teto. E ela teria dado a mão como esposa a meu bacharel, se a pudesse estender, mas está como um gancho. No entanto, nota-se sua bondade e bom caráter nas unhas longas e rachadas.

— Muito bem — disse Sancho —, fazei de conta, meu irmão, que já a pintastes dos pés à cabeça. O que quereis agora? E vamos ao que interessa, sem conversa fiada, sem tirar nem pôr.

— Gostaria, senhor — respondeu o camponês —, que vossa mercê me fizesse a mercê de me dar uma carta de recomendação para o sogro de meu filho, suplicando a ele que aceite que esse casamento se realize, pois não somos diferentes em bens materiais nem nos espirituais. Porque, para dizer a verdade, senhor governador, meu filho é possesso, e não há dia sem que três ou quatro vezes não o atormentem os espíritos malignos, e, por ter caído uma vez no fogo, tem o rosto enrugado como um pergaminho e os olhos um tanto chorosos e remelentos. Mas tem o temperamento de um anjo e, se não tivesse ataques e esmurrasse a si mesmo, seria um santo.

— Quereis mais alguma coisa, bom homem? — replicou Sancho.

— Sim, mais uma coisa — disse o camponês —, só

que não me atrevo a falar. Mas enfim, vá lá, melhor que não me apodreça no peito, cole ou não cole. Eu gostaria, senhor, que vossa mercê me desse trezentos ou seiscentos ducados para ajudar no dote de meu bacharel, sabe, para ajudar a montar sua casa, porque, enfim, devem viver por si, sem estar sujeitos às impertinências dos sogros.

— Vede se quereis outra coisa ainda — disse Sancho —, e não deixeis de falar por timidez nem por vergonha.

— Não, com certeza — respondeu o camponês.

E, mal disse isso, o governador se levantou, agarrou a cadeira em que estava sentado e disse:

— Juro, seu grosso estúpido, que, se não vos afastardes e sumirdes logo de minha presença, vos quebro e racho a cabeça! Velhaco fiadaputa, pintor do diabo em pessoa, isso são horas de virdes me pedir seiscentos ducados? E de onde os tiro, hediondo? E por que eu vos daria, mesmo que os tivesse, patife e mentecapto? E que me importa Miguel Turra ou toda a família dos Perolíticos? Desaparecei, repito, ou, pela vida do duque meu senhor, faço o que prometi! Não deveis ser de Miguel Turra coisa nenhuma; com certeza algum patife, para me tentar, vos enviou do inferno. Dizei-me, desalmado, se ainda não faz um dia e meio que sou governador, como quereis que eu já tenha seiscentos ducados?

O mordomo fez uns sinais para que o camponês saísse da sala, e ele saiu cabisbaixo e parecendo com medo de que o governador desse vazão a sua cólera, pois o velhaco desempenhara muito bem sua parte.

Mas deixemos Sancho com sua cólera, e haja paz e boa vontade entre os homens, e voltemos a dom Quixote, que deixamos sendo atendido e com curativos no rosto por causa das feridas gatescas, de que não sarou em oito dias. Foi num deles que aconteceu ao cavaleiro o que Cide Hamete Benengeli promete contar com a exatidão e a meticulosidade com que costuma narrar as coisas desta história, por mínimas que sejam.

XLVIII

DO QUE ACONTECEU A DOM QUIXOTE COM DONA RODRÍGUEZ, A AMA DA DUQUESA, COM OUTRAS COISAS DIGNAS DE REGISTRO E DE MEMÓRIA ETERNA

O malferido dom Quixote estava muito amuado e melancólico, com curativos no rosto marcado, não pela mão de Deus, mas pelas unhas de um gato — desgraças inerentes à cavalaria andante. Esteve seis dias sem aparecer em público. Numa noite desses dias, estando desperto e preocupado, pensando em suas infelicidades e na perseguição de Altisidora, percebeu que abriam a porta do quarto com uma chave — e logo pensou que a donzela apaixonada vinha para assaltar sua castidade e pô-lo em condição de faltar à fidelidade que devia guardar a sua senhora Dulcineia del Toboso.

— Não — disse, acreditando na própria imaginação, e com voz que poderia ser ouvida —, a maior formosura da terra não pode ser motivo para que eu deixe de adorar aquela que tenho gravada e estampada no centro do coração e no mais fundo de minhas entranhas, esteja minha senhora transformada em camponesa grosseirona, ou numa ninfa do Tejo dourado, tecendo com fios de ouro e seda, ou presa por Merlin ou Montesinos vá saber em que caverna: onde quer que estejas, és minha, e onde quer que eu esteja, sou e hei de ser teu.

A porta se abriu justo ao fim dessas palavras. O cavaleiro ficou de pé sobre a cama, envolto de cima a baixo por uma colcha de cetim amarelo, uma touca enterrada até as orelhas, o rosto com curativos e os bigodes com papelotes

— o rosto, pelos arranhões; os bigodes, para que não amolecessem e caíssem. Num traje como esse, parecia o mais extraordinário fantasma que se poderia imaginar.

Cravou os olhos na porta e, quando esperava ver entrar a cativa e queixosa Altisidora, viu entrar uma ama reverendíssima com uma touca branca com bainha de franjas tão longas que a cobriam e abrigavam da cabeça aos pés. Entre os dedos da mão esquerda trazia uma meia vela acesa, protegendo a chama com a direita para que a luz não lhe desse nos olhos, que estavam cobertos por grandes óculos. Vinha pisando de mansinho, movendo os pés suavemente.

Observando-a de sua atalaia, dom Quixote viu seus modos, notou seu silêncio e pensou que alguma bruxa ou maga vinha naquele traje fazer algum feitiço maligno com ele e começou a se benzer a toda pressa. A visão foi se aproximando e, quando chegou ao meio do quarto, levantou os olhos e viu a pressa com que dom Quixote fazia o sinal da cruz — e, se ele ficou amedrontado ao ver tal figura, ela ficou espantada por ver a dele, porque mal o viu, tão alto e tão amarelo, com a colcha e com os curativos que o desfiguravam, disse com um grande brado:

— Jesus! O que é que vejo?

E, com o susto, deixou a vela cair e, vendo-se no escuro, virou as costas para ir embora, mas de medo tropeçou nas próprias saias e levou um grande tombo. Dom Quixote, amedrontado, começou a dizer:

— Esconjuro-te, fantasma, ou seja lá o que for, para que me digas quem és e o que queres de mim. Se és alma penada, diga-me, que eu farei por ti tudo o que minhas forças alcançarem, porque sou católico e amigo de fazer o bem a todo mundo: por isso entrei para a ordem da cavalaria andante, cujo exercício se estende até fazer o bem às almas no purgatório.

A ama atormentada, ao ouvir o esconjuro, por seu medo percebeu o de dom Quixote, e com voz aflita e baixa respondeu:

— Senhor dom Quixote (se por acaso vossa mercê é realmente dom Quixote), eu não sou um fantasma, nem uma visão, nem alma do purgatório, como vossa mercê deve ter pensado, mas sim dona Rodríguez, a dama de honra de minha senhora a duquesa, e venho por causa de uma dessas adversidades que vossa mercê costuma remediar.

— Não vá me dizer, dona Rodríguez — disse dom Quixote —, que vossa mercê veio como alcoviteira? Porque garanto à senhora que não sou de proveito para ninguém, graças à beleza sem-par de minha senhora Dulcineia del Toboso. Em suma, dona Rodríguez, digo que, desde que vossa mercê evite e deixe de lado todo recado amoroso, pode acender de novo a vela e voltar, que discutiremos qualquer outra coisa que quiser ou mais lhe interessar, exceto, como já disse, qualquer mimo para me provocar.

— Eu, com recado de alguém? — respondeu a ama. — Ora, ora, meu senhor, muito mal me conhece vossa mercê: ainda não estou em idade tão avançada para me meter em semelhantes criancices, pois, Deus seja louvado, ainda estou na ponta dos cascos, como se diz, e tenho todos os meus dentes e molares, menos uns poucos que me usurparam uns catarros, que nesta terra de Aragão são muito comuns. Mas me espere um instante; vou acender minha vela e voltarei agora mesmo para contar minhas penas ao reparador de todos os problemas do mundo.

E sem esperar resposta saiu do quarto, onde dom Quixote ficou calmo e pensativo, esperando-a. Mas em seguida lhe ocorreram mil pensamentos sobre aquela nova aventura, e lhe parecia indevido e imprudente correr o risco de quebrar a promessa feita a sua senhora, e dizia a si mesmo:

— Quem sabe se o diabo, que é sutil e manhoso, não quer me enganar agora com uma ama onde não pôde com imperatrizes, rainhas, duquesas, marquesas nem condessas? Pois ouvi dizer muitas vezes, e por muitos sábios, que, se ele puder nos dar um pé torto, não nos dá um direito. E quem sabe se esta solidão, esta oportunidade e este silêncio não despertarão meus desejos que dormem e não me façam, ao cabo de meus anos, cair onde nunca tropecei? Em casos semelhantes, é melhor fugir que esperar a batalha. Mas eu não devo estar em meu juízo perfeito, se penso e digo tais disparates, porque não é possível que essa senhora, um varapau de touca e de óculos ainda por cima, possa encorajar e inflamar pensamentos lascivos no mais desalmado coração do mundo. Por acaso há em toda terra velhas amas que tenham belos corpos? Porventura há no orbe amas que deixem de ser impertinentes, carrancudas e melindrosas? Então, fora, corja amesca, inútil para qualquer prazer humano! Oh, muito bem fazia aquela senhora de quem se diz que tinha duas estátuas de amas com seus óculos e almofadinhas no fundo da sala, como se estivessem bordando: elas serviam para dar respeitabilidade ao ambiente tanto quanto as amas verdadeiras!

E, dizendo isso, pulou da cama com a intenção de fechar a porta e não deixar a senhora Rodríguez entrar; mas, quando ia fechá-la, a senhora Rodríguez já estava de volta, com uma vela de cera branca acesa. Então, quando ela viu dom Quixote mais de perto, enrolado na colcha, com os curativos, a touca ou barrete, ficou com medo de novo e, recuando uns dois passos, disse:

— Estamos seguras, senhor cavaleiro? Porque não me parece um sinal muito santo que vossa mercê tenha saído da cama.

— A mesma coisa pergunto eu, senhora — respondeu dom Quixote. — Então, posso ficar certo de que não serei atacado e forçado?

— A quem e de quem pedis essa garantia, senhor cavaleiro? — respondeu a ama.

— Peço a vós e de vós — respondeu dom Quixote —, porque nem eu sou de mármore, nem vós de bronze, nem agora são dez horas da manhã, mas meia-noite, ou um pouco mais, pelo que imagino, e num lugar mais fechado e secreto do que deve ter sido a caverna onde o traidor e atrevido Eneias desfrutou da bela e piedosa Dido. Mas dai-me a mão, senhora, que eu não quero outra segurança maior que a de minha continência e recato e a que oferece essa reverendíssima touca.

Dizendo isso, beijou a própria mão direita e segurou a dela, que a ama lhe deu com as mesmas cerimônias.

Aqui Cide Hamete faz um parêntese e diz que, por Maomé, daria o melhor cafetã dos dois que tinha para ver a ama e o cavaleiro assim de mãos dadas ir da porta até a cama.

Por fim, dom Quixote se deitou em sua cama e dona Rodríguez ficou sentada numa cadeira, um tanto afastada, sem tirar os óculos nem largar a vela. Dom Quixote se encolheu e se cobriu todo, não deixando mais que o rosto à vista. Tendo os dois se acalmando, o primeiro que rompeu o silêncio foi dom Quixote, que disse:

— Dona Rodríguez, agora vossa mercê pode soltar a língua e desembuchar tudo aquilo que tem dentro de seu sofrido e machucado coração, que será escutada por mim com ouvidos castos e socorrida com ações piedosas.

— Acredito, meu senhor — respondeu a ama —, pois da galante e agradável atitude de vossa mercê não se podia esperar uma resposta menos cristã. O caso, senhor dom Quixote, é que, embora vossa mercê me veja sentada nesta cadeira, em pleno reino de Aragão e com roupas de ama arruinada e aflita, sou natural das Astúrias de Oviedo,[1] e de linhagem que inclui muitas das melhores famílias daquela província. Mas minha pouca sorte e o descuido de meus pais, que empobreceram antes do tempo, sem saber como nem por quê, me levaram à corte em Madri, onde, em nome da paz e para evitar maiores desventuras, me destinaram como bordadeira de uma senhora muito distinta. Por falar nisso, quero que vossa mercê saiba que ninguém nunca me passou para trás em matéria de bordados de crivo e bordados simples. Meus pais me deixaram trabalhando e voltaram para sua terra, e poucos anos depois devem ter ido para o céu, porque eram muito bons e católicos cristãos. Fiquei órfã e presa ao salário miserável e aos angustiantes favores que se costuma dar nos palácios a tais criadas; e nesse tempo, sem que eu desse motivo para isso, se apaixonou por mim um escudeiro da casa, homem já vivido, barbudo e bem-apessoado, mas, acima de tudo, fidalgo como o rei, porque era da região da Montanha. Não levamos nossos amores tão secretamente que o falatório não chegasse aos ouvidos de minha senhora, que, para acabar com os diz que diz, nos casou no preto e no branco na santa madre Igreja Católica Romana. Desse casamento nasceu uma filha para liquidar com minha felicidade, se é que tinha alguma, não porque eu tenha saído estropiada do parto, que correu bem e na época certa, mas porque dali a pouco morreu meu esposo de um espasmo, que, tivesse eu tempo para lhe contar agora, sei que vossa mercê ficaria admirado.

Então começou a chorar suavemente e disse:

— Perdoe-me vossa mercê, senhor dom Quixote: não depende de minhas forças, porque, todas as vezes que me lembro de meu desgraçado marido, meus olhos ficam rasos de lágrimas. Santo Deus, com que imponência ele levava minha senhora na garupa de uma mula poderosa, preta como o próprio azeviche! Pois naquela época não se usavam cadeirinhas nem liteiras, como dizem que se usam agora, e as senhoras iam na garupa de seus escudeiros. Pelo menos isso não posso deixar de contar, para que se note como meu bom marido era bem-educado e escrupuloso. Ao entrar na rua de Santiago em Madri, que é um tanto estreita, saía dali um alcaide da corte com dois aguazis por diante, e, mal os viu, meu bom escudeiro virou as rédeas da mula, dando mostras de que ia acompanhá-lo, como manda o respeito e o uso. Minha senhora, que ia na garupa, em voz baixa lhe disse: "Que fazeis, desgraçado? Não vedes que estou aqui?". O alcaide, por cortesia, puxou a rédea do cavalo e disse: "Segui vosso caminho, senhor, que sou eu quem deve acompanhar minha senhora dona Cacilda". Assim se chamava minha ama. Enquanto isso, meu marido insistia, com o gorro na mão, em acompanhar o alcaide. Vendo isso, minha senhora, cheia de raiva e desgosto, puxou do estojo um alfinete grosso, ou talvez um estilete, e o cravou no lombo de meu marido, que deu um berro e torceu o corpo de modo que atirou sua senhora no chão. Dois lacaios dela correram para levantá-la, e o próprio alcaide e os aguazis. Foi aquele alvoroço na Porta de Guadalajara, digo, entre os desocupados que estavam por ali. Minha senhora foi embora a pé e meu marido correu à casa de um barbeiro, dizendo que tinha as entranhas atravessadas de lado a lado. Espalhou-se de tal modo a cortesia de meu esposo que os meninos implicavam com ele pelas ruas; e por isso, e porque ele era meio curto de vista, minha senhora o despediu. Sem dúvida alguma, acho que a tristeza disso foi a causa do mal que o matou.

"Fiquei viúva e desamparada, com uma filha nas costas, que ia crescendo em formosura como a espuma do mar. Finalmente, como eu tivesse fama de grande bordadeira, minha senhora a duquesa, que tinha recém-casado com o duque meu senhor, quis me trazer consigo para este reino de Aragão, e minha filha também, onde, entra dia, sai dia, cresceu e com ela toda a graça do mundo. Canta como um sabiá, dança como o pensamento, cabriola como uma possessa, lê e escreve como um mestre-escola e faz contas como um avarento. De seu asseio não digo nada, que a água corrente não é mais limpa; e agora deve ter, se me lembro bem, dezesseis anos, cinco meses e três dias, mais ou menos. Em suma, dessa minha moça se apaixonou um filho de um camponês riquíssimo que vive numa aldeia do duque meu senhor, não muito longe daqui. Realmente, não sei como nem por quê, eles se encontraram e ele, dando a palavra de que ia ser seu esposo, se deitou com minha filha, e agora não quer cumprir a promessa. E, embora o duque meu senhor saiba de tudo, porque eu me queixei a ele, não uma, mas muitas vezes, e lhe pedi que mande o camponês se casar com minha filha, faz ouvidos de mercador e mal me dá atenção, porque, como o pai do enganador é muito rico e lhe empresta dinheiro e muitas vezes é fiador de suas dívidas, não quer descontentá-lo nem o incomodar de jeito nenhum. Então, meu senhor, gostaria que vossa mercê se encarregasse de desfazer esse agravo ou por palavras ou pelas armas, pois, conforme todo mundo diz, vossa mercê nasceu para desfazê-los e para reparar injúrias e amparar os miseráveis. E pense bem vossa mercê na orfandade de minha filha, sua graça, sua mocidade, com todas as boas qualidades que lhe falei antes, que, por Deus e por minha alma, de quantas aias tem minha senhora, não há nenhuma que chegue às solas de seus sapatos. Há uma, que chamam Altisidora, que é considerada a mais desenvolta e galharda, mas não pode ser comparada nem de longe com minha filha, porque quero que vossa mercê saiba, meu senhor, que nem tudo que reluz é ouro: essa Altisidorinha tem mais de presunção que de formosura e mais de desenvolta que de recatada, sem falar que não está muito saudável, pois tem um hálito que não há quem aguente ficar perto dela por um instante. E mesmo minha senhora a duquesa... Prefiro me calar, pois, como se diz, as paredes têm ouvidos."

— Por minha vida, dona Rodríguez, o que tem minha senhora a duquesa? — perguntou dom Quixote.

— Bem, depois de uma súplica dessas — respondeu a ama —, não posso deixar de responder com toda a verdade ao que me pergunta. Vossa mercê, senhor dom

Quixote, viu a formosura de minha senhora a duquesa? A pele do rosto, que não parece senão uma espada polida e brilhante, aquelas bochechas de leite e de carmim, com o sol numa e a lua na outra, e a elegância com que vai pisando e até mesmo desprezando o solo, que não parece senão que vai derramando saúde por onde passa? Pois saiba que ela pode agradecer primeiro a Deus e, depois, a duas feridas que tem nas pernas, por onde se deságuam todos os maus humores de que está cheia, segundo dizem os médicos.

— Santa Maria! — disse dom Quixote. — Mas é possível que minha senhora a duquesa possa ter tais desaguadouros? Eu não acreditaria nem que frades descalços me contassem; porém, se a senhora o diz, dona Rodríguez, deve ser verdade. Mas dessas feridas nesses lugares não devem jorrar esses humores e sim âmbar líquido. Realmente, agora que pensei melhor, isso de abrir essas feridas deve ser coisa importante para a saúde.

Apenas dom Quixote acabara de dizer essas palavras, as portas se abriram com um tremendo golpe, e de susto dona Rodríguez derrubou a vela da mão, e o quarto ficou como a boca do lobo, como se diz. Logo a pobre senhora sentiu que a agarravam pela garganta com duas mãos, tão fortemente que não a deixavam nem gemer, e que outra pessoa com muita rapidez, sem dizer nada, lhe levantava as saias, e pelo visto com uma chinela começou a lhe dar tantas pancadas que era de dar pena. Embora dom Quixote tivesse pena, não se mexeu da cama: não conseguia imaginar o que podia ser aquilo e permanecia parado e quieto, temendo ainda que chegasse seu turno na tunda chinelesca. E não foi em vão seu temor, porque os verdugos calados, depois de deixarem a ama moída, que nem ousava se queixar, correram para dom Quixote e, puxando a colcha e o lençol, lhe bateram tanto e tão fortemente que não pôde deixar de se defender a socos, e tudo isso num silêncio admirável.

A batalha durou quase meia hora. Os fantasmas saíram, dona Rodríguez recolheu suas saias e, gemendo sua desgraça, saiu porta afora, sem dizer uma palavra a dom Quixote, que, dolorido e machucado, confuso e pensativo, ficou sozinho, onde o deixaremos ansioso para saber quem havia sido o mago perverso que o deixara daquele jeito.

Mas isso se dirá a seu tempo, pois Sancho Pança nos chama e o bom andamento da história o pede.

XLIX

DO QUE ACONTECEU A SANCHO PANÇA DURANTE A RONDA EM SUA ILHA

Deixamos o grande governador furioso e emburrado com o camponês pintor e velhaco, que, orientado pelo administrador orientado pelo duque, zombara de Sancho. Mas ele enfrentava a todos com firmeza, apesar de bobo, bronco e gorducho, e disse aos que estavam presente, e ao doutor Pedro Recio, que tinha voltado à sala logo que acabara a leitura a portas fechadas da carta do duque:

— Agora sim entendo que os juízes e governadores são ou devem ser de bronze para aguentar as amolações dos demandantes, que a qualquer hora, seja dia ou noite, querem que os escutem e despachem, atendendo apenas a seus negócios, custe o que custar. Se o pobre do juiz não os escutar e despachar, ou porque não pode ou porque aquele não é o tempo estipulado para lhes dar audiência, logo rogam pragas nele, mexericam, caluniam e até desenterram seus antepassados. Demandante idiota, demandante mentecapto, não te apresses: espera a hora e a vez para tratar de negócios; não vem na hora de comer nem na de dormir, pois os juízes são de carne e osso e devem dar à natureza o que ela costuma pedir, a não ser eu, que não dou de comer à minha, porque o senhor doutor Pedro Recio Tirteafuera, aqui presente, quer que eu morra de fome e afirma que essa morte é vida. Que Deus dê essa vida a ele e a todos os de sua laia, digo, aos maus médicos, pois os bons merecem palmas e louros.

Todos os que conheciam Sancho Pança se admiravam ouvindo-o falar com tanta elegância e não sabiam ao que atribuir isso, exceto que os ofícios e cargos importantes ou aprimoram ou desregulam a mente das pessoas. Por fim, o doutor Pedro Recio Agüero de Tirteafuera prometeu a ele um jantar naquela noite, mesmo que contrariasse todos os aforismos de Hipócrates. Com isso o governador ficou contente e esperou muito ansioso que chegasse a noite e a hora de jantar; e embora o tempo, em sua opinião, estivesse quieto, sem se mexer do lugar, por fim chegou o momento tão desejado, quando lhe deram para comer um salpicão de carne de gado com cebola e umas patas de vitela de idade avançada. Atirou-se nessas iguarias com mais prazer do que se tivessem servido francolinos de Milão, faisões de Roma, vitela de Sorrento, perdizes de Morão ou gansos de Lavajos, e durante a ceia, virando-se para o doutor, disse:

— Olhai, senhor doutor, daqui por diante não vos preocupeis em me dar de comer coisas requintadas nem manjares deliciosos, porque seria tirar meu estômago dos eixos, pois ele está acostumado a cabra, a gado, a toucinho, a nabos e cebolas, e se por acaso lhe dão outros pratos de palácio, recebe-os com melindres e algumas vezes com nojo. O que o mordomo pode fazer é me trazer o que chamam de olhas-podridas, pois, quanto mais podres, melhor cheiram, e pode meter nelas tudo o que ele quiser, desde que seja de comer, que eu agradecerei a ele e o pagarei algum dia. E que ninguém zombe de mim, porque ou somos como somos ou não somos nada: vivamos todos e comamos em paz e em boa companhia, pois, quando Deus chega, o sol nasce para todos. Eu governarei esta ilha sem tretas nem gorjetas, e que cada um abra o olho e cuide de seus negócios, porque vos garanto que o diabo não dorme e, se me derem uma oportunidade, verão maravilhas. Não, não. Se fordes de mel, as moscas vos comerão.

— Com certeza, senhor governador — disse o mordomo —, vossa mercê tem muita razão em tudo o que disse, e vos prometo, em nome de todos os ilhéus, que vamos vos servir com precisão, amor e boa vontade, porque o modo suave de governar que mostrou nesses princípios não dá oportunidade a ninguém de fazer nem de pensar coisa que redunde em desserviço a vossa mercê.

— Acredito que sim — respondeu Sancho —, e eles seriam uns imbecis se fizessem ou pensassem outra coisa. E repito de novo que não se descuidem de minha alimentação nem da de meu burro, que é o que importa nesse negócio e mais vem ao caso. Bem, como está na hora, vamos fazer a ronda, pois é minha intenção limpar esta ilha de todo tipo de imundície e de gente vagabunda, velhaca e desocupada. Porque desejo que saibais, meus amigos: vadios e preguiçosos são na república o mesmo que os zangões nas colmeias; apenas comem o mel que as abelhas trabalhadoras fazem. Penso favorecer os camponeses, manter os privilégios dos fidalgos, premiar os virtuosos e, principalmente, manter o respeito à religião e à honra dos religiosos. O que vos parece isso, meus amigos? Falei bem ou devo calar a boca?

— Vossa mercê falou tão bem, senhor governador — disse o administrador —, que estou surpreso de ver que um homem tão sem letras como vossa mercê, pois, pelo que sei, não tem nenhuma, diga tais e tantas coisas repletas de máximas e bons conselhos, tão longe de tudo aquilo que esperavam do tino de vossa mercê os que nos enviaram e todos nós que para cá viemos. Cada dia se veem coisas novas no mundo: as mentiras se tornam verdades e os zombadores acabam zombados.

Chegou a noite e o governador ceou, com a licença do senhor doutor Recio. Prepararam-se para a ronda; Sancho saiu com o administrador, o secretário e o mordomo, além do cronista que tinha o cuidado de anotar todos os seus feitos, e tantos aguazis e escrivães que podiam formar um verdadeiro esquadrão. Sancho ia no meio, com sua vara — coisa linda de se ver.

Então, depois de andarem umas poucas ruas, ouviram sons de espadas; correram para lá e encontraram dois homens brigando. Eles, vendo chegar a justiça, ficaram quietos, e um deles disse:

— Socorro, em nome de Deus e del-rei! Como pode se aguentar que roubem à vista de todos nesta aldeia e se assaltem no meio das ruas?

— Calma, homem de bem — disse Sancho. — Agora me contai qual a causa dessa pendência, pois sou o governador.

O adversário do que falou disse:

— Eu a contarei num instante, senhor governador. Saiba vossa mercê que este gentil-homem acaba de ganhar nesta casa de jogo aí em frente mais de mil reais, sabe Deus como. Eu estava presente e julguei a favor dele mais de uma jogada duvidosa, contra aquilo que me ditava a consciência. Ele recolheu o que tinha ganhado, sem dar oportunidade de desforra, e, quando eu esperava que me desse de gorjeta pelo menos um escudo, como é costume dar aos homens distintos como eu que ficamos assistindo, à espera do que der e vier e para apoiar abusos e evitar brigas, ele embolsou o dinheiro e saiu da casa. Ressentido, eu vim atrás dele, e com palavras sensatas e corteses pedi a ele que me desse ao menos oito reais, pois sabe que eu sou homem honrado e que não tenho ofício nem benefício, porque meus pais não me ensinaram nem me deixaram nada. Mas o patife, que não é mais ladrão que Caco nem mais trapaceiro que Andradilla, não queria me dar mais de quatro reais... Veja vossa mercê, senhor governador, que pouca vergonha e que falta de consciência! Mas juro que, se vossa mercê não tivesse chegado, eu o teria feito vomitar o que ganhou, e aí ele veria com quantos paus se faz uma canoa.

— O que dizeis a isso? — perguntou Sancho.

O outro respondeu que era verdade tudo o que seu adversário dizia e que não quisera dar mais de quatro reais porque os dava muitas vezes, sem falar que os que vivem de gorjetas devem ser comedidos e aceitar com cara alegre o que lhes derem, sem se meterem a pechinchar com os ganhadores, se não souberem com certeza se são trapaceiros e ganharam mal o que ganharam. E que, para mostrar que ele era homem de bem, não ladrão como o outro dizia, não havia prova maior que não ter querido dar nada, pois os trapaceiros são sempre tributários dos mirões que os conhecem.

— É verdade — disse o administrador. — Mas veja vossa mercê, senhor governador, o que é que vamos fazer com estes homens.

— Vamos fazer o seguinte — respondeu Sancho. — Vós que ganhastes, bom ou mau ou indiferente, dai cem reais a este vosso achacador, e além disso haveis de desembolsar trinta para os pobres que estão na cadeia. E vós, que não tendes ofício nem benefício e que vadiais por aqui, pegai logo esses cem reais e amanhã sem falta saí desta ilha, desterrado por dez anos. Se infringirdes essa sentença, eu o farei cumpri-la na outra vida, pondo vossa cabeça exposta no pelourinho, ou pelo menos ordenando que o verdugo o faça. E que nenhum discuta, se não quiser conhecer o peso de minha mão.

Um desembolsou, o outro recebeu, este saiu da ilha e aquele foi para sua casa, e o governador ficou dizendo:

— Agora, ou eu não mando coisa nenhuma, ou acabarei com essas casas de jogo, pois tenho um palpite de que são muito prejudiciais.

— Pelo menos com esta vossa mercê não poderá acabar — disse um escrivão —, porque pertence a um alto personagem. Além disso, o que ele perde por ano nas cartas é muito mais do que ganha. Contra outras espeluncas de menor importância vossa mercê poderá mostrar seu poder, pois são as que causam mais prejuízo e que encobrem mais iniquidades; nas casas dos senhores e cavaleiros importantes os trapaceiros não se atrevem a usar de suas tretas. Depois, o vício do jogo se tornou um passatempo comum: melhor que se jogue em casas de nobres que na de algum artesão, onde agarram um pobre desgraçado depois da meia-noite e o esfolam vivo.

— Ora, ora, senhor escrivão — disse Sancho —, eu sei que há muito que dizer sobre isso.

Nisso chegou um guarda, que trazia preso um moço, e disse:

— Senhor governador, este rapaz vinha em nossa direção, mas, logo que avistou a justiça, virou as costas e começou a correr como um gamo, sinal de que deve ser algum delinquente. Eu parti atrás dele, mas, se ele não tivesse tropeçado e caído, jamais o alcançaria.

— Por que fugias, homem? — perguntou Sancho.

Ao que o rapaz respondeu:

— Senhor, para não responder às muitas perguntas que a justiça faz.

— Que ofício tens?

— Sou tecelão.

— E o que teces?

— Pontas de lança, com a boa licença de vossa mercê.

— Espirituoso, hein?! Pensais que sois muito gozado? Muito bem! E que fazíeis agora?

— Ia tomar um ar, senhor.

— E onde se toma ar nesta ilha?

— Onde sopra.

— Muito bem, respondestes direitinho! Sois um sábio, meu rapaz. Mas fazei de conta que eu sou o ar e que vos sopro pela popa e vos encaminho para a cadeia. Ei, agarrai-o e levai-o, que esta noite o farei dormir sem ar!

— Por Deus — disse o rapaz —, vossa mercê me fará dormir na cadeia tanto como me fará rei!

— Ora, por que não te faria dormir na cadeia? — respondeu Sancho. — Não tenho poder para te prender e soltar sempre que quiser?

— Por mais poder que vossa mercê tenha — disse o rapaz —, não será suficiente para me fazer dormir na cadeia.

— Como não? — replicou Sancho. — Levai-o logo onde verá com os próprios olhos seu engano. E, se o alcaide quiser fazer uso de sua interessada generosidade, eu o condenarei a uma multa de dois mil ducados se o deixar botar um pé fora da cela.

— Só mesmo rindo — respondeu o rapaz. — A verdade é que ninguém me fará dormir na cadeia.

— Diz-me, demônio — disse Sancho —, há algum anjo que te tirará da cela e te abrirá os grilhões que penso mandar pôr em teus pés?

— Ora, ora, senhor governador — respondeu o rapaz com muita graça —, sejamos razoáveis e vamos ao que interessa. Pressuponha vossa mercê que me manda levar à cadeia e que nela me botem grilhões e correntes e que me metam num calabouço, e condenem o alcaide a uma pena severa se me deixar sair e que ele cumpre tudo como lhe é ordenado. Apesar disso tudo, se eu não quiser dormir mas ficar toda a noite sem pregar o olho, será vossa mercê com todo o seu poder capaz de me fazer dormir?

— Não, com certeza — disse o secretário. — O homem tem toda a razão.

— Quer dizer — disse Sancho — que não dormireis apenas porque não quereis, não para contrariar minha ordem?

— Sim, senhor — disse o rapaz. — Nem pensaria em contrariar.

— Então, ide dormir em vossa casa — disse Sancho —, e que Deus vos dê bom sono, pois eu não quero tirá-lo. Mas vos aconselho que daqui por diante não zombeis da justiça, porque um dia desses topareis com alguém que vos acerte a cachola com as zombarias.

O rapaz foi embora e o governador prosseguiu em sua ronda. Dali a pouco surgiram dois guardas que traziam preso um homem e disseram:

— Senhor governador, este parece homem mas não é: é uma mulher, e nada feia, que vem com roupas de homem.

Aproximaram duas ou três lanternas de seu rosto, e as luzes revelaram as feições de uma mulher de uns dezesseis anos ou pouco mais, com os cabelos presos por uma touca de seda verde e ouro, formosa como mil pérolas. Olharam-na de cima a baixo e viram que usava umas meias de seda vermelha com ligas de tafetá branco e franjas de ouro e aljôfar; os calções eram verdes, de tissu, e a capa aberta, do mesmo tecido, deixava ver embaixo um gibão de seda branca com bordados de ouro; os sapatos eram brancos, de homem. A moça não trazia espada na cintura, mas uma adaga riquíssima, e nos dedos muitos e excelentes anéis. Enfim, todos acharam a moça soberba, mas nenhum deles a reconheceu, nem os nativos da região, que disseram que não tinham a menor ideia de quem fosse. Os cúmplices das brincadeiras que se faziam a Sancho foram os que mais se surpreenderam, porque aquele encontro não fora planejado por eles, de modo que estavam hesitantes, esperando para ver como acabaria o caso.

Sancho ficou pasmo com a formosura da moça e perguntou a ela quem era, para onde ia e o que a levara a se vestir com aquelas roupas. Ela, com os olhos cravados no chão, com recatada vergonha, respondeu:

— Senhor, não posso dizer em público o que tanto desejava manter em segredo. Uma coisa só quero que se entenda: não sou ladra nem malfeitora, mas uma donzela infeliz, a quem a força do ciúme fez romper o decoro que se deve à respeitabilidade.

Ouvindo isso, o administrador disse a Sancho:

— Senhor governador, mande afastar essa gente, para

que esta senhora possa dizer o que quiser com menos acanhamento.

O governador mandou que todos se afastassem, menos o administrador, o mordomo e o secretário. Então, vendo-se a sós, a donzela prosseguiu:

— Eu, senhores, sou filha de Pedro Pérez Maçaroca, administrador dos impostos sobre lã nesta aldeia, que costuma ir muitas vezes à casa de meu pai.

— Isso não tem pé nem cabeça, minha senhora — disse o administrador —, porque conheço muito bem Pedro Pérez e sei que não tem filho nenhum, nem macho nem fêmea; além do mais, dizeis que é vosso pai e depois acrescentais que costuma ir muitas vezes à casa de vosso pai.

— Isso eu já tinha notado — disse Sancho.

— Ora, senhores, eu estou confusa e não sei o que digo — respondeu a donzela —, mas a verdade é que sou filha de Diego da Plaina, que vossas mercês devem conhecer.

— Não, isso continua sem pé nem cabeça — respondeu o administrador —, pois eu conheço Diego da Plaina e sei que é fidalgo nobre e rico, que tem um filho e uma filha, e que depois que enviuvou não houve ninguém em toda esta região que possa dizer que viu o rosto de sua filha, porque a tem encerrada: nem ao sol dá oportunidade que a veja. Mas, apesar disso tudo, corre a fama de que é formosa ao extremo.

— É verdade — respondeu a donzela —, essa filha sou eu. Agora, se a fama mente ou não minha formosura, vós sabeis, senhores, pois já me vistes.

E então começou a chorar suavemente. Vendo isso, o secretário se aproximou do mordomo e disse bem baixinho ao ouvido dele:

— Sem dúvida alguma deve ter acontecido alguma coisa grave com esta donzela, pois andar longe de casa, com essas roupas e a essas horas, sendo tão distinta...

— Sem dúvida nenhuma — respondeu o mordomo —, sem falar que essa suspeita é confirmada pelas lágrimas.

Sancho a consolou com as melhores palavras que soube dizer e pediu que sem medo algum lhes dissesse o que tinha acontecido, que todos procurariam ajudar, com todas as suas forças e por todos os meios possíveis.

— O caso, meus senhores — respondeu ela —, é que meu pai me mantém trancada faz dez anos, quer dizer, desde que minha mãe está embaixo da terra. Em casa dizem missa num rico oratório e eu, em todo esse tempo, não vi nada mais que o sol no céu do dia e a lua e as estrelas no da noite, nem sei o que são ruas, praças nem templos, nem mesmo homens, exceto meu pai e meu irmão, e Pedro Pérez, o administrador. Como ele sempre vai a minha casa, ocorreu-me dizer que era meu pai, para não revelar o meu. Essa prisão, esse me negar sair de casa, nem para ir à igreja, me traz desconsolada há muitos meses. Eu gostaria de ver o mundo, ou pelo menos a aldeia onde nasci, parecendo-me que esse desejo não ia contra o bom decoro que as donzelas distintas devem guardar a si mesmas. Quando ouvia dizer que havia touradas e justas com lanças de taquara, que representavam comédias, pedia a meu irmão, que é um ano mais novo que eu, que me dissesse que coisas eram aquelas, e muitas outras que eu não vi. Ele me contava da melhor forma que podia, mas tudo servia para me acender mais o desejo de ver tudo. Enfim, para encurtar a história de minha perdição, digo que eu pedi e implorei a meu irmão, como nunca pedira nem suplicara...

Começou a chorar de novo. O administrador disse a ela:

— Vamos, minha senhora, continue, diga-nos logo o que aconteceu, pois estamos todos suspensos de suas palavras e de suas lágrimas.

— Pouca coisa me resta a dizer — a donzela respondeu —, embora me restem muitas lágrimas para chorar, porque os desejos mal orientados não podem trazer boas consequências.

Como a beleza da donzela tinha tocado a alma do mordomo, ele aproximou sua lanterna de novo para vê-la e achou que não eram lágrimas que chorava, mas aljôfar ou orvalho dos campos, ou mais, pois as elevou mais alto ainda, comparando-as a pérolas orientais, e tinha esperanças de que sua desgraça não fosse tanta como indicavam os indícios de seu pranto e de seus suspiros. O governador se desesperava com a lentidão com que a moça contava sua história, e disse que não os mantivesse mais pendentes dela, porque era tarde e faltava muito do povoado para percorrer. Ela, entre soluços entrecortados e suspiros convulsos, disse:

— Minha desgraça e meu infortúnio são apenas que eu implorei a meu irmão que me vestisse de homem com um de seus trajes e que saísse comigo uma noite para ver todo o povoado, quando nosso pai estivesse dormindo. Ele, importunado por meus pedidos, condescendeu com meu desejo e, pondo-me estas roupas e vestindo-se ele com outras minhas, que lhe caíram como se tivesse nascido com elas, porque não tem um fio de barba e parece uma donzela formosíssima, esta noite, deve fazer uma hora mais ou menos, saímos de casa e, guiados por nosso propósito infantil e absurdo, percorremos toda a vila, e quando pensamos em voltar para casa, ouvimos se aproximar um grande tropel de gente e meu irmão me disse: "Irmã, deve ser a ronda: apressa os pés e bota asas nos calcanhares, e corre atrás de mim, para que não nos reconheçam, pois ficará mal para nós". Dizendo isso, virou as costas e começou, não digo a correr, mas a voar; eu, com o susto, caí depois de menos de seis passos, e então chegaram os guardas, que me trouxeram diante de vossa mercê, onde me sinto envergonhada com tanta gente, por ser má e caprichosa.

— Na verdade, senhora — disse Sancho —, não vos aconteceu desmando nenhum, nem ciúmes, nem vos botaram fora de casa como dissestes no começo?

— Não me aconteceu nada, nem desmandos nem ciúmes, apenas o desejo de ver o mundo, que não ia mais longe que ver as ruas desta vila.

E a verdade do que a donzela dizia acabou por se confirmar com a chegada dos guardas com o irmão dela preso, que um deles alcançara quando fugiu de sua irmã. Não vestia nada além de uma linda saia curta e uma mantilha de damasco azul com franjas de ouro fino; a cabeça sem touca nem adornada com outra coisa que seus próprios cabelos, que eram anéis de ouro, de tão loiros e encaracolados. O governador, o administrador e o mordomo se afastaram com ele e, sem que sua irmã os ouvisse, lhe perguntaram a troco de que usava aquelas roupas. Ele, com não menos vergonha e embaraço que ela antes, contou a mesma história que a irmã tinha contado, o que deu grande prazer ao mordomo apaixonado. Mas o governador lhes disse:

— Com certeza, meus senhores, esta foi uma boa criancice, mas para contar essa asneira e esse atrevimento não era preciso tanto tempo, nem tantas lágrimas e suspiros. Bastava dizer "Somos fulano e fulana, saímos da casa de nossos pais para nos divertir um pouco com essa brincadeira, só por curiosidade, sem outra intenção" e a história se acabava. Mas não, dê-lhe choramingas e não me toques!

— É verdade — respondeu a donzela —, mas saibam vossas mercês que me senti tão atarantada que não pude manter a compostura que devia.

— Não se perdeu nada — respondeu Sancho. — Vamos, deixaremos vossas mercês em casa. Talvez vosso pai não tenha dado pela falta de vossas mercês. E daqui por diante não sejam tão criançolas nem tão desejosos de ver o mundo, pois donzela recatada e perna quebrada não saem de casa, e as mulheres são como as galinhas, que saem e se perdem sozinhas, e aquela que tem desejo de ver também tem desejo de ser vista. E mais não digo.

O rapaz agradeceu ao governador pelo favor de levá-los em casa, e então se encaminharam para ela, que não ficava muito longe dali. Quando chegaram, o irmão atirou uma pedrinha numa grade e dali a pouco desceu uma criada, que os esperava e lhes abriu a porta. Eles entraram, deixando a todos admirados tanto pela graça e formosura como pelo desejo que sentiam de ver o mundo de noite, e sem sair da vila. Mas atribuíram tudo a sua pouca idade.

O mordomo ficou com o coração trespassado e decidiu pedir a donzela em casamento ao pai dela logo no dia seguinte, considerando certo que não a negaria, por ele ser criado do duque. O próprio Sancho sentiu vontade de casar o rapaz com Sanchinha, sua filha, e resolveu pôr em prática a ideia a seu tempo, pensando que ninguém poderia se negar a uma filha de governador.

Assim acabou a ronda daquela noite, e dali a dois dias acabou o governo, com o que desabaram e se apagaram todos os seus desígnios, como se verá mais adiante.

L

ONDE SE REVELA QUEM FORAM OS MAGOS E VERDUGOS QUE AÇOITARAM DONA RODRÍGUEZ E ESPANCARAM E ARRANHARAM DOM QUIXOTE, COM O QUE ACONTECEU AO PAJEM QUE LEVOU A CARTA A TERESA SANCHA, MULHER DE SANCHO PANÇA

Cide Hamete, meticuloso investigador das minúcias desta história verídica, diz que, quando dona Rodríguez saiu de seu quarto para ir ao de dom Quixote, outra ama que dormia com ela percebeu e que, como todas as amas são amigas de farejar, saber e compreender, foi atrás dela tão silenciosamente que a boa Rodríguez não se deu conta. E, mal viu dona Rodríguez entrar no quarto de dom Quixote, foi abrir o bico para sua senhora a duquesa, porque não faltava nessa ama o costume geral que todas as amas têm de mexericar.

A duquesa falou para o duque e pediu licença para que ela e Altisidora fossem ver o que aquela ama queria com dom Quixote. O duque a deu. Então as duas, com muita calma e cuidado, pé ante pé, foram até a porta do quarto, ficando tão perto que podiam ouvir tudo o que se falava lá dentro. Quando a duquesa ouviu que dona Rodríguez revelava o segredo das feridas em suas pernas, não pôde aguentar, menos ainda Altisidora, de modo que, cheias de raiva e loucas por vingança, entraram de repente no quarto e surraram dom Quixote e espancaram a ama da forma que se contou: porque as afrontas que atingem direto a formosura e o orgulho das mulheres despertam nelas uma ira terrível e acendem o desejo de se vingar.

A duquesa contou ao duque o que havia acontecido, o que muito o divertiu; depois, prosseguindo com sua intenção de zombar e se distrair com dom Quixote, a duquesa despachou um pajem — aquele que havia feito o papel de Dulcineia na combinação de seu desencantamento, que Sancho Pança tinha esquecido totalmente, ocupado com seu governo — para ir ter com Teresa Pança, a mulher do governador, com uma carta do marido e com outra sua, mais um precioso colar de corais como presente.

Conta a história que o pajem era muito vivo e inteligente e que, desejoso de servir a seus senhores, partiu cheio de boa vontade para a terra de Sancho. Antes de entrar na aldeia viu num riacho uma porção de mulheres lavando roupa, a quem perguntou se saberiam lhe dizer se ali vivia uma senhora chamada Teresa Pança, esposa de um certo Sancho Pança, escudeiro de um cavaleiro chamado dom Quixote de la Mancha. A essa pergunta, pôs-se de pé uma mocinha que estava lavando e disse:

— Essa Teresa Pança é minha mãe e esse tal Sancho, o senhor meu pai, e o tal cavaleiro, nosso amo.

— Então vinde, donzela — disse o pajem —, e levai-me a vossa mãe, porque trago para ela uma carta e um presente de vosso pai.

— Com prazer, meu senhor — respondeu a moça, que aparentava ter uns catorze anos, pouco mais ou menos.

E, deixando a roupa que lavava para outra companheira, sem ajeitar o cabelo nem se calçar — estava descalça e desgrenhada —, pulou na frente da cavalgadura do pajem e disse:

— Venha vossa mercê, que nossa casa está na entrada do povoado e minha mãe está nela, muito triste por não ter sabido nada do senhor meu pai por muitos dias.

— Pois eu trago tão boas notícias — disse o pajem — que terá de dar graças a Deus por elas.

Pulando, correndo e brincando, por fim a moça chegou ao povoado e, antes de entrar em sua casa, disse aos gritos desde a porta:

— Venha cá, mãe! Venha cá, depressa, mãe Teresa, que aqui está um senhor que traz cartas e outras coisas de meu bom pai.

Com essa gritaria, Teresa Pança, sua mãe, apareceu na porta, fiando um tufo de estopa. Vestia-se com uma saia parda — que parecia, curta como era, cortada como as das prostitutas punidas —, um corpete também pardo e uma blusa decotada. Não era muito velha, embora aparentasse passar dos quarenta, mas forte, rija, robusta e enrugada. Vendo a filha e o pajem a cavalo, disse:

— O que é isso, menina? Quem é este senhor?

— Um servo de minha senhora dona Teresa Pança — respondeu o pajem. Enquanto falava, atirou-se do cavalo e foi se ajoelhar com muita humildade diante da senhora Teresa. — Dai-me vossa mercê suas mãos, minha senhora dona Teresa, como legítima esposa do senhor dom Sancho Pança, governador da ilha Logratária.

— Ai, meu senhor, saia daí, não faça isso — respondeu Teresa —, pois eu não sou nada cortesã, mas uma pobre camponesa, filha de um casca-grossa e mulher de um escudeiro andante, não de governador algum!

— Vossa mercê é a digníssima mulher de um arquidigníssimo governador — respondeu o pajem. — Como prova dessa verdade, receba vossa mercê esta carta e este presente.

E tirou do bolso um colar de corais com contas de ouro, que lhe botou no pescoço, dizendo:

— Esta carta é do senhor governador, mas outra que trago e este colar são de minha senhora a duquesa, que me envia a vossa mercê.

Teresa ficou pasma. A filha, que não tinha ficado menos, disse:

— Que me matem se não há nisso a mão do senhor nosso amo dom Quixote, que na certa deu a meu pai o governo ou condado que tanto tinha prometido.

— É verdade — respondeu o pajem. — Em respeito ao senhor dom Quixote, o senhor Sancho agora é governador da ilha Logratária, como se verá por esta carta.

— Leia-me vossa mercê, senhor gentil-homem — disse Teresa —, porque, embora saiba fiar, não sei ler nem um tico.

— Eu também não — acrescentou Sanchinha —, mas esperem aí, que eu vou chamar quem a leia, ou o próprio padre ou o bacharel Sansão Carrasco, que virão de boa vontade para ter notícias de meu pai.

— Não precisa chamar ninguém, pois eu não sei fiar, mas sei ler e a lerei.

Então ele a leu toda, que, por já ter sido referida, não será transcrita aqui. Depois pegou a outra carta, a da duquesa, que dizia o seguinte:

Amiga Teresa:
Os bons atributos de bondade e sabedoria de seu marido Sancho me levaram e obrigaram a pedir a meu marido o duque que lhe desse o governo de uma ilha, das muitas que tem. Tenho notícia de que governa como uma águia, o que me deixa muito contente, e consequentemente ao meu senhor o duque. Dou graças ao céu então por não ter me enganado ao tê-lo escolhido para esse governo, pois lhe garanto, senhora Teresa, é com dificuldade que se acha um bom governador no mundo. Que Deus me trate a mim como Sancho governa.

Junto lhe envio, querida amiga, um colar de corais com contas de ouro. Eu gostaria que fosse de pérolas orientais, mas o que vale é a intenção, como se diz. Um dia talvez nos conheçamos pessoalmente e então conversaremos, pois o futuro a Deus pertence. Encomende-me a Sanchinha, sua filha, e diga-lhe de minha parte que se prepare, porque devo casá-la nobremente quando menos se espere.

Disseram-me que nessa aldeia há bolotas graúdas: envie-me umas duas dúzias, que as apreciarei muito por

virem de suas mãos. Escreva-me contando longamente o que acontece por aí e como tem passado; e, se tiver necessidade de alguma coisa, tem apenas de pedir, que suas palavras serão uma ordem, e que Deus a guarde.
Desta vila, sua amiga que tanto a quer,
A Duquesa

— Ai, mas que boa, que simples e que humilde senhora! — disse Teresa ao ouvir a carta. — Podem me enterrar com senhoras assim, não com as fidalgas que há neste povoado, que pensam que por ser fidalgas o vento não deve tocá-las, e vão à igreja com o nariz tão empinado como se fossem as próprias rainhas, pois não parece senão que se sentem desonradas de olhar para uma camponesa. E veja aí onde essa boa senhora, mesmo sendo duquesa, me chama amiga e me trata como se fosse sua igual, que igual a veja eu ao mais alto campanário que há na Mancha. E quanto às bolotas, meu senhor, enviarei a sua senhoria um galão, tão graúdas que vão encher os olhos de todos. E agora, Sanchinha, vê que se receba bem este senhor: cuida deste cavalo, pega ovos no galinheiro e corta um pedação de toucinho, e vamos dar de comer a ele como a um príncipe, que as boas-novas que nos trouxe e a boa cara que ele tem merecem tudo. E, enquanto isso, vou contar nossa alegria às vizinhas, e ao padre e ao mestre Nicolás, o barbeiro, que foram e são tão amigos de teu pai.

— Sim, mãe, vou fazer tudo — respondeu Sanchinha —, mas olhe, deve me dar metade desse colar, que não acho que minha senhora a duquesa seja tão boba que haveria de mandar todo para vossa mercê.

— É todo para ti, minha filha — respondeu Teresa —, mas me deixa levá-lo no pescoço por uns dias, pois parece que realmente me alegra o coração.

— Irão se alegrar mais — disse o pajem — quando virem esta trouxa que trago na bagagem, um traje de tecido finíssimo que o governador usou apenas uma vez, no dia da caçada. Mandou todo para a senhora Sanchinha.

— Que ele viva mil anos! — respondeu Sanchinha. — E mais mil aquele que o traz, ou até dois mil se for preciso!

Com isso, Teresa saiu de casa com as cartas e com o colar no pescoço, e ia tamborilando nas cartas como se fosse um pandeiro. Encontrando-se por acaso com o padre e Sansão Carrasco, começou a dançar e a dizer:

— Juro por Deus, agora não tem mais parente pobre! Temos um governinho! E que se meta comigo a fidalga mais finória, que eu a farei sair ardendo!

— O que é isso, Teresa Pança? Que loucuras são essas e que papéis são esses?

— A loucura é que estas são cartas de duquesa e de governador, e isto que trago no pescoço parece um rosário: as ave-marias são de corais e os padre-nossos são de ouro batido. E eu... eu sou governadora.

— Além de Deus, não há quem vos entenda, Teresa. Não temos a menor ideia do que dizeis.

— Vejam por si mesmos — respondeu Teresa.

E deu as cartas a eles. O padre as leu em voz alta para que Sansão Carrasco pudesse ouvir. Depois, eles se entreolharam surpresos, e o bacharel perguntou quem tinha trazido as cartas. Teresa respondeu que viessem com ela até sua casa e veriam o mensageiro, um rapaz lindo como um broche de ouro, e que trazia outro presente que valia mais ainda. O padre tirou o colar do pescoço dela e o examinou pelo avesso e pelo direito e, certificando-se de que era mesmo uma joia, se admirou de novo e disse:

— Juro pela batina que uso, não sei o que dizer nem o que pensar dessas cartas e desses presentes: por um lado comprovo, por *a* mais *b*, o primor desses corais, mas por outro leio que uma duquesa manda pedir duas dúzias de bolotas.

— Realmente, está fora de esquadro! — disse então Carrasco. — Muito bem, vamos ver o portador dessas cartas: com ele destrincharemos nossas dúvidas.

Foi o que fizeram, juntos com Teresa. Encontraram o pajem peneirando um pouco de cevada para seu cavalo e Sanchinha cortando toucinho para fritar com ovos para o almoço do pajem, cuja presença e distinção contentou muito os dois. Depois de o terem cumprimentado cortesmente, e ele a eles, Sansão pediu que lhe desse notícias tanto de dom Quixote como de Sancho Pança, porque, apesar de terem lido as cartas de Sancho e da senhora duquesa, ainda estavam confusos e não conseguiam atinar com o que seria o governo de Sancho, sem falar na tal da ilha, estando todas ou a maioria no mar Mediterrâneo de Sua Majestade. Ao que o pajem respondeu:

— De que o senhor Sancho Pança seja governador, não há dúvida nenhuma; de que seja ilha ou não o que governa, bem, nisso não me meto, mas basta que seja uma vila com mais de mil habitantes; e, quanto às bolotas, digo que minha senhora a duquesa é tão simples e tão humilde que... não digo que mande pedir bolotas a uma camponesa, mas acontece de mandar pedir um pente emprestado a uma vizinha sua. Pois garanto a vossas mercês que as senhoras de Aragão, embora sejam tão nobres, não são tão emproadas e vaidosas como as senhoras castelhanas: tratam as pessoas com mais familiaridade.

No meio dessa conversa, Sanchinha saltou, segurando a saia com ovos, e perguntou ao pajem:

— Diga-me, senhor: o senhor meu pai, depois que se tornou governador, por acaso usa calças bombachudas?

— Não reparei nisso — respondeu o pajem —, mas deve usar, sim.

— Ai, meu Deus! — replicou Sanchinha. — São bem folgadas, não? Boa para os peidorreiros! Isso não é muito santo, mas desde que nasci desejo ver meu pai usando uma calça dessas.

— Se viver, a senhora o verá com uma dessas — respondeu o pajem. — Por Deus, do jeito que ele vai, com dois meses que dure o governo, acabará usando até guarda-sol.

O padre e o bacharel perceberam muito bem que o pajem falava com malícia, mas a riqueza dos corais e do traje de caça que Sancho tinha enviado, e que Teresa já lhes mostrara, complicava tudo. Não deixaram de rir, porém, do desejo de Sanchinha, e mais ainda quando Teresa disse:

— Senhor padre, pergunta por aí se há alguém que vá a Madri ou a Toledo, para que me compre uma saia rodada, mas sob medida, da melhor que houver e que esteja em voga, pois a verdade verdadeira é que tenho de prestigiar o governo de meu marido o quanto eu puder, e mesmo que isso me aborreça tenho de ir à corte e andar de carruagem como qualquer dona, porque quem tem marido governador pode muito bem ter uma e mantê-la.

— Como não, mãe?! — disse Sanchinha. — Quem dera que fosse hoje, não amanhã, mesmo que dissessem os que me vissem ir sentada com a senhora minha mãe naquela carruagem: "Olha só a fulana, filha do comilão de alho! Olha como vai, recostada na carruagem, como se fosse uma papisa!". Eles que pisem na lama e eu ande de carruagem, os pés bem longe do chão. Que se danem todos os mexeriqueiros do mundo: andando eu bem quente, que se ria a gente. Falei bem, minha mãe?

— E como não, minha filha?! — respondeu Teresa. — E todas essas venturas, e outras maiores ainda, me foram profetizadas por meu bom Sancho. E verás, minha filha, como ele não sossega até me fazer condessa, pois para ter sorte basta começar. E como muitas vezes ouvi teu bom pai dizer (porque, como é teu pai, é também dos ditados), quando te derem a vaquinha, corre com a cordinha: quando te derem um governo, agarra logo; quando te derem um condado, agarra logo; e quando te disserem ei, psiu, vem cá, com algum bom presente, embolsa-o. Ou vais ficar dormindo, sem atender a porta, quando a sorte bater em tua casa?!

— E pouco me importa — acrescentou Sanchinha — que se diga, quando me virem toda emproada e gabola: “Viu-se o macaco de culotes, não conheceu mais seus amigotes”, e tudo mais.

Ouvindo isso, o padre disse:

— Eu só posso pensar que todos, na família dos Panças, nasceram com um saco de ditados no corpo. Não vi nenhum deles que não os derrame a toda hora e em toda conversa que têm.

— É verdade — disse o pajem —, o senhor governador Sancho os diz a cada passo. Mesmo que muitos não se encaixem no assunto, dão prazer, e minha senhora a duquesa e o duque festejam-nos muito.

— Ainda afirma, meu senhor, que é verdade isso do governo de Sancho e que existe uma duquesa que lhe envia presentes e lhe escreve? — disse o bacharel. — Porque nós, mesmo tendo tocado nos presentes, mesmo tendo lido as cartas, não acreditamos e pensamos que tudo não passa de uma dessas coisas de dom Quixote, nosso conterrâneo, que pensa que tudo é feito por encantamento. Assim sendo, estou para dizer que gostaria de tocar e apalpar vossa mercê, para ver se é embaixador fantástico ou homem de carne e osso.

— Senhores, só sei de mim: sou embaixador de verdade — respondeu o pajem. — Mas sei que o senhor Sancho Pança é governador realmente, e que meus senhores duque e duquesa podem dar e deram o tal governo, e que ouvi dizer que o tal Sancho Pança se porta valentemente nele. Se há ou não encantamento nisso, vossas mercês discutam com eles. E juro (pela vida de meus pais, pois os tenho vivos e os amo e os respeito muito) que não sei de mais nada.

— É, pode ser assim mesmo — replicou o bacharel —, mas *dubitat Augustinus*.[1]

— Duvide quem duvidar — respondeu o pajem —, o

que eu disse é verdade, e a verdade há de prevalecer sobre a mentira, como o azeite sobre a água. Se não, *operibus credite, et non verbis*:[2] venha comigo um de vossas mercês, e os olhos verão o que os ouvidos não acreditam.

— Eu é que tenho de ir — disse Sanchinha. — Leve-me, senhor, na garupa de seu pangaré, que eu irei de boa vontade ver o senhor meu pai.

— As filhas dos governadores não devem andar sozinhas pelos caminhos, mas sim acompanhadas de carroças e liteiras e de um grande número de servos.

— Por Deus — respondeu Sancha —, eu iria tão bem numa burrinha como numa carruagem. Nunca fui mimada.

— Calada, mocinha — disse Teresa —, porque não sabes o que dizes. Este senhor está com toda a razão, tal tempo, tal tento: quando Sancho era Sancho, tu eras Sancha; agora que ele é governador, tu és senhora. Não sei se me expliquei bem.

— Mais disse a senhora Teresa do que pensa — disse o pajem. — Mas me deem o almoço e me despachem logo, porque quero voltar esta tarde.

A isso, o padre disse:

— Vossa mercê venha fazer o sacrifício comigo, pois a senhora Teresa tem mais vontade que vasilhas para servir tão bom hóspede.

O pajem recusou, mas no fim teve de concordar pelo próprio bem, e o padre o levou consigo de boa vontade, para poder perguntar com calma sobre dom Quixote e suas façanhas.

O bacharel se ofereceu para escrever a Teresa as respostas às cartas, mas ela não quis que ele se metesse em seus negócios, pois o considerava meio zombeteiro. Foi assim que deu um bolo e dois ovos a um coroinha, que escreveu duas cartas, uma para seu marido e outra para a duquesa, todas elas tiradas da própria cachola, que não são as piores que aparecem nesta história, como se verá mais adiante.

LI

DO PROGRESSO DO GOVERNO DE SANCHO PANÇA, COM OUTROS FEITOS IGUALMENTE BONS

Amanheceu o dia seguinte à noite da ronda do governador. O mordomo passara o resto dela sem dormir, com o pensamento tomado pelo rosto, pela graça e beleza da donzela disfarçada; o administrador, ocupado em escrever a seus senhores o que Sancho Pança dizia e fazia, tão surpreso com seus feitos como com seus ditos, porque suas palavras e suas ações andavam misturadas, com sinais de sabedoria e de tolice.

Por fim o senhor governador se levantou. Por ordem do doutor Pedro Recio, deram a ele um pouco de frutas em conserva e quatro goles de água fria como desjejum, coisa que Sancho trocaria por um pedaço de pão e um cacho de uvas; mas, vendo que não tinha escolha, aguentou firme, para grande dor de sua alma e sofrimento de seu estômago. Pedro Recio levou-o a acreditar que os manjares escassos e delicados avivavam sua mente, que era o que mais convinha às pessoas que estavam no comando, em ofícios sérios, onde devem se aproveitar menos as forças físicas que as da inteligência.

Com esse palavrório todo, Sancho passava tanta fome que em seu íntimo maldizia o governo e até mesmo quem o tinha dado; mas, com sua fome e com sua conserva, tratou dos julgamentos daquele dia. A primeira coisa que se apresentou foi uma pergunta que um forasteiro fez, estando presentes a tudo o administrador e os demais acólitos:

— Senhor, um rio caudaloso dividia uma mesma propriedade em duas partes, e esteja vossa mercê atento, porque o caso é muito importante e muito difícil... Bem, digo que sobre esse rio estava uma ponte, e ao cabo dela uma forca e uma casa de audiência, em que comumente havia quatro juízes que aplicavam a lei (estabelecida pelo dono do rio, da ponte e da propriedade), que rezava o seguinte: "Se alguém passar por esta ponte de um lado para o outro, deve dizer antes, sob juramento, aonde vai e por quê; se disser a verdade, deixem-no passar, mas, se mentir, deve morrer pendurado na forca que está ali, sem perdão algum". Conhecida a lei e sua aplicação rigorosa, muita gente passou a usar a ponte. Se os juízes viam que o sujeito dizia a verdade ao jurar, deixavam-no seguir livremente. Mas aconteceu um dia que um homem, depois de jurar, disse que por esse juramento ia morrer naquela forca que estava ali, não por outra coisa. Os juízes examinaram o juramento e disseram: "Se deixarmos esse homem passar livremente, mentiu ao jurar, e deve morrer, conforme a lei. Mas, se o enforcarmos, ele disse a verdade, ao jurar que iria morrer naquela forca, de modo que pela mesma lei deve ficar livre". Pede-se a vossa mercê, senhor governador, que diga o que devem os juízes fazer com esse homem, porque ainda estão surpresos e indecisos. Como tiveram notícias de sua grande e penetrante inteligência, enviaram-me para que suplicasse a vossa mercê que desse sua opinião sobre caso tão intrincado e duvidoso.

Sancho respondeu:

— Com certeza esses senhores juízes que vos enviaram a mim poderiam ter se poupado o incômodo, porque sou um homem que tem muito mais de ignorância que de argúcia; mas, mesmo assim, repeti outra vez o negócio de modo que eu o entenda. Talvez aí eu possa acertar o alvo.

O homem da pergunta contou de novo e de novo tudo o que tinha dito antes, e Sancho disse:

— Em minha opinião, pode-se resumir esse negócio em duas palavras: o tal homem jura que vai morrer na forca e, se morrer nela, jurou a verdade e pela lei merece ficar livre e passar pela ponte; mas, se o enforcarem, jurou mentira e, pela mesma lei, merece que o enforquem.

— É exatamente como o senhor governador diz — disse o mensageiro. — O senhor entendeu totalmente o caso, não há mais o que acrescentar nem esclarecer.

— Muito bem, então digo que deixem passar a metade desse homem que jurou a verdade — disse Sancho — e enforquem a metade que mentiu. Dessa maneira se cumprirá a lei ao pé da letra.

— Bem, senhor governador — disse o mensageiro —, será necessário dividir esse homem em duas partes, a mentirosa e a veraz; mas, se for dividido, com certeza irá morrer, e assim não se conseguirá aplicar a lei como se deve, e é de necessidade expressa que a lei seja cumprida.

— Vinde cá, meu bom homem — respondeu Sancho. — Ou eu sou um tolo, ou esse sujeito de que me falastes tem os mesmos motivos para morrer que para viver e cruzar a ponte, porque, se a verdade o salva, a mentira o condena igualmente. Se isso é assim, como parece ser, sou da opinião de que digais a esses senhores que vos enviaram a mim, porque estão na balança os motivos para condenar ou absolver, que deixem o homem passar livremente, porque é sempre melhor fazer o bem que o mal. E isso eu daria assinado com meu nome se soubesse assinar, mesmo que nesse caso não tenha falado por mim, mas porque me veio à memória um preceito, entre muitos outros que me deu meu amo dom Quixote uma noite antes que eu viesse ser governador desta ilha, que é: quando a justiça for duvidosa, deve-se tomar o partido da misericórdia. E Deus quis que eu me lembrasse disso agora, por servir nesse caso como uma luva.

— É verdade — respondeu o administrador. — Tenho a impressão de que o próprio Licurgo, que criou as leis para os lacedemônios, não poderia dar melhor sentença que essa que o grande Pança deu. E com isso se encerre a audiência desta manhã, e eu darei ordens para que o senhor governador almoce a seu gosto.

— Muito bem, e joguemos limpo — disse Sancho. — Tragam a comida, e chovam casos e dúvidas sobre mim, que os pegarei no voo.

O administrador cumpriu sua palavra, porque pensou que seria um peso em sua consciência matar de fome um governador tão sensato, sem falar que pensava concluir naquela mesma noite a missão que o tinham encarregado, fazendo a última brincadeira.

Aconteceu então que, quando tiravam a mesa, depois de Sancho ter comido naquele dia contra as regras e os preceitos do doutor Tirteafuera, entrou um mensageiro com uma carta de dom Quixote. O governador mandou que o secretário a lesse — e, se não houvesse nela nada digno de se manter em segredo, que a lesse em voz alta. Assim fez o secretário e, passando os olhos nela, disse:

— Sim, pode ser lida em voz alta, pois o que o senhor dom Quixote escreve a vossa mercê merece ser escrito com letras de ouro e divulgado. Diz o seguinte:

CARTA DE DOM QUIXOTE DE LA MANCHA A SANCHO PANÇA, GOVERNADOR DA ILHA LOGRATÁRIA

Quando esperava ouvir novas de teus descuidos e impertinências, meu amigo Sancho, eu as ouvi de tuas sabedorias; por isso dei graças particulares ao céu, que sabe elevar os pobres do esterco,[1] e dos tolos fazer sábios. Dizem-me que governas como se fosse homem, e que és homem como se fosse bicho, tal a humildade com que te comportas. Quero que repares, Sancho, que muitas vezes convém e é necessário, devido à dignidade do ofício, ir contra a humildade do coração, porque a boa compostura da pessoa que ocupa cargos importantes deve estar em harmonia com o que eles pedem, e não com a medida do que sua humilde condição o inclina. Deves te vestir bem, porque um pedaço de pau enfeitado não parece pau; não digo que uses joias nem adornos, nem que sendo juiz te vistas como soldado, mas que te alinhes com a roupa que teu ofício requer, desde que seja limpa e bem-arrumada.

Para ganhar a benevolência do povo que governas deves, entre outras, fazer duas coisas: uma (mesmo que eu já tenha te dito isso antes), sê cortês com todos; outra, procura manter abundantes as provisões, porque não há coisa que mais traga sofrimento ao coração dos pobres que a fome e a carestia.

Não faças muitos decretos, mas, se os fizeres, procura que sejam bons e, principalmente, que sejam observados e cumpridos, pois é como se não existissem se não forem cumpridos. Antes dão a entender que o príncipe que teve a sabedoria e a autoridade para criá-los não teve coragem para fazer com que os obedecessem. As leis que atemorizam, mas não são observadas, são como o tronco que Zeus mandou como rei a pedido das rãs: no começo ele as espantou; com o tempo elas o desprezaram e subiram nele.

Sê pai das virtudes e padrasto dos vícios. Não sejas rigoroso sempre, nem sempre brando, e escolhe o meio-termo entre esses dois extremos, que nesse ponto está a sabedoria.

Visita os cárceres, os açougues e os mercados, que a presença do governador nesses lugares é muito importante: consola os presos, que esperam a rápida resolução de seus casos; é bicho-papão para os açougueiros, que por ora não trapaceiam no peso; e é espantalho para as vendedoras, pela mesma razão.

Mesmo que por acaso o sejas, coisa em que não acredito, não te mostres avarento, mulherengo nem glutão, porque, se o povo e os que lidam contigo souberem de teu fraco, ali concentrarão a artilharia, até te jogarem nas profundezas da perdição.

Olha e olha de novo, examina e reexamina os conselhos e as instruções que te dei por escrito antes que partisses daqui para teu governo, e verás como achas neles, se os observares, uma ajuda de custo que te fará tolerar os trabalhos e as dificuldades com que a todo momento os governadores topam.

Escreve a teus amos e mostra-te agradecido, pois a ingratidão é filha da soberba e um dos maiores pecados que se conhece. A pessoa que é agradecida aos que lhe fizeram algum bem dá mostras de que também o será a Deus, que tanto bem lhe fez e continuamente lhe faz.

A senhora duquesa despachou um mensageiro com teu traje e outro presente para tua mulher, Teresa Pança. Por ora, esperamos resposta.

Eu estive meio indisposto, por causa das unhas de um gato que não me fizeram muito bem ao nariz, mas não foi nada, porque, se há magos que me maltratam, também há os que me defendem.

Avisa-me se o administrador que está contigo esteve metido no caso da Trifaldi, como tu suspeitaste; e vai me informando de tudo o que te acontecer, pois o caminho é curto, sem falar que penso deixar logo esta vida ociosa em que estou: não nasci para ela.

Surgiu um negócio que, penso, vai me deixar mal com estes senhores; mas, embora me aflija muito, não me importo nada, porque no fim das contas tenho de cumprir antes com meu dever que com o gosto deles, conforme se costuma dizer: "*Amicus Plato, sed magis amica veritas*".[2] Digo-te em latim porque me parece que o terás aprendido agora que és governador. E que Deus esteja contigo e te guarde de que alguém tenha pena de ti.

Teu amigo Dom Quixote de la Mancha

Sancho ouviu com muita atenção a carta, que foi celebrada e tida por sábia pelos presentes. Depois Sancho se levantou da mesa e, chamando o secretário, se trancou com ele em seu quarto, porque queria responder a seu senhor dom Quixote sem demora, e disse a ele que, sem acrescentar nem tirar coisa alguma, fosse escrevendo o que lhe dissesse. O secretário assim o fez, e a resposta foi do seguinte teor:

CARTA DE SANCHO PANÇA
A DOM QUIXOTE DE LA MANCHA

Estou tão ocupado com meus negócios que não tenho tempo nem de coçar a cabeça, nem mesmo de cortar as unhas, de modo que as trago tão compridas que só Deus pode dar um jeito. Digo isso, senhor de minha alma, para que vossa mercê não se espante se até agora não dei notícia de meu bom ou mau comportamento neste governo, em que sinto mais fome do que quando nós dois andávamos pelas selvas e pelos descampados.

Outro dia o duque meu senhor me escreveu me avisando que haviam chegado à ilha uns espiões para me matar. Até agora não descobri nenhum, fora um certo doutor que está nesta vila assalariado para matar todos os governadores que aparecerem: chama-se doutor Pedro Recio e é natural de Tirteafuera. Veja vossa mercê se vindo de um lugar desses não é de se ter medo de morrer em suas mãos! O próprio doutor diz de si mesmo que ele não cura as doenças quando elas existem, mas que as previne, para que não vinguem. Os remédios que usa são dietas e mais dietas, até deixar a pessoa com os ossos à mostra, como se a magreza não fosse um mal maior que a febre. Enfim, ele vai me matando de fome e eu vou morrendo de despeito, pois, quando vim tomar posse deste governo, pensei comer quente e beber frio, e recrear o corpo entre lençóis de linho, sobre colchões de penas. Mas não, vim fazer penitência, como se fosse um ermitão, e, como faço contra a vontade, penso que ao fim e ao cabo vai me carregar o diabo.

Até agora não fiz treta nem aceitei gorjeta, mas não posso saber no que vai dar isso, porque me disseram que os governadores que vieram para esta ilha, antes de tomar posse, ou ganharam ou pegaram emprestado muito dinheiro das pessoas, e que isso é um costume comum entre outros governadores, não só nos daqui.

Ontem à noite, fazendo a ronda, topei com uma donzela muito formosa com roupas de homem e seu irmão com roupas de mulher. Meu mordomo se apaixonou pela moça e, em seu espírito, a escolheu para sua esposa, pelo que me disse, e eu escolhi o rapaz para meu genro. Hoje nós dois poremos em prática nossas intenções com o pai de ambos, que é um tal Diego da Plaina, fidalgo e cristão tão velho quanto se deseja.

Eu visito os mercados, como vossa mercê me aconselha, e ontem achei uma feirante que vendia avelãs novas, e descobri que havia misturado um galão de avelãs novas com outro de velhas, chochas e podres; dei todas aos órfãos do asilo, que saberão distingui-las, e sentenciei a mulher a não entrar no mercado por quinze dias. Dizem-me que agi corajosamente; o que posso dizer a vossa mercê é que corre a fama nesta vila que não há pior gente que as feirantes, porque são todas sem-vergonha, desalmadas e atrevidas, e eu acredito, pelas que vi em outras vilas.

Estou muito satisfeito que minha senhora a duquesa tenha escrito a minha mulher Teresa Pança e tenha lhe enviado o presente que vossa mercê fala. Procurarei me mostrar agradecido a seu tempo: beije-lhe as mãos por mim, dizendo que eu digo que não pôs sua bondade em saco sem fundo, como lhe provarei.

Não gostaria que vossa mercê se metesse numa desavença com meus senhores, porque, se vossa mercê se zangar com eles, está claro que isso vai redundar em meu prejuízo, e não fica bem que me aconselhe a ser agradecido se vossa mercê não o for com aqueles que tantos favores lhe têm feito e com tanta cortesia o têm tratado em seu castelo.

Aquele negócio dos arranhões e do gato não entendo, mas imagino que deve ser alguma das malfeitorias que os magos perversos costumam usar com vossa mercê. Saberei quando nos encontrarmos.

Gostaria de enviar alguma coisa a vossa mercê, mas não sei o quê, a não ser umas seringas de clister, que fazem umas muito interessantes nesta ilha para encher bexigas. Enfim, se meu governo durar, vou descobrir o que lhe mandar, custe o que custar.

Se minha mulher Teresa Pança me escrever, pague vossa mercê o porte e me envie a carta, pois estou louco de vontade de saber como estão as coisas em casa, como passam minha mulher e meus filhos. Sem mais, Deus livre vossa mercê de magos mal-intencionados e me tire em paz e com saúde deste governo, coisa de que duvido, porque acho que vou deixá-lo com a vida, pelo modo como me trata o doutor Pedro Recio.

Criado de vossa mercê,
Sancho Pança, o Governador

O secretário selou a carta e logo despachou o mensageiro. Enquanto isso, os que iludiam Sancho se juntaram e combinaram entre si como despachá-lo do governo. E aquela tarde Sancho passou fazendo alguns regulamentos para a boa administração do que ele imaginava ser ilha — ordenou que não houvesse especuladores no abastecimento da república e que se pudesse trazer vinho de qualquer região que se quisesse, desde que declarassem sua origem, para estabelecer o preço conforme sua avaliação, qualidade e reputação, e que pagasse com a vida aquele que lhe misturasse água ou lhe mudasse o nome.

Diminuiu o preço de todo calçado, principalmente dos sapatos, que considerava exorbitante; e fixou os salários dos criados, que corriam à rédea solta pela estrada do interesse. Estabeleceu penas severas para quem cantasse canções lascivas e desregradas, tanto de noite como de dia; e ordenou que nenhum cego cantasse quadrinhas sobre milagres se não apresentasse testemunho da veracidade deles, por considerar que a maioria desses milagres que os cegos cantam é falsa, em prejuízo dos verdadeiros. Nomeou um aguazil de pobres, não para que os perseguisse, mas para que investigasse se o eram mesmo, porque à sombra de aleijões fingidos e de chagas falsas andam braços ladrões e saúde embriagada.

Em suma, ele ordenou coisas tão boas que até hoje são observadas naquela vila, e são chamadas de "Os decretos do grande governador Sancho Pança".

LII

ONDE SE CONTA A AVENTURA DA SEGUNDA AMA DOLORIDA, OU ANGUSTIADA, TAMBÉM CONHECIDA COMO DONA RODRÍGUEZ

Cide Hamete conta que dom Quixote, estando já curado de seus arranhões, achou que a vida que levava naquele castelo era contra a ordem de cavalaria que professava. Então resolveu pedir licença aos duques para partir a Zaragoza, cujas festas estavam próximas, onde pensava ganhar o arnês que se conquista nessas justas.

Mas um dia, à mesa com os duques, quando começava a pôr em prática sua intenção de pedir licença, viu-se de repente entrar pela porta da grande sala duas mulheres, como em seguida se comprovou, cobertas de luto da cabeça aos pés; e uma delas, aproximando-se de dom Quixote, se jogou aos pés dele, estirada no chão, a boca colada em suas botas, e dava uns gemidos tão tristes, tão profundos e tão dolorosos que deixou confusos a todos que a ouviam e olhavam. Embora os duques pensassem que devia ser alguma peça que seus criados queriam pregar em dom Quixote, vendo o vigor com que a mulher suspirava, gemia e chorava, ficaram hesitantes e surpresos, até que o cavaleiro, compassivo, a levantou do chão e pediu que se revelasse, tirando o véu de cima da face lacrimosa.

Ela assim o fez e mostrou ser quem jamais poderia se pensar que fosse: a própria dona Rodríguez, a ama da casa. E a outra enlutada era sua filha, a que fora enganada pelo filho do camponês rico. Todos aqueles que a conheciam se admiraram, porém mais que ninguém os duques, que, apesar de a considerarem tola e crédula, nem por isso imaginavam que pudesse cometer loucuras. Por fim, dona Rodríguez disse, virando-se para seus amos:

— Peço a vossas excelências a gentileza de me darem licença para conversar um pouco com este cavaleiro, porque apenas assim posso sair de forma conveniente do negócio em que me meteu o atrevimento de um grosseirão mal-intencionado.

O duque disse que ele a dava, que conversasse com o senhor dom Quixote tudo o que desejasse. Ela, erguendo a voz e o rosto para dom Quixote, disse:

— Há dias, destemido cavaleiro, que vos falei da iniquidade e aleivosia que um camponês desumano fez a minha muito querida e amada filha, que é esta desgraçada aqui presente, e me prometestes defendê-la, reparando a afronta que lhe fizeram. Mas agora me chegou a notícia de que quereis partir deste castelo, em busca das boas venturas que Deus distribui. Gostaria então que, antes que trilhásseis esses caminhos, desafiásseis a esse bronco arrogante e o obrigásseis a se casar com minha filha, em cumprimento da palavra que lhe deu de ser seu esposo antes de se deitar com ela: porque pensar que o duque, meu senhor, há de me fazer justiça é pedir uvas ao marmeleiro, pela causa que em segredo comuniquei a vossa mercê. E assim Nosso Senhor dê a vossa mercê saúde e não desampare a nós duas.

A essas palavras, dom Quixote respondeu muito sério e cerimonioso:

— Boa senhora, contende vossas lágrimas ou, digamos melhor, enxugai-as e poupai vossos suspiros, pois eu me encarrego de socorrer vossa filha, que teria feito melhor não acreditando tão facilmente em promessas de apaixonados, porque na maioria das vezes elas são leves de se fazer e muito pesadas de se cumprir. Assim, com a licença do duque, meu senhor, eu partirei agora mesmo em busca desse rapaz desalmado e o acharei. Se ele se recusar a cumprir a palavra prometida, eu o desafiarei e o matarei. Pois o negócio principal de minha profissão é perdoar os humildes e castigar os soberbos, digo, socorrer os miseráveis e destruir os cruéis.

— Não é necessário que vossa mercê se dê ao trabalho de procurar o ignorante de quem esta boa senhora se queixa — interveio o duque —, como também não é necessário que vossa mercê me peça licença para desafiá-lo, pois eu o considero desafiado e me encarrego de fazê-lo saber desse desafio e que o aceite e venha por si mesmo a este meu castelo, onde arranjarei terreno seguro para os dois, observando todas as condições que se costuma e se deve observar em tais casos, observando igualmente a justiça para cada um, como estão obrigados a observar todos aqueles príncipes que dão campo livre aos que se combatem nos limites de seus domínios.

— Com essa garantia e com a benévola licença de vossa grandeza — replicou dom Quixote —, declaro desde já que dessa vez renuncio a minha fidalguia e me nivelo e ajusto à baixeza do ofensor, fazendo-me igual a ele para que possa combater comigo. Assim, embora ausente, eu o desafio e repto em razão de ter feito mal ao tapear esta coitada que foi donzela e, por culpa sua, já não o é, e ou cumpre a palavra que deu de ser seu legítimo esposo ou morrerá na demanda.

Depois, tirando uma luva, jogou-a no meio da sala. O duque a pegou dizendo que, como já havia afirmado antes, aceitava o tal desafio em nome de seu vassalo e marcava a data do combate para dali a seis dias; o local seria o pátio daquele castelo e as armas, as normais dos cavaleiros — lança e escudo, armadura articulada com todos os acessórios, sem tramoias ou traições nem amuletos de espécie alguma —, vistas e examinadas pelos juízes do combate.

— Mas, antes de qualquer coisa, é necessário que

esta boa ama e esta má donzela ponham o direito de sua justiça nas mãos do senhor dom Quixote, pois de outro modo não se fará nada, nem o tal desafio chegará à devida execução.

— Eu concordo — respondeu dona Rodríguez.

— Eu também — acrescentou a filha, toda chorosa e toda envergonhada, e com má aparência.

Feito esse acordo, e tendo o duque imaginado como devia levar aquele caso, as enlutadas foram embora, e a duquesa ordenou que dali por diante elas não fossem tratadas como suas criadas, mas como senhoras andantes que vinham pedir justiça em sua casa. Assim, deram quartos de hóspedes a elas e as serviram como forasteiras, não sem surpresa das demais criadas, que não sabiam aonde ia parar a loucura e a imprudência de dona Rodríguez e da miserável de sua filha.

Estavam nisso quando, para acabar de alegrar a festa e coroar o fim do almoço, entrou pela porta da sala o pajem que levara as cartas e os presentes a Teresa Pança, mulher do governador Sancho Pança, que foi recebido com grande prazer pelos duques, que estavam ansiosos para saber o que havia acontecido em sua viagem. Interrogado, o pajem respondeu que não podia falar em público nem contar tudo em breves palavras, que suas excelências fizessem a mercê de deixar isso para depois, a sós, e por ora se entretivessem com aquelas cartas — e, pegando duas cartas, depositou-as nas mãos da duquesa. Uma dizia no sobrescrito: "Carta para minha senhora a duquesa tal de não sei onde"; e a outra: "A meu marido Sancho Pança, governador da ilha Logratária, que Deus lhe dê mais anos que a mim". A duquesa ficou roendo as unhas, como se diz, até ler sua carta; abrindo-a, leu-a para si, e, vendo que a podia ler em voz alta para que o duque e os presentes a ouvissem, leu o seguinte:

CARTA DE TERESA PANÇA À DUQUESA

Recebi com grande alegria, minha senhora, a carta que vossa grandeza me escreveu, pois na verdade eu a desejava muito. O colar de corais é lindo, e o traje de caça de meu marido não fica atrás. A notícia de que vossa senhoria fez governador a meu consorte, Sancho, foi recebida com muito prazer por toda a vila, embora não haja quem acredite nela, principalmente o padre, mestre Nicolás e Sansão Carrasco, o bacharel; mas eu pouco me importo, cada um que diga o que quiser, desde que seja assim, como é. Mas, para dizer a verdade, se não tivessem vindo os corais e o traje, eu também não acreditaria, porque nesta vila todos consideram meu marido um tolo — tirado do governo de um rebanho de cabras, não podem imaginar em que governo pode ser bom. Que Deus o abençoe e o encaminhe do modo que seus filhos necessitam.

Eu, senhora de minha alma, estou decidida, com a licença de vossa mercê, a agarrar com unhas e dentes a ocasião, indo à corte para me pavonear de carruagem e esfregar isso na cara de mil invejosos que já tenho. Assim sendo, suplico a vossa excelência que mande meu marido me enviar algum dinheirinho, mas que não seja uma ninharia, porque na corte os gastos são grandes: o pão custa um real e meio quilo de carne, trinta maravedis, o que é um absurdo. E, se ele não quiser que eu vá, que me avise com tempo, porque estão me comichando os pés para me pôr a caminho, ainda mais que me dizem minhas amigas e minhas vizinhas que, se eu e minha filha andarmos emproadas e pomposas na corte, meu marido será mais conhecido por mim que eu por ele, sendo certo que muitos vão perguntar: "Quem são as senhoras desta carruagem?", e um criado meu responderá: "A mulher e a filha de Sancho Pança, governador da ilha Logratária". Dessa maneira Sancho será conhecido, e eu serei estimada, e vamos em frente que atrás vem gente.

Sinto muito, do fundo do coração, mas este ano não se colheram bolotas nesta vila; mesmo assim, envio a vossa alteza meio galão, que eu colhi e escolhi uma por uma no mato. Eu gostaria que fossem como ovos de avestruz, mas não achei maiores.

Não esqueça vossa pomposidade de me escrever, que responderei em seguida, avisando de minha saúde e de tudo que houver para contar desta vila, onde fico rogando a Nosso Senhor que olhe por vossa grandeza e que não esqueça de mim. Minha filha Sancha e meu filho beijam as mãos de vossa mercê.

A que tem mais desejo de ver vossa senhoria que de lhe escrever, sua criada
Teresa Pança

Todos ouviram com grande prazer a carta de Teresa Pança, principalmente os duques. Então a duquesa pediu a opinião de dom Quixote, se não ficaria mal abrir a carta que vinha para o governador, pois ela imaginava que devia ser excelente. Dom Quixote disse que ele a abriria para deleitá-los e, abrindo-a, viu que dizia o seguinte:

CARTA DE TERESA PANÇA
A SANCHO PANÇA, SEU MARIDO

Recebi tua carta, Sancho de minha alma, e te garanto e juro como católica praticante que só faltou um tiquinho para ficar louca de alegria. Olha, meu caro: quando ouvi que eras governador, pensei que ia cair morta ali mesmo de puro prazer, pois bem sabes que dizem que tanto mata uma alegria súbita como uma grande dor. De tão contente, tua filha Sancha se molhou toda sem nem sentir. Eu, mesmo com o traje que me enviaste diante de mim, com os corais que me enviou minha senhora a duquesa no pescoço, com as cartas na mão e com o portador delas ali presente, achava que era tudo sonho o que via e o que tocava, porque quem poderia pensar que um pastor de cabras viria a ser governador de ilhas? Já sabes, meu amigo, que minha mãe dizia que era preciso viver muito para ver muito — digo isso porque penso ver mais se viver mais, e não penso parar até te ver cobrador de impostos, arrendatário ou comissionado. Certo que o diabo carrega qualquer um deles, se não se comportam direito, mas a verdade verdadeira é que sempre têm e lidam com dinheiro.

Minha senhora a duquesa te dirá do desejo que tenho de ir à corte; pensa nisso e me avisa do que queres que eu faça, que eu procurarei te prestigiar andando de carruagem aí.

O padre, o barbeiro, o bacharel e até o sacristão não podem acreditar que és governador; acham que é tudo trapaça ou encantamentos de magos, como são todas as coisas de teu amo dom Quixote. Sansão diz que vai procurá-los para tirar o governo de tua cabeça e a loucura da cachola de dom Quixote. Eu não faço nada além de rir, olhar meu colar e pensar em como vou fazer de teu traje um vestido para nossa filha.

Enviei umas bolotas a minha senhora a duquesa — como eu gostaria que fossem de ouro. Envia-me tu alguns colares de pérolas, se for costume usarem nessa ilha.

As novas aqui da vila são que a Berrueca casou a filha com um pintorzinho que não sabe com que mão se segura o pincel. A Câmara o mandou pintar o escudo de armas de Sua Majestade nas portas da Prefeitura, ele pediu dois ducados, pagaram adiantado, trabalhou oito dias, mas no fim não pintou nada porque, disse, não conseguia pintar tantas coisinhas pequenininhas — devolveu o dinheiro e, mesmo assim, se casou como se fosse um bom profissional. Na verdade, já trocou o pincel pela enxada e vai ao campo como um verdadeiro gentil-

-homem. O filho de Pedro de Lobo recebeu as ordens menores e a tonsura, com intenção de se tornar clérigo — Minguilla, a neta de Mingo Apito, ficou sabendo e entrou com uma petição porque ele tinha lhe prometido casamento. As más línguas dizem que ela está grávida dele, mas o rapaz nega de pés juntos.

Não deu azeitona este ano, nem se acha uma gota de vinagre em toda a vila. Por aqui cruzou uma companhia de soldados — de passagem, eles levaram três moças. Não quero te dizer quem são; talvez voltem, e não faltará quem se case com elas, com ou sem reputação.

Sanchinha faz rendas e ganha oito maravedis limpos por dia, que vai botando num cofrinho para ajudar em seu enxoval. Mas, agora que é filha de um governador, tu lhe darás o dote sem que ela trabalhe para isso. A fonte da praça secou e caiu um raio no pelourinho — que caiam todos ali.

Espero resposta a esta e a decisão sobre minha ida à corte. Com isto, despeço-me: Deus te guarde mais anos que a mim, ou tantos quanto, porque não gostaria de te deixar sozinho neste mundo. Tua mulher
Teresa Pança

As cartas provocaram aplauso, riso, louvor e admiração; e, para coroar tudo, chegou um mensageiro que trazia a que Sancho enviava a dom Quixote, que também foi lida publicamente, pondo em dúvida a tolice do governador.

A duquesa se retirou para saber do pajem o que tinha acontecido na terra de Sancho; ele contou tudo muito detalhadamente, sem deixar circunstância que não fosse referida; entregou-lhe as bolotas e mais um queijo que Teresa lhe deu, por ser muito bom, melhor que os famosos queijos de ovelha de Tronchón; a duquesa os recebeu com muitíssimo prazer, e assim a deixaremos, para contar o fim que teve o governo do grande Sancho Pança, flor e espelho de todos os governadores insulados.

LIII

DO CONTURBADO FIM QUE TEVE O GOVERNO DE SANCHO PANÇA

"Pensar que nesta vida as coisas devem durar sempre sem mudança é pensar em vão. Pelo contrário, a vida parece dar voltas, digo, andar em círculo: à primavera segue o verão, ao verão o estio, ao estio o outono, e ao outono o inverno, e ao inverno a primavera[1] — e assim o tempo volta a andar nesse círculo contínuo. Apenas a vida humana corre para seu fim, mais ligeira que o vento, sem esperar se renovar a não ser na outra, que não tem fronteiras que a limitem."

Isso diz Cide Hamete, filósofo maometano, porque isso de entender a rapidez e a instabilidade da vida presente, e da duração da vida eterna que se espera, muitos entenderam sem a luz da fé, apenas com a simples luz da razão. Aqui, porém, nosso autor o diz pela presteza com que se acabou, consumiu-se, desfez-se, foi-se como sombra ou fumaça o governo de Sancho.

Na sétima noite de sua semana de governo, ele estava em sua cama, não farto de pão nem de vinho, mas de julgar e dar pareceres e de fazer estatutos e regulamentos. Quando o sono, apesar da fome, começava a lhe fechar as pálpebras, ouviu uma tremenda barulheira de sinos e de gritos, que não parecia senão que toda a ilha afundava. Sentou-se na cama e ficou atento, escutando, para ver se entendia o que podia ser a causa de tamanha confusão, mas não só não o soube como, ao se somar ao barulho de gritos e sinos o de infinitas trombetas e tambores, ficou mais confuso e cheio de medo e espanto. Levantando-se, pôs umas chinelas por causa da umidade do assoalho e, sem vestir uma bata nem coisa parecida sobre a roupa de dormir, foi até a porta de seu quarto a tempo de ver surgir por uns corredores mais de vinte pessoas com tochas acesas nas mãos e com as espadas desembainhadas, gritando todas em altos brados:

— Às armas, às armas, senhor governador! Depressa, que inúmeros inimigos entraram na ilha! Estaremos perdidos se vossa argúcia e coragem não nos socorrerem!

Com esse barulho, essa fúria e confusão chegaram aonde estava Sancho, pasmo e aturdido com o que via e ouvia, e, quando se aproximaram dele, um disse:

— Arme-se logo, vossa senhoria, se não quiser se perder e que se perca toda a ilha!

— Por que tenho de me armar? — respondeu Sancho. — Que sei eu de armas e de socorros? Seria melhor deixar essas coisas para meu amo dom Quixote, que num piscar de olhos dará um jeito nelas, porque eu, pobre pecador, não sei o que fazer num aperto desses!

— Ah, senhor governador! — disse outro. — Mas que lerdeza é essa? Arme-se vossa mercê. Trouxemos aqui armas ofensivas e defensivas. Vamos, saia à praça e seja nosso guia e nosso capitão, que por direito lhe toca ser, sendo nosso governador.

— Então me botem a armadura — replicou Sancho.

Como já tinham tudo preparado, num instante trouxeram dois paveses e os puseram por cima do camisolão, sem deixar Sancho pegar outra roupa. Com um escudo na frente e outro atrás, os braços puxados por umas concavidades que havia, amarraram-no muito bem com uns cordões, de modo que ele ficou emparedado e entabuado, reto como um fuso, sem poder dobrar os joelhos nem dar um passo. Então lhe puseram nas mãos uma lança, à qual ele se apoiou para poder se manter de pé. Quando afinal o tinham assim, disseram que caminhasse e os guiasse e os animasse a todos, pois sendo ele seu norte, sua lanterna e seu farol, seus negócios teriam uma boa conclusão.

— Pobre de mim — respondeu Sancho —, como posso caminhar se nem consigo mexer as dobradiças dos joelhos? Estas tábuas estão grudadas em mim! O que devem fazer é me levar no colo e me botar atravessado ou de pé em algum postigo, que eu o protegerei com esta lança ou com meu próprio corpo.

— Vamos, senhor governador — disse alguém. — É mais o medo que as tábuas o que tolhe seus passos. Acabe logo com isso e mexa-se, pois é tarde: os inimigos se aproximam, os gritos aumentam, o perigo é iminente.

Com esses argumentos e vitupérios, o pobre governador tentou se mexer e foi parar no chão com uma pancada tão grande que pensou que tinha se desfeito em pedaços. Ficou como tartaruga, encerrado e coberto com seus cascos, ou como torresmo na prensa, ou como um barco de borco na areia. Mas nem o vendo caído aquela corja brincalhona teve alguma compaixão. Pelo contrário, apagando as tochas, os homens voltaram a reforçar os gritos e a reiterar o "às armas!" com tanta pressa, passando por cima do coitado do Sancho, dando-lhe inúmeras cutiladas sobre os escudos, que, se não se recolhesse e encolhesse metendo a cabeça entre as tábuas, teria passado muito mal o pobre governador. Entalado ali, ele suava e transudava e se encomendava a Deus de todo coração à espera de que o tirasse daquele perigo.

Uns tropeçavam nele, outros caíam, e um ficou em cima por um bom tempo, e dali, como de uma atalaia, comandava os exércitos e dizia, em altos brados:

— Aqui, pessoal, há mais inimigos atacando! Protejam aquele postigo, fechem aquela porta, empurrem aquelas escadas das muralhas! Tragam alcanzias! E caldeirões de piche e resina e azeite fervendo! Rápido, barricadas de colchões nas ruas!

Enfim, com todo empenho ele desfiava todas as bugigangas e instrumentos e apetrechos de guerra com que se costuma defender uma cidade atacada, e o moído Sancho, que o escutava e a tudo aguentava, dizia a si mesmo:

— Oh, quisera Deus que eu perdesse esta ilha de uma vez e me visse morto ou longe de tamanha agonia!

O céu ouviu seus rogos — quando menos esperava, ouviu brados que diziam:

— Vitória, vitória! Os inimigos foram batidos! Eia, senhor governador, levante-se! Venha vossa mercê desfrutar da vitória e dividir os despojos que tomamos do inimigo pelo valor desse braço invencível!

— Levantem-me — disse o dolorido Sancho com voz queixosa.

Ajudaram-no a se levantar. Enfim de pé, disse:

— Quero que me botem aqui embaixo do nariz o inimigo que eu tiver vencido. Não quero dividir despojos de inimigos nem nada. Só peço e suplico a algum amigo, se é que o tenho, que me dê um trago de vinho, pois estou seco, e que me enxugue o suor, pois estou molhado.

Limparam-no, trouxeram-lhe vinho, desamarraram os escudos — ele se sentou em sua cama e desmaiou de medo, susto e cansaço. Já pesava aos trapaceiros terem feito brincadeira tão pesada, mas, logo que Sancho voltou a si, amornou a pena que sentiram. Sancho perguntou que horas eram, responderam que já amanhecia. Calou-se e, sem dizer mais nada, todo sepultado em silêncio, começou a se vestir, e todos o olhavam esperando no que ia dar a pressa com que se vestia. Por fim vestido, foi até a estrebaria, bem devagarinho, porque estava alquebrado e não podia se mover com rapidez. Todos os que ali estavam o seguiram. Aproximando-se do burro ruço, Sancho o abraçou, deu um beijo de paz na testa dele e disse, não sem lágrimas:

— Vinde cá, meu amigo e companheiro! Vinde, meu parceiro de labutas e misérias: quando andávamos juntos, e eu não tinha outros pensamentos que os que me davam os cuidados de remendar vossos arreios e de sustentar vosso corpo, eram felizes minhas horas, meus dias e meus anos. Mas, depois que vos deixei e subi as torres da ambição e da soberba, entraram-me pela alma mil misérias, mil agonias e quatro mil aflições.

E, enquanto dizia essas palavras, ia encilhando o burro, sem que ninguém lhe dissesse nada. Enfim, encilhado o ruço, com grande tristeza e pesar montou nele, e, dirigindo suas palavras e alegações ao administrador, ao secretário, ao mordomo e a Pedro Recio, o doutor, e a muitos outros que estavam presentes, disse:

— Abri alas, meus senhores, e deixai-me voltar a minha antiga liberdade: deixai-me que vá procurar a vida passada, para que me ressuscite desta morte presente. Não nasci para ser governador nem para defender ilhas nem cidades dos inimigos que quiserem tomá-las. Entendo mais de arar e capinar, podar e limpar o mato dos vinhedos que de fazer leis ou defender províncias ou reinos. Bem está são Pedro em Roma: quero dizer, cada macaco no seu galho, cada um no ofício para que nasceu. Em minha mão fica melhor uma foice que um cetro: prefiro me embuchar de sopa com pão que estar sujeito à miséria de um médico impertinente que me mate de fome; e quero mais me recostar à sombra de uma azinheira no verão e me abrigar com um casaco de lã no inverno, em minha liberdade, que me deitar com a sujeição do governo entre lençóis de linho e me vestir com peles de *marta-cebolinha*, ou sei lá eu. Vossas mercês fiquem com Deus e digam ao duque, meu senhor, que nasci nu e nu me encontro: nada perdi nem ganhei; quero dizer que entrei sem prata neste governo e saio sem ela, ao contrário do que costumam sair os governadores de outras ilhas. E afastem-se, deixem-me ir, que vou botar uns emplastros, pois tenho as costelas machucadas, por causa dos inimigos que esta noite passearam sobre mim.

— Não precisa ser assim, senhor governador — disse

o doutor Recio —, porque eu darei a vossa mercê uma bebida contra quedas e sovas que num instante vai lhe devolver sua antiga saúde e vigor. Quanto à comida, eu prometo a vossa mercê me emendar, dando-lhe de comer abundantemente de tudo aquilo que quiser.

— Piaste tarde! — respondeu Sancho. — Deixarei de ir tanto quanto vou me tornar turco. Só o tolo cai duas vezes no mesmo buraco. Por Deus, tanto fico neste governo ou aceito outro, mesmo que me deem de bandeja, quanto voar ao céu sem asas. Eu sou da família dos Panças: são todos cabeçudos, se uma vez dizem pedra, será sempre pedra, mesmo que seja pau, mesmo que lhes esfreguem no nariz. Deus dá asas à formiga para que morra mais depressa; pois fiquem aí na estrebaria as asas de formiga que me elevaram no ar para que as andorinhas e outros pássaros me comessem, e voltemos a andar no chão com pés descalços, pois, se não os enfeitarmos com sapatos finos de camurça, não lhes faltarão alpargatas toscas de corda. Cada macaco no seu galho, e ninguém dê passos maiores que as pernas, e deixem-me passar, que já é tarde.

A isso, o administrador disse:

— Senhor governador, com toda boa vontade deixaremos vossa mercê ir, apesar de nos pesar muito perdê-lo, pois sua sabedoria e seu comportamento cristão nos obrigam a desejar que fique. Mas já se sabe que todo governador tem obrigação, antes de se ausentar de seus domínios, de prestar contas de sua gestão: preste-a dos dez dias que governou e pode ir embora na paz de Deus.

— Ninguém pode me pedir nada — respondeu Sancho —, se não tiver ordens do duque, meu senhor. Eu vou vê-lo, e a ele prestarei contas tintim por tintim, ainda mais que, saindo eu nu, como saio, não preciso de outra prova para mostrar que governei como um anjo.

— Por Deus, tem razão o grande Sancho — disse o doutor Recio. — Eu sou da opinião de que devemos deixá-lo ir, porque o duque vai gostar muito de vê-lo.

Todos concordaram com isso e o deixaram ir, oferecendo-lhe antes companhia e tudo aquilo que quisesse para conforto de sua pessoa e que facilitasse a viagem. Sancho disse que não queria mais que um pouco de cevada para o burro e meio queijo e meio pão para ele, porque o caminho era muito curto, não havia maior necessidade nem melhor manjar. Todos o abraçaram e ele, chorando, abraçou a todos, e os deixou admirados, tanto por suas palavras como por sua decisão tão firme e tão sagaz.

LIV

QUE TRATA DE COISAS REFERENTES A ESTA HISTÓRIA E NÃO A QUALQUER OUTRA

O duque e a duquesa decidiram que o desafio que dom Quixote fez a seu vassalo devido à causa já referida fosse adiante; mas, como o rapaz estava em Flandres, onde tinha se refugiado para não ter dona Rodríguez por sogra, ordenaram que ocupasse seu lugar um lacaio gascão, que se chamava Tosilos, orientando-o muito bem sobre tudo o que devia fazer.

Dois dias depois o duque disse a dom Quixote que em quatro dias chegaria seu adversário e se apresentaria no pátio, armado como cavaleiro, e sustentaria que a donzela mentia, jurando pela metade de suas barbas, ou mesmo pelas barbas inteiras, se ela afirmava que ele houvesse prometido casamento. Dom Quixote recebeu essas notícias com muito prazer e prometeu a si mesmo fazer maravilhas naquele caso, considerando uma grande sorte ter surgido semelhante oportunidade em que aqueles senhores pudessem ver até onde se estendia o valor de seu poderoso braço. Assim, contente e alvoroçado, esperou os quatro dias, que, na conta de seu desejo, iam se tornando quatrocentos séculos.

Deixemos que passem, como deixamos passar outras coisas, e vamos acompanhar Sancho, que, entre alegre e triste, vinha montado no burro em busca de seu amo, cuja companhia lhe agradava mais que ser governador de todas as ilhas do mundo.

Aconteceu então que, não tendo se afastado muito da ilha de seu governo — que ele nunca tratou de averiguar se era mesmo ilha, cidade, vila ou arraial —, viu que pela estrada por onde ele ia vinham seis peregrinos com seus cajados, desses estrangeiros que pedem esmolas cantando. Quando eles se aproximaram, puseram-se em fila e, elevando as vozes, todos juntos começaram a cantar em sua língua, que Sancho não pôde entender, a não ser uma palavra que pronunciaram claramente: "esmola". Por isso entendeu o que pediam em seu canto e, como era caritativo, segundo diz Cide Hamete, tirou de seus alforjes meio pão e meio queijo, de que vinha provido, e os deu, dizendo-lhes por sinais que não tinha outra coisa para oferecer. Eles aceitaram de boa vontade e disseram:

— *Guelte! Guelte!*[1]

— Não entendo o que me pedis, gente boa — respondeu Sancho.

Então um deles pegou um saco do peito e o mostrou a Sancho, para dizer que queriam dinheiro. Sancho, pondo o dedo polegar na garganta e estendendo a mão para cima, deu a entender que não tinha um tostão. Depois, esporeando o burro, abriu caminho entre eles; e ao passar, tendo um deles olhado Sancho com muita atenção, avançou e, jogando-lhe os braços na cintura, em voz alta e muito castelhana disse:

— Valha-me Deus! O que é que eu vejo? É possível que eu tenha em meus braços meu amigo, meu bom vizinho Sancho Pança? Sim, tenho, sem dúvida nenhuma, porque não estou dormindo nem estou bêbado agora.

Sancho se admirou ao se ver chamado pelo nome e abraçado pelo peregrino estrangeiro, mas depois de olhá-lo um tempo com muita atenção, sem falar uma palavra, não conseguiu reconhecê-lo. Então, percebendo sua confusão, o peregrino lhe disse:

— Como é possível, Sancho Pança, meu irmão, que

não reconheças teu vizinho Ricote, o mourisco, comerciante em tua vila?

Então Sancho olhou para ele com mais atenção e começou a relembrar. Finalmente, veio a reconhecê-lo de todo e, sem apear do jumento, lhe jogou os braços no pescoço e disse:

— Quem diabos ia te reconhecer, Ricote, nesse traje de bufão? Mas me diz quem te fez franduleiro e como tens a audácia de voltar à Espanha, onde, se te reconhecerem e te pegarem, vais passar um aperto?

— Se tu não me reconheceste, Sancho — o peregrino respondeu —, estou seguro de que neste traje não haverá ninguém que me descubra. Mas vamos nos afastar da estrada para aquela alameda ali, onde meus companheiros querem comer e descansar. Ali comerás com eles, que são gente muito agradável, e eu poderei te contar o que me aconteceu depois que parti de nossa terra, para obedecer às ordens de Sua Majestade, que com tanto rigor ameaçou e expulsou os desgraçados de minha nação, como ouviste falar.[2]

Sancho concordou, e, depois de Ricote ter falado com os demais peregrinos, desviaram para a mata de álamos que ficava a uma boa distância da estrada real. Largaram os cajados, tiraram as esclavinas ou capotes e ficaram em mangas de camisa — todos eram moços e muito bonitos, exceto Ricote, que já era homem de idade. Todos carregavam alforjes e todos os alforjes, pelo que se via, vinham bem abastecidos, pelo menos de coisas apetitosas e que chamam a sede a duas léguas. Acomodaram-se no chão e, fazendo toalha do gramado, puseram sobre ele pão, sal, facas, nozes, fatias de queijo e ossos limpos de presunto, que, se não se deixavam mastigar, não se defendiam de ser chupados. Puseram também um manjar preto que disseram que se chamava "caviar" e é feito de ovas de peixes, grande atiçador de sede de odre. Não faltaram azeitonas, embora secas e sem tempero algum, mas saborosas e que distraem o apetite. Mas o que mais campeou no campo daquele banquete foram seis odres de vinho, que cada um tirou de seu alforje — até o bom Ricote, que havia se transformado de mourisco em alemão ou em tudesco, pegou o seu, que podia competir em tamanho com os cinco.

Começaram a comer com grande prazer e bem devagar, saboreando cada bocado, que pegavam com a ponta da faca, e só um tiquinho de cada coisa. Dali a pouco, todos de uma vez, levantaram os braços e os odres no ar: as bocas postas nos gargalos, os olhos cravados no céu, não pareciam senão que faziam pontaria nele. Dessa maneira, balançando as cabeças de um lado para o outro, sinal que confirmava o prazer que sentiam, estiveram um bom tempo, transferindo para seus estômagos o que havia nas vasilhas.

Sancho olhava tudo e de coisa nenhuma se condoía;[3] pelo contrário, para cumprir com o ditado que ele conhecia muito bem — "em Roma como os romanos" —, pediu a Ricote o odre e fez pontaria como os demais, e não com menos prazer.

Empinaram quatro vezes os odres, mas a quinta não foi possível, porque já estavam mais secas que esparto, coisa que murchou a alegria que até ali haviam mostrado. De quando em quando, algum juntava sua mão direita com a de Sancho e dizia:

— *Español y tudesqui, tuto uno: bon compaño.*

E Sancho respondia:

— *Bon compaño, jura Di!*[4]

E desatava numa risada que lhe durava uma hora, sem se lembrar então de nada do que havia acontecido em seu governo, porque sobre o tempo em que se come e se bebe as preocupações têm pouca jurisdição. Então, o fim do vinho foi o princípio do sono, que deixou a todos adormecidos sobre a própria mesa e toalha, menos Ricote e Sancho, que continuaram alertas porque haviam comido mais e bebido menos. Ricote afastou Sancho, e os dois se sentaram ao pé de uma faia, deixando os peregrinos mergulhados em doce sono. Aí, em puro castelhano, sem um tropeço em sua língua mourisca, Ricote disse as seguintes palavras:

— Bem sabes, Sancho Pança, meu caro vizinho e amigo meu, como o pregão e proclama que Sua Majestade mandou publicar contra os mouriscos surpreendeu e aterrorizou a todos nós. Pelo menos, eu fiquei de tal jeito que achava que, antes do tempo que nos concedia para irmos embora da Espanha, o rigor da pena já tinha caído sobre mim e sobre meus filhos.[5] Tratei então, em minha opinião como pessoa prudente, tanto como aquela que sabe que em tal data vão lhe tirar a casa onde vive e providencia outra para se mudar, digo, tratei de sair sozinho de minha vila, sem minha família, para procurar onde levá-la sem incômodos e sem a pressa com que os outros saíram, porque vi muito bem, e todos os nossos anciãos viram, que aqueles pregões não eram apenas ameaças, como alguns diziam, mas verdadeiras leis, que deveriam ser executadas no tempo estabelecido. E o que me forçava a acreditar nessa verdade era conhecer as intenções más e disparatadas que os nossos tinham, tanto que me parece que foi inspiração divina a que levou Sua Majestade a tomar tão briosa resolução, não porque todos fôssemos culpados, que alguns eram cristãos firmes e verdadeiros, mas eram tão poucos que não podiam ser comparados aos que não o eram, e não era certo criar a serpente no seio, tendo os inimigos dentro de casa. Finalmente, com justa razão fomos castigados com a pena do desterro, branda e suave na opinião de alguns, mas na nossa a mais terrível que podiam nos dar. Onde quer que estejamos, choramos pela Espanha. Afinal, nascemos aqui, é nossa pátria natural; em lugar nenhum achamos a acolhida que desejamos em nossa desventura, e na Berbéria e em todas as partes da África onde esperávamos ser recebidos, acolhidos e agradados, ali é onde mais nos ofendem e maltratam. Não reconhecemos o bem até tê-lo perdido; e o desejo que quase todos temos de voltar à Espanha é tão grande que a maioria daqueles que sabem a língua, como eu (e são muitos), volta a ela e deixa lá suas mulheres e seus filhos desamparados: tamanho é o amor que têm por ela. Agora conheço e sinto o que se costuma dizer: é doce o amor da pátria.

"Como disse, saí de nossa vila, entrei na França e, embora ali nos tenham recebido bem, quis ver tudo. Passei para a Itália e cheguei à Alemanha, onde me pareceu que se podia viver com mais liberdade, porque seus habitantes não se preocupam muito com melindres: cada um vive como quer, porque na maior parte dela se vive com liberdade de consciência. Arranjei uma casa numa vila perto de Augsburgo e me juntei a estes peregrinos, porque muitos deles têm por costume vir à Espanha visitar os santuários, que consideram suas Índias, pois são ganhos certos e lucros conhecidos: percorrem-na quase toda e não há um povoado de que não saiam comidos e bebidos, como se diz, e com um real pelo menos, em dinheiro trocado, e ao fim de sua viagem saem com mais de cem escudos livres, que, trocados por ouro, são escondidos no oco de seus cajados ou nos remendos das esclavinas, ou de qualquer jeito que podem. Assim os tiram aqui do reino e os levam a suas terras, apesar dos guardas nos postos da fronteira onde são revistados.

"Minha intenção agora, Sancho, é levar o tesouro que deixei enterrado[6] (como está fora da vila, poderei pegá-lo sem perigo) e escrever para minha filha e minha mulher ou passar de Valência a Argel, onde elas estão, e dar um jeito de trazê-las a algum porto da França e levá-las dali para a Alemanha, onde aceitaremos o que Deus quiser fazer de nós. Pois bem, Sancho, sei com certeza que a Ricota, minha filha, e Francisca Ricota, minha mulher, são católicas praticantes, mas eu, embora não o seja tanto, tenho mais de cristão que de mouro e sempre rogo a

Deus que me abra os olhos do entendimento e me faça ver como devo servi-lo. Agora, o que me espanta é não saber por que minha mulher e minha filha foram para a Berbéria em vez da França, onde podiam viver como cristãs."

Sancho respondeu:

— Olha, Ricote, isso não dependeu da vontade delas, porque foram levadas por Juan Tiopieyo, irmão de tua mulher, e, como deve ser mouro puro, foi para onde achou melhor; e posso te dizer outra coisa: acho que é inútil ir buscar o que deixaste escondido, porque tivemos notícias de que haviam confiscado de teu cunhado e de tua mulher muitas pérolas e muito dinheiro em ouro que levavam sem declarar.

— É, pode ser isso mesmo — replicou Ricote —, mas eu sei, Sancho, que não tocaram em meu esconderijo, porque não lhes revelei onde era, com medo de algum desmando. Então, Sancho, se quiseres vir comigo e me ajudar a pegar meu tesouro e dissimulá-lo, eu te darei duzentos escudos, com que poderás remediar tuas necessidades, pois sabes que sei que tens muitas.

— Eu iria — respondeu Sancho —, mas não sou nada cobiçoso; se o fosse, não teria largado de mão esta manhã um ofício em que poderia fazer as paredes de minha casa de ouro e comer em pratos de prata antes de seis meses. Assim, por isso e por achar que estaria traindo meu rei ao favorecer seus inimigos, não iria contigo nem que me desses à vista quatrocentos escudos, em vez dos duzentos que me prometes.

— E que ofício é o que deixaste, Sancho? — perguntou Ricote.

— Deixei de ser governador de uma ilha — respondeu Sancho. — E de uma ilha... Olha, Ricote, eu juro: só vão encontrar outra igual no dia de São Nunca.

— E onde fica essa ilha? — perguntou Ricote.

— Onde? — respondeu Sancho. — A duas léguas daqui, e se chama ilha Logratária.

— Espera aí, Sancho — disse Ricote. — As ilhas estão no mar; não há ilhas em terra firme.

— Como não? — replicou Sancho. — Eu te garanto, meu amigo Ricote, que esta manhã mesmo parti de lá, e ontem estive governando a meu bel-prazer, como um condenado.[7] Mas, apesar de tudo, eu a deixei, porque o ofício de governador me pareceu perigoso.

— E o que ganhaste no governo? — perguntou Ricote.

— Ganhei o conhecimento de que não sirvo para governar, a não ser um rebanho de cabras — respondeu Sancho —, e que as riquezas que se ganham nesses governos são à custa de nosso descanso e sono, sem falar na comida, porque os governadores de ilhas devem comer pouco, especialmente se têm médicos que olhem pela saúde deles.

— Eu não te entendo, Sancho — disse Ricote —, mas me parece que tudo o que dizes não tem pé nem cabeça, pois quem haveria de te dar uma ilha para governar? Por acaso faltavam homens mais hábeis que tu para governadores? Vamos, Sancho, volta a ti e olha se queres vir comigo, como te disse, para me ajudar a pegar o tesouro que deixei escondido. É tão grande que na verdade pode ser mesmo chamado de tesouro. E, como te disse, te darei o suficiente para que vivas.

— Já te falei que não quero, Ricote; contenta-te que não serás denunciado por mim — replicou Sancho. — Segue teu caminho sem preocupações e me deixa seguir o meu, pois eu sei que pode se perder o que se ganha honestamente, mas o que se ganha desonestamente também perde seu dono.

— Bem, não quero discutir, Sancho — disse Ricote. — Mas me diz: tu estavas lá na vila quando minha mulher, minha filha e meu cunhado partiram?

— Sim, estava — respondeu Sancho —, e posso te garantir que tua filha se foi tão formosa que todos saíram para vê-la e todos diziam que era a mais bela criatura do mundo. Ia chorando e abraçava a todas as suas amigas e conhecidas e quantos chegavam para vê-la, e a todos pedia que a encomendassem a Deus e a sua mãe, Nossa Senhora. Falava com tanto sentimento que me fez chorar, e olha que não costumo ser muito chorão. E juro que muitos pensaram em escondê-la, ir atrás e raptá-la na estrada, mas o medo de desobedecer o decreto do rei os deteve. Quem se mostrou mais apaixonado foi dom Pedro Gregório, aquele rapaz que tu conheces, o morgado rico, que dizem que a amava muito. Depois que ela partiu, ele nunca mais apareceu em nossa vila, e todos pensamos que tinha ido atrás dela para roubá-la, mas até agora não se soube nada.

— Bem no fundo, sempre desconfiei que esse cavaleiro era louco por minha filha — disse Ricote —, mas, confiante no valor de minha Ricota, nunca me incomodei de saber que a amava, pois já terás ouvido, Sancho, que poucas vezes ou nenhuma as mouriscas se misturam por amor com cristãos-velhos. Depois, pelo que sei, minha filha se interessava mais por religião que por amor: não se importaria com a corte desse morgado.

— Deus te ouça — replicou Sancho —, se não a coisa ficaria feia para os dois. Mas me deixa partir, meu amigo Ricote, pois quero chegar esta noite onde está meu senhor dom Quixote.

— Deus te acompanhe, Sancho, meu irmão. Meus companheiros já começaram a se mexer, é hora de prosseguirmos nosso caminho também.

Então os dois se abraçaram, Sancho montou em seu burro e Ricote se apoiou em seu cajado, e se separaram.

LV

DE COISAS ACONTECIDAS A SANCHO NA ESTRADA, E OUTRAS QUE SÓ VENDO

Por ter se detido com Ricote, Sancho não conseguiu chegar naquele dia ao castelo do duque, embora tenha chegado a meia légua dele, onde o alcançou a noite, um tanto escura e fechada. Mas, como era verão, não se preocupou muito e se afastou da estrada com a intenção de esperar pela manhã. Quis porém sua pouca e miserável sorte que ele e o burro, enquanto procuravam um lugar onde melhor se acomodar, caíssem num fosso profundo e escuríssimo que havia entre uns edifícios em ruínas — durante a queda, Sancho se encomendou a Deus de todo coração, pensando que não iria parar antes de atingir as profundezas do inferno. Mas não foi o que aconteceu, porque dali a uns cinco ou seis metros o burro achou o fundo e Sancho, montado nele, não se quebrou nem sofreu ferimento algum.

Apalpou o corpo todo e segurou a respiração, para ver se estava bem ou esburacado em algum lugar. Vendo-se bem, inteiro e com uma saúde de ferro, não se fartava de dar graças a Deus Nosso Senhor pela mercê recebida, porque havia pensado que sem dúvida se arrebentaria em mil pedaços. Apalpou também as paredes do fosso, para ver se era possível sair dele sem ajuda de ninguém, mas eram todas lisas, sem apoio algum, o que Sancho muito lamentou, principalmente quando ouviu que o burro gemia branda e dolorosamente. E não era de estranhar, nem gemia de manhoso — a verdade é que a situação dele não era nada boa.

— Ai, quantas coisas inimagináveis acontecem a cada passo aos que vivem neste mundo miserável! — disse então Sancho Pança. — Quem diria que o homem que ontem se viu entronizado governador de uma ilha, mandando em seus servos e vassalos, hoje haveria de se ver sepultado num fosso, sem pessoa alguma que olhe por ele, nem criado nem vassalo que venha em seu socorro? Aqui haveremos de perecer de fome, eu e meu jumento, se é que não morreremos antes, ele de ferido e quebrado, eu de desgosto. Duvido que eu seja tão sortudo como meu senhor dom Quixote de la Mancha quando desceu à caverna daquele encantado Montesinos, onde achou quem o recebesse melhor que em sua casa, parece-me que com mesa posta e cama feita. Ali ele teve belas e agradáveis visões, e eu, pelo jeito, aqui só verei sapos e cobras. Pobre de mim, no que deram minhas loucuras e fantasias! Daqui tirarão meus ossos, quando o céu quiser que me descubram, limpos, brancos e gastos, e com eles os de meu bom burro. Talvez assim percebam quem somos, pelo menos os que tiveram notícia de que Sancho Pança nunca se separou de seu burro, nem seu burro de Sancho Pança. Repito de novo: pobres de nós, que a pouca sorte não quis que morrêssemos entre os nossos, em nossa pátria, onde, se não encontrássemos remédio para nossa desgraça, não faltaria quem se condoesse de nós e nos fechasse os olhos no último instante! Oh, meu amigo e companheiro, mau pagamento te dei por teus bons serviços! Perdoa-me e pede à fortuna, da melhor forma que puderes, que nos tire deste miserável embaraço em que estamos metidos os dois, que prometo te pôr uma coroa de louros na cabeça, para que pareças um poeta laureado, e te dar uma porção dupla de ração.

Dessa maneira Sancho Pança se lamentava e seu jumento o escutava sem responder palavra alguma — tais eram o aperto e a angústia em que o coitado se achava. Por fim, tendo passado toda aquela noite em gemidos e queixas miseráveis, chegou o dia, que, com sua claridade e resplendor, mostrou a Sancho que estava fora de qualquer possibilidade sair daquele poço sem ser ajudado. Ele recomeçou a se lamentar e a gritar, para ver se alguém o ouvia, mas todos os seus brados se davam no deserto, pois por toda a redondeza não havia uma única pessoa que o pudesse escutar. Deu-se por morto, então.

O burro estava de patas para cima, e Sancho Pança deu um jeito para que ficasse de pé, mas ele mal podia se aguentar. Tirando um pedaço de pão dos alforjes — que também tinham corrido a mesma péssima sorte —, deu-o ao jumento, que não o achou ruim. Daí Sancho lhe disse, como se o entendesse:

— Lágrimas com pão, passageiras são.

Nisso descobriu num lado do fosso um buraco por onde uma pessoa poderia passar, caso se curvasse e se encolhesse. Sancho Pança foi até lá e, agachando-se, entrou por ele e viu que dentro era largo e comprido; e conseguiu ver porque, pelo que se podia chamar de teto, entrava um raio de sol que revelava tudo. Viu também que se alargava e se comunicava com outra concavidade espaçosa. Depois de ver isso, voltou a sair para onde estava o jumento e, com uma pedra, começou a desmoronar a terra do buraco, de modo que em pouco tempo abriu espaço por onde pudesse entrar o burro com facilidade, como realmente o fez. Assim, pegando o bicho pelo cabresto, começou a caminhar por aquela gruta, para ver se achava alguma saída em outro lugar. Às vezes ia às escuras e às vezes sem luz, mas nunca sem medo.

"Valha-me Deus Todo-Poderoso", dizia a si mesmo. "Esta, que para mim é uma desventura, para meu amo dom Quixote teria sido uma aventura. Ele sim encararia estas profundezas e masmorras como jardins esplêndidos e palácios de Galiana,[1] e esperaria sair desta escuridão e aperto para algum campo florido. Mas eu, sem sorte, sem quem me aconselhe e com a coragem abalada, a cada passo penso que debaixo dos pés de repente vai se abrir outro poço mais profundo que o outro, que acabará por me tragar. Bem bom é o mal que vem sozinho."

Entretido dessa maneira com esses pensamentos, teve a impressão de que teria caminhado pouco mais de meia légua quando divisou uma claridade confusa, que lhe pareceu a luz do dia que entrava por algum lugar e indicava ter um fim aberto aquele, para ele, caminho para a outra vida.

Aqui o deixa Cide Hamete Benengeli e volta a tratar de dom Quixote, que alvoroçado e alegre esperava o prazo da batalha que havia de travar com o ladrão da honra da filha de dona Rodríguez, a quem pensava reparar a injúria e difamação que malvadamente lhe tinham feito.

Aconteceu que, saindo uma manhã para se exercitar e treinar no que havia de fazer no aperto em que pensava se encontrar no dia seguinte, dando uma arrancada ou arremetida com Rocinante, o cavalo quase enfiou as patas numa caverna — se dom Quixote não tivesse puxado fortemente as rédeas, teria sido impossível não cair nela. Por fim o deteve e não caiu. Aproximando-se mais um pouco, sem apear, olhou aquela abertura e dali a pouco ouviu grandes brados lá no fundo. Escutando atentamente, conseguiu entender que se dizia:

— Ei, aí de cima! Há algum cristão que me escute ou algum cavaleiro caritativo que se condoa de um pecador enterrado em vida, de um miserável governador desgovernado?

Dom Quixote achou que ouvia a voz de Sancho Pança, o que o deixou pasmo e assustado, e disse, levantando a voz tudo o que pôde:

— Quem está aí embaixo? Quem se queixa?

— Quem pode estar aqui ou quem há de se queixar — responderam —, senão o perseguido Sancho Pança, governador (por seus pecados e por sua má sorte) da ilha Logratária, antigo escudeiro do famoso cavaleiro dom Quixote de la Mancha?

Ouvindo isso, a surpresa de dom Quixote dobrou e redobrou seu pasmo, vindo-lhe ao pensamento que Sancho Pança devia estar morto e que ali estava sua alma penada. Levado por essa imaginação, disse:

— Esconjuro-te por tudo aquilo que posso te esconjurar como bom católico que me digas quem és. Se és alma penada, diz-me o que queres que faça por ti, pois, se é minha profissão favorecer e socorrer os necessitados deste mundo, também serei capaz de socorrer e ajudar os necessitados do outro mundo, que não podem ajudar a si mesmos.

— Falando dessa maneira — responderam —, vossa mercê deve ser meu senhor dom Quixote de la Mancha, e pelo timbre da voz sem dúvida não é outro.

— Sou dom Quixote, aquele que jurou defender e ajudar os vivos e os mortos em suas necessidades — replicou dom Quixote. — Por isso me diz quem és, pois me deixaste perplexo. Porque se és meu escudeiro Sancho Pança e morreste, mas o diabo não te carregou, e pela misericórdia de Deus estejas no purgatório, nossa santa madre Igreja Católica Romana tem meios suficientes para te tirar da pena em que estás, e eu, de minha parte, junto com ela, encomendarei todas as missas e preces que minhas posses permitirem. Então, mostra-te de uma vez e diz-me quem és.

— Juro por Deus e pelo nascimento de quem vossa mercê quiser, senhor dom Quixote de la Mancha, que sou seu escudeiro Sancho Pança e que nunca morri em todos os dias de minha vida — responderam. — Mas, tendo deixado minha ilha por coisas e causas que precisam de mais tempo para contar, ontem à noite caí neste buraco onde me encontro com meu burro, que não me deixará mentir, pois, para seu governo, ele está aqui ao meu lado.

O melhor de tudo é que o jumento pareceu entender o que Sancho disse, porque na mesma hora começou a zurrar com tanta força que a caverna toda retumbava.

— Belo testemunho! — disse dom Quixote. — Conheço esse zurro como se o tivesse parido e ouço muito bem tua voz, meu amigo Sancho. Espera-me: irei ao castelo do duque, que fica perto daqui, e trarei quem o tire desta caverna, onde teus pecados devem ter te levado.

— Vá vossa mercê — disse Sancho — e volte logo, pelo Deus único, pois já não me aguento mais estar aqui sepultado em vida e morrendo de medo.

Dom Quixote o deixou e foi ao castelo contar aos duques o que tinha acontecido com Sancho Pança, do que não se maravilharam pouco, embora tenham compreendido que devia ter caído na outra entrada daquela caverna que estava ali desde tempos imemoriais; mas não podiam imaginar como havia deixado o governo sem terem sido avisados de sua vinda. Por fim levaram cordas e maromas, como se diz,[2] e à custa de muita gente e muito trabalho tiraram o burro e Sancho Pança daquelas trevas para a luz do sol. Um estudante que viu tudo disse:

— Dessa maneira deviam sair de seus governos todos os maus governadores, como sai este pecador das profundezas do abismo: morto de fome, pálido e sem dinheiro, pelo que me parece.

Sancho ouviu o rapaz e disse:

— Faz oito ou dez dias, seu mexeriqueiro, que entrei no governo da ilha que me deram e lá não me vi farto de pão nem por uma hora. Lá fui perseguido por médicos e tive os ossos moídos por inimigos, mas nenhuma chance de fazer tretas nem cobrar gorjetas. Assim sendo, eu não mereceria, em minha opinião, sair dessa maneira. Mas o homem põe e Deus dispõe, e Deus sabe o que é melhor para cada um, e se dança conforme a música, e ninguém nunca diga “desta água não beberei”, pois não se pode contar com o ovo no cu da galinha. Mas basta: Deus me entende, e não digo mais nada, mesmo que pudesse.

— Não te zangues, Sancho, nem te preocupes com o que ouvires, ou isso não vai acabar nunca. Vem com tua consciência tranquila, e digam o que quiserem, pois, tu sabes, querer atar a língua dos maledicentes é o mesmo que botar rédeas ao vento. Se o governador sai rico de seu governo, dizem que ele foi ladrão, e, se sai pobre, que foi parvo e mentecapto.

— Com certeza, dessa vez vão me considerar mais bobo que ladrão — respondeu Sancho.

Em conversas como essa, rodeados de meninos e de muitas outras pessoas, chegaram ao castelo, onde numa varanda já estavam o duque e a duquesa esperando dom Quixote e Sancho. Mas Sancho não quis subir para ver o duque sem antes instalar o burro na estrebaria, porque, dizia, ele tinha passado uma péssima noite naquele alojamento. Por fim foi ver seus senhores, diante dos quais se ajoelhou e disse:

— Eu, meus senhores, porque assim o quis vossa grandeza, sem nenhum merecimento meu, fui governar vossa ilha Logratária, onde entrei nu e de onde saí nu: nada ganhei e nada perdi. Se governei bem ou mal, tenho testemunhas, que dirão o que quiserem. Aclarei dúvidas, julguei pleitos, mas sempre morto de fome, porque assim o quis o doutor Pedro Recio, natural de Tirteafuera, médico insular e governamental. Fomos atacados à noite por inimigos, pondo-nos em grande perigo, mas dizem os da ilha que saíram livres e vitoriosos pelo valor de meu braço. Que Deus os proteja tanto quanto dizem a verdade.

"Em suma, nesse tempo eu avaliei as cargas e obrigações que governar traz consigo e por minha própria conta concluí que meus ombros não poderão carregá-las, nem são peso para minhas costelas, nem flechas de minha aljava. Assim, antes que o governo acabasse comigo, eu resolvi acabar com o governo, e ontem pela manhã deixei a ilha como a encontrei: com as mesmas ruas, casas e telhados que tinha quando entrei nela. Não fiz empréstimos nem lucrei nada; e, embora tenha pensado fazer alguns decretos proveitosos, não fiz nenhum, com medo de que não fossem acatados, que assim dá no mesmo fazê-los ou não fazê-los. Saí da ilha, como disse, sem outra companhia que a de meu burro; caí num buraco, vim por ele até que esta manhã, com a luz do sol, topei com a saída, mas não foi nada fácil, pois, se o céu não me deparasse com meu senhor dom Quixote, ficaria ali até o fim do mundo.

"De modo que, meus caros duque e duquesa, aqui está vosso governador Sancho Pança, que, em apenas dez dias de governo, descobriu que nada dará para ser governador, não digo de uma ilha, mas de todo o mundo. Por isso, beijando os pés de vossas mercês, imito a brincadeira dos meninos que dizem 'Salta fora que agora é minha vez', dou um salto do governo e passo ao serviço de meu senhor dom Quixote, pois nele, embora eu coma o pão entre sobressaltos, pelo menos não passo fome, e para mim, desde que eu esteja satisfeito, tanto se me dá que seja de cenouras ou de perdizes."

Com isso Sancho acabou seu longo discurso. Dom Quixote, sempre com medo de que ele dissesse milhares de disparates, quando o viu terminar com tão poucos, deu graças ao céu no fundo de seu coração. O duque abraçou Sancho e disse a ele que lhe pesava a alma saber que tinha deixado tão rápido o governo, mas que daria um jeito para lhe dar em seus domínios outro ofício mais lucrativo e com responsabilidades menores. A duquesa também o abraçou e deu ordens para que o tratassem bem, porque dava sinais de vir de mal a pior.

LVI

DA DESCOMUNAL E NUNCA VISTA BATALHA TRAVADA ENTRE DOM QUIXOTE DE LA MANCHA E O LACAIO TOSILOS NA DEFESA DA FILHA DA AMA DONA RODRÍGUEZ

Os duques não ficaram arrependidos da peça que pregaram em Sancho Pança, dando-lhe o governo, tanto mais que naquele dia veio seu administrador e lhes contou tintim por tintim quase todas as palavras e ações ditas e feitas por Sancho naqueles dias. No fim, exaltou o ataque à ilha, o medo de Sancho e sua saída, narração que eles ouviram com grande prazer.

Depois disso, conta a história que chegou o dia marcado da batalha. Tendo o duque advertido muitas e muitas vezes a seu lacaio Tosilos como devia se comportar com dom Quixote para vencê-lo sem o matar ou feri-lo, ordenou que se tirassem as pontas de ferro das lanças, dizendo a dom Quixote que o sentimento cristão que ele tanto prezava não permitia que aquele duelo corresse com tanto risco e perigo das vidas deles, e que se contentasse que lhe dava campo livre em sua terra, porque ia contra o decreto do Santo Concílio de Trento, que proíbe tais desafios, e não quisesse levar ao extremo combate tão cruento. Dom Quixote disse que sua excelência dispusesse as coisas daquele negócio como mais lhe conviesse, que ele obedeceria em tudo.

Chegado então o dia assustador, e tendo mandado o duque que diante do pátio do castelo se fizesse um tablado espaçoso onde pudessem ficar os juízes da peleja e as amas demandantes, mãe e filha, haviam acudido de todas as vilas e aldeias da vizinhança inúmeras pessoas para ver a novidade daquela batalha, pois nem os que ainda viviam nem os que já tinham morrido haviam visto jamais outra igual nem ouvido falar.

O primeiro que entrou no campo demarcado por estacas foi o mestre de cerimônias, que o examinou e o percorreu todo, para que não houvesse nenhuma armadilha nele, nem alguma coisa onde se pudesse tropeçar e cair. Depois entraram as amas e se sentaram em seus lugares, cobertas com os mantos até os olhos, ou mesmo até os seios, com mostras de estarem muito emocionadas. Dali a pouco, depois de dom Quixote chegar ao cercado, surgiu na outra ponta do pátio o grande lacaio Tosilos, acompanhado por uma fanfarra de trombetas, sobre um cavalo poderoso, que ensurdeceu tudo — vinha com a viseira baixada, todo teso em sua armadura forte e reluzente. O cavalo, via-se, era da Frísia — um tordilho grande, com uma arroba de lã pendendo de cada pata.[1]

O valoroso combatente vinha bem avisado pelo duque, seu senhor, de como devia se portar com o valoroso dom Quixote de la Mancha: de maneira nenhuma devia feri-lo, mas procurar fugir ao primeiro embate, para evitar o perigo de sua morte que, tinha certeza, ocorreria se o atingisse em cheio. Percorreu o pátio e, chegando aonde as amas estavam, ficou olhando um pouco aquela que o pedia por esposo. O mestre de cerimônias chamou dom Quixote, que já havia se apresentado, e junto com Tosilos falou às amas, perguntando-lhes se consentiam que dom Quixote saísse em sua defesa. Elas disseram que sim e que consideravam bem-feito, sólido e verdadeiro tudo o que fizesse naquele caso.

Nesse momento, o duque e a duquesa já estavam numa tribuna que dava sobre o pátio, toda ela atopetada de inúmeras pessoas que esperavam assistir à inigualável e renhida batalha. Foi estabelecido que, se dom Quixote vencesse, seu adversário teria de se casar com a filha de dona Rodríguez, mas se dom Quixote fosse vencido, seu adversário ficava livre da palavra empenhada, sem dar mais satisfação alguma.

O mestre de cerimônias mandou que os dois ocupassem suas posições de modo que nenhum deles fosse prejudicado pelo sol. Os tambores soaram, o ar se encheu do som das trombetas, a terra tremia embaixo dos pés, os corações da turba presente estavam suspensos, uns temendo e outros esperando a boa ou a má conclusão daquele caso. Por fim, dom Quixote, encomendando-se de todo o coração a Deus Nosso Senhor e à senhora Dulcineia del Toboso, aguardou que lhe dessem o sinal para o ataque; enquanto isso, nosso lacaio tinha pensamentos diferentes: ele não pensava a não ser no que agora direi.

Parece que, quando esteve contemplando sua inimiga, ele achou que era a mais formosa mulher que tinha visto em toda a sua vida, e o menino ceguinho a quem chamam habitualmente de "Amor" por essas ruas não quis perder a chance que lhe era oferecida de triunfar sobre uma alma de lacaio e botá-la na lista de seus troféus. Assim, aproximando-se suavemente dele, sem que ninguém o viesse, cravou no lado esquerdo do pobre rapaz uma flecha de quase dois metros e lhe trespassou o coração de um lado a outro — e pôde fazer isso com toda a segurança, porque o Amor é invisível e entra e sai onde quer, sem que ninguém lhe peça contas de seus feitos.

Digo então que, quando deram o sinal para a arremetida, nosso lacaio estava enlevado, pensando na formosura daquela que se tornara senhora de sua liberdade. Assim, não prestou atenção ao som da trombeta, como fez dom Quixote, que partiu contra seu inimigo, mal a ouviu, correndo a toda a velocidade que Rocinante podia. E, vendo-o atacar, seu bom escudeiro Sancho disse, em grandes brados:

— Deus te guie, nata e flor dos cavaleiros andantes! Deus te dê a vitória, pois a razão está ao teu lado!

E, mesmo que Tosilos tenha visto dom Quixote vir contra ele, não saiu um passo de sua posição; pelo contrário, em grandes brados chamou o mestre de campo e lhe disse, quando ele veio ver o que queria:

— Senhor, não se trava esta batalha para que eu me case ou não me case com aquela senhora?

— Isso mesmo — foi a resposta.

— Olhe, senhor, minha consciência me preocupa — disse o lacaio —, e eu poria um grande peso nela se continuasse com esta batalha; então, declaro que me dou por vencido e que quero me casar em seguida com aquela senhora.

O mestre de campo ficou admirado com as palavras de Tosilos e, como era um dos que conhecia a tramoia daquele caso, não soube o que responder. Dom Quixote se deteve na metade de seu galope, vendo que seu inimigo não o atacava. O duque não sabia por que a batalha não seguia adiante, mas o mestre de campo foi lhe informar o que Tosilos dizia, o que o deixou surpreso e colérico ao extremo.

Enquanto isso, Tosilos se aproximou de onde estava dona Rodríguez e disse em grandes brados:

— Eu, senhora, quero me casar com vossa filha e não quero alcançar por pleitos nem contendas o que posso alcançar pela paz e sem perigo de morrer.

O valoroso dom Quixote ouviu isso e disse:

— Assim sendo, fico livre e solto de minha promessa; casem-se em boa hora: se Deus Nosso Senhor a deu, que são Pedro a abençoe.

O duque havia descido ao pátio do castelo e, aproximando-se de Tosilos, lhe disse:

— É verdade, cavaleiro, que vos dais por vencido e que, instigado por vossa consciência pesada, quereis vos casar com esta donzela?

— Sim, senhor — respondeu Tosilos.

— Ele faz muito bem — Sancho Pança disse nessa

altura. — Dá ao gato o que ias dar ao rato e evitarás preocupações.

Tosilos ia desprendendo o elmo e rogava que o ajudassem de uma vez, porque ia lhe faltando a respiração e não podia mais continuar trancado tanto tempo no aperto daquela armadura. Tiraram rápido o elmo dele — e ficou descoberto e patente seu rosto de lacaio. Vendo-o, dona Rodríguez e sua filha disseram, aos gritos:

— Isso é trapaça, isso é trapaça! Puseram Tosilos, o lacaio do duque, meu senhor, no lugar de meu verdadeiro esposo! Por Deus e pelo rei, queremos justiça para tanta malícia, para não dizer velhacaria!

— Não vos preocupeis, senhoras — disse dom Quixote —, pois não se trata nem de malícia nem de velhacaria. Agora, se o for, não se deve ao duque, mas aos magos perversos que me perseguem, os quais, invejosos de que eu alcançasse a glória dessa vitória, transformaram o rosto de vosso esposo no deste que dizeis ser o lacaio do duque. Ouvi meu conselho e, apesar da malícia de meus inimigos, casai-vos com este rapaz, que sem dúvida é o mesmo que desejais ter por esposo.

O duque, ao ouvir isso, esteve para arrebentar em riso toda a sua cólera, mas disse:

— São tão extraordinárias as coisas que acontecem ao senhor dom Quixote que estou para crer que este meu lacaio não é ele mesmo. Mas usemos de um ardil: vamos adiar esse casamento por uns quinze dias e manter preso este personagem que nos deixou em dúvida. Pode ser que nesse meio-tempo volte a sua antiga aparência, pois não deve durar tanto o rancor que os magos têm pelo senhor dom Quixote, ainda mais lucrando tão pouco com esses embustes e transformações.

— Ora, senhor — disse Sancho —, esses canalhas têm o costume e a mania de transformar umas coisas em outras, quando se referem a meu amo. Um cavaleiro que venceu dias atrás, chamado Cavaleiro dos Espelhos, foi transformado na figura do bacharel Sansão Carrasco, natural de nosso povoado e grande amigo nosso, e minha senhora Dulcineia del Toboso foi transformada numa camponesa bronca. Então eu imagino que este lacaio haverá de viver e morrer lacaio todos os dias de sua vida.

A isso a filha de Rodríguez disse:

— Seja este quem for que me pede por esposa, eu agradeço a ele, pois prefiro ser a mulher legítima de um lacaio que a inimiga e a enganada de um cavaleiro, embora aquele que me enganou não o seja.

Em resumo, o resultado de todos esses ditos e feitos foi que Tosilos ficou preso para se ver em que dava sua transformação; todos aclamaram a vitória de dom Quixote, mas muitos ficaram tristes e melancólicos porque os tão esperados combatentes não tinham se feito em pedaços, assim como os rapazes ficam tristes quando é suspenso o enforcamento porque ou a parte ofendida ou a justiça perdoou o condenado. As pessoas foram embora, o duque e dom Quixote voltaram para o castelo, prenderam Tosilos, dona Rodríguez e sua filha ficaram muito contentes de ver que de um jeito ou de outro aquele caso ia acabar em casamento, e Tosilos não esperava menos.

LVII

QUE TRATA DE COMO DOM QUIXOTE SE DESPEDIU DO DUQUE E DO QUE ACONTECEU COM A AIA DA DUQUESA, A SAGAZ E DESCARADA ALTISIDORA

Dom Quixote achou que já era hora de sair de tanta ociosidade como a que vivia naquele castelo, porque imaginava ser grande a falta que sua pessoa fazia ao se deixar recluso e preguiçoso entre os inumeráveis confortos e deleites que aqueles senhores prodigalizavam a ele como cavaleiro andante, e pensava que teria de prestar contas minuciosas ao céu sobre essa reclusão e preguiça. Assim, um dia pediu licença aos duques para partir. Eles a deram com mostras de que lhes pesava muito que os deixasse. Então a duquesa entregou a Sancho Pança as cartas de sua mulher; ele chorou sobre elas e disse:

— Quem pensaria que esperanças tão grandes como as que geraram no peito de minha mulher Teresa Pança as notícias de meu governo haveriam de acabar assim, eu voltando agora às miseráveis aventuras de meu amo dom Quixote de la Mancha? Apesar de tudo, alegro-me de ver que minha Teresa se comportou como devia enviando as bolotas à duquesa, pois, se não as tivesse enviado, se mostraria mal-agradecida, e eu teria ficado pesaroso. O que me consola é que esse presente não pode ser chamado de suborno, porque eu já tinha o governo quando ela o enviou e está certo que os que recebem algum benefício, mesmo que seja uma ninharia, se mostrem agradecidos. Enfim, entrei nu no governo e nu saí dele, de modo que poderei dizer com a consciência tranquila, o que não é pouco: "Nu nasci, nu me encontro: nada perdi nem ganhei".

Isso Sancho falava a si mesmo no dia da partida. Naquela manhã, depois de ter se despedido dos duques na noite anterior, dom Quixote se apresentou de armadura no pátio do castelo. Todas as pessoas olhavam-no das varandas, e os duques também saíram para vê-lo. Sancho montava seu burro, com seus alforjes, bagagens e provisões, contentíssimo porque o administrador do duque, aquele que tinha sido a Trifaldi, havia lhe dado um saquinho com duzentos escudos de ouro para suprir as necessidades da viagem, coisa que dom Quixote ainda não sabia.

Como se disse, estavam todos olhando o cavaleiro, quando de repente entre as outras amas e aias da duquesa elevou a voz a sagaz e descarada Altisidora, dizendo em tom queixoso:

— *Escuta, mau cavaleiro,*
segura um pouco as rédeas,
não esporeia as ilhargas
de bicho tão mal montado.

Olha, falso, que não foges
de alguma serpente feroz
mas de uma cordeirinha
que está longe de ser ovelha.

Tu enganaste, monstro horrendo,
a mais formosa donzela
que Diana viu em seus serros,
que Vênus olhou em suas selvas.

Cruel Vireno,[1] fugitivo Eneias,
Barrabás te carregue aos quintos do inferno.

Tu levas, que impiedade!,

nas garras de tuas mãos,
as entranhas de uma humilde,
tão apaixonada quanto terna.

Levaste três toucas de dormir
e umas ligas de umas pernas
que ao mármore de Paros se igualam:
lisas, brancas e negras.

Levaste dois mil suspiros,
que poderiam, se de fogo fossem,
queimar duas mil Troias,
se duas mil Troias houvesse.

Cruel Vireno, fugitivo Eneias,
Barrabás te carregue aos quintos do inferno.

De Sancho, teu escudeiro,
espero entranhas tão tenazes
e tão duras que não livrem
Dulcineia do encantamento.

Da culpa que tu tens
a triste carregue a pena,
que justos por pecadores
às vezes pagam em minha terra.

Tuas mais belas aventuras
em desventuras se transformem,
em sonhos teus prazeres,
tuas promessas em esquecimento.

Cruel Vireno, fugitivo Eneias,
Barrabás te carregue aos quintos do inferno.

Sejas tido por falso

de Sevilha a Marchena,
de Granada até Loja,[2]
de Londres à Inglaterra.

Se jogares pife,
ou bisca ou buraco,
os reis fujam de ti,
nem ases nem setes vejas.

Se cortares os calos,
sangue tuas feridas vertam,
e fiquem as raízes
se arrancares os dentes.

Cruel Vireno, fugitivo Eneias,
Barrabás te carregue aos quintos do inferno.*

* — *Escucha, mal caballero,/ detén un poco las riendas,/ no fatigues las ijadas/ de tu mal regida bestia.// Mira, falso, que no huyes/ de alguna serpiente fiera,/ sino de una corderilla/ que está muy lejos de oveja.// Tú has burlado, monstruo horrendo,/ la más hermosa doncella/ que Dïana vio en sus montes,/ que Venus miró en sus selvas.//* Cruel Vireno, fugitivo Eneas,/ Barrabás te acompañe, allá te avengas.// *Tú llevas, ¡llevar impío!,/ en las garras de tus cerras/ las entrañas de una humilde,/ como enamorada, tierna.// Llévaste tres tocadores/ y unas ligas de unas piernas/ que al mármol paro se igualan/ en lisas, blancas y negras.// Llévaste dos mil suspiros,/ que a ser de fuego pudieran/ abrasar a dos mil Troyas,/ si dos mil Troyas hubiera.//* Cruel Vireno, fugitivo Eneas,/ Barrabás te acompañe, allá te avengas.// *De ese Sancho tu escudero/ las entrañas sean tan tercas/ y tan duras, que no salga/ de su encanto Dulcinea.// De la culpa que tú tienes/ lleve la triste la pena,/ que justos por pecadores/ tal vez pagan en mi tierra.// Tus más finas aventuras/ en desventuras se vuelvan,/ en sueños tus pasatiempos,/ en olvidos tus firmezas.//* Cruel Vireno, fugitivo Eneas,/ Barrabás te acompañe, allá te avengas.// *Seas*

Enquanto assim se queixava a maltratada Altisidora, dom Quixote ficou olhando-a. Depois, sem responder uma palavra, virou o rosto para Sancho e disse:

— Pela salvação de teus antepassados, meu caro Sancho, te imploro que me digas a verdade: por acaso levas as três toucas e as ligas de que fala esta donzela apaixonada?

Ao que Sancho respondeu:

— As três toucas, sim, levo, mas as ligas nem em sonhos.

A duquesa ficou admirada com a desfaçatez de Altisidora, porque, mesmo considerando-a atrevida, engraçada e travessa, não achava que pudesse chegar a tamanha desenvoltura; e, como não tinha sido avisada dessa brincadeira, ficou mais surpresa ainda. O duque quis reforçar a graça de tudo e disse:

— Não me parece bem, senhor cavaleiro, que havendo recebido neste meu castelo o bom acolhimento que vos foi dispensado, tenhais tido a audácia de levar pelo menos três toucas, se é que não levastes as ligas de minha aia: são indícios de um mau coração e mostras de um comportamento que não corresponde a vossa fama. Devolvei as ligas a ela; se não, eu vos desafio a uma batalha mortal, sem receio de que magos canalhas me transformem ou mudem meu rosto, como fizeram com Tosilos, meu lacaio, que travou combate convosco.

— Não queira Deus que eu desembainhe minha espada contra vossa ilustríssima pessoa, de quem tantas mercês recebi — respondeu dom Quixote. — Devolverei as toucas, porque diz Sancho que as tem; quanto às ligas, é

---

tenido por falso/ desde Sevilla a Marchena,/ desde Granada hasta Loja,/ de Londres a Ingalaterra.// Si jugares al reinado,/ los cientos o la primera,/ los reyes huyan de ti,/ ases ni sietes no veas.// Si te cortares los callos,/ sangre las heridas viertan,/ y quédente los raigones,/ si te sacares las muelas.// Cruel Vireno, fugitivo Eneas,/ Barrabás te acompañe, allá te avengas.

impossível, porque nem eu as recebi nem ele tampouco; e se esta vossa aia quiser olhar seus esconderijos, com certeza as achará. Eu, senhor duque, jamais fui ladrão, nem o penso ser em toda a minha vida, com a graça de Deus. Esta aia, como ela mesma diz, fala como uma apaixonada, coisa de que não tenho culpa, de modo que não tenho de pedir perdão nem a ela nem a vossa excelência, a quem suplico me tenha em melhor opinião e me dê de novo licença para seguir meu caminho.

— Caminho, espero, que Deus torne tão bom, senhor dom Quixote — disse a duquesa —, que sempre ouçamos boas-novas de vossas façanhas. E andai com Deus, pois, quanto mais vos detendes, mais aumentais o fogo no peito das donzelas que vos olham; quanto à minha, vou castigá-la de modo que daqui por diante não se passe nem com a vista nem com as palavras.

— Só mais uma quero que me escutes, valoroso dom Quixote! — disse então Altisidora. — Peço-te perdão pelo furto das ligas, porque, por Deus e por minha alma, eu as estou usando. Caí no mesmo descuido daquele pastor de burros que esqueceu de contar o que montava.

— Eu não disse? — disse Sancho. — Ora se eu tenho cara de encobrir furtos! Se eu fosse mão leve, meu governo teria me servido como uma luva!

Dom Quixote abaixou a cabeça numa reverência aos duques e a todos os presentes e, virando as rédeas de Rocinante, seguido de Sancho no burro, saiu do castelo e tomou o caminho para Zaragoza.

LVIII

QUE TRATA DE COMO CHOVERAM TANTAS AVENTURAS SOBRE DOM QUIXOTE QUE UMAS NÃO DAVAM DESCANSO ÀS OUTRAS

Quando dom Quixote se viu em campo aberto, livre e desembaraçado dos agrados de Altisidora, pensou que estava em seu elemento e que seu ânimo se renovava para prosseguir no negócio da cavalaria. Virando-se para Sancho, disse:

— A liberdade, Sancho, é um dos mais preciosos dons que os céus deram aos homens; não podem se comparar com ela os tesouros que a terra abriga nem o mar esconde; pela liberdade, assim como pela honra, se pode e se deve arriscar a vida. O cativeiro, pelo contrário, é o maior mal que pode ocorrer aos homens. Digo isso, Sancho, porque viste muito bem o conforto e a abundância que tivemos nesse castelo que deixamos; pois em meio àqueles banquetes deliciosos e àquelas bebidas geladas como neve me parecia que estava entalado nas misérias da fome, porque não os desfrutava com a liberdade que desfrutaria se fossem meus: as obrigações pelas recompensas, pelos benefícios e mercês recebidos são ataduras que não deixam o espírito campear livre. Feliz daquele a quem o céu deu um pedaço de pão sem que tenha a obrigação de agradecê-lo a outro que não ao próprio céu.

— Apesar do que vossa mercê me disse, não fica bem que fique sem agradecimento de nossa parte duzentos escudos de ouro que o administrador do duque me deu num saquinho — disse Sancho. — Como um unguento fortificante, eu levo esse saquinho sobre o coração, para o que der e vier, pois nem sempre haveremos de achar castelos onde nos recebam bem, e talvez topemos com algumas estalagens onde nos desanquem.

Em conversas como essas e outras semelhantes, iam os andantes, cavaleiro e escudeiro, quando viram, tendo andado pouco mais de uma légua, que sobre a grama de um campinho verde, sobre suas capas, estavam comendo uns doze homens vestidos de camponeses. Perto tinham como que uns lençóis brancos que cobriam alguma coisa; estavam tesos e estendidos de tanto em tanto pelo terreno. Dom Quixote se aproximou dos comensais e, depois de cumprimentá-los cortesmente, perguntou o que aqueles lençóis cobriam. Um deles lhe respondeu:

— Senhor, embaixo desses lençóis estão umas imagens entalhadas em madeira que vão servir num retábulo que fazemos em nossa aldeia; nós as levamos cobertas para que não percam o lustre, e nos ombros, para que não se quebrem.

— Se permitirdes — respondeu dom Quixote —, gostaria de vê-las, pois imagens levadas com tanto cuidado devem ser boas sem dúvida.

— E como são! — disse outro. — Que o diga o preço: na verdade não há nenhuma que não custe menos que cinquenta ducados. Para que vossa mercê veja que não minto, espere e olhe com seus próprios olhos.

E, levantando-se, deixou de comer e foi tirar a cobertura da primeira imagem, que revelou ser a de são Jorge a cavalo, com a lança cravada na boca de uma serpente enroscada a seus pés, com a ferocidade com que se costuma pintar. Toda a imagem parecia uma brasa de ouro, como se diz. Vendo-a, dom Quixote disse:

— Este cavaleiro foi um dos melhores andantes que teve a milícia divina: chamou-se dom são Jorge. Além do mais, foi defensor de donzelas. Vamos ver esta outra.

O homem a descobriu: viu-se que era de são Martim

também a cavalo, que dividia a capa com o pobre.[1] Mal a tinha visto, dom Quixote disse:

— Este cavaleiro também foi dos aventureiros cristãos, e acho que foi mais generoso que valente, como podes ver aí, Sancho, rasgando a capa para dar a metade ao pobre. Sem dúvida devia ser inverno então, do contrário ele a teria dado toda, tão caritativo era.

— Não deve ter sido por isso — disse Sancho —, mas porque se ateve ao ditado que diz: para dar e para ter, muito siso se deve ter.

Dom Quixote riu e pediu que tirassem outro lençol, que revelou a imagem do padroeiro das Espanhas a cavalo, a espada ensanguentada, atropelando mouros e pisoteando cabeças. Vendo-a, dom Quixote disse:

— Este sim é cavaleiro, e das esquadras de Cristo: ele se chama dom são Diego Mata-Mouros, um dos mais valentes santos e cavaleiros que o mundo teve e agora tem o céu.

Logo levantaram outro lençol que revelou encobrir são Paulo caindo do cavalo, com todos os detalhes com que costumam descrever sua conversão no caminho de Damasco. Quando o viu, tão real que poderia se dizer que Cristo falava e Paulo respondia, disse:

— Este foi o maior inimigo que a Igreja de Deus Nosso Senhor teve em seu tempo e o maior defensor que ela jamais terá: cavaleiro andante em vida e pacato santo a pé na morte, trabalhador incansável nas vinhas do Senhor, doutor dos gentios,[2] a quem serviram de escolas os céus e de catedrático e mestre o próprio Jesus Cristo.[3]

Não havia mais imagens, assim dom Quixote mandou que as cobrissem de novo e disse aos que as levavam:

— Considero um bom presságio, meus irmãos, ter visto o que vi, porque esses santos e cavaleiros professaram o que eu professo, que é o exercício das armas. A diferença que há entre mim e eles é que eles foram santos e lutaram pelo divino e eu sou pecador e luto pelo humano. Eles conquistaram o céu com a força de seus braços, porque o céu suporta a violência,[4] e eu até agora não sei o que conquisto à força de minhas penas. Mas, se minha Dulcineia del Toboso escapasse das que padece, melhorando minha sorte e clareando meu espírito, poderia ser que meus passos se encaminhassem por melhor caminho do que trilho.

— Deus o ouça e o diabo seja surdo — disse Sancho nessa altura.

Os homens se admiraram tanto da figura como das palavras de dom Quixote, sem entender a metade do que elas queriam dizer. Terminaram de comer, pegaram suas imagens e, despedindo-se de dom Quixote, seguiram sua viagem.

Como se jamais tivesse visto seu senhor, Sancho ficou surpreso de novo com o que ele sabia, pensando que não devia haver história nem acontecimento no mundo que não tivesse cravado na memória e conhecesse como a palma da mão, e lhe disse:

— Na verdade, senhor nosso amo, se isto que houve hoje pode se chamar de aventura, ela foi uma das mais suaves e doces que nos aconteceu em todo o curso de nossa peregrinação: saímos dela sem pauladas e sem susto algum, nem empunhamos espadas, nem batemos a terra com os corpos, nem passamos fome. Bendito seja Deus, que me deixou ver isso com meus próprios olhos.

— Falas muito bem, Sancho — disse dom Quixote —, mas deves notar que nem todos os tempos são iguais, nem correm da mesma forma. E isso que o povo costuma chamar comumente de presságio, que não se funda sobre razão natural alguma, deve ser encarado e julgado como bons acontecimentos por quem é sensato. Um desses supersticiosos se levanta de manhã, sai de casa, topa com um frade da ordem do bem-aventurado são Francisco e, como se tivesse se encontrado com um grifo, vira as costas e volta para casa. Outro derrama sal na mesa, e em seu coração se derrama a melancolia, como se a natureza estivesse obrigada a dar pistas das desgraças vindouras com coisas tão triviais como essas. O cristão sensato não deve andar pisando em ovos com o que o céu quer fazer. Chega Cipião à África, tropeça ao saltar em terra, seus soldados tendo isso como mau agouro, mas ele, abraçando o chão, disse: "Não poderás me fugir, África, porque a tenho segura entre meus braços". Para mim então, Sancho, ter encontrado essas imagens foi um acontecimento muito feliz.

— Eu também acredito — respondeu Sancho. — Mas agora queria que vossa mercê me dissesse por que os espanhóis, quando querem entrar numa batalha, gritam invocando aquele são Diego Mata-Mouros: "Santiago, e cerra, Espanha!". Por acaso a Espanha está aberta e precisa ser fechada, ou que diabos é isso?

— És um tolo chapado, Sancho: cerrar é travar combate — respondeu dom Quixote. — Olha, Deus deu esse grande cavaleiro da cruz vermelha por padroeiro e amparo à Espanha, especialmente nos duros combates que os espanhóis travaram com os mouros. Então ele é invocado e chamado como defensor em todas as batalhas, na hora do ataque, e muitas vezes ele foi visto claramente nelas derrubando, atropelando, destruindo e matando os esquadrões muçulmanos. Sobre esse fato eu poderia te dar muitos exemplos que se contam nas histórias espanholas verídicas.

Mudando de assunto, Sancho disse a seu amo:

— Estou abismado, senhor, com o descaramento de Altisidora, a aia da duquesa: deve ter sido ferida violentamente pelo menino que chamam de "Amor", um que dizem que é ceguinho, por ser muito remelento ou, digamos melhor, sem vista. Mas, quando toma um coração por alvo, por menor que seja, ele o acerta e atravessa de fora a fora. Ouvi dizer também que as flechas amorosas perdem a ponta ou se embotam na timidez e no recato das donzelas, mas nessa Altisidora mais parece que se aguçam que se embotam.

— Repara, Sancho — disse dom Quixote —, que o amor não acata o respeito nem guarda os limites da razão em seu caminho, e tem a mesma índole da morte, que tanto ataca os altos palácios dos reis como as humildes choças dos pastores, e, quando toma posse total de uma alma, a primeira coisa que faz é tirar o temor e o recato dela. Assim, sem eles, Altisidora declarou seus desejos, que geraram em meu peito antes confusão que pena.

— Que tremenda crueldade! — disse Sancho. — Que ingratidão pavorosa! Eu garanto que, se fosse comigo, eu me renderia e me submeteria à menor palavra amorosa dela. Fiadaputa, que coração de mármore, que entranhas de bronze, que alma de argamassa! Mas não consigo imaginar o que é que essa donzela viu em vossa mercê que a deixasse tão dominada e submissa: que graça, que brio, que garbo, que rosto? Foi cada uma dessas coisas por si ou todas juntas que a fizeram se apaixonar? Porque a verdade verdadeira é que muitas vezes me paro a olhar vossa mercê da ponta do pé até o último fio de cabelo da cabeça e vejo muito mais coisas para espantar que para apaixonar. E como também ouvi dizer que a formosura é a primeira e a principal coisa que apaixona, não tendo vossa mercê nenhuma, não sei de que a pobre se apaixonou.

— Repara, Sancho — respondeu dom Quixote —, que há duas maneiras de formosura: uma da alma e outra do corpo. A da alma se mostra e brilha pela inteligência, pela honestidade, pelo bom comportamento, pela generosidade e a boa educação, e todas essas qualidades cabem e podem estar num homem feio, e quando se tem em vista esta formosura e não a do corpo, o amor costuma nascer com ímpeto e com vantagens. Sei muito bem que não sou formoso, Sancho, mas também sei que não sou disforme, e basta a um homem de bem não ser um monstro para ser amado, desde que tenha os dotes da alma que mencionei.

Distraídos nessas alegações e outras conversas, foram entrando por um mato que havia ao lado da estrada, e de repente, sem se dar conta, dom Quixote se achou embaraçado entre umas redes de fio verde que estavam estendidas entre umas árvores e outras; e, sem poder imaginar o que poderia ser aquilo, disse a Sancho:

— Olha, Sancho, parece-me que estas redes devem nos levar a uma das mais estranhas aventuras que se possa imaginar. Que me matem se os magos que me perseguem não querem me enredar nelas e cortar meu caminho, como vingança pelo rigor com que tratei Altisidora. Pois garanto a eles que mesmo que estas redes, feitas de fios verdes, fossem de diamantes duríssimos ou mais fortes que aquela com que o deus ciumento dos ferreiros enredou Vênus e Marte, eu as romperia como se fossem de juncos marinhos ou de fibras de algodão.

Repentinamente, quando quis seguir adiante e arrebentar tudo, surgiram a sua frente duas formosas pastoras, que saíram de entre umas árvores. Pelo menos estavam vestidas como pastoras, embora os abrigos e as saias não fossem de peles, mas de fino brocado, digo, as saias eram de tafetá com fios de ouro. Traziam os cabelos soltos nas costas, tão dourados que podiam competir com os raios do próprio sol, coroados com duas grinaldas de louros verdes trançados com amaranto vermelho. A idade, pelo visto, não era menos que quinze nem mais que dezoito.

Essa visão pasmou Sancho, surpreendeu dom Quixote, fez o sol parar em sua corrida para ver as donzelas e deixou todos os quatro num silêncio extraordinário. Por fim, quem primeiro falou foi uma das duas pastoras, que disse a dom Quixote:

— Detende o passo, senhor cavaleiro, e não rompais as redes, pois estão estendidas aí não para vos prejudicar mas para nosso passatempo. Como sei que haveis de nos perguntar para que foram postas e quem somos, quero vos dizer em rápidas palavras. Numa aldeia que fica a umas duas léguas daqui, onde há muita gente importante e muitos fidalgos e ricos, vários amigos e parentes combinaram que seus filhos, mulheres e filhas, vizinhos, amigos e parentes viéssemos nos divertir neste lugar, que é um dos mais agradáveis de toda esta região, criando assim uma nova e pastoril Arcádia, nós donzelas nos vestindo de pastoras e os rapazes de pastores. Estudamos duas églogas, uma do famoso poeta Garcilaso, e outra do excelentíssimo Camões em sua própria língua portuguesa, que até agora não representamos. Ontem foi o primeiro dia que chegamos aqui; temos amarradas nesses galhos algumas tendas, que, dizem, se chamam "de campanha", na margem de um riacho caudaloso que rega todos esses campos; a noite passada armamos essas redes nessas árvores para enganar os passarinhos ingênuos, que, acossados por nosso barulho, vieram dar nela. Se vos agradar, senhor, ser nosso hóspede, sereis recebido generosa e cortesmente, porque por ora não deve entrar neste lugar nem a aflição nem a melancolia.

Ela se calou e se manteve em silêncio. Dom Quixote respondeu:

— Sem dúvida, formosíssima senhora, Acteon não deve ter ficado mais surpreso nem admirado quando inesperadamente viu Diana banhar-se nas águas, como eu fiquei perplexo ao ver vossa beleza. Louvo o assunto de vossa diversão e agradeço vosso oferecimento, e se puder vos servir, com a certeza de serem obedecidas, podeis me ordenar o que quiserdes, porque não é outra minha profissão que me mostrar agradecido e benfeitor com todo tipo de gente, em especial de gente distinta como vossas pessoas aparentam ser. E se essas redes, que devem ocupar um pequeno espaço, ocupassem toda a esfericidade da terra, eu buscaria novos mundos para passar sem rasgá-las; e para que deis algum crédito a esse meu exagero, vede que quem vos promete é nada menos que dom Quixote de la Mancha, se é que há chegado a vossos ouvidos esse nome.

— Ai, amiga de minha alma — disse então a outra pastora —, que ventura tão grande nos aconteceu! Vês este senhor que aí está? Pois saibas que é o mais valente, o mais apaixonado e o mais cortês que há no mundo, se é que uma história de suas façanhas que foi impressa e eu li não mente e não nos engana. Eu aposto que este bom homem que vem com ele é um tal Sancho Pança, seu escudeiro, a cujas graças não há uma que se possa comparar.

— É verdade, eu sou esse escudeiro engraçado que vossa mercê diz — disse Sancho —, e este senhor é meu amo, o próprio dom Quixote de la Mancha, aludido e pintado nesse livro.

— Ai! — disse a outra. — Supliquemos, amiga, para que ele fique, pois nossos pais e nossos irmãos gostarão imenso disso. Também ouvi falar da coragem de um e das graças do outro o mesmo que tu falaste, e, mais que tudo, dizem do cavaleiro que é o mais inabalável e fiel apaixonado que se conhece, e que sua dama é uma tal Dulcineia del Toboso, a quem em toda a Espanha dão a palma da formosura.

— Com razão a dão — disse dom Quixote —, se agora não a põe em dúvida vossa beleza sem igual. Não vos canseis, senhoras, em deter-me, porque as obrigações precisas de minha profissão não me permitem repousar em parte alguma.

Nisso chegou ao lugar onde os quatro estavam um irmão de uma das pastoras, vestido também de pastor com riqueza e elegância semelhantes às delas; contaram a ele que a pessoa que estava ali era o valoroso dom Quixote de la Mancha, e o outro, seu escudeiro Sancho, de quem ele já tinha notícia por ter lido sua história. O garboso pastor ofereceu seus serviços a dom Quixote e lhe pediu que viesse com ele às suas tendas. Dom Quixote teve de concordar e, assim, o acompanhou. Nisso, chegaram os batedores e as redes se encheram de passarinhos que, enganados pela cor dos fios, caíram no perigo de que fugiam. Reuniram-se naquele lugar mais de trinta pessoas, todas vestidas elegantemente de pastores e pastoras, e num instante foram inteiradas de que ali estavam dom Quixote e seu escudeiro, notícia que receberam com não pouco prazer, porque já os conheciam por suas histórias. Foram para as tendas, encontraram as mesas postas, ricas, abundantes e limpas; honraram dom Quixote dando a ele o lugar mais importante nelas; todos o olhavam e todos se admiravam de vê-lo. Por fim, tiradas as mesas, com grande calma dom Quixote elevou a voz e disse:

— Entre os maiores pecados que os homens cometem, embora alguns digam que é a soberba, eu afirmo que é a ingratidão, baseando-me no que se costuma dizer: o inferno está cheio de ingratos. Procurei fugir desse pecado, na medida do possível, desde o instante em que tive uso da razão, e, quando não posso pagar as boas ações que me fazem com outras ações, ponho no lugar delas o desejo de fazê-las, e quando este não basta, eu as anuncio, porque quem conta e apregoa as boas ações que lhe fizeram, também as recompensaria com outras, se pudesse; porque, na maior parte das vezes, os que as recebem são inferiores aos que as fizeram, e assim é Deus acima de todos, porque é doador por excelência, e os homens não podem retribuir as dádivas de Deus em pé de igualdade, pela infinita distância, e a gratidão de certo modo supre essa limitação e insignificância. Então eu, agradecido à mercê que aqui me fizeram, não podendo retribuir na mesma medida, contendo-me nos estreitos limites de minha capacidade, ofereço o que posso e o que tenho ao meu alcance: digo que sustentarei com as armas, por dois dias, de sol a sol, no meio da estrada real que vai a Zaragoza, que estas donzelas disfarçadas de pastoras que aqui estão são as mais formosas e corteses que há no mundo, excetuando apenas a sem-par Dulcineia del Toboso, única senhora de meus pensamentos, o que afirmo sem ofensa às damas e aos cavaleiros que me escutam.

Ouvindo isso, Sancho, que o tinha escutado com grande atenção, com um bom brado disse:

— É possível que haja no mundo pessoas que se atrevam a dizer e a jurar que este meu senhor é louco? Digam vossas mercês, senhores pastores: há padre de aldeia, por mais estudioso e sábio que seja, que possa falar o que meu amo falou? E há cavaleiro andante, por mais fama que tenha de valente, que possa oferecer o que meu amo ofereceu aqui?

Dom Quixote se virou para Sancho e, com o rosto inflamado e colérico, disse:

— É possível, meu caro Sancho, que haja em todo o orbe alguma pessoa que diga que não és um tolo, forrado de tolice, com reforços de malícia e velhacaria? Quem manda te meter em minhas coisas e averiguar se sou sábio ou imbecil? Cala-te e não me respondas; vai encilhar Rocinante, se já não estiver encilhado: vamos botar em prática minha promessa. E, como a razão está do meu lado, podes dar por vencidos a todos quantos quiserem negá-la.

E com grande fúria e mostras de desgosto se levantou da cadeira, deixando os presentes pasmos, em dúvida se podiam considerá-lo louco ou sensato. Por fim — mesmo tendo-o esclarecido de que não era necessário se ater àquele compromisso, pois eles reconheciam sua boa vontade e não precisavam de novas demonstrações para conhecer seu espírito corajoso, porque bastavam as que se referiam na história de suas façanhas —, dom Quixote levou adiante sua intenção e, montado em Rocinante, com o escudo no braço e empunhando a lança, se pôs no meio da estrada real que não ficava longe daquele campo verde. Sancho o seguiu em seu burro, com todas as pessoas do grupo pastoril, ansiosas para ver no que ia dar sua arrogante e inaudita promessa.

Então, parado no meio da estrada, como se disse, dom Quixote feriu o ar com as seguintes palavras:

— Oh, vós, viajantes e transeuntes, cavaleiros, escudeiros, gente a pé ou a cavalo que passais por esta estrada ou haveis de passar nesses dois próximos dias, sabei que dom Quixote de la Mancha, cavaleiro andante, está aqui para defender que a todas as formosuras e cortesias do mundo excedem as que se encerram nas ninfas moradoras destes campos e matas, deixando à parte a senhora de minha alma Dulcineia del Toboso. Por isso, que venha aquele que for de opinião contrária, que aqui o espero.

Repetiu duas vezes essas mesmas palavras e duas vezes não foram ouvidas por nenhum desafiante. Mas a sorte, que ia encaminhando suas coisas cada vez melhor, ordenou que dali a pouco se avistasse pelo caminho uma multidão de homens a cavalo, e muitos deles com lanças nas mãos, galopando todos apinhados, em desordem e com grande pressa. Quando mal os tinham visto, os que estavam com dom Quixote, virando as costas, se afastaram para bem longe da estrada, porque perceberam que, se esperassem, podia lhes acontecer algum perigo: apenas dom Quixote, com coração intrépido, ficou quieto, e Sancho Pança se escudou com as ancas de Rocinante.

O tropel de lanceiros chegou, e um deles, que vinha mais à frente, começou a dizer a dom Quixote em altos brados:

— Sai do caminho, homem do diabo, que estes touros te farão em pedaços!

— Ei, seu canalha! — respondeu dom Quixote. — Eu lá me importo com touros, mesmo que sejam os mais bravos que o Jarama cria em suas margens?! Confessai, patifes: é tudo verdade o que anunciei aqui! E na hora, senão travareis batalha comigo.

O vaqueiro não teve chance de responder, nem dom Quixote a teve de se desviar, mesmo que quisesse — o tropel dos touros selvagens e dos mansos que os guiavam, com a multidão de vaqueiros e outras pessoas que os levavam para encerrar numa aldeia em que no dia seguinte haveria tourada, passaram por cima de dom Quixote e de Sancho, de Rocinante e do burro, atirando todos no chão, rolando. Sancho ficou moído, dom Quixote espantado, o burro machucado e Rocinante, não muito católico. Mas por fim todos se levantaram, e dom Quixote às pressas, tropeçando aqui e caindo ali, começou a correr atrás da tropa, dizendo aos gritos:

— Parai e esperai, corja de patifes! Um só cavaleiro vos desafia, um cavaleiro que não é da espécie nem da opinião dos que dizem que se deve fazer uma ponte de prata para o inimigo que foge!

Mas nem assim os apressados vaqueiros pararam, nem fizeram mais caso de suas ameaças que das nuvens de antigamente. Dom Quixote foi detido pelo cansaço e, mais irritado que vingado, se sentou na estrada, esperando que Sancho, Rocinante e o burro se aproximassem. Quando eles chegaram, amo e criado montaram e, sem se despedir de novo da Arcádia de imitação ou fingida, e com mais vergonha que gosto, seguiram seu caminho.

LIX

ONDE SE CONTA UM CASO EXTRAORDINÁRIO, QUE PODE SE CONSIDERAR AVENTURA, QUE ACONTECEU A DOM QUIXOTE

Da poeira e do cansaço que dom Quixote e Sancho ganharam da destemperança dos touros, socorreu-os uma fonte clara e limpa que acharam em meio a um arvoredo agradável. Sentaram-se na margem dela os maltratados amo e criado, deixando livres o burro e Rocinante, sem freio ou cabresto. Sancho acudiu às provisões de seus alforjes e pegou o que costumava chamar de boia; dom Quixote enxaguou a boca, lavou o rosto e então, com esse refrigério, seu espírito desalentado recobrou o ânimo. Mas dom Quixote não comia, por simples amargura, nem Sancho ousava tocar na comida que tinha diante de si, por simples polidez, e esperava que seu senhor desse a largada; vendo porém que, levado por seus devaneios, não se lembrava de levar o pão à boca, não abriu a sua e, atropelando todas as boas maneiras, começou a forrar o estômago de pão e queijo.

— Come, amigo Sancho — disse dom Quixote —, mantém a vida, que te importa mais que a mim, e me deixa morrer nas mãos de meus pensamentos e pelas forças de minhas desgraças. Eu nasci para viver morrendo, Sancho, e tu para morrer comendo. Para que vejas que te digo a verdade, considera meu caso: impresso em livros, famoso nas armas, cortês em minhas ações, respeitado por príncipes, cortejado por donzelas; mas, no fim das contas, quando esperava palmas, triunfos e coroas, conquistados e merecidos por minhas intrépidas façanhas, nesta manhã me vi pisoteado, humilhado e moído pelas patas de animais vis e imundos. Essa consideração me embota os dentes, paralisa-me os molares, tolhe-me as mãos e me tira de todo a vontade de comer, de modo que penso me deixar morrer de fome, a mais cruel de todas as mortes.

— Então — disse Sancho, sem deixar de mastigar apressado —, vossa mercê não aprova aquele ditado que diz: "Morra Marta, mas morra farta". Eu pelo menos não penso em me matar. Pelo contrário, penso fazer como o sapateiro, que estica o couro com os dentes até que o faz chegar aonde quer: vou esticar minha vida comendo até chegar ao fim que o céu tiver determinado. E saiba, senhor, que não há maior loucura que essa que leva a querer se suicidar como vossa mercê, e siga meu conselho: depois de comer, durma um pouco no colchão verde desta grama e verá, quando acordar, como vai se sentir mais aliviado.

Assim fez dom Quixote, achando que as alegações de Sancho eram mais de filósofo que de mentecapto, e lhe disse:

— Se tu, meu caro Sancho, quiseres fazer por mim o que vou te dizer agora, minhas aflições não seriam tão grandes e meu alívio seria mais certo. Olha, enquanto eu durmo, obedecendo aos teus conselhos, quem sabe tu te afastas um pouco daqui, deixas teu lombo ao ar livre e, com as rédeas de Rocinante, te dás uns trezentos ou quatrocentos açoites por conta dos três mil e tantos que deves dar pelo desencantamento de Dulcineia? Pois é um infortúnio nada pequeno que aquela pobre senhora esteja encantada por causa de teu descuido e negligência.

— Há muito que dizer sobre isso — disse Sancho. — Agora vamos dormir nós dois, e depois será o que Deus quiser. Saiba vossa mercê que isso de um homem se açoitar a sangue-frio é coisa bem desagradável, ainda mais se os açoites caem sobre um corpo malcuidado e pior alimentado. Tenha paciência minha senhora Dulcineia, porque, quando menos esperar, me verá feito um farrapo de tanto açoite. E se há vida, há esperança; quero dizer, enquanto eu estiver vivo, tenho esperança de cumprir o que prometi.

Dom Quixote agradeceu e comeu pouco, mas Sancho comeu muito; depois ambos trataram de dormir, deixando em total liberdade e a seu bel-prazer os dois inseparáveis amigos e companheiros, Rocinante e o burro, pastando a grama abundante daquele campo. Acordaram um tanto tarde, montaram de novo e seguiram seu caminho, apressando-se para chegar a uma estalagem que se avistava dali a talvez uma légua. Digo que era estalagem porque dom Quixote a chamou assim, ao contrário do costume que tinha de chamar as estalagens de castelos.

Quando chegaram, perguntaram ao hospedeiro se havia vaga; ele respondeu que sim, com todo o conforto e comodidade que poderia se encontrar em Zaragoza. Apearam, e Sancho guardou suas provisões num aposento de que o hospedeiro tinha dado a chave, depois levou os animais à estrebaria, deu a ração deles e saiu para ver o que dom Quixote, que estava sentado num banco de pedra perto da porta, lhe ordenava, dando graças particulares ao céu por seu amo não ter confundido a estalagem com um castelo.

Chegando a hora do jantar, recolheram-se ao quarto; Sancho perguntou ao hospedeiro o que havia para comer e ele respondeu que sua boca seria a medida — assim sendo, pedisse o que quisesse, porque a estalagem estava provida de tudo: passarinhos do ar, aves da terra e peixes do mar.

— Não precisa tanto — respondeu Sancho —, pois com uns dois frangos assados teremos o suficiente, porque meu senhor é delicado e come pouco, e eu não sou esganado demais.

O hospedeiro respondeu que não tinha frangos, porque os falcões tinham acabado com eles.

— Então, senhor hospedeiro — disse Sancho —, mande assar uma franga bem macia.

— Franga? Minha nossa! — respondeu o hospedeiro. — Para dizer a verdade, ontem mesmo enviei mais de cinquenta à cidade para vender. Mas, fora frangas, vossa mercê pode pedir o que quiser.

— Então — disse Sancho — deve ter vitela ou cabrito.

— Por ora estamos em falta — respondeu o hospedeiro —, porque acabaram, mas na semana que vem haverá de sobra.

— Estamos bem arrumados! — respondeu Sancho. — Mas aposto que todas essas faltas vão se tornar sobras de ovos e toucinho.

— Por Deus — respondeu o hospedeiro —, que senso de humor tem meu hóspede! Pois se lhe disse que não tenho frangas nem galinhas, como quer que tenha ovos?! Se quiser, peça qualquer outro petisco, mas não me venha com iguarias!

— Com os diabos, acabemos com isso! — disse Sancho. — Diga-me logo o que tem e deixe de conversa fiada, meu senhor.

O hospedeiro disse:

— O que eu tenho para valer mesmo são duas patas de vaca que parecem mãos de vitela, ou duas mãos de vitela que parecem patas de vaca; foram cozidas com grãos-de-bico, cebola e toucinho, e agora estão lá dizendo: "Comei-me, comei-me!".

— Estão no papo — disse Sancho. — Ninguém toque nelas, que pagarei mais que qualquer um, pois eu não poderia esperar nada de que gosto mais, e para mim tanto faz que sejam mãos ou patas.

— Ninguém as tocará — disse o hospedeiro —, porque meus outros hóspedes, de tão importantes, trazem consigo cozinheiro, despenseiro e mantimentos.

— Importante por importante — disse Sancho —, nenhum é mais que meu amo; mas o ofício dele não permite despensas nem adegas: nós nos estendemos no meio do campo e nos fartamos de bolotas ou nêsperas.

Essa foi toda a conversa que Sancho teve com o dono da estalagem, porque Sancho não quis seguir adiante e responder a ele, que já havia perguntado que ofício ou que profissão era o de seu amo.

Enfim chegou a hora de jantar. Dom Quixote se recolheu ao seu quarto e — quando o hospedeiro trouxe a panela, do jeito que estava — se sentou muito compenetrado para comer. Mas então parece que ouviu dizer no quarto ao lado, separado apenas por um tabique fino:

— Por vossa vida, senhor dom Jerônimo, enquanto não nos trazem o jantar, vamos ler outro capítulo da segunda parte de *Dom Quixote de la Mancha*.[1]

Apenas ouviu seu nome, dom Quixote se pôs de pé e, com os ouvidos alertas, escutou o que diziam dele; o tal dom Jerônimo respondeu:

— A troco de que quer vossa mercê, senhor dom Juan, que leiamos esses disparates? Não é possível que ninguém que tenha lido a primeira parte da história de dom Quixote de la Mancha possa ter prazer em ler essa segunda.

— Mesmo assim — disse dom Juan —, vale a pena lê-la, pois não há livro tão ruim que não tenha alguma coisa boa. O que mais me desagrada neste é que pinta dom Quixote já desapaixonado de Dulcineia del Toboso.

Ouvindo isso, dom Quixote, cheio de raiva e de despeito, ergueu a voz e disse:

— Eu farei entender, com armas iguais, que anda muito longe da verdade qualquer um que disser que dom Quixote de la Mancha esqueceu ou pode esquecer Dulcineia del Toboso; porque a sem-par Dulcineia del Toboso nem pode ser esquecida nem esquecimento pode caber em dom Quixote: sua divisa é a constância e sua profissão, mantê-la com suavidade e sem ressalvas.

— Quem é que nos responde? — responderam do outro quarto.

— Quem pode ser — respondeu Sancho — senão o próprio dom Quixote de la Mancha? Ele sustentará tudo o que disse e também o que disser, pois a bom pagador as penhoras não doem.

Mal Sancho disse isso, entraram pela porta do quarto dois cavaleiros — pois é o que pareciam —, e um deles, abraçando dom Quixote pelo pescoço, disse:

— Nem vossa aparência pode desmentir vosso nome, nem vosso nome deixa de confirmar vossa aparência: sem dúvida, senhor, sois o verdadeiro dom Quixote de la Mancha, norte e farol da cavalaria andante, apesar e a despeito desse que quis usurpar vosso nome e aniquilar vossas façanhas, como o fez o autor deste livro que aqui vos entrego.

E pôs nas mãos dele um livro que seu companheiro trazia; dom Quixote o segurou e, sem responder uma palavra, começou a folheá-lo, e dali a pouco se virou, dizendo:

— No pouco que vi, achei três coisas neste autor dignas de censura. A primeira são algumas palavras que li no prólogo; outra é a linguagem aragonesa, porque escreve sem artigos; e a terceira, a que mais confirma sua ignorância, é que erra e se afasta da verdade numa coisa importante da história, porque aqui diz que a mulher de Sancho Pança, meu escudeiro, se chama Mari Gutiérrez, e ela não se chama assim, mas Teresa Pança.[2] Se ele erra em parte tão importante, pode-se temer que erre em todas as outras da história.

A isso, Sancho disse:

— Que boa bisca esse historiador! Com certeza ele deve saber tudo de nossas aventuras, pois chama minha mulher Teresa Pança de Mari Gutiérrez! Pegue o livro de novo, senhor, e olhe se eu ando por aí e se me mudaram o nome.

— Pelo que ouvi dizer, meu amigo — disse dom Jerônimo —, sem dúvida deveis ser Sancho Pança, o escudeiro do senhor dom Quixote.

— Sou eu mesmo — respondeu Sancho —, do que muito me orgulho.

— Para dizer a verdade — disse o cavaleiro —, esse novo autor não vos trata com a decência que se nota em vossa pessoa: pinta-vos como esganado, tolo e um tanto ganancioso, e muito diferente do Sancho que se descreve na primeira parte da história de vosso amo.

— Que Deus o perdoe — disse Sancho. — Devia ter me deixado em meu canto, sem se lembrar de mim, porque quem pode pode, quem não pode se sacode, e cada macaco no seu galho.

Os dois cavaleiros pediram a dom Quixote que passasse a seu quarto, para jantar com eles, porque sabiam muito bem que naquela estalagem não havia coisas dignas de sua pessoa. Dom Quixote, sempre cortês, aceitou o convite e jantou com eles. Com poder de vida e morte sobre a panela, Sancho sentou-se à cabeceira da mesa, e com ele o hospedeiro, que não menos que Sancho era um grande admirador de mãos ou patas.

Durante o jantar, dom Juan perguntou a dom Quixote que notícias tinha da senhora Dulcineia del Toboso: se havia se casado, se tinha parido ou se estava grávida ou se, estando ainda donzela, se lembrava das intenções amorosas do senhor dom Quixote, sem deixar de lado seus pudores e bom decoro. Ao que ele respondeu:

— Dulcineia ainda é donzela e minhas intenções, mais firmes que nunca; nossa correspondência, escassa como sempre; sua formosura, transformada numa vil camponesa.

Em seguida foi contando tintim por tintim o encantamento da senhora Dulcineia e o que lhe acontecera na caverna de Montesinos, com a ordem que o sábio Merlin havia lhe dado para desencantá-la, que foi a dos açoites de Sancho.

Foi extremo o prazer com que os dois cavaleiros ouviram dom Quixote contar as estranhas peripécias de sua história, e ficaram pasmos tanto por seus disparates como pelo modo elegante com que os contava. Num instante o consideravam ajuizado e noutro, mentecapto, sem saber determinar em que ponto ficava entre a sensatez e a loucura.

Sancho acabou de jantar e, deixando o hospedeiro encharcado de vinho, foi para o quarto onde estava seu amo. Ao entrar, disse:

— Que me matem, senhores, se o autor desse livro que vossas mercês têm não quer ficar mal comigo: já que me chama de comilão, como disseram, gostaria que ao menos não me chamasse também de beberrão.

— Chama, sim — disse dom Jerônimo —, mas não me lembro bem de que jeito. Agora, sei que foi com palavras grosseiras, além de mentirosas, pelo que posso ver na fisionomia do bom Sancho, aqui presente.

— Vossas mercês podem crer — disse Sancho — que o Sancho e o dom Quixote dessa história não devem ser os mesmos que andam naquela escrita por Cide Hamete Benengeli, que somos nós: meu amo, valente, sábio e apaixonado, e eu, um tolo engraçado, nem comilão nem beberrão.

— Acredito, sim — disse dom Juan. — Olhe, se fosse possível, devia-se mandar que ninguém tivesse a ousadia de tratar das coisas do grande dom Quixote, a não ser Cide Hamete, seu primeiro autor, como Alexandre mandou que ninguém tivesse a audácia de retratá-lo, exceto Apeles.

— Que me retrate quem quiser — disse dom Quixote —, mas não me maltrate, porque muitas vezes a paciência costuma acabar quando a sobrecarregam de injúrias.

— Nenhuma — disse dom Juan — pode ser feita ao senhor dom Quixote de que ele não possa se vingar, se não a detiver no escudo de sua paciência, que em minha opinião é grande e forte.

Em conversas assim se passou grande parte da noite, e, embora dom Juan quisesse que dom Quixote lesse mais um pouco o livro, para ver como se saía, não puderam convencê-lo. Ele disse que o dava por lido e o confirmava como completamente estúpido, sem falar que não queria que o autor, se por acaso lhe chegasse ao conhecimento que o havia tido em mãos, se alegrasse pensando que o tinha lido, pois o pensamento deve se afastar das coisas obscenas e obtusas, quanto mais os olhos.

Perguntaram a dom Quixote qual o destino de sua viagem. Respondeu que Zaragoza, para participar das justas do arnês, que costumam se fazer todos os anos. Dom Juan lhe disse que aquele livro novo contava como dom Quixote, fosse ele quem fosse, havia estado lá num torneio, num episódio sem imaginação, pobre de divisas, pobríssimo de trajes, mas rico de tolices.

— Por isso mesmo não porei os pés em Zaragoza — respondeu dom Quixote — e assim mostrarei ao mundo a mentira desse historiador moderno, e as pessoas poderão ver como eu não sou o dom Quixote de que ele fala.

— Faz muito bem — disse dom Juan. — Depois, há outras justas em Barcelona onde o senhor dom Quixote poderá mostrar seu valor.

— É o que penso fazer — disse dom Quixote. — Mas agora me deem licença vossas mercês, pois já é hora de ir para a cama, e me tenham na conta de um de seus maiores amigos e servidores.

— E a mim também — disse Sancho. — Talvez eu sirva para alguma coisa.

Com isso se despediram, e dom Quixote e Sancho se retiraram para seu quarto, deixando dom Juan e dom Jerônimo admirados com a mistura feita de sensatez e loucura, e acreditaram realmente que eles eram os verdadeiros dom Quixote e Sancho, e não os que o autor aragonês descrevia.

Dom Quixote madrugou e, dando batidas no tabique que o separava do outro quarto, se despediu de seus ocupantes. Sancho pagou magnificamente o hospedeiro e o aconselhou a elogiar menos a despensa de seu estabelecimento ou a mantê-la mais farta.

LX

DO QUE ACONTECEU A DOM QUIXOTE A CAMINHO DE BARCELONA

Era fresca a manhã, dando sinais de que o dia também o seria, em que dom Quixote saiu da estalagem, informando-se primeiro qual era o caminho mais curto para Barcelona sem passar por Zaragoza — tamanho era o desejo que tinha de desmentir aquele historiador novo que, diziam, tanto o ofendia.

Em mais de seis dias não lhe aconteceu coisa alguma digna de nota, mas ao fim deles, saindo da estrada, a noite alcançou dom Quixote entre umas frondosas azinheiras ou sobreiros, pois nisso Cide Hamete não é tão minucioso como costuma ser em outras coisas.

Amo e criado desmontaram, acomodando-se entre os troncos das árvores. Sancho, que havia comido bem naquele dia, se deixou entrar de roldão pelas portas do sono. Mas dom Quixote, a quem suas fantasias deixavam muito mais insone que a fome, não conseguia pregar os olhos. Pelo contrário, em pensamento ia e vinha por mil lugares diferentes — num instante, parecia se encontrar na caverna de Montesinos, em seguida via pular e montar em sua mulinha a Dulcineia transformada em camponesa, depois lhe soavam nos ouvidos as palavras do sábio Merlin que lhe referiam as condições e diligências necessárias para o desencantamento da amada. Desesperava-se ao ver a preguiça e a falta de caridade de Sancho, seu escudeiro, pois achava que havia se aplicado apenas cinco açoites, número desproporcional e pequeno para a infinidade que faltava. Isso o deixou tão aflito e irritado que fez este discurso:

— Se Alexandre Magno cortou o nó górdio, dizendo que "cortar vale tanto quanto desatar", e nem por isso deixou de ser o senhor universal de toda a Ásia, nem mais nem menos poderia acontecer agora no desencantamento de Dulcineia, se eu açoitasse Sancho mesmo contra a vontade dele. Se a condição desse reparo está em que Sancho receba os três mil e tantos açoites, que me importa que ele ou outro os dê? O essencial é que ele os receba, venham de onde vierem.

Com esse pensamento se aproximou de Sancho, tendo antes pegado as rédeas de Rocinante e as ajeitado de forma que pudesse açoitá-lo com elas. Começou então a soltar as tiras que sustentavam os calções — embora se acredite que não havia mais que uma laçada na frente —, mas, mal começara, Sancho acordou bem acordado e disse:

— O que é isso? Quem me toca e me desamarra?

— Sou eu — respondeu dom Quixote —, que venho suprir teus descuidos e remediar minhas penas: venho te açoitar, Sancho, e abater em parte a dívida que assumiste. Dulcineia perece, tu vives despreocupado, eu morro de desejo; então, baixa os calções por tua própria vontade, que a minha é te dar pelo menos dois mil açoites neste ermo.

— Isso não — disse Sancho. — Vossa mercê fique parado aí, senão, pelo Deus verdadeiro, até os surdos vão nos ouvir. Os açoites a que me obriguei devem ser voluntários, nunca à força, e agora não tenho vontade de me açoitar: basta que eu dê a vossa mercê minha palavra de me dar uma boa sova ou pelo menos uns tapas quando me der vontade.

— Não dá para deixar a tua boa vontade, Sancho — disse dom Quixote —, porque és duro de coração, mas, apesar de camponês, mole de carnes.

Enquanto isso, lutava para desamarrar as tiras. Mas então Sancho se levantou e, avançando contra seu amo, se agarrou nele num abraço de urso e, dando-lhe uma rasteira, deu com ele de costas no chão, botou-lhe o joelho direito sobre o peito e lhe segurou as mãos, de modo que nem o deixava se mexer nem respirar. Dom Quixote dizia:

— Como, traidor?! Então te rebelas contra teu amo e senhor natural? Mordes a mão que dá teu pão?

— Não faço rei nem derrubo rei — respondeu Sancho —, apenas ajudo a mim mesmo, que sou meu senhor.[1] Vossa mercê me prometa que ficará quieto e não tentará me açoitar por ora, que eu o deixarei livre e desembaraçado. Do contrário,

aqui morrerás, traidor,
inimigo de dona Sancha.[2]

Dom Quixote prometeu, jurando pelo que havia de mais sagrado que não tocaria num fiapo de sua roupa e deixaria que se açoitasse quando quisesse, por sua livre e espontânea vontade.

Sancho se levantou e se afastou um bom tanto, indo se escorar em outra árvore. Sentiu então que lhe tocavam na cabeça e, levantando as mãos, topou com dois pés de gente, com sapatos e calças. Tremeu de medo e fugiu para outra árvore, mas lhe aconteceu a mesma coisa. Gritou chamando dom Quixote para que o socorresse. Assim fez dom Quixote e perguntou a ele o que havia acontecido e de que tinha medo. Sancho respondeu que todas aquelas árvores estavam cheias de pernas e de pés humanos. Dom Quixote saiu apalpando e logo se deu conta do que podia ser, e disse a Sancho:

— Não tens do que ter medo, porque estes pés e pernas que sentes mas não vês sem dúvida são de alguns foragidos e bandoleiros que foram enforcados nessas árvores. A justiça costuma enforcá-los por aqui, quando os pega, de vinte em vinte ou de trinta em trinta. Isso é sinal de que devo estar perto de Barcelona.

Era verdade o que ele havia pensado.

Na hora da partida, levantaram os olhos e viram os frutos daquelas árvores: cachos e cachos de bandoleiros. Já amanhecia, então, e, se os mortos os tinham assustado, não menos os preocuparam mais de quarenta bandoleiros vivos que de repente os rodearam, dizendo-lhes em língua catalã que ficassem parados e calados, até que chegasse seu capitão.

Dom Quixote se encontrava a pé, o cavalo sem freio, a lança escorada numa árvore, enfim, sem defesa alguma, de modo que achou por bem cruzar os braços e inclinar a cabeça, à espera de uma melhor situação.

Os bandoleiros passaram o burro a pente-fino e não deixaram coisa alguma de quantas ele trazia nos alforjes e no resto da bagagem. Por sorte, Sancho tinha uma faixa cingida na cintura com os escudos do duque e os que trouxera de sua terra; mas, mesmo assim, aquela boa gente o teria limpado e examinado até o que houvesse escondido entre o couro e a carne se naquele momento não tivesse chegado seu capitão, que aparentava ter uns trinta e quatro anos, era forte, com estatura mais que mediana, olhar sério e pele morena. Vinha montado num cavalo poderoso, vestido com uma cota de aço e com quatro pistolas no cinto (conhecidas como pedernais naquela terra). Viu que seus escudeiros, que assim chamam os que andam naquele ofício, iam despojar Sancho Pança; ordenou que não o fizessem, e foi obedecido na hora, de modo que os ducados escaparam. Ele se admirou ao ver a lança escorada na árvore, o escudo no chão, e dom Quixote de armadura e pensativo, a mais triste e melancólica figura que a tristeza em pessoa poderia conceber. Aproximando-se dele, disse:

— Não ficai tão triste, bom homem, porque não caístes nas mãos de algum cruel Osíris, mas nas de Roque Guinart, que são mais compassivas que implacáveis.[3]

— Não estou triste — respondeu dom Quixote — por ter caído em teu poder, corajoso Roque, cuja fama não há na terra limites que a encerrem, mas por haver sido tamanho o meu descuido que teus soldados me pegaram de mãos abanando, quando sou obrigado, pela ordem da cavalaria andante que professo, a viver sempre alerta, sendo a qualquer hora sentinela de mim mesmo, porque te garanto, grande Roque, que, se tivessem me achado sobre meu cavalo, com minha lança e com meu escudo, não seria muito fácil para eles me render, pois eu sou dom Quixote de la Mancha, aquele cujas façanhas retumbam por todo o orbe.

Roque Guinart percebeu logo que a doença de dom Quixote tinha mais a ver com loucura que com valentia. Embora tivesse ouvido falar dele algumas vezes, nunca considerara seus feitos verdadeiros, nem conseguira se convencer de que semelhante disposição reinasse no coração de um homem — por isso gostou muito de tê-lo encontrado para sentir de perto o que ouvira de longe, e então disse a ele:

— Valoroso cavaleiro, não vos indigneis nem tenhais por sina nefasta esta em que vos encontrais, pois poderia ser que nesses tropeços vossa sorte torta se endireitasse: pois o céu, por caminhos estranhos e inauditos, jamais imaginados pelos homens, costuma levantar os caídos e enriquecer os pobres.

Dom Quixote já ia agradecer quando ouviram um barulho às costas, como um tropel de cavalos; mas era apenas um, a todo galope, montado por um rapaz de uns vinte anos, pelo que se via, vestido de damasco verde, com alamares de ouro, calções e capa aberta, com chapéu de banda com plumas à valona, botas enceradas e justas, esporas, adaga e espada douradas, uma escopeta pequena nas mãos e duas pistolas no cinto. Ao ouvir o barulho, Roque virou a cabeça e viu essa formosa figura, que, aproximando-se dele, disse:

— Vinha a tua procura, valoroso Roque, para encontrar em ti, se não remédio, pelo menos alívio para minha desgraça. E, para não te deixar desnorteado, porque sei que não me reconheceste, quero te dizer quem sou: eu sou Cláudia Jerônima, filha de Simón Forte, teu amigo do peito e inimigo particular de Clauquel Torrellas, também teu inimigo, por pertencer a bando concorrente, e já sabes que esse Torrellas tem um filho que se chama dom Vicente Torrellas, ou pelo menos se chamava há duas horas. Então, para encurtar a história de minha desventura, em rápidas palavras te direi o que esse rapaz me causou: ele me viu, cortejou-me, escutei-o, apaixonei-me, às escondidas de meu pai, porque não há mulher, por mais recolhida que esteja e mais recatada que seja, a quem não sobre tempo para alcançar e cumprir seus desejos descabelados. Enfim, ele prometeu ser meu esposo e eu dei a palavra de ser sua, mas sem irmos mais longe. Soube ontem que, esquecido do que me devia, se casava com outra, e que a cerimônia ia ser esta manhã, notícia que me obscureceu o entendimento e acabou com minha paciência. Como meu pai não está na vila, tive a oportunidade de me pôr no traje que vês e, apressando o passo do cavalo, alcancei dom Vicente perto de uma légua daqui e, sem perder tempo com queixas e desculpas, disparei contra ele esta escopeta e, de quebra, estas duas pistolas. Acho que lhe acertei mais de duas balas no corpo, abrindo portas por onde minha honra saísse coberta de sangue. Ali o deixei entre seus criados, que não ousaram nem puderam defendê-lo. Venho a tua procura para que me passes para a França, onde tenho parentes com quem posso viver, e te implorar também que defendas meu pai, para que os inúmeros parentes de dom Vicente não se atrevam a encetar uma vingança desmedida contra ele.

Roque, pasmo com a coragem, graça, bom porte e com a história da formosa Cláudia, disse:

— Vem, senhora, vamos ver se teu inimigo morreu e então veremos o que é melhor para ti.

Dom Quixote, que estava escutando atentamente o que Cláudia havia dito e o que Roque Guinart respondera, disse:

— Ninguém precisa se dar ao trabalho de defender esta senhora, pois eu me encarrego dela: devolvam meu cavalo e minhas armas e me esperem aqui, que eu irei buscar esse cavaleiro e o farei cumprir a palavra prometida a tamanha beleza, vivo ou morto.

— Não tenham dúvida — disse Sancho —, porque meu senhor tem mão muito boa como casamenteiro. Não faz muitos dias, obrigou a casar outro que também negava sua palavra a outra donzela; e, se não fosse porque os magos que o perseguem tivessem mudado a aparência do rapaz na de um lacaio, nessas alturas a donzela já teria deixado de sê-lo.

Roque, que dava mais atenção à história da formosa Cláudia que às palavras do amo e do criado, não as ouviu e, mandando seus escudeiros devolverem a Sancho tudo quanto haviam tirado do burro, disse também que se retirassem para onde haviam se alojado naquela noite e depois partiu às pressas com Cláudia em busca do ferido ou morto dom Vicente. Eles chegaram ao lugar onde Cláudia o tinha encontrado e lá não acharam nada além de sangue fresco. Mas, espichando a vista para todos os lados, divisaram na subida de uma encosta umas pessoas e se convenceram de que deviam ser dom Vicente e seus criados, que o levavam vivo ou morto para tratar dele ou para enterrá-lo. Era verdade. Apressaram-se para alcançá-los, o que fizeram com facilidade, pois o cortejo ia devagar; encontraram dom Vicente nos braços de seus criados, a quem com voz cansada e fraca implorava que o deixassem morrer, porque a dor das feridas não consentia que aguentasse mais tempo.

Cláudia e Roque saltaram dos cavalos e se aproximaram. Os criados temeram a presença de Roque, e Cláudia se perturbou com a de dom Vicente. Então, entre severa e enternecida, achegou-se e disse, segurando as mãos dele:

— Se tivesses me dado estas mãos conforme nosso pacto, nunca te verias nestes apuros.

O cavaleiro ferido abriu os olhos semicerrados e, reconhecendo Cláudia, disse:

— Agora vejo, formosa e iludida senhora, que foste tu quem me matou, pena nem merecida nem necessária, pois jamais quis ou soube ofender-te, nem por atos nem por intenção.

— Então não é verdade — disse Cláudia — que esta manhã ias se casar com Leonora, a filha do rico Balvastro?

— Não, com certeza — respondeu dom Vicente. — Minha má sorte deve ter te levado essas notícias para que, ciumenta, me tirasses a vida. Mas, deixando-a em tuas mãos e em teus braços, considero meu destino venturoso. E, para te assegurar dessa verdade, aperta minha mão e me recebe por esposo, se quiseres, que não tenho satisfação maior que reparar a ofensa que pensas que te fiz.

Cláudia apertou a mão dele, e apertou-se o coração dela, de modo que ficou desmaiada sobre o sangue e o peito de dom Vicente, e ele foi tomado de um espasmo mortal. Roque estava confuso, não sabia o que fazer. Os criados correram a buscar água e borrifaram os rostos dos apaixonados. Cláudia voltou a si do desmaio, mas não dom Vicente de seu espasmo, porque a vida dele findou. Vendo isso, e compreendendo que seu doce esposo não vivia mais, Cláudia rompeu os ares com gemidos, feriu os céus com queixas, maltratou seus cabelos, entregando-os ao vento, enfeou seu rosto com suas próprias mãos, com todas as mostras de dor e sentimento que se pode imaginar num coração ferido.

— Oh, mulher cruel e imprudente — dizia —, com que facilidade trataste de pôr em execução pensamento tão mau! Oh, força raivosa dos ciúmes, a que desenlace desesperado conduzis quem vos dá acolhida em seu peito! Oh, meu esposo, cujo destino desgraçado, por ser obra minha, te levou do leito à sepultura!

Essas queixas de Cláudia eram tão tristes que arrancaram lágrimas dos olhos de Roque, desacostumados de vertê-las em qualquer situação. Os criados choravam, Cláudia perdia os sentidos a cada instante, e aquele lugar todo parecia campo de tristeza e desgraça. Por fim, Roque Guinart ordenou aos criados de dom Vicente que levassem o corpo à vila de seu pai, que ficava perto dali, para que lhe dessem sepultura. Cláudia disse a Roque que queria ir a um mosteiro onde uma tia sua era abadessa, onde pensava terminar seus dias, acompanhada por outro esposo melhor e eterno. Roque elogiou sua boa decisão, oferecendo-se para acompanhá-la até onde quisesse e a defender seu pai dos parentes do morto e de todo mundo, se quisessem ofendê-lo. Cláudia não quis de modo algum sua companhia e, agradecendo suas ofertas com as melhores palavras que encontrou, se despediu dele chorando. Os criados levaram o corpo de dom Vicente, e Roque voltou para seus companheiros — e assim acabaram os amores de Cláudia Jerônima. Mas não é de estranhar, se a trama de sua lamentável história foi tecida pelas forças impiedosas e invencíveis dos ciúmes.

Roque Guinart encontrou seus escudeiros no lugar que ordenara, e dom Quixote entre eles, montado em Rocinante, fazendo uma preleção em que tentava persuadi-los a deixar aquele modo de viver tão perigoso para a alma como para o corpo. Mas, como quase todos eram gascões, gente rústica e desordeira, a conversa de dom Quixote não caía nada bem. Mal chegou, Roque perguntou a Sancho Pança se tinham lhe devolvido as joias e demais preciosidades que os seus tinham tirado do burro. Sancho respondeu que sim, mas que faltavam três toucas que valiam três cidades.

— O que é que dizes, homem? — disse um dos presentes. — Eu as tenho e não valem três reais.

— É verdade — disse dom Quixote —, mas meu escudeiro gosta tanto delas por causa da pessoa que as deu a mim.

Roque Guinart mandou devolvê-las na hora e, pondo seus homens em fila, disse para trazerem e botarem diante deles todos os trajes, joias, moedas e tudo mais que tinham roubado desde a última divisão; e, calculando rapidamente o valor, afastando o que não podia ser dividido e substituindo-o por dinheiro, distribuiu tudo entre seus companheiros, com tanta lisura e prudência, sem dar um tostão a mais ou a menos, que se pode dizer que seguiu à risca a justiça distributiva. Feito isso, com o que todos ficaram alegres, satisfeitos e pagos, Roque disse a dom Quixote:

— Se eu não agisse com esta correção, não se poderia viver com eles.

Ao que Sancho disse:

— Pelo que vi, a justiça é uma coisa tão boa que é necessária mesmo entre ladrões.

Ouvindo-o, um escudeiro levantou a culatra de um arcabuz, com que sem dúvida abriria a cabeça de Sancho se Roque Guinart não o mandasse parar. Sancho ficou pasmo e decidiu não abrir mais a boca enquanto estivesse com aquela gente.

Nisso chegou um dos escudeiros que estava de sentinela nas estradas para ver as pessoas que passavam e avisar o chefe sobre o que acontecia, que disse:

— Senhor, não muito longe daqui, pela estrada que leva a Barcelona, vem um grupo grande de pessoas.

Ao que Roque respondeu:

— Conseguistes ver se são das que andam atrás de nós ou das que nós andamos atrás?

— Das que nós andamos atrás — o escudeiro respondeu.

— Então saí todos — Roque respondeu — e trazei-me todas logo, sem que nenhuma vos escape.

Eles obedeceram, e dom Quixote, Sancho e Roque ficaram sozinhos, aguardando para ver o que os escudeiros traziam. Enquanto isso Roque disse a dom Quixote:

— Nossa maneira de vida deve parecer nova ao senhor dom Quixote: novas aventuras, novas façanhas, e todas perigosas; e não me admira que assim lhe pareça, porque, eu confesso, realmente não há modo de viver mais preocupado nem mais cheio de sobressaltos que o nosso. Meti-me nele não sei por quais desejos de vingança, que têm força para perturbar os espíritos mais sossegados. Sou por natureza compassivo e bem-intencionado, mas, como já disse, por causa do desejo de me vingar de uma ofensa que me fizeram, que botou abaixo todo o meu bom temperamento, persisto neste estado, a despeito e apesar do que penso. E, como um abismo chama outro e um pecado, outro pecado,[4] as vinganças foram se encadeando de maneira que agora me encarrego não apenas das minhas, mas das alheias também. Mas, se Deus quiser, mesmo eu estando no meio do labirinto de minhas confusões, não perco a esperança de sair dele e chegar a porto seguro.

Dom Quixote ficou surpreso ao ouvir de Roque palavras tão claras e sensatas, porque ele pensava que entre os que exerciam ofícios como roubar, matar e saquear não podia haver quem pudesse pensar direito, e respondeu:

— Senhor Roque, o início da saúde está em conhecer a doença e no desejo do doente de tomar os remédios que o médico receita. Vossa mercê está doente, conhece seu mal, e o céu, ou Deus, digamos melhor, que é nosso médico, lhe aplicará os remédios que o vão curar, que costumam curar pouco a pouco, não de repente e por milagre. E digo mais, os pecadores inteligentes estão mais perto de se emendar que os tolos; e, como vossa mercê mostrou em suas palavras sua sensatez, só é preciso ter coragem e esperar a melhora da doença de sua consciência. E, se vossa mercê quiser poupar caminho e pôr-se com facilidade no de sua salvação, venha comigo, que eu lhe ensinarei a ser cavaleiro andante, ofício em que passamos tanto trabalho e desventuras que, tomando-os por penitência, num piscar de olhos o levarão ao céu.

Roque riu do conselho de dom Quixote, a quem, mudando de assunto, contou a trágica aventura de Cláudia Jerônima, o que afligiu Sancho ao extremo, pois havia sido tocado pela beleza, pelo desembaraço e pela coragem da moça.

Nisso chegaram os escudeiros de sua captura, trazendo consigo dois cavaleiros montados e dois peregrinos a pé, e uma carruagem de mulheres acompanhada por uns seis criados a pé e a cavalo, com outros dois condutores de mulas que os cavaleiros traziam. Estavam rodeados pelos escudeiros, e vencidos e vencedores se mantinham no maior silêncio, esperando que o grande Roque Guinart falasse; ele perguntou aos cavaleiros quem eram e aonde iam e que dinheiro carregavam. Um deles respondeu:

— Senhor, somos dois capitães da infantaria espanhola; temos nossas companhias em Nápoles e vamos embarcar em quatro galeras que dizem que estão em Barcelona com ordem de atracar na Sicília; levamos uns duzentos ou trezentos escudos, o que nos parece uma fortuna e nos deixa contentes, porque a penúria habitual dos soldados não permite maiores tesouros.

Roque perguntou aos peregrinos a mesma coisa que aos capitães; responderam que iam embarcar para Roma e que entre os dois deviam levar uns sessenta reais. Também quis saber quem ia na carruagem e para onde, e o dinheiro que levavam. Um dos homens a cavalo disse:

— Estão na carruagem minha senhora dona Guiomar de Quiñones, mulher do regente do vicariato de Nápoles, com uma filha pequena, uma aia e uma dama de companhia; somos seis criados a acompanhá-las, e levamos seiscentos escudos.

— De modo que temos aqui novecentos escudos e sessenta reais — Roque Guinart disse. — Meus soldados são uns sessenta; vejam quanto cabe a cada um, porque sou mau contador.

Ao ouvir isso, os salteadores elevaram a voz, dizendo:

— Viva Roque Guinart muitos anos, apesar dos concorrentes que procuram a perdição dele!

Mostraram-se preocupados os capitães, triste a senhora regente e não se deleitaram nem um pouco os peregrinos vendo o confisco de seus bens. Roque os manteve suspensos assim por um instante, mas não quis que seguisse adiante sua aflição, que podia se ver à distância de um tiro de arcabuz, e disse, virando-se para os capitães:

— Por favor, senhores capitães, tenham a bondade de me emprestar sessenta escudos, e a senhora regente, oitenta, para agradar esta esquadra que me acompanha, porque quem não chora não mama. Depois podem seguir seu caminho, livres e desembaraçados, com um salvo-conduto que vou lhes dar para que, em caso de toparem com outras esquadras minhas que tenho espalhadas pela região, não lhes causem mal, pois não é minha intenção prejudicar soldados nem mulher alguma, principalmente as distintas.

Com inúmeras e bem torneadas frases os capitães agradeceram a Roque sua cortesia e generosidade, pois assim as consideraram, por lhes deixar o próprio dinheiro. A senhora Guiomar de Quiñones quis descer da carruagem para beijar os pés e as mãos do grande Roque, mas ele não o consentiu de forma alguma; pelo contrário, pediu perdão a ela pelo prejuízo que lhe causara, forçado que se via a cumprir com as obrigações necessárias de seu mau ofício. A senhora regente mandou que um criado seu desse logo os oitenta escudos que lhe cabia pagar, pois os capitães já tinham desembolsado os sessenta. Os peregrinos iam entregar todas as suas esmolas, mas Roque disse a eles que ficassem quietos e, virando-se para os seus, disse:

— Destes escudos, tocam dois para cada um, e sobram vinte: deem dez a estes peregrinos e os outros dez, a este bom escudeiro, para que possa falar bem desta aventura.

E, pedindo material para escrever, de que sempre andava provido, Roque lhes deu assinado um salvo-conduto para os maiorais de suas esquadras e, despedindo-se deles, deixou-os ir livres e pasmos com sua nobreza, seu galante desembaraço e comportamento estranho, tendo-o mais por um Alexandre Magno que por ladrão famoso. Um dos escudeiros disse em sua língua gascoa e catalã:

— Este nosso capitão está mais para padre que para ladrão; se quiser ser generoso daqui por diante, que o seja com seus bens, não com os nossos.

O infeliz não falou tão baixo que Roque deixasse de ouvi-lo e, empunhando a espada, lhe abrisse a cabeça quase em duas partes, dizendo-lhe:

— É dessa maneira que eu castigo os linguarudos e abusados.

Todos pasmaram e nenhum ousou lhe dizer uma palavra, tamanha era a obediência que lhe devotavam.

Roque se afastou para um lado e escreveu uma carta a um amigo seu de Barcelona, avisando-o que estava com ele o famoso dom Quixote de la Mancha, aquele cavaleiro andante de quem se diziam tantas coisas, e que lhe garantia que era o mais engraçado e o mais sábio homem do mundo. Dali a quatro dias, que era o da festa de São João Batista, ele o deixaria em plena praia da cidade, com todas as suas armas, montado em Rocinante, seu cavalo, e com seu escudeiro Sancho num burro. Devia avisar seus amigos Niarros, para que se divertissem com ele; gostaria que os Cadells, seus adversários,[5] não tivessem esse prazer, mas que isso era impossível, porque as loucuras e o bom senso de dom Quixote e as graças de seu escudeiro Sancho Pança não podiam deixar de agradar a todo mundo. Despachou essa carta por um de seus escudeiros, que, trocando o traje de bandoleiro por um de camponês, entrou em Barcelona e a entregou a quem devia.

LXI

DO QUE ACONTECEU A DOM QUIXOTE NA ENTRADA DE BARCELONA, COM OUTRAS COISAS QUE TÊM MAIS DE VERDADE QUE DE SENSATEZ

Dom Quixote passou três dias e três noites com Roque, mas, se passasse trezentos, não faltaria o que ver e admirar no modo de vida dele: amanheciam aqui, comiam ali; umas vezes fugiam, sem saber de quem, outras esperavam, sem saber a quem; dormiam em pé, interrompendo o sono, mudando de um lugar para outro. Tudo era pôr espiões, escutar sentinelas, soprar a mecha dos arcabuzes, embora levassem poucos, porque todos se serviam de pistolas. Roque passava as noites afastado de seus homens, em paragens e lugares que eles desconheciam, porque os muitos bandos que o vice-rei de Barcelona havia lançado sobre sua vida mantinham-no inquieto e amedrontado, e não ousava confiar em ninguém, temendo que seus próprios companheiros o matassem ou o entregassem à justiça. Vida, com certeza, miserável e exasperante.

Enfim, por caminhos desusados, por atalhos e picadas escondidas, Roque, dom Quixote e Sancho partiram com outros seis escudeiros para Barcelona. Chegaram a sua praia na véspera de São João, pela noite. E, abraçando dom Quixote e Sancho, a quem deu os dez escudos prometidos, pois até então não os havia dado, Roque os deixou, com mil cortesias de ambas as partes.

Roque foi embora e dom Quixote ficou esperando o dia, assim mesmo como estava, a cavalo, e não demorou muito quando a face branca da aurora começou a se mostrar no avarandado do oriente, alegrando a grama e as flores, em vez de alegrar o ouvido;[1] mas ao mesmo tempo alegraram também o ouvido o som de muitas charamelas e tambores, barulho de guizos e gritos de "vamos, afastem-se, vamos, afastem-se!" dos cavaleiros que, pelo visto, saíam da cidade. A aurora deu lugar ao sol, que, com rosto maior que um escudo, pouco a pouco ia se elevando do fundo do horizonte.

Dom Quixote e Sancho espicharam o olhar por todos os lados: viram o mar, que nunca tinham visto antes, e acharam-no imenso, interminável, maior que as lagoas da Ruidera da Mancha; e viram também as galés atracadas na praia — como os marinheiros recolheram os toldos que as protegiam, mostraram-se repletas de flâmulas e galhardetes que tremulavam ao vento e beijavam e varriam a água. Nelas soavam clarins, trombetas e charamelas, que de perto e de longe enchiam o ar de notas suaves e belicosas.

As galés começaram a se mover e ficar em posição de ataque nas águas calmas, imitando-as quase da mesma maneira um sem-número de cavaleiros que vinham da cidade, montados em formosos cavalos e com librés vistosas. Os marinheiros disparavam infinita artilharia, que os soldados que estavam nas muralhas e fortes da cidade respondiam, e a artilharia pesada rompia os ventos com estrondos espantosos, que os canhões nos conveses rebatiam. O mar alegre, a terra feliz, o ar transparente — talvez turva apenas a fumaça da artilharia — pareciam ir gerando e infundindo um prazer repentino em todas as pessoas.

Sancho não conseguia imaginar como aqueles vultos que se moviam pelo mar podiam ter tantos pés.

Nisso os cavaleiros das librés chegaram correndo, com gritos, alaridos e algazarra, onde estava dom Quixote, paralisado e pasmo. Um deles, que fora avisado por Roque, disse em voz alta a ele:

— Seja bem-vindo a nossa cidade o espelho, o farol, a estrela e o norte de toda a cavalaria andante: o próprio espírito sagrado dela! Repito, seja bem-vindo o valoroso dom Quixote de la Mancha: não o falso, não o fictício, não o apócrifo que em histórias falsas nos mostraram esses dias, mas sim o verdadeiro, o legítimo, o fiel cavaleiro que nos descreveu Cide Hamete Benengeli, flor dos historiadores.

Dom Quixote não respondeu uma palavra, nem os cavaleiros esperaram que respondesse — mas, girando e curveteando com os outros que os seguiam, começaram a dar voltas e voltas em torno de dom Quixote, que, virando-se para Sancho, disse:

— Estes logo nos reconheceram. Eu aposto que leram nossa história e até a recém-impressa do aragonês.

Voltou de novo o cavaleiro que tinha falado com dom Quixote e disse:

— Venha vossa mercê conosco, senhor dom Quixote, pois somos todos seus servos e grandes amigos de Roque Guinart.

Ao que dom Quixote respondeu:

— Se cortesias geram cortesias, a vossa, senhor cavaleiro, é filha ou parente muito próxima das do grande Roque. Levai-me aonde quiserdes, que eu não terei outra vontade que a vossa, mais ainda se quereis ocupá-la em vosso serviço.

O cavaleiro respondeu com palavras não menos polidas que estas, e, rodeando-o todos, ao som das charamelas e dos tambores, se encaminharam com dom Quixote para a cidade. Na entrada, o diabo, que está por trás de todo mal, e os meninos, que são piores que ele, ou pelo menos dois deles, travessos e atrevidos, entraram no meio daquela gente toda e, um levantando o rabo do burro e o outro o rabo de Rocinante, encaixaram um maço de cardos embaixo de cada um. Os pobres animais sentiram as novas esporas e, apertando os rabos, aumentaram seu desgosto de modo que, dando mil pinotes, jogaram seus amos no chão. Dom Quixote, envergonhado e ofendido, se apressou a tirar os espinhos do rabo de seu pangaré, e Sancho, de seu burro. Os que guiavam dom Quixote quiseram castigar o abuso dos meninos, mas não foi possível, porque eles se meteram entre outros mil que os seguiam.

Dom Quixote e Sancho montaram de novo; e com a mesma pompa e música chegaram à casa do guia, que era grande e imponente — em suma, como de homem rico —, onde o deixaremos por ora, porque assim o quer Cide Hamete.

LXII

QUE TRATA DA AVENTURA DA CABEÇA ENCANTADA, COM OUTRAS NINHARIAS QUE NÃO SE PODE DEIXAR DE CONTAR

Dom Antônio Moreno se chamava o anfitrião de dom Quixote, cavaleiro rico e atilado, amigo de se divertir honesta e amavelmente. Vendo dom Quixote em sua casa, ele andava procurando modos de, sem prejudicá-lo, revelar a todos suas loucuras, porque não são brincadeiras as que doem, nem há passatempo que valha a pena se causam dano aos outros. A primeira coisa que dom Antônio fez foi fazer dom Quixote tirar a armadura e se mostrar naquele traje apertado cor de camurça, que já descrevemos outras vezes, numa varanda que dava para uma das ruas principais da cidade, à vista das pessoas e dos meninos, que o olhavam como a um bicho raro. Desfilaram diante dele os cavaleiros de librés, como se as tivessem vestido somente para ele, não para alegrar aquele dia festivo. E Sancho estava contentíssimo, por pensar que havia ido parar, sem saber como nem por quê, em outro casamento de Camacho, em outra casa de dom Diego de Miranda e em outro castelo como o do duque.

Naquele dia almoçaram com dom Antônio alguns de seus amigos, todos honrando dom Quixote e tratando-o como cavaleiro andante. Ele, convencido e pomposo, não cabia em si de contente. As graças de Sancho foram tantas que de sua boca andavam como que pendentes todos os criados da casa e todos quantos o ouviam. Estando na mesa, dom Antônio disse a Sancho:

— Temos notícia por aqui, dom Sancho, que sois tão amigo de manjar-branco e de almôndegas que, quando vos sobram, os guarda no peito para o dia seguinte.

— Não, senhor, não é verdade — respondeu Sancho —, porque sou mais asseado que guloso, e meu senhor dom Quixote, aqui presente, sabe muito bem que nós dois costumamos passar oito dias com um punhado de bolotas ou de nozes. Verdade que, se acontece de me darem uma vaquinha, corro logo com a cordinha; quero dizer, como o que me dão e feito os romanos em Roma. E, se alguém disser que sou comilão esganado e sujo, saibam que não acerta, e eu diria isso de outro modo se não fosse em respeito às barbas brancas dos que estão à mesa.

— Com certeza — disse dom Quixote —, a parcimônia e asseio com que Sancho come podem ser inscritos e gravados em placas de bronze, para que permaneçam eternos na memória dos séculos vindouros. É verdade que, quando ele tem fome, parece um tanto esganado, porque come depressa e mastiga como um cabrito, mas quanto ao asseio não deixa nada a desejar, e no tempo em que foi governador aprendeu a comer com tantos melindres que comia uvas com garfo, e até as bagas da romã.

— O quê?! — disse dom Antônio. — Sancho foi governador?

— Sim — respondeu Sancho —, de uma ilha chamada Logratária. Governei dez dias como me deu na veneta; e neles perdi o sossego e aprendi a desprezar todos os governos do mundo; saí fugido dela, caí num fosso, onde pensei que estava morto, e saí vivo de lá por milagre.

Dom Quixote contou em detalhes toda a aventura do governo de Sancho, divertindo muito os ouvintes.

Acabado o almoço, dom Antônio pegou dom Quixote pela mão e o levou a um quarto afastado, onde não havia nenhum adorno além de uma mesa, pelo visto de jaspe, que se sustentava por um pedestal também de jaspe. Estava pousada sobre ela um busto, como os dos imperadores romanos, que parecia de bronze. Dom Antônio andou com dom Quixote por todo o quarto, rodeando muitas vezes a mesa, depois do que disse:

— Agora, senhor dom Quixote, que a porta está fechada e sei que ninguém nos ouve nem espia, quero contar a vossa mercê uma das mais estranhas aventuras, ou, digamos melhor, novidades, que se pode imaginar, com a condição de que vossa mercê deposite o que eu lhe disser nos mais remotos escaninhos do segredo.

— Juro que assim farei — respondeu dom Quixote —, ou mais, porei uma lápide em cima para maior segurança, porque quero que vossa mercê saiba, senhor dom Antônio — pois já sabia seu nome —, que está falando a quem, embora tenha ouvidos para ouvir, não tem língua para falar. Portanto, sem medo vossa mercê pode transferir o que tem no peito para o meu e fazer de conta que o jogou nos abismos do silêncio.

— Fiado nessa promessa — respondeu dom Antônio —, deixarei vossa mercê espantado com o que irá ver e ouvir, e aliviar um pouco o sofrimento que me causa não ter com quem compartilhar meus segredos, que não são dos que se confiam a qualquer um.

Dom Quixote estava abismado, esperando em que iam dar tantas precauções. Nisso, dom Antônio tomou-lhe a mão e a passou pela cabeça de bronze, por toda a mesa e pelo pedestal de jaspe em que se apoiava, e então disse:

— Esta cabeça, senhor dom Quixote, foi concebida e fabricada por um dos maiores magos e feiticeiros que o mundo já teve. Acho que era polaco de nascimento e discípulo do famoso Escotilho, de quem tantas maravilhas se contam. Ele esteve aqui em minha casa e, em troca de mil escudos que lhe dei, esculpiu esta cabeça, que tem a propriedade e a virtude de responder a todas as coisas que lhe perguntarem ao ouvido. Examinou a rosa dos ventos, desenhou signos, observou astros, avaliou os pontos cardeais e, finalmente, construiu-a com a perfeição que veremos amanhã, porque nas sextas-feiras fica muda; como hoje é sexta, vai nos fazer esperar. Nesse meio-tempo vossa mercê poderá pensar no que irá perguntar, pois, por experiência, sei que diz a verdade em tudo que responde.

Dom Quixote ficou surpreso com a virtude e propriedade da cabeça, e quase não acreditou em dom Antônio, mas, ao ver que faltava pouco tempo para fazer a experiência, não quis dizer outra coisa a não ser que agradecia ter lhe revelado tão grande segredo. Saíram do quarto, e dom Antônio fechou a porta com chave, e foram para a sala onde estavam os demais cavaleiros. Enquanto isso, Sancho havia contado a eles muitas das coisas e aventuras que tinham acontecido a seu amo.

Naquela tarde, levaram dom Quixote a passear, sem a armadura, com roupas comuns — um balandrau de lã fulva, que naquela estação poderia fazer o próprio gelo suar. Combinaram com seus criados que entretivessem Sancho, de modo que não o deixassem sair de casa. Dom Quixote não ia montado em Rocinante, mas num mulo grande de passo tranquilo e muito bem encilhado. Vestiram-lhe o balandrau e, sem que notasse, costuraram nas costas um pergaminho, onde escreveram com letras grandes: "Este é dom Quixote de la Mancha". Começado o passeio, o cartaz atraía os olhos de todos que o viam passar, e como liam "Este é dom Quixote de la Mancha", dom Quixote se admirava de que todos que o olhavam o conhecessem e o chamassem pelo nome; e, virando-se para dom Antônio, que ia a seu lado, disse:

— Grandes prerrogativas encerra a cavalaria andante, pois torna conhecido e famoso ao que a professa por todos os cantos da terra; se não, veja vossa mercê, senhor dom Antônio, como até os meninos desta cidade me conhecem, sem nunca terem me visto.

— É verdade, senhor dom Quixote — respondeu dom Antônio —, porque, assim como o fogo não pode estar preso e escondido, a virtude não pode deixar de ser conhecida, e a que se alcança pelo ofício das armas resplandece e sobressai sobre todas as outras.

Mas então aconteceu que, indo dom Quixote aclamado como se disse, um castelhano que leu o cartaz levantou a voz, dizendo:

— Que o diabo te carregue, dom Quixote de la Mancha! Como chegaste até aqui sem morrer das inúmeras sovas que levaste no lombo? Tu és louco de atar, e se o fosses a sós, atrás das portas de tua loucura, a coisa não seria tão ruim, mas tens a propriedade de tornar loucos e mentecaptos a quantos te conhecem e lidam contigo. Se não, olhem para esses senhores que te acompanham. Volta para casa, seu imbecil, e vai cuidar de tua vida, de tua mulher e de teus filhos, e deixa dessas tolices que te roem os miolos e te desandam o entendimento.

— Vamos, meu irmão — disse dom Antônio —, segui vosso caminho e não deis conselhos a quem não vos pede nada. O senhor dom Quixote de la Mancha é a sensatez em pessoa, e nós, que o acompanhamos, não somos nada tolos; a virtude deve ser honrada onde quer que se encontre, e andai enquanto é tempo e não vos meteis onde não sois chamado.

— Por Deus, vossa mercê tem razão — respondeu o castelhano —, pois aconselhar este bom homem é dar murro em ponta de faca; mas, mesmo assim, sinto uma grande tristeza ao pensar que o bom senso que dizem que este mentecapto tem em todas as coisas deságue pelo canal de sua cavalaria andante. Que o puxão de orelha que vossa mercê me deu valha para todos os meus descendentes, se eu de hoje em diante, mesmo que viva mais que Matusalém, aconselhar alguém, ainda que me peça.

O conselheiro se afastou, e o passeio seguiu em frente, mas foi tamanho o atropelo que causavam os meninos e as pessoas para ler o cartaz que dom Antônio teve de tirá-lo, como se tirasse outra coisa.

Chegou a noite, voltaram para casa, houve sarau com damas, porque a mulher de dom Antônio, que era uma senhora distinta e alegre, formosa e atilada, convidara suas amigas para que viessem honrar seu hóspede e saborear suas inauditas loucuras. Vieram algumas, jantou-se esplendidamente e o baile começou quase às dez da noite. Entre as damas havia duas de espírito malicioso e brincalhão, que, apesar de muito virtuosas, eram um tanto abusadas, o suficiente para que as brincadeiras alegrassem sem amolar ninguém. Estas tanto insistiram em tirar dom Quixote para dançar que o deixaram moído, não só de corpo como de alma. Era coisa de se ver a figura de dom Quixote: comprido, teso, magro, pálido, entalado no traje justo, desengonçado e, além de tudo, nada ágil. Cortejavam-no como que às escondidas, e ele também as desdenhava como que às escondidas; mas, vendo-se acossado por tantos agrados, elevou a voz e disse:

— *Fugite, partes adversae!*[1] Deixai-me em paz, pensamentos inoportunos. Entendei-vos longe de mim, senhoras, com vossos desejos, porque aquela que é rainha dos meus, a sem-par Dulcineia del Toboso, não consente que outros além dos seus me avassalem e rendam.

E, dizendo isso, se sentou no assoalho no meio da sala, moído e alquebrado de tanto exercício bailarino. Dom Antônio mandou que o carregassem ligeiro para sua cama, e o primeiro que o agarrou foi Sancho, dizendo:

— Que ideia essa, senhor meu amo! Pensais que todos os valentes são dançarinos e todos os cavaleiros andantes, bailarinos? Garanto que estais enganado, se assim pensais: há homens que se atreveriam a matar um gigante antes que fazer uma pirueta. Se tivésseis de sapatear, eu poderia tomar vosso lugar, porque no sapateado sou um ás.[2] Agora, em danças de salão tropeço nos calcanhares.

Com essas e outras alegações Sancho divertiu as pessoas do sarau e levou seu amo para a cama, agasalhando-o para que suasse a frieza de sua dança.

No dia seguinte, dom Antônio achou que já era tempo de fazer a experiência com a cabeça encantada e se encerrou no quarto onde ela estava com dom Quixote, Sancho, outros dois amigos e as duas senhoras que haviam estropiado dom Quixote no baile e tinham ficado com a mulher de dom Antônio naquela noite. Contou a todos a virtude dela, pedindo segredo e informando que pela primeira vez seria testada. Além dos dois amigos de dom Antônio, ninguém mais conhecia a tramoia do encantamento e, se dom Antônio não lhes tivesse revelado antes, eles também cairiam no pasmo em que os demais caíram, sem ser possível outra coisa — tamanho o capricho e a habilidade com que a cabeça fora fabricada.

O primeiro que se aproximou do ouvido da cabeça foi o próprio dom Antônio, que disse em voz baixa, mas não tanto que não fosse entendida por todos:

— Diz-me, cabeça, pelo poder que em ti se encerra: o que penso agora?

E a cabeça respondeu, sem mover os lábios, com voz clara e precisa, de modo que todos entenderam suas palavras:

— Não adivinho pensamentos.

Ouvindo isso, todos ficaram assombrados, e muito mais porque em todo o quarto ou ao redor da mesa não havia pessoa alguma que pudesse responder.

— Estamos em quantos aqui? — perguntou de novo dom Antônio.

E a resposta foi dita devagar e no mesmo tom:

— Estás tu e tua mulher, com dois amigos teus e duas amigas dela, e um cavaleiro famoso chamado dom Quixote de la Mancha, e seu escudeiro, que tem por nome Sancho Pança.

Aqui sim é que se espantaram, aqui sim é que ficaram de cabelos em pé!

E dom Antônio disse, afastando-se da cabeça:

— Isso me basta para ver que não fui enganado pelo

mago de quem te comprei, cabeça sábia, cabeça falante, cabeça respondona, oh, cabeça admirável! Aproxime-se outro e pergunte a ela o que quiser.

E, como as mulheres em geral são impacientes e curiosas, a primeira que se aproximou foi uma das duas amigas da mulher de dom Antônio, que perguntou:

— Diz-me, cabeça, o que devo fazer para ser muito formosa?

E foi-lhe respondido:

— Sê muito virtuosa.

— Não te pergunto mais nada — disse a perguntadora.

Logo se aproximou a companheira e disse:

— Gostaria de saber, cabeça, se meu marido me ama ou não.

E a cabeça respondeu:

— Olha o que ele faz por ti e verás.

A casada se afastou, dizendo:

— Essa resposta não tinha necessidade de pergunta, porque no comportamento da pessoa transparecem os sentimentos dela.

Em seguida se aproximou um dos dois amigos de dom Antônio e perguntou:

— Quem sou eu?

E a cabeça respondeu:

— Tu sabes.

— Não te pergunto isso — respondeu o cavaleiro —, mas se tu me reconheces.

— Reconheço, sim — respondeu a cabeça. — És dom Pedro Noriz.

— Não quero saber mais nada, pois isso basta para compreender que sabes tudo, oh, cabeça!

Quando ele se afastou, o outro amigo se aproximou e perguntou:

— Diz-me, cabeça, que desejos tem meu filho, o primogênito?

— Eu já disse que não adivinho desejos — respondeu a cabeça —, mas, em todo caso, posso te dizer que teu filho deseja te enterrar.

— Isso — disse o cavaleiro — dá para ver até de olhos fechados.

E não perguntou mais nada. Aproximou-se então a mulher de dom Antônio e disse:

— Não sei o que te perguntar, cabeça; só gostaria de saber de ti se desfrutarei da companhia de meu bom marido por muitos anos.

— Sim, porque sua saúde e sua temperança prometem muitos anos de vida, que muita gente encurta com excessos.

A seguir foi dom Quixote que se aproximou, dizendo:

— Diz-me, tu que respondes: foi verdade ou foi sonho o que eu conto que me aconteceu na caverna de Montesinos? Sancho, meu escudeiro, irá se açoitar mesmo? Dulcineia realmente desencantará?

— Quanto à caverna — respondeu a cabeça —, há muito que dizer: houve de tudo; os açoites de Sancho sairão bem devagar; mas o desencantamento de Dulcineia chegará, sim, a uma conclusão.

— Não quero saber mais — disse dom Quixote —, porque, se eu vir Dulcineia desencantada, farei de conta que vivo num instante todas as venturas que possa desejar.

O último a perguntar foi Sancho, que disse:

— Por acaso, cabeça, terei outro governo? Escaparei da miséria de escudeiro? Verei de novo minha mulher e meus filhos?

Ao que a cabeça respondeu:

— Governarás em tua casa; e, se voltares a ela, verás tua mulher e teus filhos; e, deixando de servir, deixarás de ser escudeiro.

— Pelo amor de Deus! — disse Sancho Pança. — Isso até criança sabe. Estava caindo de maduro.

— Imbecil — disse dom Quixote —, que queres que te responda? Não basta que as respostas desta cabeça correspondam ao que perguntaste?

— Basta, sim — respondeu Sancho —, mas eu gostaria que ela revelasse mais e com mais detalhes.

Assim acabaram as perguntas e as respostas, mas não acabou o pasmo em que todos estavam, exceto os dois amigos de dom Antônio, que sabiam do caso.

Falando em caso, Cide Hamete Benengeli quis esclarecê-lo logo, para não manter o mundo em suspenso, acreditando que se encerrava na cabeça algum feiticeiro ou mistério sobrenatural. Assim, ele conta que dom Antônio Moreno, à imitação de outra cabeça que viu em Madri fabricada por um gravador de estampas, fez aquela em sua casa para se divertir e embasbacar os ignorantes. O mecanismo era simples: a tábua da mesa era de madeira, pintada e envernizada para parecer jaspe, como o pedestal em que se sustentava, com quatro garras de águia que saíam dele para contrabalançar o peso com maior segurança. O busto, que parecia a efígie de um imperador romano, era da cor do bronze e todo oco como, sem tirar nem pôr, era oca a tábua da mesa onde ele se ajustava com tamanha precisão que não se percebia nenhum sinal do encaixe. O pedestal da mesa, que também era oco, se ligava ao peito e à garganta da cabeça, e tudo isso se comunicava com outro quarto que ficava embaixo. Então, pelo oco do pedestal, mesa, garganta e peito da referida cabeça romana passava um cano de lata muito justo, que não podia ser visto por ninguém. No quarto de baixo ficava o homem que ia responder, com a boca colada ao cano, de modo que a voz subia e descia como um dardo por uma zarabatana, em palavras bem articuladas e claras, e dessa maneira não era possível perceber o embuste. Um sobrinho de dom Antônio, estudante vivo e inteligente, foi quem respondeu; como tinha sido avisado pelo senhor seu tio das pessoas que estariam no quarto da cabeça, foi fácil para ele responder com presteza e exatidão à primeira pergunta; respondeu às outras por conjecturas, e, como era inteligente, respondeu inteligentemente.

Cide Hamete diz mais: esse maravilhoso invento durou dez ou doze dias, porque se espalhou pela cidade que dom Antônio tinha em sua casa uma cabeça encantada, que respondia a todos que falavam com ela. Temendo que a notícia chegasse aos ouvidos insones das sentinelas de nossa fé, o cavaleiro revelou o caso aos senhores inquisidores, que lhe ordenaram que não seguisse adiante e se livrasse da cabeça, para que o povo ignorante não se escandalizasse. Mas na opinião de dom Quixote e Sancho Pança a cabeça continuou encantada e respondona, para maior satisfação de dom Quixote que de Sancho.

Os cavaleiros da cidade, para comprazer dom Antônio e festejar dom Quixote, dando ainda oportunidade para que revelasse suas idiotices, combinaram uma cavalhada para dali a seis dias, que não aconteceu por causa do que se contará mais adiante.

Dom Quixote ficou com vontade de passear pela cidade, a pé e sem ostentação, temendo que se fosse a cavalo seria perseguido pelos meninos. Então, ele e Sancho, com outros dois criados que dom Antônio lhe cedeu, foram dar uma volta. Aconteceu que, andando por uma rua, dom Quixote levantou os olhos e viu escrito sobre uma porta, com letras muito grandes: "Aqui se imprimem livros", o que o alegrou bastante, porque até aí nunca tinha visto uma gráfica e desejava saber como era. Entrou na casa com todo o seu séquito e viu homens imprimindo num lugar, corrigindo provas em outro, compondo neste, fazendo as emendas naquele, enfim, todas aquelas atividades que acontecem nas grandes gráficas. Dom Quixote se aproximava de um compartimento e perguntava o que era aquilo que se fazia ali; os empregados o informavam; ele se admirava e seguia em frente.

Então se aproximou de um e perguntou o que fazia. O empregado respondeu:

— Senhor, este cavalheiro que está aqui — e apontou um homem de boa aparência e belo porte, mas um tanto solene — traduziu um livro toscano para nossa língua castelhana, e eu o estou compondo, para imprimi-lo.

— Que título tem o livro? — perguntou dom Quixote.

Ao que o tradutor respondeu:

— Senhor, o livro, em toscano, se chama *Le bagatelle*.

— E o que quer dizer *le bagatelle* em nosso castelhano? — perguntou dom Quixote.

— *Le bagatelle* — disse o tradutor — é como se disséssemos "as bagatelas". Embora este livro seja humilde no título, contém e apresenta coisas muito boas e substanciais.

— Eu sei um pouco de toscano — disse dom Quixote — e me orgulho de cantar algumas estrofes de Ariosto. Mas me diga vossa mercê, meu senhor, apenas por curiosidade: já encontrou em seu trabalho a palavra *pignatta*?

— Sim, muitas vezes — respondeu o tradutor.

— E como vossa mercê a traduz para o castelhano? — perguntou dom Quixote.

— Como haveria de traduzir? — replicou o tradutor. — Dizendo "panela".

— Minha nossa, como vossa mercê está enfronhado no idioma toscano! — disse dom Quixote. — Sou capaz de apostar que, quando em toscano se diz *piace*, vossa mercê diz "agrada" em castelhano, e onde diz *più*, diz "mais", e a *su* chama de "acima" e *giù*, de "abaixo".

— Sim, senhor, com certeza — disse o tradutor —, porque essas palavras são equivalentes.

— Eu me atrevo a jurar — disse dom Quixote — que vossa mercê não é conhecido, porque o mundo é sempre inimigo de premiar os espíritos brilhantes e os trabalhos louváveis. Quantas habilidades há perdidas por aí! Quantos talentos deixados de lado! Quantas virtudes menosprezadas! Mas, mesmo assim, me parece que traduzir de uma língua para outra, desde que não seja das rainhas das línguas, a grega e a latina, é como olhar os tapetes flamengos pelo avesso: embora se vejam as figuras, estão cheias de fios que as obscurecem, não se podendo ver com a clareza e a cor do lado direito; e traduzir de línguas fáceis nem prova talento nem bom estilo, como não o prova quem transcreve ou copia um texto de um papel para outro. Mas disso não quero inferir que o exercício da tradução não seja louvável, porque o homem poderia se ocupar de coisas piores, que lhe trouxessem menos proveito. Deixo fora dessa conta dois tradutores famosos: o doutor Cristóbal de Figueroa, em seu *Pastor Fido*,[3] e dom Juan de Jáuregui, em seu *Aminta*,[4] que, com felicidade, nos deixam em dúvida sobre qual é a tradução e qual é o original. Mas diga-me vossa mercê: este livro será impresso por sua conta ou já vendeu o privilégio a algum livreiro?

— Corre por minha conta — respondeu o tradutor. — E penso ganhar mil ducados, pelo menos, com esta primeira edição, que deve ser de dois mil exemplares, e devem se vender, enquanto o diabo esfrega o olho, a seis reais cada um.

— Belas contas faz vossa mercê! — respondeu dom Quixote. — Até parece que não conhece os créditos e débitos dos impressores e as tramoias que há entre uns e outros. Eu lhe garanto que, quando se vir com dois mil exemplares nas costas, sentirá o corpo tão moído que vai se assustar, principalmente se o livro for abstruso e nada picante.

— Mas como? — disse o tradutor. — Vossa mercê quer que eu o dê a um livreiro que me pague três maravedis, pensando ainda por cima que me faz um favor? Eu não publico meus livros para alcançar fama, pois já sou conhecido por minhas obras: quero lucro, pois sem ele uma boa reputação não vale um tostão.

— Que Deus dê boa sorte a vossa mercê — respondeu dom Quixote.

E passou para outro compartimento, onde estavam corrigindo uma página de um livro que se intitulava *Luz del alma*, e ao ver isso, disse:

— Estes livros, mesmo que haja muitos deste gênero, são os que devem ser impressos, porque são muitos os pecadores hoje em dia e são necessárias infinitas luzes para tantos ofuscados.

Seguiu adiante e viu que em outro compartimento também corrigiam um livro, e, perguntando seu título, lhe responderam que se chamava *Segunda parte do engenhoso fidalgo dom Quixote de la Mancha*, escrita por um fulano morador de Tordesilhas.[5]

— Já me falaram deste livro — disse dom Quixote. — Na verdade, eu acreditava piamente que já tinha sido queimado e suas cinzas espalhadas, por ser descabido. Mas, enfim, ele não perde por esperar, pois as histórias inventadas só são boas e prazerosas quando se aproximam da verdade ou se parecem com ela, e as verídicas serão melhores quanto mais exatas forem.

E dizendo isso, com mostras de algum despeito, saiu da gráfica. Naquele mesmo dia, dom Antônio resolveu levá-lo para ver as galés que estavam na praia, do que muito se regozijou Sancho, porque nunca na vida as tinha visto. Dom Antônio avisou o almirante da frota que naquela tarde havia de levar seu hóspede, o famoso dom Quixote de la Mancha, de quem o marinheiro e todos os moradores da cidade tinham notícia; e o que aconteceu nas embarcações será contado no próximo capítulo.

LXIII

DE COMO SANCHO PANÇA SE DEU MAL COM A VISITA ÀS GALÉS, E A NOVA AVENTURA DA MOURISCA FORMOSA

Eram muitas as especulações que dom Quixote fazia sobre a resposta da cabeça encantada, sem que nenhuma delas topasse com o embuste, e todas acabavam na promessa do desencantamento de Dulcineia, que ele teve por certa. A ela ia e vinha — e se alegrava sozinho, acreditando que logo havia de ver sua realização. E Sancho, embora detestasse a ideia de ser governador, como já foi dito, desejava mandar de novo e ser obedecido, pois o poder traz essa desgraça consigo, mesmo que ele seja de brincadeira.

Enfim, naquela tarde, seu anfitrião dom Antônio Moreno e seus dois amigos foram com dom Quixote e Sancho ver as galés. Mal eles chegaram à praia, o almirante, que fora avisado de sua vinda e estava ansioso para ver os dois tão famosos Quixote e Sancho, ordenou que todas as galeras recolhessem seus toldos e tocassem as charamelas. Logo lançaram à água um bote coberto de ricos tapetes e de almofadas de veludo carmesim para buscá-lo. Então, apenas dom Quixote se viu a bordo dele, a capitânia disparou o canhão da coxia, acompanhada em seguida pelas outras galés, e, quando ele subiu a escada de estibordo, a turba de marinheiros o saudou como é costume à entrada de uma pessoa importante na galé, dizendo "Hu, hu, hu!" três vezes. O general — assim o chamaremos, pois era um distinto cavaleiro valenciano — deu a mão a dom Quixote e o abraçou, dizendo:

— Vou marcar este dia com destaque, porque acho que será um dos melhores que vou viver, tendo visto o senhor dom Quixote de la Mancha: data e marco que mostram que nele se encerra e se cifra todo o valor da cavalaria andante.

Com palavras não menos corteses, dom Quixote respondeu, extremamente alegre por se ver tratado de modo tão senhorial. Dirigiram-se todos para a popa, que estava muito bem adornada, e se sentaram nos bancos da amurada; passou o oficial à coxia e deu o sinal com um apito para que a turba de marinheiros tirasse o gibão e remasse com força, o que foi feito num instante. Sancho, ao ver tanta gente seminua, ficou pasmo, mais ainda quando viu armarem o toldo com tanta pressa que parecia que todos os diabos estavam trabalhando ali. Mas isso tudo são mimos e bobagens perto do que vou contar agora.

Sancho estava sentado no cepo em que se amarra o toldo, perto do galeote de estibordo, que, de costas para a popa, marcava o ritmo da navegação com seu remo. Avisado do que devia fazer, o marinheiro agarrou Sancho e o levantou nos braços. Então, com toda a turba de pé e alerta, começando pelo lado direito, Sancho foi passado de mão em mão e de banco em banco de modo tão rápido que perdeu a visão e sem dúvida pensou que os próprios demônios o carregavam. Os galeotes não pararam enquanto Sancho não completou a volta pelo lado esquerdo e foi depositado de novo na popa. O pobre ficou alquebrado, ofegando e suando, sem poder imaginar o que tinha lhe acontecido.

Dom Quixote, que viu o voo sem asas de Sancho, perguntou ao general se era costume receber os novatos nas galés com aquelas cerimônias, porque, se por acaso fosse, ele, que não tinha intenção de trabalhar nelas, não queria fazer semelhantes exercícios e jurava por Deus que, se alguém tentasse agarrá-lo para rodopiá-lo, faria o fulano perder a alma a pontapés; e, dizendo isso, se levantou e empunhou a espada.

Nesse momento arriaram o toldo e com um tremendo barulho deixaram vir abaixo a verga da vela bastarda. Sancho pensou que o céu tinha desencaixado dos eixos e desabava sobre sua cabeça, e, baixando-a, botou-a entre as pernas. Dom Quixote não teve todo o controle das suas, pois também estremeceu e encolheu os ombros e perdeu a cor do rosto. A turba içou a verga com a mesma rapidez e barulho com que a descera, mas sem uma palavra, como se não tivesse voz nem respirasse. O oficial fez sinal de levantar âncora e, saltando para o meio da coxia com o rebenque ou açoite, começou a bater de leve nas costas dos galeotes — e pouco a pouco as galés se fizeram ao mar. Quando Sancho viu todos aqueles pés vermelhos de uma delas se mexer — pois isso lhe pareceram os remos —, disse a si mesmo:

— Estas sim são coisas de encantamentos, não aquelas de que meu amo fala. Que terão feito esses desgraçados para que os açoitem assim? E como este homem sozinho, que anda por aqui assobiando, tem a audácia de açoitar tanta gente? Para mim isto é o inferno, ou pelo menos o purgatório.

Dom Quixote, que viu a atenção com que Sancho olhava o que acontecia, disse a ele:

— Ah, Sancho, meu amigo, com que rapidez e facilidade poderíeis vós, se quisésseis, se desnudar da cintura para cima, e vos pôr entre esses senhores e acabar com o encantamento de Dulcineia! Pois com a miséria e o sofrimento de tantos não sentiríeis tanto os vossos, sem falar que o sábio Merlin talvez contasse cada açoite desses, por serem dados por boa mão, por dez dos que um dia haveis de vos dar.

O general queria perguntar que açoites eram aqueles, ou que negócio era esse de desencantamento de Dulcineia, quando o marinheiro disse:

— O vigia de Montjuich[1] fez sinal de que há um baixel de remos na costa para as bandas do poente.

Ouvindo isso, o general saltou à coxia e disse:

— Eia, filhos, este não nos escapa! Deve ser algum bergantim de piratas de Argel que a sentinela nos aponta.

Logo se aproximaram da capitânia as outras três galés para saber quais eram as ordens. O general mandou que duas fossem para mar alto, que ele e a outra iriam costeando a praia, pois assim o baixel não escaparia. A turba apertou o ritmo dos remos, impelindo as galés com tanta fúria que parecia que voavam. As que foram para mar alto avistaram o baixel a umas duas milhas e a olho calcularam que tinha uns catorze ou quinze bancos, o que era verdade. O dito baixel, ao percebê-las, começou as manobras de fuga, com a intenção e a esperança de escapar com sua rapidez, mas se saiu mal, porque a galé capitânia era um dos barcos mais rápidos que navegava naqueles mares, e assim foi se aproximando, deixando claro aos do bergantim que não poderiam fugir; por isso o arrais gostaria que seus marinheiros largassem os remos e se entregassem, para não incitar a ira do capitão que comandava nossas galés. Mas a sorte tinha outros planos: já que a capitânia chegava tão perto que a tripulação do baixel podia ouvir os gritos que vinham dela pedindo a rendição, ordenou que dois *toraquis* — que é o mesmo que dizer dois turcos bêbados, que vinham no bergantim com outros doze — disparassem duas escopetas, matando assim dois soldados nossos que estavam nas laterais do castelo de proa. Vendo isso, o general jurou não deixar com vida nenhum dos homens que capturasse; mas, ao investir com toda fúria, viram o baixel escapar por baixo de seus remos. A galé ultrapassou-o um bom trecho; os do baixel se viram perdidos e içaram as velas enquanto a galé voltava, e de novo manobraram para fugir com vela e remo; mas não aproveitaram tanta diligência quanto lhes prejudicou seu atrevimento, porque a capitânia os alcançou dali a mais ou menos meia milha, jogou-lhes os remos em cima e os prendeu a todos com vida.

Chegaram então as outras duas galés e todas as quatro voltaram à costa com a presa, onde inúmeras pessoas estavam à espera, ansiosas para ver o que traziam. O general ancorou perto da terra e descobriu que o vice-rei da cidade estava na praia. Mandou lançar o bote n'água para trazê-lo e arriar a verga da vela bastarda para enforcar em seguida o arrais e os outros turcos que tinha capturado no baixel, que seriam uns trinta e seis, todos garbosos, a maior parte deles arcabuzeiros. O general perguntou quem era o arrais do bergantim, e um dos cativos lhe respondeu em língua castelhana (depois pensaram que era um renegado espanhol):

— Este rapaz que vedes aqui, senhor, é nosso arrais.

E apontou um dos mais belos e garbosos moços que a imaginação humana poderia pintar. Pelo visto não tinha vinte anos. O general perguntou a ele:

— Diz-me, cão insensato, quem te levou a matar meus soldados, pois vias que era impossível fugir? É esse o respeito que se tem pelas capitânias? Tu não sabes que a temeridade não é valentia? As esperanças improváveis devem tornar os homens audaciosos, mas não temerários.

O arrais queria responder, mas por ora o general não pôde ouvi-lo, porque correu para receber o vice-rei, que já entrava na galé, acompanhado de alguns criados e pessoas do lugar.

— A caça esteve boa, general! — disse o vice-rei.

— Tão boa — respondeu o general — como verá Vossa Excelência pendurada agora nesta verga.

— Como assim? — replicou o vice-rei.

— Porque — respondeu o general —, contra toda lei e contra toda razão e costumes de guerra, mataram dois dos melhores soldados que vinham nestas galés, e eu jurei enforcar todos os que capturasse, principalmente este moço, que é o arrais do bergantim.

E apontou o homem que já tinha as mãos atadas e a corda no pescoço, esperando a morte.

O vice-rei olhou para ele e, achando-o tão formoso, tão elegante e tão humilde, pensou que tamanha beleza era como uma carta de recomendação e sentiu o desejo de perdoar sua morte. Então lhe perguntou:

— Diz-me, arrais, és turco de nascimento ou mouro ou renegado?

O moço respondeu, também em castelhano:

— Não sou turco de nascimento, nem mouro, nem renegado.

— Mas que és então? — replicou o vice-rei.

— Mulher cristã — respondeu o rapaz.

— Mulher e cristã, mas com esses trajes e nessa situação? Mais me espanto que acredito.

— Por favor, senhores, suspendei a execução de minha morte — disse o moço —, pois não se perderá muito se vossa vingança esperar um pouco enquanto eu vos conto minha vida.

Quem teria o coração tão duro que não se abrandasse com essas palavras, ou pelo menos até ouvir as que o triste e queixoso rapaz queria dizer? O general disse a ele que falasse o que quisesse, mas que não esperasse alcançar perdão para sua bem conhecida culpa. Com essa permissão, o moço começou a contar assim:

— Fui concebida por pais mouriscos naquela nação, mais infeliz que prudente, sobre quem choveu nesses dias um mar de desgraças. Na torrente de sua desventura, fui levada à Berbéria por dois tios meus, sem que me adiantasse dizer que era cristã, como realmente sou, não das falsas e oportunistas, mas das verdadeiras e católicas. De nada me valeu dizer essa verdade aos que estavam encarregados de nosso miserável desterro, nem meus tios quiseram acreditar nela; pelo contrário, acharam que eu mentia e inventava para ficar na terra onde havia nascido. Então à força, não de bom grado, me levaram com eles.

"Tive uma mãe cristã e um pai sensato e cristão, sem tirar nem pôr: minha fé católica é de berço. Eu me criei nos bons costumes e nem neles nem na língua jamais dei sinais de ser mourisca, em minha opinião. Junto com essas virtudes, pois eu acho que o são, cresceu minha formosura, se é que tenho alguma; e, ainda que meu recato e meu recolhimento tenham sido grandes, não devem ter sido tanto que não tivesse oportunidade de me ver um rapaz chamado dom Gaspar Gregório, filho mais velho de um cavaleiro que tem uma aldeia perto da nossa. Como ele me viu, como nos falamos, como se viu perdido por mim e como não me senti tão encantada por ele seria muito complicado contar, ainda mais agora que temo que entre minha língua e minha garganta se aperte esta corda cruel que me ameaça. Assim direi apenas como dom Gregório quis nos acompanhar em nosso desterro.

"Ele se misturou aos mouriscos que vinham de outros lugares, pois sabia muito bem a língua, e na viagem se tornou amigo daqueles dois tios meus que me levavam, porque meu pai, prudente e prevenido, mal ouviu o primeiro edital de nosso desterro se foi da aldeia em busca de outra que nos acolhesse em algum desses reinos estranhos. Num lugar que apenas eu conheço, deixou enterradas muitas pérolas e pedras de grande valor, com algum dinheiro, cruzados e dobrões de ouro, mas me ordenou que não tocasse de jeito nenhum nesse tesouro, se por acaso nos desterrassem antes que ele voltasse. Obedeci e com meus tios, como já disse, e outros parentes e conhecidos, passamos para a Berbéria e nos assentamos em Argel, como se o fizéssemos no próprio inferno.

"O rei teve notícia de minha formosura e, por falatórios, de minhas riquezas, o que em parte foi sorte minha. Mandou me chamar e me perguntou de que parte da Espanha eu era e que dinheiro e joias trazia. Disse-lhe de onde e que as joias e o dinheiro tinham ficado enterrados, mas que poderiam ser recuperados com facilidade se eu mesma voltasse para pegá-los. Disse tudo isso a ele, receosa de que minha formosura o cegasse mais que sua cobiça. Estando comigo nessa conversa, alguém lhe disse que me acompanhava um dos rapazes mais galhardos e formosos que se podia imaginar. Entendi logo que falavam de dom Gaspar Gregório, cuja beleza deixa para trás as maiores que se podem enaltecer. Fiquei preocupada, considerando o perigo que dom Gregório corria, porque entre aqueles turcos bárbaros se gosta muito mais de um menino ou rapaz formoso que de uma mulher, mesmo que seja belíssima. O rei mandou buscá-lo logo, pois queria vê-lo, e me perguntou se era verdade o que diziam daquele rapaz. Então eu, como que inspirada pelo céu, disse que era, mas que soubesse que não era homem e sim mulher como eu, e que lhe suplicava que me deixasse ir vesti-la com suas roupas naturais, para que lhe mostrasse inteiramente sua beleza e aparecesse em sua presença com menos embaraço. Disse-me que fosse de uma vez e que outro dia falaríamos no modo de eu voltar à Espanha para pegar o tesouro escondido.

"Falei com dom Gaspar, contei o perigo que corria caso se apresentasse como homem e o vesti de moura. Naquela mesma tarde, eu o levei à presença do rei, que, vendo-o, ficou maravilhado e demonstrou a intenção de ficar com ele para dá-lo de presente ao grão-turco. Mas, para que escapasse do perigo que podia correr no harém de suas mulheres, e por temer sua própria reação, mandou-o em seguida para a casa de umas mouras distintas que deviam vigiá-lo e servi-lo. O que nós dois sentimos, pois não posso negar que o amo, deixo à consideração dos que se amam e se separam.

"O rei logo deu um jeito para que eu voltasse à Espanha nesse bergantim e que me acompanhassem dois turcos de nascimento, que são os que mataram vossos soldados. Também veio comigo este renegado espanhol — apontou o homem que tinha falado antes — que, sei muito bem, oculta ser cristão e que veio com mais esperanças de ficar na Espanha que de voltar à Berbéria; os outros marinheiros do bergantim são mouros e turcos, que servem apenas para remar. Os dois turcos, cobiçosos e insolentes, sem observar as ordens que tinham de deixar em terra a mim e a este renegado no primeiro lugar da Espanha que tocássemos, com as roupas cristãs que trouxemos, quiseram antes vasculhar a costa e fazer alguma presa, se pudessem. Eles temiam que, se primeiro nos desembarcassem e nos acontecesse algum desastre que nos levasse a revelar que o bergantim estava no mar, poderiam cair prisioneiros, se por acaso houvesse galés nesta costa. Ontem à noite descobrimos esta praia e, sem termos notado essas quatro galés, fomos descobertos. Sabeis o que nos aconteceu depois.

"Resumindo: dom Gregório está vestido de mulher entre mulheres, com perigo evidente de se perder, e eu me vejo de mãos amarradas, esperando ou, digamos melhor, temendo perder a vida, que já me pesa. Este, senhores, é o fim de minha história lamentável, tão verdadeira quanto desgraçada; apenas vos imploro que me deixeis morrer como cristã, pois, como já disse, não tenho responsabilidade nenhuma pela culpa em que caíram os de minha nação."

Então se calou, os olhos rasos de lágrimas ternas, logo acompanhadas por muitas dos que estavam presentes. O vice-rei, carinhoso e compassivo, sem dizer uma palavra, se aproximou dela e, com as próprias mãos, desamarrou a corda que prendia as tão formosas da moura.

Enquanto a mourisca cristã contava sua história extraordinária, um ancião peregrino, que havia entrado na galé junto com o vice-rei, esteve com os olhos cravados nela. Então, mal a moça acabou sua narração, ele caiu de joelhos a seus pés e disse, abraçado neles, com palavras interrompidas por mil soluços e gemidos:

— Oh, Ana Félix! Pobre de minha filha! Eu sou Ricote, teu pai, que voltava para te buscar, por não poder viver sem ti, pois és minha alma.

A essas palavras, Sancho abriu os olhos e levantou a cabeça, que tinha inclinada, pensando nas desgraças de seu passeio. Olhando o peregrino, reconheceu ser o próprio Ricote com quem tinha topado no dia que entregara o governo, e se convenceu de que aquela moça era sua filha, que, já desamarrada, abraçou o pai, misturando suas lágrimas com as dele. Então Ricote disse ao general e ao vice-rei:

— Senhores, esta é minha filha, mais infeliz em suas aventuras que em seu nome: ela se chama Ana Félix, com o sobrenome Ricote, famosa tanto por sua formosura como por minha riqueza. Saí de minha pátria em busca de reinos estranhos que nos acolhessem e recolhessem, e, tendo-o encontrado na Alemanha, voltei neste traje de peregrino, em companhia de outros alemães, para pegar minha filha e desenterrar as muitas riquezas que deixei escondidas. Não achei minha filha, mas achei meu tesouro, que trago comigo, e agora, da forma estranha que vistes, achei o tesouro que mais me enriquece: minha querida filha. Se nossas poucas culpas e as lágrimas dela e as minhas, pela integridade de vossa justiça, podem abrir portas à misericórdia, usai-a conosco, que jamais tivemos intenção de vos ofender, nem concordamos de forma alguma com o intuito dos nossos, que foram desterrados justamente.

Então Sancho disse:

— Conheço Ricote muito bem e sei que é verdade quando diz que Ana Félix é sua filha. Agora, nessas bobagens de ir e vir, ter boa ou má intenção, não me meto.

Com todos os presentes pasmos com o estranho caso, o general disse:

— Uma por uma vossas lágrimas não me deixarão cumprir meu juramento: vivei, formosa Ana Félix, os anos de vida que o céu vos determinou, e que os insolentes e atrevidos sofram a pena pelo crime que cometeram.

E em seguida mandou enforcar na verga os dois turcos que haviam matado seus dois soldados, mas o vice-

-rei pediu encarecidamente que não os enforcasse, pois a culpa deles era mais por loucura que por valentia. O general fez o que o vice-rei lhe pedia, porque a sangue-frio não se executam bem as vinganças. Logo trataram de pensar um jeito de tirar dom Gaspar Gregório do perigo em que se encontrava; para isso, Ricote ofereceu mais de dois mil ducados que tinha em pérolas e joias. Foram muitos os planos, mas nenhum tão bom como o proposto pelo renegado espanhol, que se ofereceu para voltar a Argel num barco pequeno, de uns seis bancos, armado de remadores cristãos, porque ele sabia onde, como e quando podia e devia desembarcar, e também não ignorava a casa onde dom Gaspar tinha ficado. O general e o vice-rei hesitaram em se fiar no renegado, nem em confiar a ele os cristãos que deviam remar; Ana Félix, porém, se responsabilizou por ele, e Ricote, seu pai, disse que se comprometia a pagar o resgate dos cristãos, se por acaso pedissem.

Todos concordaram com esse plano. Então o vice-rei desembarcou, e dom Antônio Moreno levou consigo a mourisca e seu pai, depois que o vice-rei lhe pediu para tratá-los com toda a bondade e consideração possíveis, porque ele, por sua vez, oferecia o que houvesse em sua casa para o conforto deles — tamanhas foram a benevolência e a caridade que a formosura de Ana Félix infundiu em seu coração.

LXIV

QUE TRATA DA AVENTURA QUE MAIS DESGOSTO CAUSOU A DOM QUIXOTE ENTRE TODAS AS QUE TINHAM ACONTECIDO COM ELE ATÉ ENTÃO

Conta a história que a mulher de dom Antônio Moreno teve grande satisfação ao ver Ana Félix em sua casa. Recebeu-a com muito carinho, tão encantada com sua beleza como com sua inteligência, porque numa e noutra a mourisca era excepcional, e todas as pessoas da cidade vinham vê-la como se convocadas pelo sino da igreja.

Dom Quixote disse a dom Antônio que o plano que haviam traçado para libertar dom Gregório não era bom, porque tinha mais de perigoso que de conveniente, e que seria melhor que o mandassem à Berbéria com suas armas e cavalo, que ele o tiraria de lá apesar da chusma de mouros, como dom Gaifeiros havia feito ao salvar sua esposa Melisendra.

— Repare vossa mercê — disse Sancho, ao ouvir isso — que o senhor dom Gaifeiros salvou a esposa em terra firme e a levou à França por terra firme. Mas aqui, se por acaso salvarmos dom Gregório, não temos como trazê-lo para a Espanha, pois está no meio do mar.

— Para tudo há remédio, menos para a morte — respondeu dom Quixote. — Se o barco atracar na praia, nós embarcamos, mesmo que o mundo todo tente nos impedir.

— Vossa mercê faz parecer mais fácil que roubar do ceguinho — disse Sancho —, mas é entre o prato e a boca que se perde a sopa: eu fico com o renegado, que me parece um homem de bem e de bom coração.

Dom Antônio disse que, se o renegado não se saísse bem do caso, se tomaria a medida de mandar o grande dom Quixote à Berbéria.

Dali a dois dias o renegado partiu num barco ligeiro de seis remos de cada lado, com uma ótima tripulação, e dali a outros dois partiram as galés para o Levante, tendo antes o general pedido ao vice-rei que o avisasse sobre a libertação de dom Gregório e o caso de Ana Félix; o vice-rei concordou em fazê-lo.

E uma manhã, dom Quixote, saindo de armadura e demais armas para passear na praia — porque, como muitas vezes dizia, elas eram seus adornos, e seu descanso, lutar, e não andava um instante desarmado —, viu vir em sua direção um cavaleiro, também armado da cabeça aos pés, que trazia pintada no escudo uma lua resplandecente. O cavaleiro, aproximando-se a uma distância de que podia ser ouvido, em altos brados declarou suas intenções a dom Quixote:

— Insigne cavaleiro e jamais louvado como se deve dom Quixote de la Mancha, eu sou o Cavaleiro da Lua Branca, cujas façanhas prodigiosas talvez já tenham chegado ao teu conhecimento. Venho combater contigo e testar a força de teus braços, para te fazer conhecer e confessar que minha dama, seja ela quem for, é incomparavelmente mais formosa que tua Dulcineia del Toboso. Se confessares essa verdade pura e simplesmente, evitarás tua morte e o trabalho que terei de levá-la a cabo. Mas, se lutares e eu te vencer, não quero outra recompensa além de que, abandonando as armas e abstendo-te de andar em busca de aventuras, voltes a tua aldeia e te retires pelo tempo de um ano, sem empunhar a espada, em paz e harmonia, em proveito do sossego, porque assim convém ao progresso de tuas posses e à salvação de tua alma. Se me venceres, porém, minha cabeça ficará a tua disposição e serão teus os despojos de minha armadura, armas e cavalo, e passará para ti a fama de minhas façanhas. Vê o que é melhor para ti e responde-me logo, porque tenho apenas o dia de hoje para despachar esse negócio.

Dom Quixote ficou pasmo e atônito, tanto pela arrogância do Cavaleiro da Lua Branca como pela causa que o desafiava, e com atitude calma e severa respondeu:

— Cavaleiro da Lua Branca, cujas façanhas até agora não chegaram ao meu conhecimento, atrevo-me a jurar que jamais vistes a ilustre Dulcineia, porque, se a houvésseis visto, sei que não procuraríeis vos meter nessa empresa, pois a visão dela vos persuadiria de que não houve nem pode haver beleza que possa se comparar à dela. Então, não dizendo que mentis, mas sim que não acertais no motivo de vossa proposta, aceito vosso desafio com as condições que referistes, e imediatamente, para que não passe o dia que escolhestes. Mas das condições excetuo uma, a que garante que se transfere a mim a fama de vossas façanhas, porque não sei que façanhas foram essas nem de que espécie: com as minhas me contento, tais quais são. Escolhei, portanto, o lado do campo que quiserdes, que eu farei o mesmo, e que seja o que Deus quiser e são Pedro abençoar.

Tinham avistado da cidade o Cavaleiro da Lua Branca falando com dom Quixote de la Mancha e contaram ao vice-rei, que, pensando que devia ser alguma aventura fabricada por dom Antônio Moreno ou por algum outro cavaleiro de Barcelona, foi logo para a praia, acompanhado por dom Antônio e muitos outros cavaleiros. Chegaram quando dom Quixote virava as rédeas de Rocinante para tomar a distância necessária.

O vice-rei, vendo que os dois davam todas as mostras de que se posicionavam para o confronto, meteu-se entre eles, perguntando qual era a causa que os levava à batalha tão inesperada. O Cavaleiro da Lua Branca respondeu que era por questão de precedência de formosura e, em rápidas palavras, repetiu o que havia dito a dom Quixote, com a aceitação das condições do desafio acertadas entre ambas as partes. O vice-rei se aproximou de dom Antônio e perguntou baixinho se sabia quem era o tal Cavaleiro da Lua Branca ou se era alguma peça que queriam pregar em dom Quixote. Dom Antônio respondeu que não sabia quem era ele, nem se era de brincadeira ou para valer o dito desafio. Essa resposta deixou o vice-rei na dúvida se devia ou não deixar a batalha seguir adiante; mas, não podendo se convencer de que não fosse brincadeira, afastou-se dizendo:

— Senhores cavaleiros, se aqui não há outro jeito senão confessar ou morrer, e se o senhor dom Quixote bate o pé, e vossa mercê sapateia, combatam então e seja o que Deus quiser.

O Cavaleiro da Lua Branca agradeceu ao vice-rei com palavras claras e polidas a licença que dava a eles. Dom Quixote fez a mesma coisa e, encomendando-se de todo coração ao céu e a sua Dulcineia, como era seu costume no começo das batalhas que se apresentavam, voltou a tomar alguma distância, pois tinha visto que seu adversário também se posicionava. Então, sem toques de trombeta nem qualquer outro instrumento bélico que lhes desse o sinal para atacar, ambos viraram as rédeas de suas montarias no mesmo instante e partiram. Como o cavalo do Cavaleiro da Lua Branca era mais veloz, alcançou dom Quixote quando este não tinha andado nem dois terços da distância. Sem tocá-lo com a lança (que levantou, pelo visto de propósito), o Cavaleiro da Lua Branca o atingiu com sua montaria, com força tão poderosa que atirou Rocinante e dom Quixote no chão numa queda das mais perigosas. Logo estava sobre ele e, pondo-lhe a ponta da lança na viseira, disse:

— Vencido estais, cavaleiro, e morto ainda por cima, se não confessais as condições de nosso desafio.

Dom Quixote, alquebrado e aturdido, sem levantar a viseira, como se falasse de dentro de uma tumba, com voz fraca e doente, disse:

— Dulcineia del Toboso é a mais formosa mulher do mundo e eu o mais desgraçado cavaleiro da terra, e não fica bem que minha fraqueza atraiçoe esta verdade. Crava a lança, cavaleiro, e me tira a vida, pois me tiraste a honra.

— Não farei isso, com certeza — disse o da Lua Branca. — Longa vida, em sua plenitude, à fama da formosura da senhora Dulcineia del Toboso, pois eu me satisfaço com que o grande dom Quixote se retire a sua aldeia por um ano, ou pelo tempo que eu ordenar, como combinamos antes de entrar em combate.

Tudo isso ouviram o vice-rei e dom Antônio, com muitos outros que estavam ali, e também ouviram que dom Quixote respondeu que, como não lhe pedia coisa prejudicial à Dulcineia, cumpriria todo o resto como cavaleiro honrado e veraz.

Feita essa confissão, o da Lua Branca virou as rédeas e, fazendo uma reverência com a cabeça para o vice-rei, se foi para a cidade a meio galope.

O vice-rei mandou que dom Antônio fosse atrás dele e descobrisse de qualquer jeito quem era. Levantaram dom Quixote e lhe descobriram o rosto — e o viram pálido e suando. Rocinante, de tão estropiado, por ora não pôde se mexer. Sancho, muito triste e muito contrariado, não sabia o que dizer nem o que fazer: parecia-lhe que toda aquela aventura acontecia em sonhos ou era encantamento de magos. Via seu senhor rendido e obrigado a não empunhar armas por um ano; imaginava a luz da glória de suas façanhas obscurecida, as esperanças de suas novas promessas desfeitas, como se desfaz a fumaça com o vento. Tinha medo de que Rocinante ficasse aleijado, ou que seu amo tivesse o bestunto mais desregulado ainda, porque seria muita sorte se a pancada o tivesse regulado. Por fim, com uma cadeirinha que o vice-rei mandou buscar, levaram o cavaleiro para a cidade, e o vice-rei também se foi para lá, ansioso para saber quem era o Cavaleiro da Lua Branca, que havia deixado dom Quixote em tão mau estado.

LXV

ONDE SE DÁ NOTÍCIA DE QUEM ERA O CAVALEIRO DA LUA BRANCA, COM A LIBERTAÇÃO DE DOM GREGÓRIO, E OUTRAS AVENTURAS

Dom Antônio seguiu o Cavaleiro da Lua Branca, e seguiram-no também ou, digamos melhor, perseguiram-no muitos meninos, até que se viu a salvo numa hospedaria, dentro das muralhas na cidade. Dom Antônio entrou com ele, à espera de enfim conhecê-lo. Um escudeiro veio receber o da Lua Branca e, para ajudá-lo a tirar a armadura, entraram numa sala do térreo — e com eles dom Antônio, que morria de impaciência. Então, vendo que aquele senhor não o largava, o da Lua Branca disse:

— Sei muito bem, senhor, o que vos traz aqui: saber quem sou. Como não há por que vos ocultar isso, enquanto meu criado me tira a armadura vos contarei tudo, sem faltar um ponto com a verdade. Sabei então, senhor, que me chamam Sansão Carrasco e que sou bacharel. Venho da mesma aldeia de dom Quixote de la Mancha, cuja loucura e estupidez nos leva a todos que o conhecemos a morrer de pena, e eu estou entre os que mais se compadecem. Achando que sua salvação está no descanso em sua terra e em sua casa, tramei esse plano para que voltasse. Então, deve fazer uns três meses, cortei o caminho dele como cavaleiro andante, chamando a mim mesmo de Cavaleiro dos Espelhos, com a intenção de lutar com ele e vencê-lo sem o machucar, estabelecendo como condição de nosso duelo que o derrotado se submetesse à vontade do vencedor. O que eu pensava pedir a ele, porque já o julgava vencido, era que voltasse a sua aldeia e que não saísse dela por um ano inteiro, tempo em que poderia se curar. Mas a sorte arranjou as coisas de outra maneira, porque ele me venceu, derrubando-me do cavalo. Assim, de nada valeu minha intenção: ele seguiu seu caminho e eu voltei, derrotado, humilhado e alquebrado pelo tombo, que foi dos mais perigosos; mas nem por isso perdi a vontade de procurá-lo de novo e vencê-lo, como se viu hoje. E, como ele é tão escrupuloso ao observar os regulamentos da cavalaria andante, sem dúvida obedecerá ao que combinamos, para cumprir sua palavra. É isso que acontece, senhor, sem que eu tenha de vos dizer mais nada. Suplico-vos que não reveleis quem sou eu, muito menos a dom Quixote, para que minhas boas intenções surtam efeito e possa recuperar o juízo um homem que o tem muito bom desde que o deixem as tolices da cavalaria.

— Oh, meu caro senhor — disse dom Antônio —, que Deus vos perdoe o prejuízo que fizestes a todo o mundo ao querer tornar lúcido o mais engraçado dos loucos! Não vede, senhor, que o proveito que pode ter a sensatez de dom Quixote não chega aos pés do prazer que dá seus desvarios? Mas eu imagino que toda a astúcia do senhor bacharel não há de ser suficiente para tornar lúcido um homem tão rematadamente louco. E, se não fosse impiedoso de minha parte, eu diria que dom Quixote nunca deve sarar, porque com sua saúde não só perderemos suas extravagâncias, como as graças de seu escudeiro, Sancho Pança, pois qualquer uma delas pode alegrar a própria melancolia. Mesmo assim, calarei: não direi nada a ele, para ver se tenho razão em suspeitar que não terá efeito nenhum a diligência do senhor Carrasco.

O bacharel respondeu que em todo caso aquele negócio já tinha sido despachado e que esperava um desfecho feliz. Depois de dom Antônio ter se posto a sua disposição para tudo o que precisasse, Sansão se despediu dele e no mesmo instante saiu da cidade e voltou para sua pátria, montado no cavalo com que entrara na batalha e com sua armadura e armas amarradas sobre um burro, sem que tenha lhe acontecido coisa digna de se contar nesta história verídica.

Dom Antônio contou ao vice-rei tudo o que Carrasco havia contado a ele, o que não deixou o vice-rei muito satisfeito, porque com o afastamento de dom Quixote se perdia a diversão que podiam ter todos aqueles que tivessem notícia de suas loucuras.

Dom Quixote esteve seis dias de cama, aflito, triste, pensativo e aborrecido, repassando na imaginação uma vez depois da outra os desgraçados lances de sua derrota. Sancho o consolava — entre outras coisas, lhe disse:

— Senhor, levante a cabeça e alegre-se, se é que pode, e dê graças ao céu que não saiu com uma costela quebrada, pois foi derrubado no chão. Vossa mercê sabe que quem com ferro fere com ferro será ferido, e nem tudo o que reluz é ouro. Mande o médico para aquele lugar, pois não precisa dele para se curar desta doença, e voltemos para casa e deixemos de andar em busca de aventura por terras e cidades que não conhecemos. Agora, se pensarmos bem, o mais prejudicado aqui sou eu, embora seja vossa mercê o mais escangalhado: eu, que deixei com o governo os desejos de nunca mais ser governador, não perdi a gana de ser conde, coisa que jamais acontecerá se vossa mercê não for rei, abandonando o ofício da cavalaria. Assim minhas esperanças se transformam em fumaça.

— Cala-te, Sancho. Não vês que minha retirada e reclusão não devem passar de um ano? Logo voltarei a meu honrado ofício, e não há de me faltar reino para ganhar e algum condado para te dar.

— Que Deus o ouça e o diabo seja surdo — disse Sancho —, pois sempre ouvi dizer que mais vale uma boa esperança que uma posse ruim.

Estavam nisso, quando entrou dom Antônio, dizendo com mostras de grande satisfação:

— Belas novas, senhor dom Quixote: dom Gregório e o renegado que foi buscá-lo estão na praia! Ora, praia! O que digo? Já estão na casa do vice-rei e estarão aqui num instante.

Dom Quixote se alegrou um pouco e disse:

— Na verdade, estou quase para dizer que gostaria que tivesse saído tudo errado, porque me obrigaria a ir à Berbéria, onde com a força de meu braço libertaria não só dom Gregório como todos os cristãos prisioneiros por lá. Mas, pobre de mim, que digo? Não sou eu o derrotado? Não sou eu o abatido? Não sou eu que não pode empunhar uma arma por um ano? Então, que posso prometer? De que me gabo, se antes me convém usar a roca que a espada?

— Deixe disso, senhor — disse Sancho. — Viva o sabujo, mesmo sem faro, que um dia é da caça e o outro, do caçador, e não se deve levar a sério essas coisas de sovas e porradas, porque quem cai hoje pode se levantar amanhã, a menos que queira ficar na cama, quero dizer, que se deixe levar pelo desânimo, sem criar novas forças para novas pendências. Vamos, levante-se vossa mercê para receber dom Gregório, que, pelo alvoroço do pessoal da casa, deve estar chegando.

Era verdade, porque, ansioso para ver Ana Félix, dom Gregório veio com o renegado para a casa de dom Antônio depois de ter ido com ele prestar contas ao vice-rei da viagem de resgate. Embora dom Gregório usasse roupas de mulher quando foi tirado de Argel, no barco as trocou pelas de um prisioneiro que veio com ele; mas qualquer uma que usasse mostraria ser ele pessoa para ser cobiçada, servida e estimada, porque era formoso demais, e tinha, pelo visto, uns dezessete ou dezoito anos.

Ricote e sua filha saíram para recebê-lo, o pai com lágrimas e a filha com recato. Não se abraçaram, porque onde há muito amor não costumam haver demasiadas efusões. Lado a lado, as belezas de dom Gregório e de Ana Félix causaram pasmo extraordinário a todos os presentes. Ali foi o silêncio quem falou pelos apaixonados, e os olhos foram as línguas que revelaram suas intenções, alegres e puras.

O renegado contou os meios e as manhas que precisou empregar para trazer dom Gregório; dom Gregório contou os perigos e apertos que passara com as mulheres com quem tinha ficado, mas sem longas explicações, com rápidas palavras, onde mostrou que seu discernimento ultrapassava sua idade. Por fim, Ricote pagou generosamente tanto o renegado como os remadores. O renegado se reconciliou com a Igreja, submetendo-se ao tribunal da Santa Inquisição — e o membro podre voltou são e salvo com a penitência e o arrependimento.

Dali a dois dias o vice-rei tratou com dom Antônio da forma como resolveriam o caso de Ana Félix e seu pai, parecendo-lhes não haver inconveniente algum em que ficassem na Espanha filha tão cristã e pai, pelo visto, tão bem-intencionado. Dom Antônio se ofereceu para ir à corte negociá-lo, onde tinha de ir forçosamente por outros assuntos, dando a entender que lá, por meio de favores e presentes, se conseguem muitas coisas difíceis.

— Não — disse Ricote, que participava dessa conversa —, não devemos nos valer de favores nem de presentes, porque com o grande dom Bernardino de Velasco, conde de Salazar, a quem sua majestade encarregou nossa expulsão, não adiantam súplicas, nem promessas, nem presentes, nem queixas, pois, embora ele misture a misericórdia com a justiça, sabe que todo o corpo de nossa nação está contaminado e podre, e usa com ele antes o ferro em brasa que o cauteriza que o unguento que o mitiga. Assim, com prudência, com sagacidade, com diligência e com o medo que inspira, levou sobre seus ombros fortes o peso dessa grande empresa e a executou devidamente, sem que nossas artimanhas, estratagemas, solicitações e fraudes tenham conseguido ofuscar seus olhos de Argos, que mantém alertas o tempo todo para que não fique nem se esconda nenhum dos nossos, que, como raiz oculta, venha a brotar com o tempo e dar frutos venenosos na Espanha, já limpa, já desembaraçada dos temores em que nossa multidão a mantinha. Heroica resolução essa do grande Felipe Terceiro, e inaudita prudência tê-la encarregado a dom Bernardino de Velasco.

— Mesmo assim, estando lá, farei uma por uma as diligências possíveis, e que o céu faça o que achar melhor — disse dom Antônio. — Dom Gregório irá comigo, para consolar seus pais da tristeza que devem sentir por sua ausência; Ana Félix ficará com minha mulher, em minha casa ou num mosteiro, e eu sei que o senhor vice-rei gostará que fique na sua o bom Ricote até ver como me saio no negócio.

O vice-rei concordou com tudo, mas dom Gregório, sabendo o que acontecia, disse que de maneira nenhuma podia nem queria deixar dona Ana Félix; mas, tendo intenção de ver seus pais e dar um jeito de voltar por causa dela, acabou por aceitar a combinação. Ana Félix ficou com a mulher de dom Antônio, e Ricote na casa do vice-rei.

Chegou o dia da partida de dom Antônio, e o de dom Quixote e Sancho, que foi dali a dois, porque o tombo não permitiu que se pusesse a caminho mais cedo. Houve lágrimas, houve suspiros, desmaios e soluços quando dom Gregório se despediu de Ana Félix. Ricote ofereceu a dom Gregório mil escudos, se os quisesse, mas ele não aceitou nenhum, apenas cinco, emprestados por dom Antônio, a quem prometeu pagar na corte. Assim partiram os dois, e dom Quixote e Sancho em seguida, como se disse: dom Quixote em traje de passeio; Sancho a pé, pois o burro carregava as armas e a armadura.

LXVI

QUE TRATA DO QUE VERÁ AQUELE QUE O LER OU OUVIRÁ AQUELE QUE ESCUTAR A LEITURA

Ao sair de Barcelona, dom Quixote olhou de novo o lugar onde havia caído e disse:

— Aqui foi Troia! Aqui minha desgraça, não minha covardia, levou minhas glórias conquistadas! Aqui fui joguete das voltas e reviravoltas do destino, aqui minhas façanhas se apagaram! Enfim, aqui caiu minha ventura para jamais se levantar!

Ouvindo isso, Sancho disse:

— Os corações valentes, meu senhor, tanto resistem na desgraça como se alegram na prosperidade. Julgo isso por mim mesmo: estava alegre quando era governador e agora, que sou escudeiro a pé, não estou triste. Ouvi dizer que essa que chamam de Fortuna é uma mulher bêbada e cheia de caprichos, mas principalmente cega, quer dizer, não vê o que faz, nem sabe a quem derruba nem a quem aclama.

— Estás muito filosófico, Sancho — respondeu dom Quixote. — Falas com muito tino. Não sei quem te ensina. Mas o que posso te dizer é que não há fortuna no mundo, nem as coisas que acontecem nele, sejam boas ou más, vêm por acaso e sim por determinação especial dos céus. É por isso que se costuma dizer que cada um é artífice de seu destino. Eu fui do meu, mas não com a prudência necessária, e assim lá se foram por água abaixo minhas presunções. Eu devia ter imaginado que, diante do tamanho enorme do cavalo do Cavaleiro da Lua Branca, a magreza de Rocinante não poderia resistir. Arrisquei-me, então: fiz o que pude, derrubaram-me e, embora tenha perdido a honra, não perdi nem posso perder a virtude de cumprir minha palavra. Quando era cavaleiro andante, audacioso e valente, garantia meus feitos com minhas ações e com minhas mãos; e agora, quando sou um simples pedestre, garantirei minhas palavras cumprindo a que empenhei em minha promessa. Caminha, pois, meu amigo Sancho, e vamos a nossa terra enfrentar o ano de provação, em cujo retiro ganharemos virtude nova para voltar ao exercício das armas por mim nunca esquecido.

— Olha, senhor — respondeu Sancho —, andar a pé não é coisa tão agradável que me leve e incite a fazer grandes jornadas. Deixemos essas armas e armadura penduradas em alguma árvore, no lugar de um enforcado, e, ocupando eu as costas do burro, sem os pés no chão, viajaremos ao bel-prazer de vossa mercê. Porque pensar que vou fazer a pé uma viagem tão longa é o mesmo que pensar que a lua é um queijo.

— Muito bem, Sancho — respondeu dom Quixote. — Pendure minhas armas e minha armadura como troféu, e abaixo delas ou em torno delas gravaremos nas árvores o que estava escrito no troféu das armas e armadura de Roland:

Ninguém as mova
se com Roland não possa
se pôr à prova.

— Eis aí uma ideia de ouro! — respondeu Sancho. — E, se não fosse a falta que Rocinante nos faria, também seria bom deixá-lo pendurado.

— Não! Nem Rocinante nem as armas — replicou dom Quixote. — Não quero que se enforquem, para que não se diga que cuspo no prato em que como!

— Muito bem falado — respondeu Sancho —, porque, conforme a opinião dos sábios, quem tem culpa paga a custa. E, como vossa mercê tem a culpa do que aconteceu, castigue-se a si mesmo, e não caia sua ira sobre a armadura escangalhada e suja de sangue, nem na mansidão de Rocinante, nem na delicadeza de meus pés, esperando que caminhem além do razoável.

Em conversas e discussões como essas, passaram todo aquele dia e mais quatro, sem lhes acontecer coisa que atrapalhasse sua viagem. No quinto dia, à entrada de uma aldeia, à porta de uma hospedaria, encontraram muita gente se divertindo porque era dia de festa. Quando dom Quixote se aproximou, um camponês disse, elevando a voz:

— Um destes senhores que chegam, que não conhecem nenhum dos envolvidos, dirá como devemos resolver a aposta.

— Claro que digo — respondeu dom Quixote —, com toda lisura, se conseguir entender o caso.

— O caso é o seguinte, meu bom senhor: um morador desta aldeia, tão gordo que pesa onze arrobas — disse o camponês —, apostou uma corrida com um vizinho que não pesa mais que cinco. A condição foi que deviam correr cem passos com pesos iguais; e, tendo perguntado ao desafiante como se faria para igualar o peso, ele respondeu que o desafiado, que pesa cinco arrobas, botasse seis de ferro nas costas, e assim o gordo e o magro ficariam com onze arrobas.

— Esperem aí — disse Sancho nessas alturas, antes que dom Quixote respondesse. — A mim toca averiguar essas dúvidas e julgar todo pleito, porque, como todo mundo sabe, há poucos dias deixei de ser governador e juiz.

— Responde em boa hora, Sancho, meu amigo — disse dom Quixote —, porque não sei nem onde tenho a ponta do nariz, tão agitadas e confusas trago as ideias.

Com essa licença, Sancho disse aos camponeses, que

se amontoavam ao redor dele, de boca aberta, esperando sua sentença:

— Meus irmãos, o que o gordo pede não tem jeito nem sombra de justiça alguma. Porque se for verdade o que se diz, que o desafiado pode escolher as armas, não fica bem que escolha as que o atrapalhem ou impeçam de sair vencedor. Assim, é minha opinião que o gordo desafiador se descasque, desbaste, afine, refine, lustre e perca seis arrobas de suas banhas. Dessa maneira, ficando com cinco arrobas de peso, se igualará ao adversário, podendo assim correr em idênticas condições.

— Minha nossa! — disse um camponês que escutou a sentença de Sancho. — Este senhor falou como um santo e sentenciou como um cônego! Mas com certeza o gordo não vai querer perder nem um quilo de banha, quanto mais seis arrobas.

— O melhor é que não corram — respondeu outro —, para que o magro não se arrebente com o peso nem o gordo com o jejum; e se invista metade da aposta em vinho, e levemos esses senhores à taberna do mais caro deles, que eu pago a conta no dia de São Nunca.

— Senhores — respondeu dom Quixote —, eu vos agradeço, mas não posso parar um instante, porque acontecimentos e pensamentos tristes me obrigam a partir apressado e parecer descortês.

E então, esporeando Rocinante, seguiu em frente, deixando todos admirados tanto por sua estranha figura como pela sabedoria de seu criado, que assim julgaram Sancho. Outro dos camponeses disse:

— Se o criado é tão arguto, como não será o amo?! Aposto que, se forem estudar em Salamanca, num piscar de olhos serão juízes criminais. Tudo é conversa fiada, menos estudar e estudar mais, e ter padrinhos e sorte; e, quando menos se espera, lá está o homem, com a insígnia de governador na mão ou uma mitra na cabeça.

Aquela noite, amo e criado passaram no meio do campo, ao relento. No outro dia, seguindo seu caminho, viram que vinha na direção deles um homem a pé, com uns alforjes no pescoço e uma lança ou chuço na mão, a própria figura do correio a pé. Quando chegou mais perto de dom Quixote, apressou o passo e, meio correndo, se aproximou dele e, abraçando-lhe a coxa direita, pois não alcançava mais nada, disse com grandes demonstrações de alegria:

— Oh, meu senhor dom Quixote de la Mancha, que grande satisfação vai encher o coração de meu senhor o duque, ao saber que vossa mercê volta a seu castelo, pois ainda se encontra lá com minha senhora a duquesa!

— Não vos conheço, meu amigo — respondeu dom Quixote —, nem sei quem sois, se não me disserdes.

— Senhor dom Quixote — respondeu o correio —, eu sou Tosilos, o lacaio do duque, que não quis lutar com vossa mercê por causa do casamento da filha de dona Rodríguez.

— Valha-me Deus! — disse dom Quixote. — É possível que sejais aquele que os magos meus inimigos transformaram neste lacaio, para me esbulhar da honra daquela batalha?

— Não diga isso, meu caro senhor — respondeu o carteiro —, pois não houve encantamento nenhum, nem transformação de rosto: tão lacaio Tosilos entrei na liça como Tosilos lacaio saí dela. Pensei em me casar sem lutar porque gostei do porte da moça, mas meus planos saíram pela culatra pois, logo que vossa mercê partiu de nosso castelo, o duque meu senhor mandou me dar cem bastonadas por ter desobedecido às ordens que me dera antes de entrar na batalha, e tudo acabou em que a moça virou freira, dona Rodríguez voltou a Castela e eu agora vou a Barcelona levar um maço de cartas de meu amo ao vice-rei. Se vossa mercê quiser um traguinho de vinho, quente, sim, mas puro, levo aqui uma cabaça cheia do melhor, com não sei quantas fatias de queijo de Tronchón, que servirão de aperitivo para despertar a sede, se por acaso estiver dormindo.

— Dobro a aposta — disse Sancho —, e descarte as cortesias: sirva logo o vinho, meu caro Tosilos, apesar e a despeito de todos os magos das Índias.

— No fim das contas, Sancho — disse dom Quixote —, tu és mesmo o maior comilão do mundo e o maior ignorante da terra, pois não te convences de que se trata de um encantamento, que este Tosilos é uma imitação. Fica com ele e enche a pança, que eu sigo devagarinho, esperando por ti.

O lacaio riu, sacou a cabaça e pegou nos alforjes as fatias de queijo, mais um pãozinho. Sentados na grama verde, na santa paz de Deus, num instante ele e Sancho deram cabo de todos os mantimentos, com tanta gana que lamberam o maço de cartas, só porque cheirava a queijo. Tosilos disse a Sancho:

— Sancho, meu amigo, sem dúvida este teu amo deve ser louco.

— Como deve? — respondeu Sancho. — Não deve nada a ninguém: paga todas as contas, principalmente quando a moeda é loucura. Sei disso muito bem e até digo a ele, mas de que adianta? Ainda mais agora, que está louco varrido, porque foi derrotado pelo Cavaleiro da Lua Branca.

Tosilos suplicou que lhe contasse o que tinha acontecido, mas Sancho respondeu que era uma descortesia deixar que seu amo o esperasse, que outro dia, caso se encontrassem, haveria tempo para isso. E levantando-se, depois de ter sacudido as migalhas da roupa e das barbas, pegou o burro pelas rédeas e, dizendo adeus, deixou Tosilos e alcançou seu amo, que o esperava à sombra de uma árvore.

LXVII

DA DECISÃO QUE DOM QUIXOTE TOMOU DE SE TORNAR PASTOR E SEGUIR A VIDA DO CAMPO ENQUANTO DURASSE O ANO DE SUA PROMESSA, COM OUTROS ACONTECIMENTOS VERDADEIRAMENTE EXCELENTES E SABOROSOS

Se muitos pensamentos incomodavam dom Quixote antes de ser derrotado, muitos mais o incomodavam depois. Estava à sombra de uma árvore, como se disse, e ali os pensamentos caíam sobre ele como moscas no mel: uns picavam pelo desencantamento de Dulcineia e outros pela vida que devia levar em seu retiro forçado. Sancho chegou e elogiou a índole generosa do lacaio Tosilos.

— Não é possível, Sancho, que ainda penses que aquele seja lacaio de verdade! — disse dom Quixote. — Parece que varreste da memória que tu mesmo viste Dulcineia transformada em camponesa e o Cavaleiro dos Espelhos, no bacharel Carrasco, tudo isso obra dos magos que me perseguem. Mas agora me diz: perguntaste a esse tal de Tosilos o que foi feito de Altisidora, se chorou minha ausência ou se já deixou nas mãos da indiferença os pensamentos amorosos que a fustigavam em minha presença?

— Ora, senhor — respondeu Sancho —, os que me fustigavam não me deixaram perguntar tolices. Com os diabos, então vossa mercê chegou ao ponto de bisbilhotar os pensamentos dos outros, principalmente os amorosos?

— Olha, Sancho — disse dom Quixote —, há muita diferença entre as coisas que se fazem por amor das que se fazem por gratidão. Um cavaleiro pode muito bem não estar apaixonado, mas não pode, estritamente falando, ser mal-agradecido. Pelo visto, Altisidora me amou: deu-me aquelas três toucas, chorou em minha partida, amaldiçoou-me, insultou-me, queixou-se (apesar da vergonha) publicamente, amostras todas de que me adorava, pois as iras dos amantes costumam acabar em pragas. Eu não tinha esperanças para dar a ela nem tesouros para lhe oferecer, porque entreguei as minhas a Dulcineia e os tesouros de cavaleiros andantes são como os dos duendes, somem quando tocados, são falsos, pura aparência, e posso dar a Altisidora apenas essas lembranças que tenho dela, sem prejuízo, no entanto, das que tenho de Dulcineia, a quem tu prejudicas com a preguiça que tens em açoitar e castigar esse corpo que já vejo comido pelos lobos, que quer se guardar antes para os vermes que para a salvação daquela pobre senhora.

— Se vamos falar a verdade, senhor — respondeu Sancho —, não posso me convencer de que açoitar meu traseiro tenha como ajudar o desencantamento dos encantados, pois é como se disséssemos: "Se vos dói a cabeça, botai um cataplasma no joelho". Pelo menos eu me atrevo a jurar que, em todas as histórias que tratam da cavalaria andante que vossa mercê leu, não viu nenhum desencantado por açoites; mas, pelo sim e pelo não, vou me açoitar, quando tiver vontade e tempo suficiente.

— Queira Deus — respondeu dom Quixote —, e que os céus te iluminem para que te dês conta da obrigação que te cabe de socorrer minha senhora, que também é tua, pois tu és meu.

Em conversas assim, seguiram viagem, até que chegaram ao mesmo lugar onde tinham sido atropelados pelos touros. Reconhecendo-o, dom Quixote disse a Sancho:

— Este é o campo onde topamos com aquelas pastorinhas encantadoras e aqueles pastores galantes que queriam imitar e reconstruir a Arcádia pastoral, ideia tão original como sábia, que eu gostaria de seguir, Sancho, se te agradar, transformando-nos em pastores, ao menos pelo tempo de meu retiro. Sim, comprarei algumas ovelhas e todas as demais coisas que são necessárias ao ofício pastoril. Eu me chamarei "pastor Quixótis", tu "pastor Pancino", e andaremos pelas montanhas, pelas selvas e pelos campos, cantando aqui, declamando ali, bebendo nas fontes cristalinas ou nos riachos límpidos ou nos rios caudalosos. Com mão farta, as azinheiras nos darão seus doces frutos e assentos, os troncos dos fortíssimos sobreiros; sombras, os salgueiros; perfume, as rosas; tapetes de mil cores matizadas, os campos imensos; alento, o ar fresco e puro; luz, a lua e as estrelas, apesar da escuridão da noite; prazer, o canto; alegria, o pranto; Apolo, versos; o Amor, conceitos, com que poderemos nos tornar eternos e famosos, não apenas no presente século, mas nos seguintes.

— Por Deus — disse Sancho —, esse tipo de vida sim me quadra e me enquadra. E olha, logo que o bacharel Sansão Carrasco e mestre Nicolás, o barbeiro, o virem, vão querer nos seguir e se tornar pastores também. Mas queira Deus que o padre não tenha vontade de entrar no rebanho, sendo tão alegre e amigo de uma diversão.

— Falaste muito bem — disse dom Quixote. — E o bacharel Sansão Carrasco, se entrar em nosso grêmio pastoril, como entrará com certeza, se chamará "pastor Sansonino", ou talvez "pastor Carrascão"; o barbeiro Nicolás poderá se chamar "Niculoso", como o já antigo Boscán se chamou "Nemoroso";[1] não sei que nome podemos dar ao padre, se não for algum derivativo de sua profissão, chamando-o, por exemplo, de "pastor Rosarião". E as pastoras por quem estaremos apaixonados? Escolher o nome delas será como escolher entre pérolas, pois o de minha senhora tanto serve a uma pastora como a uma princesa: não há por que se cansar em procurar um nome mais conveniente. E tu, Sancho, chamarás a tua como quiseres.

— Não penso dar outro nome a não ser Teresona — respondeu Sancho —, pois lhe cairá bem com sua gordura e com o que já tem: Teresa. Depois, celebrando-a em meus versos, revelo a castidade de meus desejos, pois não ando procurando nas casas alheias o que deixei na minha. Quanto ao padre, não fica bem que tenha pastora, para dar bom exemplo; e o bacharel, se quiser ter uma, sua alma, sua palma.

— Santo Deus — disse dom Quixote —, que vida vamos levar, Sancho, meu amigo! Quantas charamelas vão ressoar em nossos ouvidos, quantas gaitas de Zamora, quantos tamborins e guizos e rabecas! E imagina se entre tantas músicas ressoa a dos alboques! Aí sim se verá quase todos os instrumentos pastoris.

— O que são alboques? — perguntou Sancho. — Nunca vi nenhum, nem nunca ouvi falar neles.

— Alboques são uns pratinhos de latão, meio como castiçais — respondeu dom Quixote. — Como são ocos, batendo um no outro fazem um som que, apesar de não ser muito agradável nem harmônico, não descontenta e combina bem com a rusticidade da gaita e do tamborim. Essa palavra, alboques, é mourisca, como todas aquelas em nossa língua castelhana que começam com *al*, como por exemplo: *almofada*, *almoçar*, *alfombra*, *almofariz*, *alfazema*, *almoxarife*, *alcanfor* e outras semelhantes, que não devem ser muitas mais; e nossa língua tem apenas três que são mouriscas e acabam em *i*: *borceguí*, *zauizamí* e *maravedí*; *alhelí* e *alfaquí*, tanto pelo *al* do começo como pelo *i* do final, são conhecidas como árabes.[2] Eu me desviei nessa conversa porque a palavra alboques me trouxe essas coisas à memória. Enfim, pelo visto vai nos ajudar muito a aperfeiçoar esse ofício o fato de eu ser um poeta razoável, como tu sabes, e por ser excelente o bacharel Sansão Carrasco. Do padre não digo nada, mas posso apostar que é chegado a rimas e métricas; e que também o seja mestre Nicolás, eu não ficaria surpreso, porque todos ou a maioria dos barbeiros são violeiros e trovadores. Eu me queixarei de ausência; tu te gabarás de amante fiel; o pastor Carrascão, de rejeitado, e o padre Rosarião, do que mais lhe convir, e assim a coisa correrá melhor do que se imagina.

Ao que Sancho respondeu:

— Senhor, eu tenho tão pouca sorte que tenho medo que não chegue o dia em que me veja nesse ofício. Oh, quando eu for pastor, quantas colheres vou entalhar e polir! Quantos refogados vou fazer! Quantas natas, quantas grinaldas! E todas aquelas bugigangas pastoris que, mesmo que não me tragam fama de sábio, me trarão de habilidoso! Sanchinha, minha filha, nos levará a comida ao campo. Mas, cuidado! Ela é jeitosa, e há por aí mais pastores canalhas que inocentes, e eu não gostaria que ela fosse em busca de lã e saísse tosquiada, porque os amores e as más intenções costumam andar tanto pelos campos como pelas cidades, pelas choças pastoris como pelos palácios reais, e tirada a causa, foi-se o pecado, e o que os olhos não veem o coração não sente, e mais vale outra volta na chave que conselho de frade.

— Chega de ditados, Sancho — disse dom Quixote. — Basta um dos que disseste para se entender o que pensas. Muitas vezes te aconselhei a não ser tão pródigo em ditados, a puxar a rédea ao dizê-los, mas é o mesmo que pregar no deserto e malhar em ferro frio.

— Parece-me — respondeu Sancho — que vossa mercê é como o burro que disse ao asno: "Fora daqui, orelhudo!". Está me repreendendo e me aconselhando a não dizer ditados, mas vai desfiando-os de dois em dois.

— Olha, Sancho — respondeu dom Quixote —, eu uso ditados a propósito: quando os digo, eles servem como anel no dedo. Mas tu os arrastas pelos cabelos, em vez de guiá-los. E, se me lembro bem, eu te disse outra vez que os ditados são sentenças breves, nascidas da experiência e da especulação de nossos sábios antigos, mas, se o ditado não vem a propósito, é antes um disparate que uma sentença. Enfim, deixemos isso para lá. Já anoitece, vamos nos afastar um pouco da estrada real e achar onde passar a noite, que amanhã só Deus sabe o que será.

Afastaram-se e jantaram tarde e mal, bem contra a vontade de Sancho, que se lembrou das misérias da cavalaria andante, principalmente nas selvas e nas montanhas, porque às vezes a fartura se mostrava nos castelos ou nas casas, como na de dom Diego de Miranda e na de dom Antônio Moreno, ou na festa de casamento do rico Camacho. Mas, como não considerava possível ser sempre de dia nem sempre de noite, passou aquela dormindo, e seu amo, velando.

LXVIII

DA HIRSUTA AVENTURA QUE ACONTECEU A DOM QUIXOTE

A noite era um tanto escura, apesar de a lua estar no céu, mas não em lugar que pudesse ser vista — às vezes a senhora Diana vai passear nos antípodas e deixa as montanhas negras e os vales escuros. Dom Quixote se rendeu à natureza, dormindo o primeiro sono, sem se entregar ao segundo, bem ao contrário de Sancho, que nunca teve o segundo, porque o sono dele durava da noite até a manhã, no que transparecia sua boa compleição e poucas preocupações. As de dom Quixote o mantiveram insone, de modo que acordou Sancho e lhe disse:

— Estou maravilhado com a liberdade de tua condição, Sancho: imagino que és feito de mármore ou do bronze mais duro, em que não cabe movimento nem sentimento algum. Eu velo quando tu dormes, eu choro quando tu cantas, eu desmaio de privação quando tu ficas inerte de preguiça de tão saciado. É próprio dos bons criados suportar as aflições de seus senhores e compartilhar seus sentimentos, pelo menos na aparência. Olha a serenidade desta noite, a solidão em que estamos. Elas nos convidam a intercalar alguma vigília em meio ao nosso sono. Por Deus, levanta, afasta-te um pouco daqui e, reconhecido, com coragem e energia, dá-te trezentos ou quatrocentos açoites por conta daqueles do desencantamento de Dulcineia. Eu te peço isso suplicando, pois não quero sair aos murros contigo como da outra vez, porque sei que tens as mãos pesadas. Depois que tenhas te aplicado a sova, passaremos o resto da noite cantando, eu minha ausência e tu, tua constância, começando neste instante o ofício pastoril que seguiremos em nossa aldeia.

— Senhor — respondeu Sancho —, não sou religioso para me levantar no meio do sono e me penitenciar, nem me parece que do extremo da dor dos açoites possa se passar às delícias da música. Deixe-me vossa mercê dormir e não me amole mais com esse negócio, que me fará jurar não tocar num fiado de meu saio, imagina de meu traseiro.

— Oh, alma empedernida! Oh, escudeiro sem piedade! Oh, pão mal-empregado e mercês mal pensadas as que te fiz e penso fazer! Por minha causa te viste governador e por minha causa te vês com esperanças iminentes de ser conde ou ter outro título semelhante, e a realização delas não vai demorar mais que este ano, pois eu *post tenebras spero lucem.*[1]

— Isso eu não entendo — replicou Sancho. — Só entendo que, enquanto durmo, não tenho medo nem esperança, nem trabalho nem glória. Vida longa a quem inventou o sono, capa que cobre todos os pensamentos humanos, manjar que tira a fome, água que afugenta a sede, fogo que abranda o frio, frio que mitiga o calor, enfim, moeda geral com que se compram todas as coisas, balança e medida que iguala o pastor ao rei e o tolo ao sábio. O sono só tem uma coisa má, pelo que ouvi dizer: é que se parece com a morte, pois entre um adormecido e um morto há pouca diferença.

— Nunca te ouvi falar tão elegantemente como agora, Sancho — disse dom Quixote. — Por isso penso que é verdadeiro aquele ditado que às vezes dizes: "Não importa a casta, mas com quem se pasta".

— Raios me partam, senhor! — replicou Sancho. — Agora não sou eu quem desfia ditados. Da boca de vossa mercê eles caem de dois em dois, melhor que da minha, pois há uma diferença entre os meus e os seus: os de vossa mercê caem na hora certa e os meus, fora de hora. Mas, queira ou não, todos são ditados.

Estavam nessa discussão, quando ouviram um estrondo surdo, um barulho desagradável, que se estendia por aqueles vales todos. Dom Quixote se levantou e empunhou a espada, e Sancho se escondeu debaixo do burro, ladeado pela confusão de armas, armadura e albarda, tremendo tanto de medo como dom Quixote de alvoroçado. Pouco a pouco, o barulho ia crescendo e se aproximando dos dois medrosos, ou pelo menos de um, porque do outro já se conhece a valentia.

O caso era que uns homens levavam mais de seiscentos porcos para vender na feira, e os bichos faziam tanto barulho, grunhindo e bufando, que ensurdeceram dom Quixote e Sancho Pança, os quais não atinaram com o que poderia ser. A grande e grunhidora manada chegou a toda pressa e, sem respeito pela autoridade de dom Quixote, passou por cima dos dois, desmanchando a trincheira de Sancho e derrubando não só dom Quixote como levando Rocinante de quebra. O tropel, os grunhidos e a rapidez com que chegaram aqueles animais imundos deixaram a todos confusos — e por terra a albarda, as armas e a armadura, o burro, Rocinante, Sancho e dom Quixote.

Sancho levantou como pôde e pediu a espada a seu amo, dizendo que queria matar meia dúzia daqueles senhores descarados, pois já tinha percebido que eram porcos. Dom Quixote disse:

— Deixa estar, meu amigo: esta afronta é punição por meus pecados. É castigo justo do céu que a um cavaleiro andante vencido comam os chacais, piquem as vespas e pisoteiem os porcos.

— Também deve ser castigo do céu — respondeu Sancho — que os escudeiros dos cavaleiros vencidos sejam picados por moscas, comidos por piolhos e atacados pela fome. Se nós, escudeiros, fôssemos filhos dos cavaleiros a que servimos, ou parentes mais próximos, não seria de estranhar que a punição dos pecados deles nos alcançasse até a quarta geração. Mas o que têm que ver os Panças com os Quixotes? Bem, vamos nos acomodar de novo e dormir o pouco que resta da noite, que amanhã será outro dia, com a graça de Deus.

— Dorme tu, Sancho, que nasceste para dormir — respondeu dom Quixote —, pois eu, que nasci para velar, no tempo que falta até o dia raiar darei rédea solta a meus pensamentos e os desafogarei num madrigalzinho que, sem que tenhas percebido, compus de cabeça.

— Parece-me que os pensamentos que levam a fazer versos não devem ser muitos — respondeu Sancho. — Verseje vossa mercê o quanto quiser, que eu vou dormir o quanto puder.

E então, ocupando do chão o quanto quis, se aconchegou e dormiu a sono solto, sem que fianças, nem dívidas, nem dor alguma o atrapalhasse. Dom Quixote, escorado no tronco de uma faia, ou de um sobreiro (que Cide Hamete Benengeli não define que árvore era), ao som de seus próprios suspiros cantou desta maneira:

— Amor, quando eu penso
no mal que me fazes, terrível e forte,
corro para a morte,
pensando assim acabar meu mal imenso;

mas ao chegar ao passo
que é porto neste mar de meu tormento,
tanta alegria sinto,
que a vida se rebela, e não o ultrapasso.

Assim o viver me mata,
pois a morte volta a me dar a vida.

Oh, situação nunca vista
*a que comigo morte e vida trata!**

Acompanhava cada um desses versos com muitos suspiros e não poucas lágrimas, exatamente como quem tinha o coração trespassado pela dor da derrota e pela ausência de Dulcineia.

Nisso chegou o dia: o sol deu com seus raios nos olhos de Sancho, que acordou e se espreguiçou, sacudindo-se e espichando os membros entorpecidos; olhou o estrago que os porcos tinham feito em seus mantimentos e amaldiçoou a manada — para dizer a verdade, foi mais longe ainda. Por fim, os dois retomaram sua viagem e, quando a tarde declinou, viram se aproximar deles uns dez homens a cavalo e quatro ou cinco a pé. O coração de dom Quixote se sobressaltou e se atordoou o de Sancho, porque aquela gente trazia lanças e adargas, parecendo em pé de guerra. Dom Quixote se virou para Sancho e disse:

— Se eu pudesse usar minhas armas, Sancho, e minha promessa não me atasse as mãos, eu consideraria este pelotão que vem sobre nós um convite para uma festa. Mas pode ser que seja coisa diferente da que tememos.

Nisso chegaram os homens a cavalo e, com as lanças em riste, sem dizer uma palavra rodearam dom Quixote e o ameaçaram de morte, apontando-as para as costas e o peito dele. Um dos homens a pé, com um dedo na boca como pedindo que se calasse, agarrou o freio de Roci-

* Cervantes adaptou um poema de *Gli Asolano* (1505) de Pietro Bembo: "*Amor, cuando yo pienso/ en el mal que me das terrible y fuerte,/ voy corriendo a la muerte,/ pensando así acabar mi mal inmenso;// mas en llegando al paso/ que es puerto en este mar de mi tormento,/ tanta alegría siento,/ que la vida se esfuerza, y no le paso.// Así el vivir me mata,/ que la muerte me torna a dar la vida./ ¡Oh condición no oída/ la que conmigo muerte y vida trata!*".

nante e o afastou da estrada. Os outros que vinham a pé, pegando Sancho e o burro, mantendo-se todos em silêncio extraordinário, seguiram os passos daquele que levava dom Quixote, que por duas ou três vezes quis perguntar aonde o levavam ou o que queriam, mas, mal começava a mover os lábios, obrigavam-no a fechá-los com as pontas das lanças. Acontecia a mesma coisa com Sancho, porque, apenas dava mostras de querer falar, um dos homens a pé o cutucava com um chuço, e nem mais nem menos isso se passava com o burro também, como se ele quisesse falar. Caiu a noite, apressaram o passo, cresceu o medo nos prisioneiros, e mais ainda quando ouviram que de tanto em tanto lhes diziam:

— Andai, primatas!

— Calai, bárbaros!

— Sofrei, antropófagos!

— Não vos queixeis, celerados! Nem abrais os olhos, Polifemos assassinos, leões carniceiros!

E outros nomes semelhantes, com que atormentavam os ouvidos dos miseráveis amo e criado. Sancho ia dizendo a si mesmo: "Nós, andar com primas nas matas? Nós, barbados e sarcófagos? Nós, celebrados? Bem, celebrados sim, principalmente o senhor dom Quixote. Mas não sei, não entendo esses nomes; esse negócio todo não me cheira bem, e a desgraça é como mosca no mel: nunca vem sozinha. Tomara que pare nos nomes o que ameaça esta aventura tão desventurada!".

Dom Quixote ia embasbacado, sem poder atinar por mais que matutasse por que os chamavam com aqueles nomes ofensivos, mas era evidente que não podia esperar nenhum bem e devia temer muitos males. Então, quase uma hora depois que anoiteceu, chegaram a um castelo que dom Quixote viu muito bem que era o do duque, onde haviam estado fazia pouco.

— Valha-me Deus! — disse logo que reconheceu a casa. — O que será isso? Sim, nesta casa tudo é cortesia e amabilidade; mas para os derrotados o bem se torna mal e o mal, coisa pior ainda.

Entraram no pátio principal do castelo e viram-no adornado de maneira que lhes aumentou o pasmo e lhes duplicou o medo, como se verá no capítulo seguinte.

LXIX

DA MAIS ESTRANHA E MAIS SINGULAR AVENTURA QUE ACONTECEU A DOM QUIXOTE NO DECURSO DESTA GRANDE HISTÓRIA

Os cavaleiros apearam e, com os peões, suspenderam Sancho e dom Quixote e os carregaram para o pátio, em volta do qual ardiam quase cem tochas, presas em seus suportes, e mais de quinhentas lamparinas pelas varandas, de modo que, apesar da noite, que se mostrava um tanto escura, não se percebia a falta do dia. No meio do pátio, um túmulo se elevava do chão por uns dois metros, todo coberto por um grande dossel de veludo negro — em torno dele, postas em degraus, ardiam velas de cera branca sobre mais de cem castiçais de prata; em cima, estendia-se um corpo morto de uma donzela tão formosa que, com sua formosura, fazia parecer formosa a própria morte. Tinha a cabeça sobre uma almofada de brocado, coroada com uma grinalda tecida com diversas flores perfumadas, as mãos cruzadas sobre o peito, e entre elas um ramo de palma amarela da vitória.[1]

A um lado do pátio estava um tablado, onde, em duas cadeiras, sentavam dois personagens, que, por terem coroas na cabeça e cetros nas mãos, davam mostras de ser reis, fossem falsos ou verdadeiros. Ao lado desse tablado, aonde se subia por alguns degraus, estavam outras duas cadeiras, em que dom Quixote e Sancho foram sentados pelos homens que os trouxeram, sempre em silêncio e dando a entender que também eles se calassem. Mas os dois teriam se calado mesmo sem ordem nenhuma, porque o pasmo com o que estavam vendo tinha atado suas línguas.

Dois personagens muito distintos, acompanhados de grande séquito, subiram no tablado. Dom Quixote logo os reconheceu como o duque e a duquesa, seus hospedeiros, que se sentaram em duas cadeiras riquíssimas, perto dos que pareciam reis. Quem não haveria de se espantar com isso, sem falar que dom Quixote havia reconhecido o corpo morto no túmulo como o da formosa Altisidora?

Dom Quixote e Sancho, quando os duques subiram no tablado, fizeram uma profunda reverência, e os duques também, inclinando um pouco as cabeças.

Nisso saiu um criado do duque da lateral do pátio e, aproximando-se de Sancho, jogou-lhe sobre os ombros um manto de bocassim negro, todo pintado com labaredas, e, tirando-lhe a carapuça, botou-lhe na cabeça uma mitra de papel como as que usavam os condenados pelo Santo Ofício e lhe disse ao ouvido que não abrisse a boca, porque lhe poriam uma mordaça ou acabariam com a vida dele. Sancho se olhava de cima a baixo, via-se ardendo em chamas, mas, como não o queimavam, não dava dois tostões por elas. Tirou a mitra e viu que era pintada com diabos; botou-a de novo, dizendo a si mesmo:

— Ainda bem que elas não me queimam nem eles me carregam.

Dom Quixote também o olhava e, embora o medo o abalasse, não deixou de rir ao ver a figura de Sancho.

Começou a se ouvir, pelo visto vindo debaixo do túmulo, um som delicado e agradável de flautas, que, por não ser interrompido por ninguém e porque naquele lugar o próprio silêncio guardava silêncio, se mostrava brando e amoroso. Em seguida apareceu repentinamente, ao lado da almofada do suposto cadáver, um formoso rapaz vestido de romano que, ao som de uma harpa que ele mesmo tocava, cantou com voz suavíssima e clara estas duas estrofes:

— Enquanto não volte a si Altisidora,
morta pela crueldade de dom Quixote,
e enquanto na corte encantadora
as damas vestirem luto,
e enquanto a suas amas minha senhora
vestir de baeta e sarja,
cantarei sua beleza e sua desgraça,
com melhor plectro que o próprio Orfeu.

E parece ainda que não me toca
este ofício apenas em vida,
mas, com a língua morta e fria na boca,
penso elevar a voz a ti devida.
Livre minha alma de seu pobre cárcere
pela lagoa estígia conduzida,
celebrando-te irá, e aquele som
*fará parar as águas do esquecimento.**

— Basta — disse a essa altura um dos homens que pareciam reis —, basta, cantor divino, pois continuarias até o infinito para nos descrever a morte e as graças da sem-par Altisidora. Ela não está morta, como o mundo ignorante pensa, mas viva nas línguas da fama e na punição que Sancho Pança, aqui presente, deve sofrer para trazê-la de volta à luz perdida. Então tu, Radamanto, que jul-

* *— En tanto que en sí vuelve Altisidora,/ muerta por la crueldad de don Quijote,/ y en tanto que en la corte encantadora/ se vistieren las damas de picote,/ y en tanto que a sus dueñas mi señora/ vistiere de bayeta y de anascote,/ cantaré su belleza y su desgracia,/ con mejor plectro que el cantor de Tracia.// Y aun no se me figura que me toca/ aqueste oficio solamente en vida,/ mas con la lengua muerta y fría en la boca/ pienso mover la voz a ti debida./ Libre mi alma de su estrecha roca,/ por el estigio lago conducida,/ celebrándote irá, y aquel sonido/ hará parar las aguas del olvido.*

gas comigo nas cavernas tenebrosas do Hades, pois sabes tudo aquilo que nos inescrutáveis fados está determinado acerca de esta donzela voltar a si, fala logo, para que não demore o bem que com seu regresso esperamos.

Apenas Minos, juiz e companheiro de Radamanto, tinha dito isso, o outro se levantou e disse:

— Ei, criados desta casa, altos e baixos, grandes e pequenos, vinde logo um depois do outro e dais vinte e quatro puxões nas barbas de Sancho, e doze beliscões e seis alfinetadas nos braços e nas costas, pois desta cerimônia depende a saúde de Altisidora!

Ouvindo isso, Sancho Pança rompeu o silêncio e disse:

— Por Deus, quero ser mouro se deixar que me puxem as barbas ou me metam a mão na cara! Diacho! Que é que minhas barbas têm com a ressurreição desta donzela? Tem gosto para tudo, como dizia a velha comendo ranho. Encantam Dulcineia, e me açoitam para que a desencante; morre Altisidora de males que Deus quis lhe dar, e querem ressuscitá-la me dando vinte e quatro puxões nas barbas, crivando-me o corpo de alfinetadas e me deixando todo roxo de beliscões! Ora, vão brincar com meu cunhado, que eu sou macaco velho e não meto a mão em cumbuca.

— Morrerás! — disse em voz alta Radamanto. — Acalma-te, tigre; humilha-te, Nembrot[2] soberbo. Aguenta e cala, pois não te pedem o impossível, e não te metas a averiguar as dificuldades deste negócio: puxado hás de ser, crivado hás de te ver e beliscado hás de gemer. Vamos, servos, cumpri minhas ordens, se não, palavra de homem de bem, havereis de ver para que nascestes!

Nisso apareceram, vindas pelo pátio, umas seis amas em procissão, uma atrás da outra, quatro delas com óculos, e todas com a mão direita levantada, com quatro dedos de pulso de fora, para que as mãos parecessem mais longas, como é costume agora. Mal as viu, Sancho disse, bramando como um touro:

— Posso deixar todo mundo me sovar, sim, mas consentir que as amas me toquem? Isso não! Podem me arranhar o rosto, como fizeram com meu amo neste mesmo castelo; podem me atravessar o corpo com adagas pontudas; podem me torturar com tenazes em brasa, que aguentarei tudo com paciência, ou farei tudo o que esses senhores querem. Mas não consentirei que as amas me toquem nem que o diabo me carregue.

Dom Quixote também rompeu o silêncio, dizendo a Sancho:

— Tem paciência, meu filho, faz a vontade desses senhores e agradece aos céus por ter posto tal dom em tua pessoa, pois com o martírio dela desencantas os encantados e ressuscitas os mortos.

As amas já estavam perto de Sancho, quando ele, mais calmo e mais convencido, ajeitando-se melhor na cadeira, ofereceu o rosto e as barbas à primeira, que lhe deu um puxão bem dado e depois fez uma grande reverência.

— Menos cortesia e menos perfume, senhora ama! — disse Sancho. — Santo Deus, vossas mãos cheiram tanto que fiquei meio tonto!

Por fim, todas as amas puxaram as barbas de Sancho, e muitas outras pessoas da casa o beliscaram. Mas, na hora das alfinetadas, ele não pôde aguentar: levantou-se da cadeira, agarrou uma tocha acesa que estava perto e, pelo visto muito contrariado, correu atrás das amas e de todos os seus verdugos, dizendo:

— Fora, lacaios do inferno! Eu não sou de bronze, para suportar tamanhos martírios!

Então Altisidora, que devia estar cansada por ter ficado tanto tempo de costas, se virou de lado; vendo isso, quase todos os presentes disseram a uma voz:

— Altisidora está viva! Altisidora vive!

Radamanto mandou que Sancho refreasse sua ira, pois já se alcançara o propósito desejado.

Assim que dom Quixote viu Altisidora se remexer, foi se pôr de joelhos diante de Sancho, dizendo:

— Meu querido filho, sangue de meu sangue, não apenas escudeiro: agora é o momento para te dares alguns dos açoites a que estás obrigado para o desencantamento de Dulcineia. Agora, repito, é o momento, porque teu dom está no ponto, e realizarás com eficácia o que se espera de ti.

Ao que Sancho respondeu:

— Isso me parece treta sobre treta, e não juntar a fome com a vontade de comer. Seria ótimo que depois de puxões, beliscões e alfinetadas agora viessem açoites. Não têm mais que fazer que me amarrar uma grande pedra no pescoço e me jogar num poço, o que não me incomodaria muito, já que tenho de ser o bode expiatório para curar os males dos outros. Por Deus, deixem-me, senão eu viro bicho e aí ninguém me segura.

Nessas alturas, Altisidora já havia se sentado no túmulo, e no mesmo instante soaram as charamelas, acompanhadas pelas flautas e pelas vozes de todos, que aclamavam:

— Viva Altisidora! Viva Altisidora!

Os duques e os reis, Minos e Radamanto, se levantaram e todos juntos, com dom Quixote e Sancho, foram receber Altisidora e descê-la do túmulo. Ela, fazendo-se de desfalecida, se inclinou para os duques e os reis, e disse, olhando atravessado para dom Quixote:

— Deus te perdoe, cavaleiro desnaturado, pois por tua crueldade parece que estive no outro mundo por mais de mil anos. E a ti, o mais compassivo escudeiro sobre a face da terra, agradeço a vida que tenho: prometo te mandar, meu amigo Sancho, seis de minhas camisas para que faças outras seis para ti. Se nem todas são novas, pelo menos todas são limpas.

Sancho beijou as mãos dela, de joelhos no chão e segurando a mitra. O duque mandou que a pegassem e devolvessem a carapuça, que lhe vestissem o saio e pegassem o manto com labaredas. Sancho suplicou ao duque que lhe deixassem a mitra e o manto, pois gostaria de levá-los para sua terra como emblema e lembrança daquela aventura inaudita. A duquesa respondeu que sim, claro, afinal ele não sabia que ela era grande amiga sua? O duque mandou desocupar o pátio, que todos se recolhessem a seus aposentos e levassem dom Quixote e Sancho aos que eles tinham ocupado antes.

LXX

QUE SE SEGUE AO SESSENTA E NOVE E TRATA DE COISAS INDISPENSÁVEIS PARA A CLAREZA DESTA HISTÓRIA

Aquela noite Sancho dormiu numa cama baixa, com rodinhas, no mesmo quarto de dom Quixote, coisa que ele gostaria de evitar, se pudesse, porque bem sabia que seu amo não haveria de deixá-lo dormir com perguntas e respostas, e não se achava com disposição para falar muito, porque ainda sentia as dores dos martírios, o que não lhe soltava a língua. Enfim, teria sido muito melhor dormir sozinho numa cabana que acompanhado naquele rico aposento. Seu temor se confirmou tão verdadeiro e sua suspeita tão certa que seu senhor disse, mal tinha se metido na cama:

— O que achas do que houve esta noite, Sancho? É grande e poderosa a força da rejeição amorosa, pois pudeste ver, com teus próprios olhos, Altisidora morta, não por flechas ou espada, nem por algum outro instrumento bélico, nem por venenos fatais, mas pela severidade e indiferença com que sempre a tratei.

— Em boa hora poderia ter morrido quando e como quisesse — respondeu Sancho —, desde que me deixasse em meu canto, pois ela nunca se apaixonou por mim nem eu a rejeitei em toda a minha vida. Como já disse outra vez, eu não sei nem consigo imaginar que relação pode ter a saúde da Altisidora, donzela mais cheia de caprichos que de miolos, com os martírios de Sancho Pança. Mas agora entendo perfeitamente, com toda clareza, que há magos e feitiços no mundo, que Deus me livre, pois eu não sei como escapar. Em todo caso, suplico a vossa mercê que me deixe dormir e não me pergunte mais nada, se não quiser que eu me atire por esta janela.

— Dorme, meu amigo Sancho — respondeu dom Quixote —, se é que te permitem as alfinetadas, os beliscões e os puxões nas barbas.

— Nenhuma dor se compara à afronta dos puxões nas barbas — replicou Sancho —, simplesmente por terem sido dados por amas, que o diabo as carregue. E suplico de novo a vossa mercê: deixe-me dormir, porque o sono alivia as misérias que temos quando acordados.

— Assim seja — disse dom Quixote —, e que Deus te acompanhe.

Os dois dormiram, e Cide Hamete, autor desta grande história, quis aproveitar a oportunidade para descrever e esclarecer o que levou os duques a montar a tremenda tramoia narrada antes. Ele diz que o bacharel Sansão Carrasco, não tendo esquecido de sua derrota para dom Quixote, quando foi derrubado como Cavaleiro dos Espelhos — derrota e queda que apagaram e desfizeram todos os seus desígnios —, quis tentar a sorte de novo, esperando se sair melhor que no passado, e assim, informando-se sobre onde estava dom Quixote com o pajem que levou a carta e o presente a Teresa Pança, mulher de Sancho, procurou nova armadura e novo cavalo e estampou a lua branca no escudo, levando a parafernália toda num burro conduzido por um camponês, não por Tomé Cecial, seu antigo escudeiro, para que não fosse reconhecido por Sancho nem por dom Quixote.

Chegou então ao castelo do duque, que lhe indicou o caminho que dom Quixote tomara com a intenção de participar dos torneios de Zaragoza; contou também as peças que tinham pregado nele com o desencantamento de Dulcineia, que havia de ser à custa do traseiro de Sancho. Por fim, contou da trapaça que Sancho havia feito dando a entender a seu amo que Dulcineia estava encantada e transformada em camponesa, e como a duquesa, sua mulher, havia insinuado que era ele, Sancho, o enganado, porque Dulcineia realmente estava encantada. O bacharel não riu pouco, considerando tanto a astúcia e a simplicidade de Sancho como a extrema loucura de dom Quixote.

O duque pediu a Sansão Carrasco que, se encontrasse dom Quixote, vencendo-o ou não, voltasse para lhe contar a aventura. Assim fez o bacharel — partiu atrás dele, não o achou em Zaragoza, seguiu em frente, e aconteceu o que já foi narrado. Voltou então ao castelo do duque e contou tudo, com as condições da batalha e que dom Quixote já estava de volta para cumprir, como bom cavaleiro andante, a palavra empenhada de se retirar por um ano em sua aldeia. Podia ser que se curasse de sua loucura, durante esse tempo, disse o bacharel, pois essa era a intenção que o movera a fazer aquela representação — dava pena ver que um fidalgo com tanto discernimento como dom Quixote fosse louco. Com isso, despediu-se do duque e voltou para sua terra, onde esperou dom Quixote, que vinha logo atrás.

Foi assim que o duque aproveitou a ocasião para fazer aquela brincadeira, tanto apreciava as histórias de Sancho e de dom Quixote. Mandou interceptar todas as estradas — próximas e distantes do castelo, em todos os pontos por onde imaginou que dom Quixote poderia passar — com criados a pé e a cavalo, para que o trouxessem por bem ou à força, se o achassem. Acharam-no, avisaram o duque, que, com tudo preparado, mal teve notícia de sua chegada mandou acender as tochas e as lamparinas do pátio e pôr Altisidora sobre o túmulo, com todos os aparatos que foram descritos, tão bem-feitos e tão autênticos que entre a farsa e a realidade havia bem pouca diferença.

E Cide Hamete diz mais: ele pensa que esses embusteiros são tão loucos como suas vítimas, que os duques não estavam a dois dedos de parecer bobos, tamanho era o empenho deles em zombar de dois bobos.

Os ditos-cujos — um dormindo a sono solto e o outro velando com pensamentos desatados — foram surpreendidos pelo dia e pela vontade de se levantar, pois os colchões macios nunca agradaram a dom Quixote, nem na derrota nem na vitória.

Altisidora — que, na opinião de dom Quixote, voltara da morte —, obedecendo aos caprichos de seus senhores, entrou no quarto do cavaleiro, coroada com a mesma grinalda que usava no túmulo e vestida com uma túnica curta de tafetá branco semeada de flores de ouro, com os cabelos soltos pelas costas, e apoiada num báculo negro de ébano finíssimo. Perturbado e confuso com aquela presença, ele se encolheu e se cobriu quase todo com os lençóis e as colchas da cama, a língua muda, incapaz de uma palavra de cortesia. Altisidora se sentou numa cadeira, perto de sua cabeceira, e, depois de ter dado um grande suspiro, com voz terna e debilitada, disse:

— Quando as mulheres distintas e as donzelas recatadas atropelam a honra e dão licença à língua para que rompa todas as barreiras da conveniência, anunciando em público os segredos que seu coração encerra, ficam em situação delicada. Eu, senhor dom Quixote de la Mancha, sou uma delas, acossada, vencida e apaixonada, mas apesar de tudo resignada e casta, tanto que, por tanto ser assim, minha alma arrebentou devido a meu silêncio e perdi a vida. Por dois dias pensando na severidade com que me trataste, cavaleiro empedernido,

Oh! mais duro que mármore ante minhas queixas,[1]

estive morta ou pelo menos tida como morta pelos que me viram; e se não fosse porque o Amor, condoendo-se de mim, depositou minha salvação nos martírios deste bom escudeiro, teria permanecido lá no outro mundo.

— O Amor poderia muito bem depositá-la nos martírios de meu burro — disse Sancho. — Eu ficaria agradecido. Mas, diga-me, senhora, que o céu lhe arranje outro amante mais brando que meu amo: que foi que viu no outro mundo? O que há no inferno? Porque quem morre desesperado, forçosamente, vai parar por lá.

— Para vos dizer a verdade — respondeu Altisidora —, eu não devo ter morrido de todo, pois não entrei no inferno: se tivesse entrado lá, de jeito nenhum poderia ter saído, mesmo que quisesse. Mas cheguei até a porta, onde estavam uns doze diabos jogando pelota, todos com calças e gibão, com capas de colarinhos largos, guarnecidas com rendas flamengas, e com punhos da mesma renda também, com quatro dedos de braço de fora, para que as mãos parecessem mais longas, nas quais tinham umas pás de fogo. Agora, o que mais me espantou foi que, em vez de pelotas, usavam livros, pelo visto cheios de vento e de borra, coisa extraordinária e inaudita. Mas, sendo natural que os jogadores vitoriosos se alegrem e os derrotados se entristeçam, me espantei mais ainda ao ver que naquele jogo todos grunhiam, todos brigavam e todos se amaldiçoavam.

— Isso não tem nada demais — respondeu Sancho —, porque os diabos, joguem ou não joguem, nunca podem estar contentes, ganhem ou não ganhem.

— É, deve ser assim — respondeu Altisidora —, mas ainda há outra coisa que me espanta, quer dizer, que me espantou então: na primeira rebatida não ficava uma pelota inteira, nem dava para aproveitar outra vez, e assim despedaçavam livros novos e velhos, que era uma maravilha. Num deles, novo, flamante e bem encadernado, deram uma bordoada que o destriparam todo, espalhando folhas a torto e a direito. Um diabo disse ao outro: "Vede que livro é este". E o diabo respondeu: "Esta é a *Segunda parte da história de dom Quixote de la Mancha*. Mas não foi escrito por Cide Hamete, o primeiro autor, e sim por um aragonês que se diz natural de Tordesilhas". "Tirai-o daqui", respondeu o outro diabo, "e jogai-o nos quintos do inferno, para que meus olhos não o vejam mais." "É tão ruim assim?", respondeu o outro. "Tão ruim", replicou o primeiro, "que nem eu conseguiria fazê-lo pior, mesmo de propósito." Continuaram a partida, jogando outros livros, e eu, por ter ouvido falar de dom Quixote, a quem tanto amo e quero, procurei reter na memória essa visão.

— Sem dúvida deve ter sido uma visão — disse dom Quixote —, porque não há outro eu no mundo, e essa história já anda por aqui de mão em mão, mas não para na de ninguém, pois todos a tocam a pontapés. Eu não me perturbei ao ouvir que vago como um fantasma pelas trevas do inferno ou pela claridade da terra, porque não sou aquele de quem essa história trata. Se ela for boa, fiel e verdadeira, terá séculos de vida; mas, se for má, de seu parto à sepultura não será muito longo o caminho.

Altisidora ia continuar se queixando de dom Quixote, quando ele lhe disse:

— Muitas vezes vos disse, senhora, que me pesa haverdes dirigido a mim vossas afeições, pois não tenho como retribuí-las, exceto com a gratidão: nasci para ser de Dulcineia del Toboso, e os fados (se é que existem) me destinaram a ela, e pensar que alguma outra formosura poderá ocupar o lugar que tem em minha alma é pensar o impossível. Esse esclarecimento deve ser suficiente para que vos retireis aos limites de vossa castidade, pois não se pode obrigar ninguém ao impossível.

Ouvindo isso, Altisidora disse, furiosa e revoltada:

— Santo Deus, seu bacalhau seco, alma de pilão, caroço de tâmara! Sois mais cabeça-dura que um camponês quando pensa que tem razão! Cuidado: se vos pego, arranco vossos olhos! Pensais por acaso que eu morri por vós, dom vencido e dom sovado a pau? Tudo que vistes esta noite foi uma farsa, que não sou mulher de deixar me doer um fio de cabelo por causa de um camelo velho, quanto mais morrer.

— Nisso sim eu acredito — disse Sancho —, pois esse negócio de morrer de amor é de morrer de rir: os amantes podem muito bem dizer, mas fazer? Que Judas acredite neles!

Estavam nessa conversa, quando entrou o músico, cantor e poeta que havia cantado as duas estrofes já mencionadas. Fazendo uma grande reverência a dom Quixote, disse:

— Considere-me e me inclua, senhor cavaleiro, entre seus mais leais criados, porque há muito tempo sou um admirador de vossa mercê, tanto por causa de sua fama como de suas façanhas.

Dom Quixote respondeu:

— Diga-me vossa mercê quem é, para que minha cortesia esteja à altura de seus méritos.

O rapaz respondeu que era o músico e poeta panegirista da noite anterior.

— Com certeza vossa mercê tem uma bela voz — replicou dom Quixote —, mas o que cantou não me parece que foi muito adequado, pois o que têm que ver os versos de Garcilaso com a morte desta senhora?

— Não se espante vossa mercê com isso — respondeu o músico —, pois entre os poetas novatos de nossa época é costume que cada um escreva como quiser e furte de quem quiser, venha ou não venha a calhar com sua intenção, e já não há asneira que cantem ou escrevam que não se atribua à licença poética.

Dom Quixote gostaria de responder, mas foi atrapalhado pelo duque e pela duquesa que entraram para vê-lo. Então, entre todos, tiveram uma longa e agradável conversa, em que Sancho disse tantas graças e tantas malícias que mais uma vez deixaram os duques admirados, tanto de sua tolice como de sua sabedoria. Dom Quixote suplicou a eles que lhe dessem permissão para que partisse naquele mesmo dia, pois aos cavaleiros derrotados, como ele, convinha mais viver numa pocilga que em palácios reais. Deram-na de boa vontade, e a duquesa lhe perguntou se Altisidora permanecia em suas boas graças. Ele respondeu:

— Minha senhora, saiba vossa senhoria que todo o mal desta donzela nasce da ociosidade, cujo remédio é a ocupação recatada e constante. Ela me disse há pouco que se usam rendas no inferno; pois bem, como deve saber fazê-las, que nunca afaste as mãos delas porque, ocupada em mexer com os bilros, não se mexerão em sua imaginação as imagens de seus desejos. Esta é a verdade, esta é minha opinião e este é meu conselho.

— É o meu também — acrescentou Sancho —, pois nunca vi em toda a minha vida uma rendeira que tenha morrido por amor: as donzelas ocupadas pensam mais em acabar suas tarefas que em seus amores. Digo por mim mesmo, porque, enquanto estou capinando, não me lembro da patroa, digo, de minha Teresa Pança, a quem quero mais que as pestanas de meus olhos.

— Falastes muito bem, Sancho — disse a duquesa. — Eu farei com que minha Altisidora se ocupe daqui por diante com bordados, em que é exímia.

— Não precisa recorrer a isso, senhora — respondeu Altisidora —, pois, pensando nas crueldades que esse malvado estúpido usou comigo, ele se apagará de minha memória sem artifício algum. E com licença de vossa grandeza, quero ir embora daqui, para não ter diante de meus olhos não sua triste figura, mas sua cara feia e abominável.

— Isso me lembra — disse o duque — aquilo que se costuma dizer:

Porque aquele que diz injúrias,
está perto de perdoar.[2]

Altisidora fez como se secasse as lágrimas com um lenço e, depois de uma reverência a seus senhores, saiu do quarto.

— O que eu vejo para ti, pobre donzela, é má sorte — disse Sancho —, pois foi se meter com uma alma de cacto e um coração de pedra. Por Deus, se tivesse se metido comigo, seriam outros quinhentos.

Acabou-se a conversa, dom Quixote se vestiu, almoçou com os duques e partiu naquela tarde.

LXXI

DO QUE ACONTECEU A DOM QUIXOTE COM SEU ESCUDEIRO SANCHO QUANDO IA PARA SUA ALDEIA

O vencido dom Quixote ia por demais pensativo, agoniado por um lado e muito alegre por outro. Sua tristeza era causada pela derrota, e a alegria, por refletir no dom de Sancho, dom poderoso como demonstrava a ressurreição de Altisidora, mesmo que o cavaleiro hesitasse em acreditar que a aia realmente houvesse morrido. Agora, Sancho não ia nada alegre, porque lhe amargurava ver que Altisidora não havia cumprido a palavra de lhe dar as camisas; e, dando voltas e voltas no assunto, disse a seu amo:

— Na verdade, senhor, sou o mais desgraçado dos médicos que deve haver no mundo, pois há muitos que, apesar de matar o doente que tratam, querem ser pagos por seu trabalho, que nada mais é que assinar uma receitinha que nem é ele que avia, mas o boticário, e estamos conversados. Mas para mim, que a saúde alheia custa gotas e gotas de sangue, puxões e beliscões, alfinetadas e açoites, não dão um tostão. Pois juro pelo que há de mais sagrado que, se largarem em minhas mãos algum outro doente, antes que eu o cure terão de molhá-las, porque dar dói e chorar faz ranho, e não posso acreditar que o céu tenha me dado o dom que tenho para que eu o use com os outros em troca de brisa e tapinhas no ombro.

— Tens razão, meu amigo Sancho — respondeu dom Quixote —, Altisidora fez muito mal em não te dar as camisas prometidas. Mas, mesmo que teu dom seja *gratis data*,[1] porque não te custou nenhum estudo, aguentar o martírio no próprio lombo é pior que estudar. De minha parte posso te garantir que, se quisesses pagamento pelos açoites do desencantamento de Dulcineia, eu já o teria dado e com juros. Mas não sei se o pagamento casa bem com a cura, e não gostaria que o prêmio atrapalhasse o remédio. Mesmo assim, parece-me que não custa nada tentar: diz o que queres, Sancho, e açoita-te logo e paga à vista, com tua própria mão, pois carregas meu dinheiro.

Com essa oferta, Sancho ficou de olhos arregalados e orelhas em pé, concordando, em seu coração, em se açoitar de boa vontade, e disse a seu amo:

— Muito bem, senhor, estou disposto a me submeter à vontade de vossa mercê, para meu proveito, pois o amor de meus filhos e de minha mulher me leva a ser interesseiro. Diga-me vossa mercê quanto me dará por cada açoite que eu der.

— Se eu fosse te pagar, Sancho — respondeu dom Quixote —, o que a magnitude e a qualidade desse remédio valem, não bastariam o tesouro de Veneza e as minas de Potosi. Calcula o quanto de dinheiro meu levas e estabelece o preço para cada açoite.

— São três mil, trezentos e tantos açoites — respondeu Sancho. — Destes, me apliquei uns cinco: falta o resto; contando esses cinco pelos tantos, para arredondar, teremos três mil e trezentos, que, a um quarto de real cada um (pois não aceitarei menos nem que todo o mundo me obrigue), somam três mil e trezentos quartos de real. Três mil quartos de real são mil e quinhentos meios reais, que são setecentos e cinquenta reais. E os trezentos quartos de real fazem cento e cinquenta meios reais, que vêm a ser setenta e cinco reais, que somando aos setecentos e cinquenta reais são ao todo oitocentos e vinte e cinco reais. Assim, entrarei em minha casa rico e contente, apesar de bem sovado, porque quem sai na chuva é..., e nem digo mais nada.

— Oh, Sancho abençoado! Oh, Sancho benévolo! — respondeu dom Quixote. — Dulcineia e eu ficaremos na obrigação de te servir todos os dias que o céu nos der de vida! Se ela voltar a ser o ente perdido, pois não é possível que não volte, sua má sorte terá sido boa sorte e minha derrota, feliz triunfo. E vê lá, Sancho, quando queres começar o castigo, pois, para que seja logo, te dou cem reais de quebra.

— Quando? — replicou Sancho. — Esta noite, sem falta. Procure vossa mercê um bom lugar em campo aberto, que eu retalharei o lombo a chicote.

A noite chegou — esperada por dom Quixote com a maior ânsia do mundo, parecendo a ele que as rodas do carro de Apolo haviam se quebrado e que o dia se espichava mais que de costume, assim como acontece aos amantes, que jamais acertam a conta de seus desejos. Por fim, entraram num arvoredo agradável não muito longe da estrada, onde, deixando vazias a sela de Rocinante e a albarda do burro, se acomodaram sobre a grama verde e jantaram com os víveres de Sancho. Então ele, fazendo um açoite forte e flexível do cabresto e da cabeçada do burro, se afastou uns vinte passos de seu amo por entre umas faias. Dom Quixote, que o viu ir com determinação e com brio, lhe disse:

— Vê aí, meu amigo, não vás te fazer em pedaços: dá um tempo para que uns açoites esperem os outros; não queiras te apressar tanto na corrida, que te falte o fôlego na metade, quero dizer, não batas com tanta força que te falte a vida antes de chegar ao número desejado. E, para que não percas por apostar uma carta a mais ou a menos, eu estarei aqui ao lado contando neste rosário os açoites que te deres. Que o céu te ajude como tua boa intenção merece.

— A bom pagador as penhoras não doem — respondeu Sancho. — Eu penso me açoitar de modo que me doa sem me matar, pois nisso deve consistir a essência desse milagre.

Em seguida, com a parte de cima do corpo despida, agarrou a corda e começou a se bater, e dom Quixote começou a contar os açoites. Sancho havia dado uns seis ou oito, quando achou que a brincadeira era pesada demais e o preço, barato demais. Então parou um pouco e disse a seu amo que tinha se enganado, porque cada açoite daqueles merecia ser pago com meio real, não com um quarto.

— Prossegue, Sancho, meu amigo — disse dom Quixote —, e não desanimes, que eu dobro a parada.

— Então, que Deus me ajude, e chovam açoites! — disse Sancho.

Mas o velhaco deixou de bater nas costas e passou a bater nas árvores, com uns gemidos de tanto em tanto, que era como se a cada um deles lhe arrancassem a alma. Dom Quixote, de coração mole e com medo que se acabasse sua vida antes de alcançar seu desejo por causa da imprudência de Sancho, disse:

— Por Deus, meu amigo, deixa este negócio por aqui, que este remédio me parece muito duro e será melhor dar tempo ao tempo, pois o mundo não foi feito num minuto. Se não contei mal, deste mais de mil açoites. Bastam por ora, que o burro, como diz o vulgo, aguenta a carga, mas não a sobrecarga.

— Não, não, senhor — respondeu Sancho —, por minha causa nunca dirão: "dinheiro adiantado, serviço atrasado". Afaste-se vossa mercê mais um pouco e me deixe dar outros mil açoites pelo menos, que em duas rodadas acabaremos a partida e ainda vão sobrar panos para as mangas.

— Bom, se te achas com tão boa disposição — disse dom Quixote —, que o céu te ajude, e mãos à obra, que eu me afasto.

Sancho voltou a sua tarefa com tanta intrepidez que já tinha arrancado as cascas de muitas árvores, tamanha era a severidade com que se açoitava; e, dando um descomunal açoite numa faia, elevou a voz, dizendo:

— Morra, Sansão, e todos os filisteus que aqui estão![2]

Dom Quixote correu, ao ouvir a voz queixosa e o golpe implacável, e, agarrando o cabresto enrolado que servia de chicote a Sancho, disse:

— Não permita a sorte, meu amigo Sancho, que por minha causa percas a vida que deve sustentar tua mulher e teus filhos: que Dulcineia espere melhor ocasião, que eu me encerrarei nos limites da esperança iminente e esperarei que recobres as forças para que esse negócio acabe bem para todos.

— Já que vossa mercê, meu senhor, assim o quer, que assim seja em boa hora — respondeu Sancho —, e bote sua capa sobre minhas costas, pois estou suando e não quero me resfriar, que os penitentes novatos correm esse perigo.

Assim fez dom Quixote e, ficando apenas de camisa, agasalhou Sancho, que dormiu até que o sol o despertou, e em seguida retomaram seu caminho, indo parar numa aldeia que ficava a três léguas dali. Apearam numa hospedaria, que por hospedaria a reconheceu dom Quixote, não por castelo com fosso profundo, torres, pontes levadiças e rastrilhos, porque, depois de ter sido vencido, pensava com mais juízo sobre todas as coisas, como agora se dirá. Alojaram-no numa sala do térreo, a que serviam de guadamecins umas sarjas velhas pintadas, como se usam nas aldeias. Numa delas estava pintada com péssima mão o rapto de Helena, quando o atrevido hóspede a roubou de Menelau, e em outra estava a história de Dido e de Eneias — ela, sobre uma torre alta, como que fazia sinais com um pedaço de lençol para o hóspede fugitivo, que no mar ia embora numa fragata ou bergantim. Notou nas duas histórias que Helena não ia de má vontade, porque ria dissimulada e maliciosamente, mas a formosa Dido vertia lágrimas do tamanho de nozes. Vendo isso, dom Quixote disse:

— Estas duas senhoras foram infelicíssimas por não terem nascido nesta época, e eu, desventurado acima de todos, por não ter nascido na delas: se eu tivesse topado com aqueles senhores, nem Troia teria sido queimada nem Cartago destruída, pois apenas matando Páris eu evitaria tantas desgraças.

— Aposto que logo, logo — disse Sancho — não haverá taberna, estalagem ou barbearia onde não ande pintada a história de nossas façanhas; mas gostaria que fossem pintadas por mãos de pintor melhor do que era quem pintou estas.

— Tens razão, Sancho — disse dom Quixote —, porque esse pintor é como Orbaneja, um pintor que apareceu em Úbeda. Quando lhe perguntavam o que pintava, respondia: "O que sair". Se por acaso pintava um galo, escrevia embaixo: "Este é um galo", para que não pensassem que era uma raposa. Assim, Sancho, parece-me que é o pintor ou escritor, pois dá na mesma, que trouxe à luz a história deste novo dom Quixote que anda por aí: pintou ou escreveu o que saiu; ou terá sido como um poeta que andava anos atrás na corte, chamado Mauleón, que respondia de improviso a tudo que lhe perguntavam. Então, quando alguém perguntou o que queria dizer *Deum de Deo*,[3] respondeu: "Dê onde der". Mas deixando isso para lá, Sancho, diga-me se pensas te dar outra sova esta noite e se queres que seja sob as telhas ou sob as estrelas.

— Por Deus, senhor — respondeu Sancho —, para o que penso me dar, tanto faz se for em casa ou no campo; mas, em todo caso, gostaria que fosse entre árvores, pois parece que elas me acompanham e me ajudam a enfrentar maravilhosamente meu tormento.

— Não, não vai ser assim, meu amigo Sancho — respondeu dom Quixote. — Para que tu recuperes as forças, vamos esperar chegar a nossa aldeia, onde estaremos depois de amanhã, o mais tardar.

Sancho respondeu que se fizesse a seu gosto, mas que ele preferia acabar logo aquele negócio, com o sangue ainda quente, porque não se deixa para amanhã o que se pode fazer hoje e porque é na demora que costuma morar o perigo, e a Deus rogando e com o cacete dando, e que promessas não enchem barriga e mais vale um pássaro na mão que dois voando.

— Basta de ditados, Sancho, pelo amor de Deus! — disse dom Quixote. — Até parece que voltas ao *sicut erat*:[4] fala direito, com simplicidade, não enrolado, como já te disse mil vezes, e verás que carne sem osso, proveito sem trabalho.

— Não sei que diabo há comigo — respondeu Sancho —, que não sei soltar o verbo sem provérbio, nem misturar alhos com bugalhos. Mas eu me emendarei, se puder.

E com isso encerrou por ora sua conversa.

LXXII

DE COMO DOM QUIXOTE E SANCHO CHEGARAM A SUA ALDEIA

Dom Quixote e Sancho estiveram todo o dia naquela aldeia, sem sair da hospedaria, à espera da noite, um para acabar em campo aberto a sova de sua penitência, e o outro para ver o fim dela, que seria também o de seu desejo. Nisso chegou à hospedaria um viajante a cavalo, com três ou quatro criados, um dos quais disse ao que parecia senhor deles:

— Aqui, senhor dom Álvaro Tarfe, vossa mercê pode passar hoje a sesta: a pousada parece limpa e fresca.

Ouvindo isso, dom Quixote disse a Sancho:

— Olha, Sancho: quando folheei aquele livro da segunda parte de minha história, parece-me que de passagem topei ali com este nome: dom Álvaro Tarfe.[1]

— Sim, pode ser — respondeu Sancho. — Vamos deixar que apeie e depois lhe perguntaremos.

O cavaleiro apeou, e a dona da pousada lhe deu o quarto diante do de dom Quixote, enfeitado com outras sarjas pintadas como as descritas antes. O cavaleiro recém-chegado vestiu roupas mais leves e, saindo para a varanda da hospedaria, que era espaçosa e fresca, perguntou a dom Quixote, que passeava por lá:

— Para onde vai vossa mercê, senhor gentil-homem?

E dom Quixote respondeu:

— Para uma aldeia perto daqui, onde nasci. E qual o destino de vossa mercê?

— Eu, senhor — respondeu o cavaleiro —, vou a Granada, que é minha pátria.

— Bela pátria! — replicou dom Quixote. — Mas, por favor, queira vossa mercê me dizer seu nome, porque é muito importante para mim sabê-lo, coisa que não posso lhe explicar facilmente.

— Meu nome é dom Álvaro Tarfe — respondeu o hóspede.

Ao que dom Quixote respondeu:

— Sem dúvida alguma penso que vossa mercê deve ser aquele dom Álvaro Tarfe que anda impresso na segunda parte da história de dom Quixote de la Mancha, recém-publicada e dada à luz do mundo por um autor moderno.

— Sou eu mesmo — respondeu o cavaleiro —, e o tal dom Quixote, personagem principal de tal história, foi grandíssimo amigo meu. Fui eu que o tirei de sua terra, ou pelo menos o encorajei a ir a um torneio que faziam em Zaragoza, para onde eu ia. Na verdade, eu lhe dei muitas mostras de amizade e impedi que o verdugo lhe medisse as costas por ser atrevido demais.[2]

— Então me diga, senhor dom Álvaro, eu tenho alguma semelhança com esse tal dom Quixote de que vossa mercê fala?

— Não, com certeza — respondeu o hóspede —, de jeito nenhum.

— E esse dom Quixote — disse o nosso — levava consigo um escudeiro chamado Sancho Pança?

— Levava sim — respondeu dom Álvaro. — E, embora tivesse fama de muito engraçado, nunca lhe ouvi dizer nada que tivesse graça.

— Acredito piamente — disse Sancho nessas alturas —, porque dizer coisas engraçadas não é para qualquer um, e esse Sancho de que vossa mercê fala, meu caro senhor, deve ser algum grandessíssimo velhaco, enfadonho e ladrão ao mesmo tempo, pois o verdadeiro Sancho Pança sou eu, que digo graças a três por quarto como se tivessem chovido sobre mim. Se não acredita, faça vossa mercê a experiência e me acompanhe por um ano, pelo menos, e verá que elas me caem a cada passo, tantas e tão boas que, sem saber o que digo, na maioria das vezes faço rir a quantos me escutam. E o verdadeiro dom Quixote de la Mancha, o famoso, o valente e o sábio, o apaixonado, o reparador de injúrias, o protetor de pupilos e órfãos, o amparo das viúvas, o matador das donzelas, aquele que tem por única senhora a sem-par Dulcineia del Toboso, é este senhor que aqui está, que é meu amo: todo e qualquer outro dom Quixote e qualquer outro Sancho Pança são embustes ou sonhos.

— Por Deus, acredito! — respondeu dom Álvaro. — Porque vós, meu amigo, dissestes mais coisas engraçadas em quatro frases que falastes do que o outro Sancho Pança em todas as que o ouvi falar, que foram muitas! Era mais comilão que bem-falante e mais bobo que engraçado. Penso que sem dúvida os magos, que perseguem dom Quixote, o bom, quiseram me perseguir também com dom Quixote, o mau. Mas não sei o que dizer, pois sou capaz de jurar que o deixei metido naquele manicômio de Toledo, a Casa do Núncio,[3] para que o curassem, e agora brota aqui outro dom Quixote, embora bem diferente do meu.

— Eu não sei se sou bom — disse dom Quixote —, mas sei que não sou mau. Como prova disso, quero que vossa mercê saiba, meu caro senhor Álvaro Tarfe, que nunca, em todos os dias de minha vida, estive em Zaragoza. Por terem me dito que esse dom Quixote fantástico havia comparecido ao torneio dessa cidade, não quis ir lá, para esfregar nas barbas do mundo a mentira dele. Assim, fui diretamente para Barcelona, repositório da cortesia, refúgio dos estrangeiros, hospital dos pobres, pátria dos valentes, vingança dos ofendidos e ninho de firmes amizades correspondidas, e em beleza e localização, única. Embora as coisas que tenham me acontecido em Barcelona não sejam nada agradáveis, mas sim de muito pesar, carrego-as sem mágoa, só por tê-la visto. Enfim, senhor dom Álvaro Tarfe, eu sou dom Quixote, o mesmo de que a fama fala, e não esse infeliz que quis usurpar meu nome e se enobrecer com minhas intenções. Suplico a vossa mercê, pelo que deve como cavaleiro, tenha a bondade de fazer uma declaração diante do alcaide desta aldeia de que vossa mercê não me viu em todos os dias de sua vida até agora, e de que eu não sou o dom Quixote impresso na segunda parte da história, nem este Sancho Pança, meu escudeiro, é aquele que vossa mercê conheceu.

— Farei isso com toda a boa vontade — respondeu dom Álvaro —, ainda que cause espanto ver dois dons Quixotes e dois Sanchos ao mesmo tempo, com nomes tão idênticos como diferentes nas ações; e repito e confirmo que não vi o que vi, nem aconteceu comigo o que me aconteceu.

— Sem dúvida vossa mercê deve estar encantado — disse Sancho —, como minha senhora Dulcineia del Toboso. Quisera o céu que o desencantamento de vossa mercê dependesse de eu me dar outros três mil e tantos açoites, como me dou por ela, que eu os daria sem cobrar nada.

— Não entendi esse negócio de açoites — disse dom Álvaro.

E Sancho respondeu que era uma longa história, mas que ele a contaria, se por acaso seguissem o mesmo caminho.

Então chegou a hora do almoço; dom Quixote e dom Álvaro comeram juntos. Por acaso entrou na hospedaria o alcaide da aldeia, com um escrivão. Diante do alcaide, dom Quixote apresentou uma petição em que solicitava, por lhe convir e estar em seu direito, que dom Álvaro, aquele cavaleiro ali presente, declarasse a sua mercê que não conhecia dom Quixote de la Mancha, que também se encontrava presente, e que não era aquele que andava impresso numa história intitulada *Segunda parte de dom Quixote de la Mancha*, escrita por um tal de Avellaneda, natural de Tordesilhas. Por fim, o alcaide tomou as medidas jurídicas cabíveis, e a declaração foi feita com todos os requisitos exigidos nesses casos, com o que dom Quixote e Sancho ficaram muito alegres, como se lhes importasse muito semelhante declaração e suas ações e suas palavras não mostrassem com clareza a diferença entre os dois dons Quixotes e os dois Sanchos. Dom Álvaro e dom Quixote trocaram muitas cortesias e oferecimentos, em que o grande manchego mostrou seu bom senso, de modo que acabou por tirar dom Álvaro Tarfe do erro em que incorrera, concluindo então o cavaleiro que estava encantado, pois tinha visto com os próprios olhos dois dons Quixotes tão contrários.

Chegou a tarde, partiram da aldeia e, dali a uma meia légua, chegaram a duas estradas que se afastavam — uma levava à aldeia de dom Quixote e a outra era a que dom Álvaro devia seguir. Nesse pequeno percurso, dom Quixote lhe contou a desgraça de sua derrota e o encantamento de Dulcineia e a solução, o que renovou o espanto de dom Álvaro. Depois de abraçar a dom Quixote e a Sancho, o cavaleiro seguiu seu caminho, e dom Quixote o seu.

Passaram aquela noite entre outras árvores, para que Sancho pudesse concluir sua penitência, que executou do mesmo modo que da outra vez, à custa das cascas das faias, bem mais que de suas costas, que protegeu tanto que não poderia espantar uma mosca, mesmo que a tivesse em cima.

O enganado dom Quixote não perdeu um só golpe da conta e achou que, com os da noite anterior, eram três mil e vinte e nove. O sol parecia ter madrugado para ver o sacrifício, e, com a luz dele, prosseguiram viagem, comentando entre si o engano de dom Álvaro e de como tinha sido bem pensado tomar sua declaração diante da justiça, e com todas as formalidades.

Andaram aquele dia e aquela noite sem que lhes acontecesse coisa digna de se contar, a não ser que nela Sancho acabou sua tarefa, com o que dom Quixote ficou muito contente. Ele mal esperava o dia para ver se topava pelo caminho com a já desencantada Dulcineia, sua senhora. Seguindo viagem, não deixava de examinar cada mulher que encontrava, para ver se não era Dulcineia del Toboso, tendo por infalível não poderem mentir as promessas de Merlin.

Com esses pensamentos e esperanças, subiram uma encosta, de onde avistaram sua aldeia. Mal a viu, Sancho se atirou de joelhos e disse:

— Abre os olhos, pátria desejada, e olha que volta a ti Sancho Pança, teu filho, não muito rico, mas bem açoitado. Abre os braços e recebe também teu filho dom Quixote, que, embora vencido pelo braço de outro, vem vencedor de si mesmo, que, conforme ele me disse, é a maior vitória que se pode desejar. Trago dinheiro, porque, se bons açoites me davam, bem montado eu ia, como disse o ladrão ao carrasco.

— Chega dessas asneiras — disse dom Quixote —, e tratemos de entrar com o pé direito em nossa vila, onde daremos rédea solta a nossas fantasias, e planejaremos nossa vida de pastores.

Com isso, desceram a encosta e foram para seu povoado.

LXXIII

DOS PRESSÁGIOS QUE DOM QUIXOTE TEVE AO ENTRAR EM SUA ALDEIA, COM OUTROS ACONTECIMENTOS QUE ADORNAM E DÃO CREDIBILIDADE A ESTA GRANDE HISTÓRIA

Conforme Cide Hamete, à entrada da aldeia, dom Quixote viu dois meninos discutindo nas eiras, e um disse ao outro:

— Não te canses, Periquillo, porque nunca mais vai vê-la em tua vida.

Dom Quixote ouviu isso e disse a Sancho:

— Não reparaste, meu amigo, no que disse aquele menino? "Nunca mais vai vê-la em tua vida."

— Mas que importa o que esse menino disse? — respondeu Sancho.

— O quê?! — replicou dom Quixote. — Não vês que aplicando aquelas palavras a minha esperança significa que não vou ver Dulcineia?

Sancho gostaria de responder, quando se atrapalhou ao ver que uma lebre vinha fugindo pelo campo, seguida por muitos galgos e caçadores. Amedrontada, a lebre veio se refugiar e se esconder entre as patas do burro. Sancho a pegou sem dificuldade e apresentou-a a dom Quixote, que estava dizendo:

— *Malum signum! Malum signum!*[1] Lebre foge, galgos a seguem: Dulcineia não aparece!

— Vossa mercê é esquisito — disse Sancho. — Digamos que esta lebre é Dulcineia del Toboso e estes galgos que a perseguem, os magos velhacos que a transformaram em camponesa; ela foge, eu a pego e a ponho em poder de vossa mercê, que a tem em seus braços e a mima: que mau sinal é este? Que mau agouro pode se ver aqui?

Os dois meninos da pendência se aproximaram para ver a lebre, e Sancho perguntou a um deles por que discutiam; o que havia dito "nunca mais vai vê-la em tua vida" respondeu que pegara uma gaiola de grilos do outro menino e que não pensava devolvê-la em toda a sua vida. Sancho tirou da algibeira quatro quartos de real, deu-os ao menino pela gaiola e, pondo-a nas mãos de dom Quixote, disse:

— Aqui estão, meu senhor, rotos e desbaratados esses presságios. Eu posso ser um tolo, mas me parece que eles têm tanto a ver com nossos assuntos como as nuvens de antigamente. E, se bem me lembro, ouvi o padre de nosso povoado dizer que não é coisa de cristão nem de sábio dar atenção a essas ninharias, e até mesmo vossa mercê me disse isso esses dias, insinuando que eram uns bobos todos aqueles cristãos que acreditavam em presságios. Mas não é preciso insistir nisso; vamos logo e entremos em nossa aldeia.

Chegaram os caçadores, pediram sua lebre e dom Quixote a entregou; seguiram adiante e, à entrada do povoado, num campo, toparam com o padre e o bacharel Carrasco rezando. Mas é bom que se diga que Sancho Pança havia jogado por cima do burro, para proteger a mixórdia de armas e armadura, a túnica de bocassim pintada com labaredas com que o vestiram no castelo do duque na noite em que Altisidora ressuscitou. Também tinha ajeitado a mitra na cabeça dele — transformação e enfeite mais insólitos com que jamais se viu um jumento no mundo.

Os dois foram logo reconhecidos pelo padre e pelo bacharel, que se aproximaram deles com os braços abertos. Dom Quixote apeou e os abraçou apertado; e os meninos — mais rápidos que os linces — perceberam a mitra do burro e correram para vê-la, e diziam um ao outro:

— Vinde, meninos, e vereis o burro do Sancho Pança todo endomingado, e a besta de dom Quixote mais magra hoje que no primeiro dia.

Por fim, rodeados de meninos e acompanhados pelo padre e pelo bacharel, entraram no povoado e foram até a casa de dom Quixote, e encontraram à porta a ama e a sobrinha, que já tinham recebido notícias de sua vinda. Também as tinham dado à mulher de Sancho, Teresa Pança, que, desgrenhada e meio despida, trazendo pela mão sua filha Sanchinha, correu para encontrar o marido. Mas, vendo-o não muito alinhado como ela pensava que havia de estar um governador, disse:

— Como vindes assim, meu caro? Pois me parece que vindes a pé e todo estropiado, e tens mais jeito de desgovernado que de governador?

— Cala-te, Teresa — respondeu Sancho —, pois quem vê cara não vê coração, e vamos para nossa casa, que lá ouvirás maravilhas. Trago dinheiro, que é o que importa, ganho com minha astúcia e sem prejuízo de ninguém.

— Se trazeis dinheiro, meu caro marido — disse Teresa —, não importa se o ganhastes assim ou assado, pois, seja lá como foi, não inventastes um modo novo.

Sanchinha abraçou o pai e perguntou se lhe trazia alguma coisa, pois estava esperando por ele como à chuva em tempo de seca. E Sancho, agarrado pela mão por sua mulher e pelo cinto por sua filha, que puxava o burro, foi para casa, deixando dom Quixote na sua em poder da sobrinha e da criada, e em companhia do padre e do bacharel.

Sem observar nem hora nem ocasião, naquele mesmo instante dom Quixote se afastou sozinho com o bacharel e o padre, e em rápidas palavras contou a eles sua derrota e a obrigação que assumira de não sair de sua aldeia por um ano, obrigação que pensava obedecer ao pé da letra, sem a transgredir um ponto, como estava sujeito pela disciplina e ordem da cavalaria andante. Mas tinha pensado em se tornar pastor durante aquele ano e se meter na solidão dos campos, onde a rédeas soltas podia dar vazão a seus pensamentos amorosos, dedicando-se ao virtuoso ofício pastoril. E suplicava a eles que fossem seus companheiros, se não tivessem muito que fazer e não estivessem impedidos por negócios mais importantes. Ele compraria ovelhas e gado suficiente para poderem ser chamados de pastores, sem falar que a parte mais importante daquele negócio já estava feita, porque já tinha dado nomes a eles, e nomes que lhes serviriam como luvas. O padre pediu que os dissesse. Dom Quixote respondeu que ele se chamaria pastor Quixótis; o bacharel, pastor Carrascão; o padre, pastor Rosarião; e Sancho, pastor Pancino.

Ficaram pasmos ao ver o novo desatino de dom Quixote, mas, para que não se fosse do povoado em busca de aventuras, esperando que pudesse ser curado naquele ano, concordaram com sua nova intenção e aprovaram por sabedoria sua loucura, oferecendo-se como companheiros em seu exercício.

— Além do mais — disse Sansão Carrasco —, como todo mundo já sabe, sou poeta célebre e a cada passo comporei versos pastoris ou cortesãos ou como vier a calhar, para nos entretermos por esses ermos por onde haveremos de andar. E o que é mais necessário, meus senhores, é que cada um escolha o nome da pastora que pensa celebrar em seus versos, e que não deixemos árvore, por mais dura que seja, onde não se inscreva e grave seu nome, como é uso e costume dos pastores apaixonados.

— Isso vem sob medida — respondeu dom Quixote —, mesmo que eu não precise buscar nome de pastora imaginária, pois está aí a sem-par Dulcineia del Toboso, glória destas ribeiras, adorno destes campos, sustento da formosura, nata da galhardia e, enfim, pessoa a quem cabe todo louvor, por mais hiperbólico que seja.

— É verdade — disse o padre —, mas nós vamos procurar por aí umas pastoras mansinhas, que, se não valerem seis, valerão meia dúzia.

Ao que Sansão Carrasco acrescentou:

— E, se faltarem, daremos a elas os nomes das que andam nas estampas e nos livros, de que o mundo está cheio: Fílidas, Amarílis, Dianas, Fléridas, Galateias e Belisardas, pois, se as vendem nas praças, nós podemos muito bem comprar e considerá-las nossas. Se minha dama, ou, digamos melhor, minha pastora, por acaso se chamar Ana, eu a celebrarei sob o nome de "Anarda", e, caso se chame Francisca, eu a chamarei "Francênia", e se Lúcia, "Lucinda", pois tudo sai pelo mesmo lugar. E Sancho Pança, se é que vai entrar nesta confraria, poderá celebrar sua mulher Teresa Pança com o nome de "Teresaina".

Dom Quixote caiu na risada com a invenção do nome, e o padre elogiou imensamente sua virtuosa e honrada resolução e se ofereceu de novo para lhe fazer companhia durante todo o tempo que se dedicasse ao cumprimento de suas forçosas obrigações. Com isso se despediram dele, e lhe rogaram e aconselharam que cuidasse de sua saúde, deleitando-se com tudo o que fosse bom para ela.

Quis a sorte que sua sobrinha e a ama tivessem ouvido a conversa dos três. Então, logo que eles se foram, as duas entraram em casa com dom Quixote, e a sobrinha disse:

— O que é isto, senhor meu tio? Agora que pensávamos que vossa mercê voltava para casa para se acomodar e levar uma vida quieta e honrada, quer se meter em novos labirintos, se tornando "pastorzinho, tu, que vens, pastorzinho, tu, que vais?".[2] A verdade pura e simples é que vossa mercê já passou do ponto.

Ao que a ama acrescentou:

— E vossa mercê poderá passar no campo as sestas do verão e os serenos do inverno? Poderá aguentar os uivos dos lobos? Não, claro que não, que isso é vida para homens fortes, curtidos e criados para esse ofício desde que largaram as fraldas e os babeiros. Depois, ruim por ruim, melhor ser cavaleiro andante que pastor. Olhe, senhor, ouça meu conselho, que lhe dou com cinquenta anos nas costas e em jejum, não entupida de pão e vinho: fique em casa, cuide de suas coisas, confesse seguido e ajude os pobres. E dane-se minha alma se isso lhe fizer mal.

— Calai-vos, minhas filhas — respondeu dom Quixote. — Sei de sobra o que devo fazer. Levai-me para a cama, pois acho que não me sinto bem, e tendes certeza de que, seja eu cavaleiro andante ou pastor por andar, nunca deixarei de vos ajudar no que for preciso, como vereis por minhas ações.

E as boas filhas (que sem dúvida o eram a ama e a sobrinha) levaram-no à cama, onde lhe deram de comer e o trataram do melhor modo possível.

LXXIV

DE COMO DOM QUIXOTE CAIU DOENTE, DO TESTAMENTO QUE FEZ E DE SUA MORTE

Como as coisas humanas não são eternas, mas um declínio constante do começo até seu derradeiro fim, especialmente as vidas dos homens, e como a de dom Quixote não tivesse o privilégio do céu para deter o curso do declínio da sua, chegou o fim e desfecho dela quando ele menos esperava. Fosse pela melancolia que lhe causava se ver vencido, ou pela disposição do céu, que assim o ordenava, foi tomado por uma febre que o deixou seis dias de cama. Nesse meio-tempo, recebeu muitas vezes a visita do padre, do bacharel e do barbeiro, seus amigos, sem que seu bom escudeiro Sancho Pança saísse da cabeceira.

Eles, julgando que o abatimento pela derrota e pelo fim da esperança de ver Dulcineia livre e desencantada o mantinha daquele jeito, por todos os meios possíveis procuravam alegrá-lo. O bacharel dizia que se animasse e levantasse para começar logo sua vida pastoril, para a qual ele já tinha escrito uma écloga, que desbancaria todas as que Sannazaro havia escrito, e que já tinha comprado com seu próprio dinheiro, de um fazendeiro de Quintanar, dois famosos cachorros para guardar o rebanho, um chamado Brasino e o outro Caramelão. Mas nem por isso dom Quixote deixava suas tristezas.

Seus amigos chamaram o médico, que tomou o pulso dele, não ficou muito satisfeito e disse que pelo sim, pelo não, cuidasse da saúde de sua alma, porque a do corpo corria perigo. Dom Quixote ouviu-o com toda a calma, mas não o ouviram assim sua criada, sua sobrinha e seu escudeiro, que começaram a chorar ternamente, como se já o dessem por morto. A opinião do médico foi que melancolias e amarguras davam cabo dele. Dom Quixote rogou que o deixassem sozinho, porque queria dormir um pouco. Obedeceram-no, e ele dormiu a sono solto, como se diz, por mais de seis horas, tanto que a criada e a sobrinha pensaram que havia de ficar no sono. Mas ele acordou no fim daquele tempo e disse com um grande brado:

— Bendito seja Deus, todo-poderoso, que tanto bem me fez! Suas misericórdias realmente não têm limites, nem as reduzem nem as impedem os pecados dos homens.

A sobrinha esteve atenta às palavras do tio e, parecendo-lhe mais razoáveis que de costume, pelo menos durante aquela doença, perguntou a ele:

— O que vossa mercê está dizendo, senhor? Há alguma novidade? Que misericórdias são essas? E que pecados?

— As misericórdias, minha cara sobrinha — respondeu dom Quixote —, são as que Deus me dispensou neste instante, e que meus pecados não impediram, como disse. Já tenho o juízo livre e claro, sem as sombras tenebrosas da ignorância que sobre ele puseram minha amarga e contínua leitura dos detestáveis livros de cavalaria. Já reconheço seus disparates e seus logros, e só me pesa que este desengano tenha chegado tão tarde, pois não me sobra tempo para compensar lendo outros que sejam luz da alma. Eu me sinto às portas da morte, minha sobrinha, mas gostaria de encará-la de um modo que mostrasse que minha vida não foi tão ruim a ponto de me deixar com fama de louco, porque, apesar de eu tê-lo sido, não gostaria de confirmar essa verdade em minha morte. Vamos, minha amiga, chame meus bons amigos, o padre, o bacharel Sansão Carrascos e mestre Nicolás, o barbeiro, que quero me confessar e fazer meu testamento.

Mas a entrada dos três dispensou a sobrinha desse trabalho. Mal os viu, dom Quixote disse:

— Felicitai-me, bons senhores, porque já não sou dom Quixote de la Mancha, mas Alonso Quixano, a quem meus costumes deram fama de "bom". Agora sou inimigo de Amadis de Gaula e de toda a inumerável corja de sua família; agora me são odiosas todas as histórias profanas da cavalaria andante, e reconheço minha estupidez e o perigo em que mc puseram tê-las lido; agora, pela misericórdia de Deus, aprendi a lição na própria carne e as abomino.

Quando os três ouviram isso, sem dúvida imaginaram que alguma nova loucura havia tomado conta dele. Sancho lhe disse:

— Agora, senhor dom Quixote, que temos notícias de que a senhora Dulcineia está desencantada, vossa mercê se sai com essa? E agora que estamos a pique de ser pastores, para passar a vida cantando como uns príncipes, vossa mercê quer se tornar ermitão? Cale-se, por Deus, volte a si e deixe de histórias.

— As histórias que vivi até aqui foram verdadeiras apenas em meu prejuízo, mas minha morte, com a ajuda do céu, deverá torná-las proveitosas para mim — replicou dom Quixote. — Senhores, sinto que estou morrendo rapidamente: deixem as brincadeiras para lá e me tragam alguém para me confessar e um escrivão para fazer meu testamento, que em situações como esta um homem não deve brincar com sua alma. Assim sendo, suplico que, enquanto o senhor padre me confessa, vão buscar o escrivão.

Olharam uns para os outros, pasmos com as alegações de dom Quixote e, apesar de duvidarem, quiseram acreditar. E um dos sinais que os levaram a deduzir que morria mesmo foi ter ele passado da loucura à sanidade tão facilmente, porque, às já mencionadas alegações, acrescentou muitas outras tão bem articuladas, tão cristãs e com tamanho bom senso que por fim não duvidaram mais, e acreditaram que havia sarado.

O padre fez todos saírem e, ficando sozinho com ele, confessou-o.

O bacharel foi atrás do escrivão e dali a pouco voltou com ele e com Sancho Pança. O dito Sancho, que já sabia pelas notícias do bacharel do estado de seu senhor, achando a criada e a sobrinha chorosas, começou a fazer beicinho e a derramar lágrimas e mais lágrimas.

Acabada a confissão, o padre saiu e disse:

— Realmente está morrendo e realmente está curado Alonso Quixano, o Bom. Podemos entrar para que faça seu testamento.

Essas palavras foram um terrível estímulo para a criada, a sobrinha e Sancho Pança, seu bom escudeiro, de tal maneira que fez rebentar os olhos deles em lágrimas e os peitos em profundos suspiros. Realmente, como se disse uma vez, enquanto dom Quixote foi apenas Alonso Quixano, o Bom, e enquanto foi dom Quixote de la Mancha, sempre foi de temperamento ameno e trato agradável, e por isso não só era amado pelos de sua casa, como por todos os que o conheciam.

O escrivão entrou com os demais e — depois de dom Quixote ter encomendado sua alma, com todos aqueles ritos cristãos necessários — fez o cabeçalho do testamento, chegando à disposição de última vontade. Então dom Quixote disse:

— *Item*. É minha vontade que certa quantia de dinheiro que está de posse de Sancho Pança, que em minha loucura fiz meu escudeiro, continue com ele, sem que o culpem ou lhe peçam conta alguma, porque houve entre nós certas coisas, uns toma lá, dá cá. E, se sobrar algum dinheiro depois de ele ter recebido o que lhe devo, que o troco seja seu, pois não deve ser muito, e que faça bom proveito. E assim como eu, estando louco, ajudei que lhe dessem o governo de uma ilha, se pudesse agora, que estou em meu juízo, lhe daria o de um reino, porque a simplicidade de seu caráter e a fidelidade de sua conduta merecem-no.

E, virando-se para Sancho, lhe disse:

— Perdoa-me, meu amigo, tê-lo levado a passar por louco como eu, fazendo-o cair no erro em que eu caí: acreditar que houve cavaleiros andantes no mundo.

— Ai, meu senhor, não morra! — respondeu Sancho, chorando. — Ouça meu conselho: viva muitos anos, porque a maior loucura que um homem pode fazer nesta vida é se deixar morrer assim sem mais nem menos, sem que ninguém o mate nem que outras mãos lhe deem cabo além das da melancolia. Vamos, não seja preguiçoso, levante-se desta cama, e vamos para o campo vestidos de pastores, como tínhamos combinado: quem sabe encontremos em alguma mata a senhora dona Dulcineia desencantada e formosa como ela só. Se vossa mercê morrer de pesar por ter sido derrotado, bote a culpa em mim, dizendo que o derrubaram por eu ter apertado mal a cincha do Rocinante, sem falar que vossa mercê deve ter visto em seus livros de cavalaria ser coisa bastante comum uns cavaleiros derrubarem outros e o que é derrotado hoje ser vitorioso amanhã.

— É verdade — disse Sansão —, o bom Sancho Pança conhece bem esses casos.

— Vamos com calma, senhores — disse dom Quixote —, pois águas passadas não movem moinhos. Eu fui louco, mas agora tenho juízo; fui dom Quixote de la Mancha, mas agora, como já disse, sou Alonso Quixano, o Bom. Possam meu arrependimento e minha sinceridade me devolver à estima que vossas mercês tinham por mim. E vamos adiante, senhor escrivão.

"*Item.* Deixo todas as minhas posses, sem necessidade de enumeração, a Antônia Quixana, minha sobrinha, aqui presente, tendo antes tirado do que for mais fácil dispor o que se necessitar para cumprir meu legado.

Quero, em primeiro lugar, que se pague o salário que devo a minha criada pelo tempo que me serviu, e mais vinte ducados para um vestido. Nomeio meus testamenteiros o senhor padre e o senhor bacharel Sansão Carrasco, aqui presentes.

"*Item.* É minha vontade que, se Antônia Quixana, minha sobrinha, quiser se casar, case com homem de quem primeiro se averiguou não saber o que são livros de cavalaria. Mas, no caso de se averiguar que ele sabe e, mesmo assim, minha sobrinha quiser se casar e efetivamente se casar, é minha vontade que perca o direito a toda a herança que deixei, e que meus testamenteiros distribuam esses bens em obras de caridade a sua vontade.

"*Item.* Suplico aos senhores meus testamenteiros que, se a boa sorte os levar a conhecer o autor que dizem que escreveu uma história que anda por aí com o título de *Segunda parte das façanhas de dom Quixote de la Mancha*, peçam a ele, de minha parte, o mais encarecidamente que se possa, que me perdoe a oportunidade que sem pensar eu lhe dei de ter escrito tantos e tamanhos disparates como nela descreve, pois parto desta vida com o escrúpulo de lhe ter dado motivo para escrevê-los."

Com isso encerrou o testamento, mas de repente desmaiou e se estendeu de comprido na cama; todos se agitaram e correram em sua ajuda. Nos três dias que ainda viveu, depois da assinatura do testamento, desmaiava muito seguido. A casa andava sobressaltada, mas mesmo assim a sobrinha comia, a criada brindava e Sancho Pança se divertia, pois isso de herdar alguma coisa apaga ou ameniza na memória do herdeiro a tristeza que é natural que o morto deixe.

Por fim, chegou a hora derradeira de dom Quixote, depois de receber todos os sacramentos e depois de ter abominado com muitas e eficazes palavras os livros de cavalaria. O escrivão se encontrava presente e disse que nunca tinha lido, em nenhum livro de cavalaria, que algum cavaleiro andante houvesse morrido em seu leito tão calma e cristãmente como dom Quixote, que, entre os lamentos e as lágrimas dos que se achavam ali, entregou sua alma, quero dizer, morreu.

Vendo isso, o padre pediu ao escrivão que testemunhasse que Alonso Quixano, o Bom, chamado comumente de "dom Quixote de la Mancha", havia deixado a presente vida e morrido de causas naturais; e que pedia esse testemunho para eliminar a oportunidade de que algum outro autor que não fosse Cide Hamete Benengeli lhe ressuscitasse falsamente e escrevesse intermináveis histórias de suas façanhas.

Este foi o fim do engenhoso fidalgo da Mancha, cuja aldeia Cide Hamete não quis lembrar, para que todas as vilas e povoados da Mancha pudessem disputar entre si para adotá-lo e tê-lo como filho, como as sete cidades da Grécia disputaram por Homero.

Deixam-se de incluir aqui os prantos de Sancho, da sobrinha e da criada de dom Quixote, e os novos epitáfios de sua sepultura, embora se inclua este de Sansão Carrasco:

Aqui jaz o fidalgo forte
que a tal extremo chegou
de bravura, que se adverte
que a morte não triunfou
sobre sua vida com sua morte.

De todo o mundo fez pouco,
foi o espantalho e o papão
do mundo, mas de tal modo,
que favoreceu sua aventura
*morrer são, depois de viver louco.**

* *Yace aquí el hidalgo fuerte/ que a tanto extremo llegó/ de valiente, que se advierte/ que la muerte no triunfó/ de su vida con su muerte.// Tuvo a todo el mundo en poco,/ fue el espan-*

E o prudente Cide Hamete disse a sua pena: "Aqui ficarás, minha pena, pendurada neste gancho, por um fio de arame, nem sei se bem cortada ou mal aparada, onde viverás longos séculos, se historiadores presunçosos e velhacos não te pegarem para te profanar. Mas, antes que se aproximem de ti, podes adverti-los, dizendo da melhor forma que puderes:

— Alto lá, seus patifezinhos!
Por nenhum seja tocada,
porque esta empresa, bom rei,
para mim estava guardada.[1]

Apenas para mim nasceu dom Quixote, e eu para ele: ele soube agir e eu escrever. Nós dois somos um só, a despeito e apesar do escritor falso e tordesilhesco que se atreveu ou haverá de se atrever a escrever com pena de avestruz grosseira e mal aparada as façanhas de meu bravo cavaleiro, porque não é carga para seus ombros, nem assunto para seu espírito insosso. Se por acaso chegares a conhecê-lo, diz-lhe que deixe repousar na sepultura os cansados e já podres ossos de dom Quixote, e não queira levá-lo para Castela, a Velha, contra todas as prerrogativas da morte, fazendo-o sair do cemitério onde real e verdadeiramente jaz estendido de fora a fora, impossibilitado de empreender uma terceira jornada e nova saída,[2] pois para zombar de tantas como fizeram tantos cavaleiros andantes, bastam as duas que ele fez, com tanto prazer e beneplácito das pessoas a cujo conhecimento chegaram, tanto neste como em reinos estranhos.

"E com isso cumprirás com o que pede a fé cristã, aconselhando bem a quem te quer mal, e eu ficarei satisfeito e orgulhoso de ter sido o primeiro que gozou in-

---

tajo y el coco/ del mundo, en tal coyuntura,/ que acreditó su ventura/ morir cuerdo y vivir loco.

teiramente do fruto de seus escritos, como desejava, pois não foi outro meu desejo que execrar para os homens as falsas e disparatadas histórias dos livros de cavalaria, que já tropeçaram nas de meu verdadeiro dom Quixote e haverão de cair de todo sem dúvida alguma." *Vale*.

Magias parciais do Quixote*

JORGE LUIS BORGES

É verossímil que estas observações já tenham sido feitas alguma vez, e talvez até muitas vezes; a discussão de sua novidade me interessa menos do que a de sua possível verdade.

Cotejado com outros livros clássicos (a *Ilíada*, a *Eneida*, a *Farsália*, a *Comédia* dantesca, as tragédias e comédias de Shakespeare), o *Quixote* é realista; esse realismo, no entanto, difere essencialmente daquele praticado no século XIX. Joseph Conrad só escreveu que excluía de sua obra o sobrenatural porque admiti-lo seria como negar que o cotidiano fosse maravilhoso: ignoro se Miguel de Cervantes compartilhou essa intuição, mas sei que a forma do *Quixote* levou-o a contrapor a um mundo imaginário e poético o mundo real e prosaico. Conrad e Henry James romancearam a realidade porque a julgavam poética; para Cervantes, o real e o poético são antinomias. Às vastas e vagas geografias do Amadis ele opõe os caminhos poeirentos e as sórdidas estalagens de Castela; imaginemos um romancista de nosso tempo que destacasse com sentido paródico os postos de gasolina. Cervantes criou para nós a poesia da Espanha do século XVII, mas nem aquele século nem aquela Espanha eram

* Ensaio publicado em *Outras inquisições*, Companhia das Letras, 2007.

poéticos aos olhos dele; homens como Unamuno, Azorín ou Antonio Machado, comovidos diante da evocação da Mancha, teriam sido incompreensíveis para ele. O plano de sua obra vetava o maravilhoso; este tinha de figurar, porém, ainda que indiretamente, como os crimes e o mistério numa paródia do romance policial. Cervantes não podia recorrer a talismãs ou sortilégios, mas insinuou o sobrenatural de modo sutil e, por isso mesmo, mais eficaz. Lá no fundo, Cervantes amava o sobrenatural. Paul Groussac, em 1924, observou: "Com alguma tintura mal fixada de latim e italiano, a colheita literária de Cervantes provinha sobretudo dos romances pastoris e de cavalaria, fábulas embaladoras do cativeiro". O *Quixote* é menos um antídoto contra essas ficções do que uma secreta despedida nostálgica.

Na realidade, cada romance reside num plano ideal; Cervantes se compraz em confundir o objetivo e o subjetivo, o mundo do leitor e o mundo do livro. Naqueles capítulos que discutem se a bacia do barbeiro é um elmo e a albarda um arnês, o problema é tratado de modo explícito; em outras passagens, como já assinalei, é apenas insinuado. No sexto capítulo da primeira parte, o padre e o barbeiro passam em revista a biblioteca de dom Quixote; para nosso assombro, um dos livros examinados é a *Galateia* de Cervantes, e acontece que o barbeiro é amigo dele e não o admira muito, e acrescenta que ele é mais versado em desditas do que em versos, e que seu livro, embora tenha alguma coisa de boa invenção, propõe algo e não conclui nada. O barbeiro, sonho de Cervantes ou forma de um sonho de Cervantes, julga Cervantes... Também é surpreendente saber, no início do nono capítulo, que o romance inteiro foi traduzido do árabe e que Cervantes adquiriu o manuscrito no mercado de Toledo e encomendou a tradução a um mourisco, a quem alojou em sua casa por mais de um mês e meio, até que concluísse a tarefa. Pensamos em Carlyle, que inventou que o *Sartor Resartus* era a versão parcial de uma obra publicada na Alemanha pelo doutor Diógenes Teufelsdroeckh; pensamos no rabino castelhano Moisés de León, que compôs o *Zohar* ou *Libro del Esplendor*, divulgando-o como obra de um rabino palestino do século III.

Esse jogo de estranhas ambiguidades culmina na segunda parte: os protagonistas já leram a primeira; os protagonistas do *Quixote* são, também, leitores do *Quixote*. Aqui é inevitável lembrar o caso de Shakespeare, que inclui no palco de *Hamlet* outro palco, onde se representa uma tragédia que é mais ou menos a de Hamlet; a correspondência imperfeita entre a obra principal e a secundária diminui a eficácia dessa inclusão. Um artifício análogo ao de Cervantes, e ainda mais assombroso, figura no *Ramáiana*, poema de Valmiki, que narra as proezas de Rama e sua guerra com os demônios. No último livro, os filhos de Rama, que não sabem quem é o pai, buscam refúgio numa floresta, onde um asceta os ensina a ler. Esse mestre é, estranhamente, Valmiki; o livro em que estudam, o *Ramáiana*. Rama ordena um sacrifício de cavalos; nessa festa estão presentes Valmiki e seus alunos: acompanhados de um alaúde, eles cantam o *Ramáiana*. Rama ouve sua própria história, reconhece os filhos e imediatamente recompensa o poeta... Algo parecido o acaso produziu nas *Mil e uma noites*. Essa compilação de histórias fantásticas duplica e reduplica até a vertigem a ramificação de um conto central em contos adventícios, mas não procura graduar suas realidades, e o efeito (que deveria ser profundo) é superficial, como um tapete persa. É conhecida a história liminar da série: o desolado juramento do rei de a cada noite desposar uma virgem que ele mandará decapitar ao alvorecer, e a resolução de Xerazade de distraí-lo com fábulas até que sobre eles tenham se passado 1001 noites e ela lhe mostre o filho. A necessidade de completar 1001 seções obrigou os copistas da obra a todo tipo de interpolações. Nenhuma, porém, tão perturbadora quanto a da noite

602, mágica entre todas. Nessa noite, o rei ouve da boca da rainha a sua própria história. Ouve o começo da história, que abrange todas as demais, e também — de forma monstruosa — a si mesma. Intuirá claramente o leitor a vasta possibilidade dessa interpolação, seu curioso perigo? Se a rainha continuar, o rei ouvirá para sempre a história truncada das *Mil e uma noites*, agora infinita e circular... As invenções da filosofia não são menos fantásticas quc as da arte: Josiah Royce, no primeiro volume da obra *The World and the Individual* (1899), formulou a seguinte: "Imaginemos que uma porção do solo da Inglaterra tenha sido perfeitamente nivelada e que nela um cartógrafo trace um mapa da Inglaterra. A obra é perfeita; não há detalhe do solo da Inglaterra, por diminuto que seja, que não esteja registrado no mapa; tudo tem aí sua correspondência. Se assim for, esse mapa deve conter um mapa do mapa, que deve conter um mapa do mapa do mapa, e assim até o infinito".

Por que nos inquieta que o mapa esteja incluído no mapa e as 1001 noites no livro das *Mil e uma noites*? Por que nos inquieta que dom Quixote seja leitor do *Quixote* e *Hamlet* espectador de *Hamlet*? Creio ter dado com a causa: tais inversões sugerem que, se os personagens de uma ficção podem ser leitores ou espectadores, nós, seus leitores ou espectadores, podemos ser fictícios. Em 1833, Carlyle observou que a história universal é um infinito livro sagrado que todos os homens escrevem e leem e procuram entender, e no qual também eles são escritos.

Notas sobre a máquina voadora*

RICARDO PIGLIA

Do *Dom Quixote* em chinês ao *Finnegans Wake* em italiano, os erros, acertos e acasos que fazem da tradução um dos capítulos essenciais da história da literatura.

1. Sempre me chamou atenção um comentário de Virginia Woolf, a escritora inglesa, que se surpreendia porque seus amigos escritores diziam de maneira unânime que o melhor romance que haviam lido era *Guerra e paz*. Mas, dizia Virginia, todos liam traduções. Me parece que há algo mais do que linguagem na narração. A narração não é como a poesia em sentido pleno, parece que transmite algo que podemos chamar de seus sentimentos, emoções, algo que cada um de nós definirá, que lhe permite sobreviver às traduções ainda que essas não sejam excelentes.

2. A figura do leitor e a figura do tradutor, que estão em certo sentido como fantasmas na origem do romance, são parte essencial do que todos consideramos o primeiro romance, *Dom Quixote*. Um romance rapidamente traduzido, um dos primeiros acontecimentos da literatura clássica a chegar a lugares muito diversos. A primeira

* Ensaio publicado na Revista 18, do Centro de Cultura Judaica de São Paulo.

tradução para o inglês é de 1612. A tradução em francês, de 1614. Para o italiano, de 1622. Para o alemão, de 1621. Quase imediatamente, nos cinco ou seis anos posteriores, o livro já começou a circular em todas as línguas. O mais extraordinário é a tradução para o chinês, de um escritor que se chama Lin Shu e seu ajudante, Chen Jialin. Shu não conhecia nenhuma língua estrangeira e seu ajudante todas as tardes lhe contava um episódio de *Dom Quixote*, que ele traduzia a partir do relato. O romance se chamou *História de um cavaleiro louco* e foi um grande êxito. É um exemplo de como um livro consegue transmitir algo além de qualquer modificação implícita que possa ser imposta na tradução.

3. Basicamente, o que o tradutor tem de fazer é pegar os sentidos múltiplos que há em um texto e reduzi-los a um de seus sentidos, e isso sempre produz possíveis equívocos. A primeira coisa que ele faz é enviar perguntas ao escritor. Partes do texto que lhe parecem obscuras. Então o tradutor é o único que verdadeiramente lê o livro. Lê todas as palavras e tem de entender todas e estar seguro. As perguntas dos tradutores são sempre extraordinárias. "Escuta: no capítulo 12 tinha a porta fechada e no capítulo 18 está aberta". Eu sempre digo a eles: "Passou alguém pela porta". O tradutor é, antes de mais nada, um leitor muito cuidadoso do original.

4. Na luta contra o equívoco, o primeiro movimento do tradutor é confirmar que está entendendo bem o texto. Não porque está escrito em outra língua, que seguramente também conhece como a língua para a qual está traduzindo, mas porque um texto de ficção sempre tem algum erro, um ponto onde a decisão sobre um sentido pode ser equivocada.

5. Por outro lado, muitas vezes os tradutores estabele-

cem com o texto uma relação de conflito. Para mim, o exemplo mais claro é Borges, que fez uma tradução de *Palmeiras selvagens*. Borges luta contra William Faulkner porque não gosta do estilo barroco, de uma sintaxe muito aberta, onde os acontecimentos estão à sombra da presença do narrador que por um momento parece que está louco ou bêbado. A primeira cena do romance é de alguém que está descendo uma escada com uma lâmpada numa noite de tormenta, e a princípio não se sabe bem quem está descendo, se se trata de uma lâmpada, está tudo contado à maneira clássica de Faulkner. Borges ordena isso. Aí se vê algo que habitualmente não se vê numa tradução: a luta do estilo do tradutor contra o estilo do texto. Situações que o tradutor trataria de contar de outra maneira.

6. Seria muito bom que na história da literatura se incluísse a história das traduções. A primeira tradução de Poe na França produz vários efeitos: em Mallarmé, Paul Valéry, no próprio Baudelaire que a traduziu, na literatura policial. Essa tradução começou a gerar textos que se incorporaram logo à tradição literária.

7. O antagônico à experiência da tradução de narrativa é a de poesia. Ela parece impossível de antemão. Alguém pode dizer que uma poesia realmente funciona quando está escrita na língua materna em que se lê. Tudo o que se lê fora da língua materna são versões que nem sempre se aproximam da eficácia verbal que tem o poema. Por isso, habitualmente os tradutores de poesia são os próprios poetas. E tanto é assim que os poetas incorporam os textos que traduzem como se fossem suas próprias obras. É muito comum em Octavio Paz. É muito comum em Haroldo de Campos. Em Emilio Pacheco no México.

8. Alguém pode dizer, falando ironicamente, que *Quixote* é o primeiro romance e *Finnegans Wake*, de Joyce, se-

ria o último porque não se pode traduzi-lo. Joyce em certo sentido tomou a decisão de escrever um romance que não se pode traduzir, pois trabalha com a justaposição de todas as línguas que Joyce conhecia, que eram muitas, e portanto é um texto em que a linguagem adquiriu um caráter noturno, estão mescladas palavras de origem alemã, italiana, inglesa etc. A única tradução válida que existe é a que, a pedido de seu amigo Italo Svevo, Joyce fez do capítulo Ana Livia Plurabelle. Joyce, para traduzir seu próprio texto, em vez de trabalhar com todas as línguas europeias que estão presentes em *Finnegans*, usa todas as línguas implícitas na língua italiana. Por um lado, como numa pequena história da língua italiana, vai vendo os momentos em que essa língua parece estrangeira e, usando os dialetos que abundam na cultura italiana, faz uma tradução extraordinária. Consegue que distintos registros de uma língua funcionem como uma língua estrangeira. É uma tradução tão extraordinária que muitos a consideraram um texto tão importante quanto os de Dante.

9. Agora me ocorrem as situações em que os escritores traduzem a si mesmos, intervêm na tradução de seus próprios textos, e também os escritores que mudam de língua, como é o caso de Joseph Conrad, polonês que escrevia em inglês, e de Samuel Beckett, que passa a escrever em francês. Por que passa a escrever em francês? Beckett tem dois argumentos: porque assim pode escrever mal, e o inglês é de Joyce. Há muitos outros. Nabokov, extraordinário estilista em inglês e, segundo dizem, extraordinário estilista na língua russa. Jerry Kozinski, escritor muito interessante, que está um pouco esquecido, mas que é muito bom, também começa a escrever em inglês. Issac Bashevis Singer, grande escritor de origem judaico-polonesa, um dos últimos que escrevia em ídiche e alguns escritores amigos, como Saul Bellow, traduziam para o inglês.

10. Gostaria de falar de um escritor que nós, argentinos, admiramos muito: Witold Gombrowicz. Um autor que havia publicado um romance que é um dos grandes livros do século passado, *Ferdydurke*. Estava um dia sentado em um bar de Varsóvia e veio um amigo: "Vai ser inaugurada uma companhia que vai ao sul, a Buenos Aires, e na viagem inaugural há lugar para um jornalista". Gombrowicz aceita a possibilidade de conhecer Buenos Aires e voltar no mesmo barco. Quando chega, três dias depois, começa a Segunda Guerra Mundial, a Polônia havia sido invadida pelos nazistas e ele fica completamente despossuído. De sua língua, de alguma possibilidade econômica, completamente na intempérie. Sobrevive e trabalha muito até que lentamente começa a reaparecer como uma figura que vive na Argentina por anos, escreve lá parte de sua obra e, quando volta à Europa, consegue reconhecimento internacional.

11. Os anos de Gombrowicz na Argentina são uma alegoria tão estranha quanto a alegoria dos manuscritos salvos de Kafka. Após os primeiros meses dificílimos, dos quais não se sabe quase nada, entra aos poucos em circulação em Buenos Aires. Seu centro de operações era a Confeitaria Rex, em cima de um cinema na *calle* Corrientes, onde ganha um pouco de dinheiro jogando xadrez. Gombrowicz anuncia que é um escritor do nível de Thomas Mann, mas todo mundo pensa que é um farsante, ninguém o conhece. Além do mais, afirma que é um conde, que sua família é aristocrática, ainda que agora, pelas contingências do mundo, viva na pobreza mais estranha.

12. Em 1947, Gombrovich sai à superfície, com a tradução para o castelhano de *Ferdydurke*. É uma tradução extraordinária que Gombrowiz faz no Café Rex com a ajuda de Virgilio Piñera, um grande escritor cubano que não sabe

polonês, enquanto Gombrovich não sabe castelhano. Com os dois falando em francês, é um pouco como a experiência chinesa, e cada um no bar intervém na discussão. É uma tradução completamente onírica. Um dos grandes acontecimentos da história da literatura essa tradução em um bar, que termina quase inventando o livro.

13. Gombrowicz aprende o castelhano em Retiro, nos bares do porto, com marinheiros e prostitutas. Seu espanhol está ligado a espaços secretos e a certas formas baixas da vida social. Numa conferência, critica a linguagem estereotipada da literatura e a sociabilidade implícita da linguagem falsamente cultivada. "Quando teremos uma linguagem para nossa ignorância?", pergunta em seu diário. "Gostaria de mandar todos os escritores ao estrangeiro, fora de seu próprio idioma e dos ornamentos e filigranas verbais, para ver o que acontecerá com eles."

14. O escritor sempre fala numa língua estrangeira, dizia Proust, e sobre essa frase Deleuze construiu sua admirável teoria da literatura menor preferida, a alemã de Kafka, um judeu tcheco que em sua casa fala tcheco, mas escreve em alemão. A posição de Gombrowicz é mais complicada: um homem maduro que se vê obrigado a falar como uma criança. Em seu primeiro conto, "Memória da maturidade", Gombrowicz se colocou nessa posição.

15. O castelhano é uma língua menor na circulação cultural do século XX. Quem sabe podemos dizer o mesmo do português. São línguas na posição Gombrowicz diante das línguas dominantes, o francês e o inglês, onde parece correr a literatura. São línguas que constroem sua grande tradição, mas nunca estão no centro da circulação literária.

16. Os livros percorrem grandes distâncias, e a tradução é uma máquina voadora. Há uma questão geográfica, de mapas e fronteiras, na circulação da literatura. Do polonês ao francês, passando pelo espanhol, a tradução é o espaço dos grandes intercâmbios e das circulações secretas. Ao se traduzir textos para criar outro registro de leitura que se possa botar ao lado de obras muito institucionalizadas, a tradução intervém na própria literatura.

Notas

PRÓLOGO AO LEITOR [PP. 7-10]

1 O *Segundo tomo del ingenioso hidalgo don Quijote de la Mancha*, publicado em Tarragona em 1614 por um autor que se oculta sob o pseudônimo de "Alonso Fernández de Avellaneda, natural da vila de Tordesilhas".

2 A batalha de Lepanto, em 7 de outubro de 1571, na qual Cervantes perdeu a mão esquerda.

3 Cervantes alude a Lope de Vega, que era colaborador da Inquisição desde 1608 e sacerdote desde 1614.

4 Alusão às *Novelas exemplares*, que foram publicadas em 1613.

5 Cardeal arcebispo de Toledo, tio do duque de Lerma e protetor de Cervantes.

6 Famoso poema satírico, escrito por volta de 1470, que circulava com comentários de Fernando del Pulgar. Criticava o governo de Henrique IV, sob a forma de alegorias pastoris.

7 A dedicatória do *Persiles* tem a data de 19 de abril de 1616, quatro dias antes da morte de Cervantes, e nela se promete de novo a segunda parte de *A Galateia*.

CAPÍTULO I [PP. 11-23]

1 Referência a um conto do folclore valenciano em que um padre, roubado durante uma viagem, é forçado pelo ladrão a jurar que não o denunciará a pessoa al-

guma. Um dia, ao rezar a missa, em que está presente o rei, o padre viu o ladrão e, no introito, em vez da oração habitual, contou a história, concluindo: "Jurei não contar a ninguém, mas conto a vós, Senhor Deus, que não sois nem homem nem mulher, que o ladrão está ali embaixo do púlpito". O ladrão foi preso, naturalmente.

2 Versos finais da primeira parte do *Orlando furioso*. Catai: norte da China, pátria de Angélica.

3 Luis Barahona de Soto escreveu *Lágrimas de Angélica* (1586), e Lope de Vega, *La hermosura de Angélica* (1602).

CAPÍTULO III [PP. 30-8]

1 Alfonso de Madrigal (1400-55), bispo de Ávila, conhecido como El Tostado, foi autor de mais de vinte grossos volumes de filosofia e teologia.

2 "Às vezes o bom Homero cochila." Citação aproximada da *Arte poética* de Horácio, verso 359.

3 "É infinito o número dos tolos." Eclesiastes, 1,15.

CAPÍTULO IV [PP. 39-44]

1 Essa história aparece no *Orlando innamorato* de Boiardo e no *Orlando furioso* de Ariosto.

2 Dia 23 de abril. São Jorge é o patrono de Aragão.

CAPÍTULO V [PP. 45-51]

1 Aos cinco sentidos considerados hoje se somavam a memória e o senso comum.

2 Um romance muito popular contava que dona Urraca ameaçou seu pai, Fernando I de Castilla y León, de se tornar uma "mulher errada", dando o corpo a quem o desejasse, se não lhe deixasse de herança uma parte do reino.

CAPÍTULO VI [PP. 52-8]

1 Os palitos eram de marfim, osso, ouro, prata ou madeira, com adornos artísticos, para uso permanente.

CAPÍTULO VII [PP. 59-66]

1 Muito bem, de acordo.

CAPÍTULO VIII [PP. 67-75]

1 Garcilaso de la Vega, na Égloga III.

CAPÍTULO IX [PP. 76-80]

1 "*Media noche era por filo*", no original. Referência à primeira linha do romance do conde Claros de Montalbán, que se tornou expressão proverbial.

2 Primeiros versos do romance de Guarinos, em que se conta a derrota dos Doze Pares.

3 Romance que conta a história de Calaínos e da filha de Almanzor, a princesa Sevilha, que em troca de seu amor pede as cabeças de Roland, Oliveiros e Reinaldos de Montalbán. Mas Calaínos é morto por Roland.

CAPÍTULO X [PP. 81-90]

1 Versos que se repetem nos romances de Fernán Gonzáles e de Bernardo del Carpio.

CAPÍTULO XI [PP. 91-7]

1 Angulo el Malo foi um famoso ator e dono de companhias dramáticas em fins do século XVI. A quinta-feira

seguinte à festa de Corpus Christi era o dia em que as companhias representavam suas peças.

CAPÍTULO XII [PP. 98-105]

1 Modelos clássicos de amizade: Niso e Euríalo foram mencionados no primeiro volume, capítulo XLVII; Pílades e Orestes são personagens de *Ifigênia em Táuride*, de Eurípedes.

2 O segundo desses versos, procedentes de um romance sobre o rei mouro Muza, era uma expressão proverbial: "O que começou como brincadeira acabou mal".

3 Mateus, 12,34, e Lucas, 6,45.

4 Vandália era o nome poético da Andaluzia, aludindo aos povos germânicos que ali se assentaram.

CAPÍTULO XIII [PP. 106-12]

1 Mateus, 15,14.

CAPÍTULO XIV [PP. 113-24]

1 Imagem da Vitória na torre da catedral de Sevilha, que serve como cata-vento. É de bronze, com 4,20 metros de altura, colocada sobre um globo de 1,5 metro.

2 Figuras de pedra de origem paleolítica que se encontram em Guisando (Ávila).

3 Próximo de Cabra, povoado cordovês, há um abismo que se supunha que fosse uma das entradas do inferno.

4 Versos de *La araucana*, de Alonso de Ercilla. Como tem alterações, deve ter sido citado de memória.

5 Uma das variedades mais características das lutas de camponeses, hoje lembradas principalmente pelas "pinturas negras" de Francisco de Goya na Quinta del Sordo.

CAPÍTULO XVI [PP. 128-38]

1 Era comum o uso do perdigão como chamariz e o do furão para caçar coelhos.
2 "Para ganhar o pão." Era expressão jurídica.
3 "Deus está em nós." Verso de Ovídio, em a *Arte de amar.*
4 Ponto Euximo, no mar Negro, para onde Ovídio foi desterrado.

CAPÍTULO XVII [PP. 139-50]

1 Porto na costa argelina, em possessão espanhola conquistada em 1509 pelo cardeal Cisneros.
2 Frase de Jesus dita a são Pedro (Mateus, 14,31).
3 Cavaleiro da época dos Reis Católicos, que entrou numa jaula para pegar a luva que sua dama havia deixado cair.
4 Espadas famosas, fabricadas por Julián del Rey, armeiro do século XV. Sua marca era um pequeno animal gravado na lâmina.

CAPÍTULO XVIII [PP. 151-61]

1 Versos com que começa o soneto X de Garcilaso: "— *¡Oh dulces prendas, por mi mal halladas,/ dulces y alegres cuando Dios quería!*".
2 Atribuía-se à pele de foca ou de lobo-marinho virtudes curativas para várias doenças, entre elas pedra nos rins e gota.
3 Segundo a lenda, homem anfíbio, siciliano, que podia passar muitos dias no fundo do mar.
4 As lagoas, que os cristãos conquistaram em 1215, devem o nome a um castelo muçulmano, localizado nas proximidades.

CAPÍTULO XIX [PP. 162-70]

1 Saiaguês, dialeto de Sayago, entre Zamora e Salamanca, era linguagem convencionalmente atribuída aos ignorantes, enquanto o toledano era tido como modelo de língua elegante e polida.

2 Bairros de má fama de Toledo. *Tenería* é o lugar onde se curtem peles.

3 Aldeia próxima a Madri.

4 *Mandoble*, em espanhol. A palavra designava a espada grande, chamada também de montante ou bastarda, que necessitava das duas mãos para ser manejada, como ainda designava o golpe que se dava com essa espada. Mas na esgrima designa um golpe dado com o braço rígido, movendo-se apenas o pulso. (N. T.)

CAPÍTULO XX [PP. 171-81]

1 Herói do cancioneiro popular que, ao fim de suas aventuras, volta para casa a tempo de impedir que sua mulher, que o considerava morto, se case com o infante Celinos.

2 Tecido luxuoso muito usado por camponeses.

3 "De toda palavra ociosa que falem os homens darão conta no dia do juízo." Mateus, 12,36.

CAPÍTULO XXI [PP. 182-9]

1 Alusão às palavras com que o profeta Natã repreende Davi por seu adultério e seu crime contra Urias. Livro dos Reis, 2,12,1-3.

2 Mateus, 19,6.

CAPÍTULO XXII [PP. 190-8]

1 A metáfora procede do livro dos Provérbios.

2 As librés eram uniformes ou atavios próprios para as festas cortesãs. Eram de cores com um valor simbólico, com desenhos alegóricos (cifras) e com comentários em versos (motes).

3 Obra do humanista italiano Virgílio Polidoro, *De inventoribus rerum* (1499), em que se investigam as mais antigas referências a ideias, costumes, objetos, leis etc., em geral para mostrar que foram inventados pelos judeus e outros povos da Ásia. Teve enorme sucesso até o século XVII.

4 Paráfrase de dois versos de um romance sobre a morte de Alonso de Aguilar no cerco de Granada ("esta empresa, Senhor,/ para mim estava reservada").

5 Antigo gibão, acolchoado de algodão, que se usava como proteção sob a armadura.

6 O primeiro, santuário mariano na província de Salamanca; o segundo, templo dedicado à Trindade, em Gaeta, porto próximo de Nápoles.

CAPÍTULO XXIII [PP. 199-210]

1 Merlin, o mago das lendas arturianas, não era francês (da Gália), mas de Gales ou Gaula.

2 Versos combinados e adaptados de dois romances diferentes sobre Montesinos.

3 Ordem militar de São João de Jerusalém, a quem pertenciam duas das lagoas.

4 Milionário. Forma castelhana de Fugger, sobrenome de uma família de banqueiros alemães.

5 Alusão ao *Libro del infante don Pedro de Portugal, que anduvo las cuatro partidas del mundo* (Salamanca, 1547).

CAPÍTULO XXIV [PP. 211-8]

1 Tacanhice, baixeza.

CAPÍTULO XXV [PP. 219-29]

1 Melisendra, filha de Carlos Magno, é a protagonista de um romance em que se conta como foi resgatada pelo marido, dom Gaifeiros, da prisão onde a tem Almanzor.

2 Parte oriental da Mancha, entre Cuenca e Albacete.

3 *Galantuomo* e *buono compagno*: homem honesto e bom companheiro.

4 "Que peixe pegamos?" Expressão que significa, mais ou menos, "como vão as coisas?". Segundo Riquer, as expressões italianas foram introduzidas na Espanha nessa época pelos soldados que voltavam da Itália.

5 Personagem de *Amadis de Gaula*. Irmã do gigante Madarque, senhor da ilha Triste, tinha os cabelos brancos tão emaranhados que não podia pentear e era tão feia que parecia o diabo, sem falar do tamanho desmesurado.

6 Atos dos Apóstolos, 1,7.

7 "Creia nas obras, não nas palavras." João, 10,38.

CAPÍTULO XXVI [PP. 230-9]

1 Primeiro verso do livro II da *Eneida* na tradução espanhola de Gregorio Hernández de Velasco, de 1557.

2 Sansueña vem do francês Sansoigne, ou seja, Saxônia.

3 Nome da espada de Roland no *Orlando furioso*. Também era chamada de Durendal ou Durandarte.

4 Palácio árabe e residência dos reis de Aragão.

5 Diante do réu iam oficiais anunciando os delitos e a sentença; atrás beleguins o açoitavam com varas. Os versos pertencem ao romance "Escarramán a La Méndez" de Francisco de Quevedo: "*con chilladores delante/ e envaramiento detrás*".

6 Capa de viagem que permitia tapar o rosto para se proteger da poeira e do sol.

CAPÍTULO XXVII [PP. 240-7]

1 Dom Quixote lembra o romance *Ya cabalga Diego Ordóñez*, que trata do cerco de Zamora e da morte de Sancho II de Castela.
2 Pode se referir tanto a Espartinas (Sevilha) como a Ocaña ou Yepes (Toledo). Contava-se que muitas aldeias preferiam ter uma *relógia*, em vez de relógio, porque queriam fazer uma criação de reloginhos. Chamavam-se os valisoletanos de caçaroleiros, os teledanos de berinjeleiros, os madrilenhos de filhotes de baleia e os sevilhanos de saboeiros.
3 Mateus, 5,44; Lucas, 6,25.
4 Mateus, 11,30.

CAPÍTULO XXXI [PP. 268-77]

1 A observação procede dos *Coloquios* (1553) de Antonio de Torquemada.
2 No porto da Herradura, próximo a Vélez Málaga, uma esquadra foi varrida por um temporal em 19 de outubro de 1562. Morreram mais de 4 mil pessoas. Os sobrenomes mencionados foram documentados em Medina del Campo.

CAPÍTULO XXXII [PP. 278-93]

1 O duelo tinha sido proibido pelo Concílio de Trento.
2 Sabonete perfumado, usado habitualmente como xampu.
3 São versos do romance sobre o marquês de Mântua, de autoria desconhecida.
4 Artistas gregos considerados exemplos de excelência nas artes.
5 Na realidade El Toboso era uma aldeia com muitos mouros e, segundo pesquisa de 1576, não tinha nobres, apenas camponeses.
6 Água perfumada com o aroma de inúmeras flores.

CAPÍTULO XXXIII [PP. 294-301]

1 Rodrigo Díaz ganhou um assento de marfim do rei Búcar, na conquista de Valência, e o deu de presente a Alfonso VI.

2 Versos que correspondem ao romance *La penitencia del rey Rodrigo*. O pecado dele foi a luxúria.

3 "Morreu na flor da idade." Michele Verino foi autor do *Disticorum liber* (1487), uma coleção de máximas muito utilizada no ensino. Morreu aos dezessete anos. E Angelo Polizinao lhe dedicou um epitáfio de que fazem parte as palavras citadas.

CAPÍTULO XXXIV [PP. 302-10]

1 Versos de *Maldiciones de Salaya*, romance muito divulgado em edições baratas. Fávila foi o sucessor de Pelayo no reino de Astúrias.

2 Hernán Núñez de Guzmán, professor de grego em Alcalá e Salamanca, comendador da Ordem de Santiago, publicou uma grande coleção de provérbios em 1555.

3 As estrelas cadentes, segundo Aristóteles, surgiam dos vapores quentes e secos originados no centro da terra.

4 Narrador das aventuras do Cavaleiro do Febo, que já apareceu no capítulo XLIII da primeira parte.

5 Personagem de *Amadis de Gaula*.

CAPÍTULO XXXVI [PP. 321-7]

1 Essa última frase foi censurada na edição de Valência de 1616, e o *Índice expurgatório* do cardeal Zapata (1632) mandou apagá-la de todas as outras. Conforme a teologia católica, é proposição ambígua, mas de maneira nenhuma heterodoxa.

2 Os criminosos eram levados num burro, pelas ruas, até o local da execução, enquanto o chicoteavam e liam a lista de seus crimes.

3 Um personagem de Boiardo e Ariosto se chama Trufaldin, nome derivado de *trufar*: enganar, burlar.
4 País imaginário que Cervantes situa perto do Ceilão, ao sul da Índia.

CAPÍTULO XXXVIII [PP. 331-8]

1 Situada na atual província de Jaén. Dizem que era famosa pelo tamanho de seus grãos-de-bico. Cervantes esteve lá como comissário do provedor de galeras.
2 Lobuna e Zorruna, no original, parecem sobrenomes inspirados pelo duque de Osuna. Como a brincadeira, no Brasil, faz pouco sentido, optei pela solução do tradutor inglês, John Rutherford, na edição mais recente da Penguin (2000). (N. T.)
3 Cabo ao sul da Índia, diante do Ceilão (Taprobana).
4 "De la dulce mi enemiga/ nace un mal que al alma hiere/ y por más tormento quiere/ que se sienta y no se diga." Trata-se de tradução de versos do poeta italiano Serafino de' Ciminelli, l'Aquilano. Eram famosos desde fins do século XV.
5 Nos livros III e X da *República*.
6 "Ven, muerte, tan escondida,/ que no te sienta venir,/ porque el placer del morir/ no me torne a dar la vida." Versos do comendador Juan Escrivá, muito conhecidos a partir do *Cancionero general* (1511).
7 "As pérolas dos mares do sul" é referência ao oceano Índico; Tíbar, lugar legendário da Arábia, onde se pensava que havia o ouro mais puro; Pancaia, outro lugar imaginário na Arábia, citado por Virgílio, possuiria um bálsamo capaz de curar todas as dores.

CAPÍTULO XXXIX [PP. 339-42]

1 "Quem poderá conter as lágrimas ao narrar tais coisas?" Citação abreviada de Virgílio, *Eneida*, II, 6-8.
2 Personagem das canções da gesta francesa e do romanceiro espanhol.

CAPÍTULO XL [PP. 343-9]

1 Não usar barba, entre os mouros, era considerado infame. Entre os espanhóis, puxar a barba era uma tremenda humilhação.

2 Há uma confusão entre a *Historia de Pierres de Provenza y la linda Magalona* e a *Historia de Clamandes y Clarmonda*, que é onde se monta um cavalo de madeira. Essa fábula tem paralelos em muitas culturas e deve ter chegado à Europa medieval através de contos árabes.

3 Paralipômenos são as Crônicas I e II da Bíblia.

CAPÍTULO XLI [PP. 350-61]

1 Aldeia da atual província de Ciudad Real onde a Santa Irmandade executava os condenados a flechaços.

2 A cosmologia da época, baseada nas ideias de Ptolomeu, dividia em quatro regiões sublunares a atmosfera: a do ar, a do frio, a da água e a do fogo. Nelas se formariam todos os fenômenos meteorológicos.

3 Torralba é personagem histórico. Foi processado como bruxo em 1528. Afirmou ter viajado pelo ar em 6 de maio de 1527 e ter assistido ao saque de Roma pelas tropas do imperador Carlos V.

4 A constelação das Plêiades, também conhecida como Sete Irmãs.

5 A piada não se limita a um jogo inócuo de palavras. Os cornos da lua separam, na astronomia e na física aristotélicas, o mundo sublunar, imperfeito e mutável, do mundo supralunar da perfeição, onde dificilmente entraria um cabrão. Porque cabrão, além de designar o macho da cabra, em espanhol designa um sujeito chato, trapaceiro e, mais, o que é traído pela mulher, ou, mais ainda, sabe que é traído e consente numa boa. Em português, cabrão é o bode e também o traído, pelo menos nos dicionários. (N. T.)

CAPÍTULO XLIII [PP. 368-74]

1 Unhas compridas eram sinal de fidalguia, prova de que não se fazia nenhum serviço manual.
2 Letras maiúsculas e descuidadas com que se escreviam nos pacotes o nome do proprietário.
3 Mateus, 7,3.

CAPÍTULO XLIV [PP. 375-86]

1 Juan de Mena, num verso de *Labirinto de fortuna*.
2 São Paulo, 1 Coríntios, 7,31.
3 Alusão à "A só", famosa pérola de propriedade da família dos Áustrias.
4 Rocha Tarpeia, lugar no monte Capitólio de onde Nero contemplou o incêndio de Roma.

CAPÍTULO XLV [PP. 387-94]

1 Odres ou bilhas, com água ou vinho, eram postos num balde com neve ou pendurados ao ar para resfriar.
2 No original, o nome da ilha é *Barataria*, ou porque o lugar se chamava Baratário ou pelo barato com que se havia dado o governo a Sancho. Trata-se de uma brincadeira com dois sentidos de barato: comissão que os jogadores pagam e engano, fraude. Pela maneira como a frase é formulada — pelo barato —, é evidente que se está dizendo "pelo engano". Em português, barato também é a comissão dos jogadores, mas não tem o sentido de fraude, como tem *barataria*, embora precisemos consultar o dicionário para saber disso. Preferi refazer a piada em português, mesmo que ela seja um tanto mais pobre, deslocando o duplo sentido para logradouro, que tanto pode ser aquilo que se alcança — enfim Sancho chega ao governo da almejada ilha — como um lugar com praças e jardins, mas lembra trapaça antes de mais nada, que é justamente o que acontece com o governo do pobre Sancho. (N. T.)

3 O alfaiate qualificado passara no exame da guilda dos alfaiates. Eles tinham fama de ladrões, daí o pedido de perdão e os agradecimentos a Deus, sempre feitos depois das blasfêmias.

4 Se não falta nada, Cervantes deve ter inserido às pressas a cena dos capuzes, confundindo a ordem dos episódios, porque a sentença aludida aparece mais adiante.

CAPÍTULO XLVI [PP. 395-400]

1 Azeite usado para curar feridas, cuja invenção é atribuída a Aparicio de Zubia.

CAPÍTULO XLVII [PP. 401-10]

1 O sêmen era considerado o suporte dos quatro humores fundamentais, portanto líquido essencial da vida.

2 "Abstenha-se."

3 Universidade bastante desprezada na época e que não tinha Faculdade de Medicina.

4 Os secretários bascos eram muito comuns e tinham fama de leais e eficazes.

CAPÍTULO XLVIII [PP. 411-20]

1 As Astúrias de Oviedo e as Astúrias de Santillana eram duas províncias da região da Montanha. Eram consideradas o berço das famílias mais nobres da Espanha, as descendentes dos godos.

CAPÍTULO L [PP. 434-43]

1 "Santo Agostinho duvida". Expressão usada nos debates escolásticos.

2 "Acredite nas obras, não nas palavras." João, 10,38.

CAPÍTULO LI [PP. 444-53]

1 Salmos, 112,7.

2 "Platão é amigo, mas a verdade é mais amiga."

CAPÍTULO LIII [PP. 462-8]

1 Conforme a divisão tradicional do ano agrícola em cinco estações, com o estio entre o verão e o outono.

CAPÍTULO LIV [PP. 469-77]

1 "Dinheiro! Dinheiro!", do alemão e do holandês *geld*.

2 No começo do século XVI, os mouriscos, quer dizer, os descendentes dos muçulmanos que permaneceram na Espanha, foram obrigados a se converter ao cristianismo. Grande parte dessas conversões foi apenas aparente. Depois de algumas rebeliões, sendo as mais importantes entre 1568-70, milhares de mouriscos de Granada foram deslocados para a Mancha. Diante da impossibilidade de assimilá-los ao catolicismo, entre 1609 e 1613 houve a decisão de expulsá-los da Espanha, de onde realmente saíram perto de 300 mil pessoas.

3 "Gritos dão crianças e velhos,/ e ele de nada se condoía." Versos de uma conhecida balada sobre o incêndio de Roma por Nero.

4 Diálogo na língua franca usada pelos peregrinos, mistura de várias línguas latinas.

5 O decreto de expulsão de 10 de junho de 1610 foi precedido, em 20 de dezembro, por uma disposição que autorizava os mouriscos a se expatriar voluntariamente.

6 Os mouriscos expulsos de Castela eram proibidos de levar moedas. Só tinham autorização de levar ouro e joias se depositassem a metade de seu valor. Consta que realmente alguns ocultaram seus bens como o fez Ricote.

7 "Como um sagitário", no original. Não se sabe exa-

tamente o que Sancho queria dizer. Não parece uma palavra errada, como às vezes ele usa. Nem parece se referir aos centauros, conhecidos como beberrões e desordeiros, com exceção de Quíron, o preceptor de Aquiles, Teseu, Hércules e tantos outros heróis. Nem parece também uma referência astrológica, dada a total ignorância do governador. Mas, em gíria, sagitário designava o preso que se levava pelas ruas abaixo de açoites. Esse significado certamente Sancho conhecia. E, se pensarmos o que passou no governo, talvez a ironia faça sentido. (N. T.)

CAPÍTULO LV [PP. 478-85]

1 Segundo as lendas medievais, Galiana era uma princesa moura, de Toledo, que vivia num suntuoso palácio às margens do Tejo e foi a primeira mulher de Carlos Magno. Se alguém reclamava dos aposentos que lhe davam, dizia-se que queria "palácios de Galiana".

2 Referência aos versos de uma balada sobre o cerco de Zamora.

CAPÍTULO LVI [PP. 486-91]

1 Os cavalos originários da Frísia, nos Países Baixos, eram grandes e lanudos.

CAPÍTULO LVII [PP. 492-7]

1 Personagem do *Orlando furioso* que deixa sua esposa Olímpia numa ilha deserta.

2 Marchena e Loja são aldeias de Sevilha e Granada, respectivamente.

CAPÍTULO LVIII [PP. 498-510]

1 São Martim de Tours. O mendigo a quem dá a capa era nada menos que Cristo.
2 1 Timóteo, 2,7.
3 Gálatas, 1,12.
4 "Desde os dias de João Batista até agora, o reino dos céus adquire-se à força, e são os violentos que o arrebatam." Mateus, 11,12.

CAPÍTULO LIX [PP. 511-9]

1 Trata-se do volume com o título de *Segundo tomo do engenhoso fidalgo dom Quixote de la Mancha, que contém sua terceira saída e é a quinta parte de suas aventuras*. Consta que foi composto pelo licenciado Alonso Fernández de Avellaneda, natural da vila de Tordesilhas. A licença da publicação é de julho de 1614. Cervantes, que escrevia o capítulo XXXVI em fins desse mesmo mês, não deve tê-lo conhecido antes do outono, e nada indica que o aproveitou antes de citá-lo aqui. Mas há quem pense que Cervantes tinha lido uma das cópias manuscritas que comumente corriam mundo antes da publicação e que planejou com toda a calma sua vingança.
2 No *Quixote* autêntico, a mulher de Sancho se chama Joana Gutiérrez, Mari Gutiérrez, Teresa Pança, Teresa Cascajo e Teresa Sancha. No apócrifo de Avellaneda, é sempre Mari Gutiérrez.

CAPÍTULO LX [PP. 520-33]

1 Adaptação da frase atribuída a Bertrand du Guesclin, quando interveio na luta entre Pedro I, o Cruel, e Henrique de Trastâmara, no castelo de Montiel: "Não derrubo rei nem faço rei, mas ajudo ao meu senhor".

2 Versos de um romance do ciclo dos Infantes de Lara chamado *La venganza de Hudarra*.

3 Roque Guinart é personagem histórico, que se chamava Perot ("Perote") Roca Guinarda, nascido em 1582 e que realmente dominou a região próxima à Barcelona. Em 1611, teve a pena de morte suspensa em troca de servir no exército real (como muitos outros bandidos catalães). Em 1614, ano em que Cervantes escrevia seu romance, ele era capitão em Nápoles.

4 Salmos, 42,8.

5 Os *cadells* (filhotes) e os *nyarros* ou *nyerros* (leitões) formavam as duas facções rivais que dividiam a sociedade catalã em todos os seus estamentos.

CAPÍTULO LXI [PP. 534-7]

1 Brincadeira com dois versos da Égloga III de Garcilaso: "*El agua baña el prado con sonido,/ alegrando la yerba y el oído*".

CAPÍTULO LXII [PP. 538-51]

1 "Fugi, inimigos!" Fórmula utilizada pelos exorcistas para afugentar o demônio.

2 O sapateado era típico de gente rústica.

3 *O pastor Fido*, de Guarini. A tradução espanhola de Cristóbal Suárez de Figueroa foi impressa em 1602 (Nápoles) e 1609 (Valência).

4 Livro de Torquato Tasso (1573) traduzido para o espanhol por Juan de Jáuregui em 1607.

5 Mesmo com crédito e documentação de Tarragona, o *Quixote* de Avellaneda deve ter sido impresso em Barcelona, na gráfica de Sebastián de Cormellas, especializado em publicar na Corona de Aragón as obras literárias castelhanas de maior sucesso.

CAPÍTULO LXIII [PP. 552-62]

1 Morro ao sul de Barcelona com uma torre de vigia.

CAPÍTULO LXVII [PP. 580-5]

1 De *nemus*, "bosque" em latim.
2 *Borceguí*: borzeguim; *zauizamí*: sótão; *maravedí*: maravedi ou morabitino; *alhelí*: aleli ou goivo; *alfaquí*: especialista na lei corânica. Apenas "almoçar" e talvez "borzeguim" não sejam de origem árabe.

CAPÍTULO LXVIII [PP. 586-92]

1 "Espero luz depois das trevas." Versículo de Jó, 17,12, e divisa da gráfica dirigida por Juan de la Cuesta até 1607.

CAPÍTULO LXIX [PP. 593-9]

1 Símbolo da virgindade triunfante.
2 Imperador da Assíria, símbolo do orgulho e da crueldade.

CAPÍTULO LXX [PP. 600-8]

1 Verso da Égloga I de Garcilaso.
2 Estribilho do *Romanceiro geral*, que começa assim: "Diamante falso e fingido".

CAPÍTULO LXXI [PP. 609-15]

1 Uma graça de Deus.
2 A expressão procede do Livro de Juízes, 16,30.
3 "Deus de Deus." Frase do Credo.

4 “Como era.” Referência à frase “*Sicut erat in principio*”, que se dizia no fim das orações.

CAPÍTULO LXXII [PP. 616-21]

1 Realmente é personagem do *Quixote* de Avellaneda, que o apresenta a caminho de Zaragoza.
2 No oitavo capítulo do livro de Avellaneda, dom Quixote é preso por querer libertar um ladrão que a justiça leva para açoitar; no nono, dom Álvaro consegue a liberdade do cavaleiro.
3 Manicômio fundado em 1480 por Francisco Ortiz, núncio apostólico de Xisto IV, onde fica internado o dom Quixote de Avellaneda.

CAPÍTULO LXXIII [PP. 622-7]

1 “Mau sinal.” Expressão de Avicena, usada pelos médicos ao diagnosticar sintomas graves.
2 Vilancico famoso: “Pastorzinho, tu, que vens;/ pastorzinho, tu, que vais,/ Onde minha senhora está,/ diz, que novas há por lá?”.

CAPÍTULO LXXIV [PP. 628-36]

1 Versos inspirados no romance de Ginés de Hita sobre o cerco de Granada: “*¡Tate, tate, folloncicos!/ De ninguno sea tocada,/ porque esta empresa, buen rey,/ para mí estaba guardada*”.
2 Avellaneda aludia a uma possível continuação das aventuras de dom Quixote em Castela, a Velha.

LEIA MAIS PENGUIN-COMPANHIA

CLÁSSICOS

Stendhal

A cartuxa de Palma

Tradução de
ROSA FREIRE D'AGUIAR
Introdução de
JOHN STURROCK

Escrito em inacreditáveis 53 dias, no final de 1838, *A cartuxa de Parma* narra as desventuras de Fabrice Del Dongo, um jovem vibrante, idealista e imaturo que decide se unir ao exército de Napoleão Bonaparte.

Quando Fabrice retorna a Palma, uma sequência de amores irresponsáveis, brigas, fugas e processos jurídicos transportam o leitor à Itália do início do século XIX. Ele reencontra sua tia, a duquesa Gina Sanseverina, agora comprometida com um importante ministro, e acaba interferindo na política local. A prosa ágil de Stendhal e a estrutura episódica da trama dão ainda mais charme às intrigas e conspirações de bastidores, potencializadas por recursos como cartas anônimas e envenenamentos.

O notável tratamento dado por Stendhal à batalha de Waterloo, por onde o protagonista vagueia sem saber que está no meio de um acontecimento importante, entusiasmou nomes como Liev Tolstói, que assume a influência da obra sobre *Guerra e paz*, e Ernest Hemingway. Logo no lançamento, o livro mereceu elogios até do conterrâneo Honoré de Balzac.

LEIA MAIS PENGUIN-COMPANHIA

CLÁSSICOS

Montaigne

Os ensaios

Tradução de
ROSA FREIRE D'AGUIAR
Introdução de
ERICH AUERBACH

Personagem de vida curiosa, Michel Eyquem, Seigneur de Montaigne (1533-92), é considerado o inventor do gênero ensaio. Esta edição oferece ao leitor brasileiro a possibilidade de ter uma visão abrangente do pensamento de Montaigne, sem que precise recorrer aos três volumes de suas obras completas. Selecionados para a edição internacional da Penguin por M.A. Screech, especialista no Renascimento, os ensaios passam por temas como o medo, a covardia, a preparação para a morte, a educação dos filhos, a embriaguez, a ociosidade.

De particular interesse para nossos leitores é o ensaio "Sobre os canibais", que foi inspirado no encontro que Montaigne teve, em Ruão, em 1562, com os índios da tribo Tupinambá, levados para serem exibidos na corte francesa. Além disso, trata-se da primeira edição brasileira que utiliza a monumental reedição dos ensaios lançada pela Bibliothèque de la Pléiade, que, por sua vez, se valeu da edição póstuma dos ensaios de 1595.

1ª EDIÇÃO [2012] 12 reimpressões

Esta obra foi composta em Sabon por warrakloureiro/ Alice Viggiani
e impressa em ofsete pela Geográfica sobre papel Pólen da
Suzano S.A. para a Editora Schwarcz em setembro de 2024

A marca FSC® é a garantia de que a madeira utilizada na fabricação do papel deste livro provém de florestas que foram gerenciadas de maneira ambientalmente correta, socialmente justa e economicamente viável, além de outras fontes de origem controlada.